Helmut Weihsmann

DAS ROTE WIEN

(c) 1985 by Promedia Druck- und Verlagsges. m. b. H.
A − 1010 Wien, Landesgerichtsstraße 20
Umschlagentwurf: Rainer Wölzl
Druck: Fuldaer Verlagsanstalt, Fulda
Printed in W.-Germany
ISBN 3−900 478−074

Helmut Weihsmann

DAS ROTE WIEN

Sozialdemokratische Architektur und Kommunalpolitik 1919 – 1934

edition spuren
promedia

Vorwort

In den letzten Jahren wurde viel über das „Rote Wien" publiziert, doch wurden immer nur einzelne Aspekte herausgegriffen, aufgearbeitet und abgehandelt; ganz selten wurde es als Gesamtphänomen untersucht. Viel Aufmerksamkeit und Raum wurden der austromarxistischen Kommunalpolitik und dem politischen Programm der Sozialdemokratie geschenkt, weniger der Architektur, die allgemein bei der Fachkritik verkürzt als rückschrittlich und bislang auch als reaktionär eingeschätzt worden ist. Doch weder gab es ein verbindliches politisches Programm hinter der Architektur der Gemeindebauten noch kann man sie allein als einen ästhetischen Ausdruck eines reformsozialistischen Konzepts beurteilen. Ebenso wäre es ein Fehler, die Architektur allein auf ihre kleinbürgerlichen Elemente zu untersuchen, vielmehr ist sie mit ihrem ästhetischen und semantischen Pluralismus — wie das kommunalpolitische Reformprogramm — als Erscheinung eines komplexen und durchaus heterogenen historischen Prozesses zu sehen.

Erst in jüngster Zeit — bedingt durch die Abkehr vom langjährigen Leitbild einer funktionalistischen Architektur, einhergehend mit dem radikalen Sinneswandel für einen qualitätsvolleren und mehr bedürfnisorientierten Wohnbau — hat man (wieder) die Qualitäten dieser sehr ambivalenten (weil auf fortschrittliche und rückschrittliche subjektive Bedürfnisse sich einlassenden) Gemeindebauten als „Antithese" zur inzwischen fragwürdig gewordenen rationalistischen Moderne entdeckt und gewürdigt.

Das Erscheinen dieses Buches ist aus mehreren Gründen nicht zufällig: erstens knüpft es zusammenfassend an die bereits publizierten Fachveröffentlichungen an, in denen die Architektur zwar schon einbezogen, (aber wegen ihres unterschiedlichen Stellenwerts verschieden rezipiert wurde; hier wären vor allem das Standardwerk von Hans und Rudolf Hautmann zu nennen, sowie mehrere spezielle Darstellungen, Dissertationen und zwei materialreiche Kataloge der Gemeinde Wien); zweitens wird der Beitrag des Roten Wien zur allgemeinen modernen Baukunst und sein Platz innerhalb der historischen Entwicklung der österreichischen Architektur immer noch verkannt und unterschätzt und drittens hat der Gesichtspunkt, den die Bauherren der Gemeindebauten ihrer Zeit erschlossen, wieder aktuellen Bezug und ihre Intentionen entsprechen durchaus den heutigen Bedürfnissen auf dem Gebiet der Wohnbauarchitektur.

Trotz meist inhaltlicher Zustimmung, aber noch sehr geteilter Sympathie, der meist jüngeren Autoren für die enorme Bauleistung des Wiener Kommunalwohnbaus, wurde die Architektur zumeist ideologiekritisch, aber selten historisch, rezipiert. Sie ist in den meisten Fällen a priori — je nach Weltbild — entweder als fortschrittlich („neuer Aufbruch") überbewertet oder als reaktionär, kleinbürgerlich und antiemanzipatorisch verdammt worden. Für einen Architekturhistoriker ist es aber wichtig, den Ursprung der baukünstlerischen Entwicklung aufzudecken. Man darf aber auch nicht die baulichen Leistungen isoliert vom Kultur- und Architekturkampf betrachten, der zwischen der geistig regen Arbeiterbewegung jener Zeit und dem bürgerlichen Feindbild, der sowohl progressiv-bürgerlichen als auch konservativ-bürgerlichen Normen, stattfand. Neben den örtlichen Quellen sollten alle Einflüsse berücksichtigt werden, die zur Entstehung dieser Architektur beitrugen und von objektiven geschichtlichen Abläufen ausgegangen sind.

Die Arbeit geht von einer historischen Strukturanalyse aus; die Untersuchung der Rahmenbedingungen erfolgt unter der dringenden Fragestellung, inwieweit die Architektur zum Aufbau oder zur Verhinderung eines eigenständigen Bewußtseins der Arbeiterklasse beitragen konnte. Während ich auf die meisten Politikfelder nur sehr verkürzt eingehen kann, möchte ich die Wohnbaupolitik und ihre Auswirkungen auf die Architektur aus den weiter oben angeführrten Gründen genau untersuchen. Sprach man in der Vergangenheit von der Architektur der Zwischenkriegszeit, war natürlich primär die Wohnbautätigkeit gemeint; vor allem wurde der soziale Wohnbau ausführlich behandelt. Das Neuartige an diesem Buch ist, daß ich erstens auch auf die parallele Bautätigkeit des privaten und konservativen Sektors nicht nur hinweise, sondern diesen durchaus im Kontext als Vergleichsmöglichkeit in meine Betrachtungen einbeziehe; zweitens werden die infrastrukturellen kommunalen Einrichtungen der Stadt wie Schulen, Bäder, Kindergärten, Wäschereien, Dorotheen, gewerbliche und industrielle Nutzbauten, Verwaltungs- und Dienstleistungsbetriebe, Autobusgaragen und Parkanlagen zum ersten Mal genauer und umfangreicher erfaßt und miteinbezogen; drittens wage ich schließlich den Versuch, etwas ketzerische Vermutungen und Feststellungen über den keineswegs einzigartigen Modellcharakter des Roten Wien herauszustreichen und dem (von politischer Seite mit Absicht überbewerteten und ein wenig einseitig dargestellten) Mythos der Kommunalpolitik der Zwischenkriegszeit entgegenzutreten. In einem Kapitel des Buches versuche ich durch Dispute den keineswegs einheitlichen, sondern widerspruchsvollen und multivalenten Charakter dieser Architektur darzustellen.

Bedanken möchte ich mich bei allen am Projekt beteiligten Personen, besonders bei Ulrike Risak, die unermüdlich und sorgfältig das gesamte Manuskript für die Drucklegung prüfte und redigierte, und ich habe Dankespflicht gegenüber den vielen Personen und Institutionen, die hilfsbereit Auskunft und wertvolles Material gaben, die ich hier platzeshalber nicht alle namentlich anführen kann, die aber im Abbildungsnachweis stehen. Ich bin ebenso Univ. Doz. Dr. Walter Krause, Dr. Josef Ehmer und Dr. Herbert Lachmayer für anregende Diskussionen und Vorlesungen verpflichtet; sehr dankbar bin ich den vielen Architekten, die mir bereitwillig Zugang zu Informationen und Archiven gewährt haben.

Wien, September 1985   Helmut Weihsmann

INHALT

I. Geschichte und Entwicklung des sozialen Wohnbauprogramms

Der sog. „Gemeindesozialismus" in der Ära Lueger

Unter dem christlich-sozialen Bürgermeister Dr. Karl Lueger (1844—1910) vollzog sich die Umwandlung Wiens zu einer modernen Großstadt. Durch Luegers Initiative, kombiniert mit seinem Impetus und Weitblick für die Bewältigung kommender verkehrstechnischer, infrastruktureller und kommunaler Aufgaben im Industriezeitalter, wurde einiges erreicht, woran die spätere sozialdemokratische Stadtverwaltung nahtlos anknüpfen konnte. Doch bis zur Realisierung dieses „Gemeindesozialismus" (Hans Riemer) mußte Lueger vor allem drei Probleme bewältigen: die „Beseitigung des bisherigen Monopols ausländischer Gesellschaften in der Versorgung Wiens mit Gas, die Eliminierung privatkapitalistischer Träger des rückschrittlichen Verkehrswesens und die Schaffung organisatorischer Voraussetzungen, die ihm eine großzügige Lösung dieser Probleme ermöglichte. Er fand diese Lösung in der Übernahme der entsprechenden Einrichtungen in die Verwaltung der Stadt getreu seinem Wort, daß das, was im öffentlichen Interesse gelegen ist, auch von öffentlichen Organen verwaltet werden soll. Der Aufbau eines neuen Gaswerkes in Wien-Simmering, der zusätzlich durch einen Finanzboykott der in- und ausländischen Banken erschwert wurde, die Verlegung neuer Rohrleitungen und die Elektrifizierung der Straßenbahn durch die städtische Verwaltung waren zu diesem Zeitpunkt, in welchem fast ausschließlich das Privatkapital dominierte, grundlegende Neuerungen, mit denen Lueger anderen europäischen Städten einen großen Schritt voraus war." (1) Einmal abgesehen von der politischen Unverfrorenheit dieser neuzeitlichen christlich-demokratischen Propaganda, die Luegersche Leistung als „einmalig" und „beispielgebend" hinzustellen, ist die Reformbestrebung Luegers — trotz konservativer Widerstände und nur dezenter Ausführungen — zutreffend.

Luegers Maßnahmen waren zweifelsohne für ihre Zeit bemerkenswert. Obwohl ökonomisch längst notwendig und politisch reif, entsprangen sie oft nur seiner persönlichen Initiative. Das kommunalpolitische Programm wurde von ihm — nicht selten gegen den Widerstand seiner eigenen Parteifreunde — rasch in die Tat umgesetzt. Luegers Verdienst war es, die unausweichlichen Forderungen und Aufgaben einer neuen Industriegesellschaft, die sich durch Wiens rasante Bevölkerungsentwicklung während der „ersten Gründerzeit" herausbildete, nicht nur frühzeitig gesehen, sondern ihre Lösung entsprechend vorbereitet zu haben. Natürlich darf dabei nicht übersehen werden, daß Luegers Hauptinteresse im Zuge dieser Wandlungen auf den kleinbürgerlichen Mittelstand gerichtet war. An diesem orientierte sich auch das kommunalpolitische Werk, an dessen Verwirklichung Lueger unmittelbar nach seinem Amtsantritt als Bürgermeister (1895) schritt. (2)

Bereits ab 1875, noch als Mitglied des Gemeinderates, hatte er ein weitblickendes Programm für die Entwicklung Wiens in den nächsten Jahrzehnten entworfen: z.B. die Beseitigung von Linienwall und Glacis zum Bau des Stubenringes, die Eingemeindung der Vororte — alles urbanistische Maßnahmen, die die Entwicklung Wiens zur Weltgroßstadt ermöglichten, aber auch neue soziale Probleme mit sich brachten, die zu neuartigen Lösungen führen mußten. Luegers daraus resultierenden Sozial- und Wirtschaftsreformen trugen jedoch, wie bereits erwähnt, nur der kleinbetrieblichen Wirtschaftsstruktur des Mittelstandes Rechnung und waren somit für die Masse der Bevölkerung immer noch unbefriedigend. Für das monopol-kapitalistische Großbürgertum waren sie bereits „ein gefährliches sozialistisches Experiment" (3), das es zu bekämpfen galt, obwohl die Kommunalisierung der Versorgungsbetriebe noch lange keine „antikapitalistische" Maßnahme darstellte und sich früher oder später international in allen Großstädten durchgesetzt hatte. Auch der Bau von Personalwohnungen für die Gemeindebediensteten war noch lange kein kommunales Wohnbauprogramm.

Über Luegers sozio-politische Basis schreiben Hautmann/Hautmann: „Die Christliche Partei, deren unumstrittener Führer Karl Lueger war, hatte von Anfang an im Wiener städtischen Kleinbürgertum eine Massenbasis, die den Kampf ihres Idols gegen die in- und ausländischen monopolartigen Kapitalgesellschaften bedingungslos unterstützte. Die entscheidende Abkehr von den Prinzipien der liberalen Wirtschaftspolitik und die starke Betonung der Vorrechte des Gemeinwesens gegenüber dem Privatkapital waren jene Grundzüge, die in die sozialdemokratische Ära hinüberwirkten und vom Roten Wien konsequent weiterverfolgt wurden." (4) Diese christlich-soziale Kommunalpolitik hatte auf das Rote Wien insofern Vorbildcharakter, als es einerseits die urbanistische Stadtplanung fortsetzte, aber mit einer noch stärkeren Verkommunalisierung der Versorgungsbetriebe, und die Sozialdemokraten andererseits an einigen Aspekten der Sozialpolitik (Gesundheits-, Armen- und Altersfürsorge, Kindererziehung, Mutterberatung etc.) anknüpften.

Durch die Entfaltung der ehemaligen Reichshauptstadt neben Budapest zur führenden Industriemetropole in der Donaumonarchie kam es zwangsläufig zu bedeutenden städtebaulichen Eingriffen, Umänderungen und Konsequenzen für Alt-Wien, das den Bedürfnissen einer neuen Großstadt gerecht werden mußte. Da die damalige Prognose optimistisch das Anwachsen der Bevölkerung auf vier Millionen Einwohner erwartete, kamen der Stadtplanung nicht nur große Aufgaben in quantitativer Hinsicht zu, sie fiel auch entsprechend repräsentativ, großzügig und großstädtisch aus. Mit Otto Wagner hätte Karl Lueger seinen idealen Baumeister gefunden, doch war dieser mit seinen funktionalistisch-techno-avantgardistischen Ideen dem Thronfolger Franz-Ferdinand und der Groß-Geld-Bourgeoisie zu radikal. Mit Ausnahme der Wiener Stadtbahn, der Vorortelinie (1898 —1905) und der Regulierung des Donaukanals (1900—1907) hat Wagner keine anderen Großprojekte für die Stadtverwaltung mehr ausgeführt. Die Architekten des Lueger-Wiens waren andere: Oberbaurat und Hofbauleiter Friedrich Ohmann

(1858–1927), Hofburgbaumeister Ludwig Baumann (1854–1936), Ferdinand Fellner d.J. (1847–1916) (mit Hermann Hellmer), die Gebrüder Julius, Rudolf und Karl Mayreder (1856–1935), die Professoren Max Hegele, Hans Schneider, Karl König und der sozialdemokratische Wagner-Schüler Hubert Gessner (1871– 1943). Wagner selbst war nur zweimal am Bau von Klinik- und Krankenhausanlagen (Steinhof, Lupusheilstätte – Wilhelminenspital) beteiligt, die zu den modernsten ihrer Art in Europa gehörten. Die Wagner-Schüler und die Secessionisten hatten, wenn überhaupt, nur wenige und bescheidene kommunale Aufgaben wie Markthallen, Milchtrinkhallen, Kioske und Tribünen für Trabrennplätze erhalten.

Die großartige Reform-, Wohn- und Kommunalpolitik der Gemeinde Wien in der „roten" Zwischenkriegszeit ist keineswegs eine totale Neuschöpfung, sondern griff im wesentlichen auf das am Ort vorhandene Vorbild zurück. Die seinerzeitigen Schwachpunkte wurden verbessert und die christlich-sozialen Erfahrungen fanden im Roten Wien ihren qualitativ entwickelteren Niederschlag. „Die Sozialdemokratie", schreibt Hans Hautmann, „sah also in Lueger einen historischen ‚Wegbereiter' des Roten Wien und schätzte seine Verwaltungstätigkeit als das ein, was sie ja tatsächlich war: als den ausschlaggebenden historisch-traditionellen Faktor für ihre eigene Kommunalpolitik." (5) Rathaushistoriker Hans Riemer geht bei seiner Beurteilung der positiven Seite des „Lugerianismus" noch einen Schritt weiter, wenn er 1945 unkritsch über Luegers Gemeindeverwaltung schreibt: „Dr. Lueger wurde zum Wegbereiter des *kommunalen Sozialismus* (6), der seine Blüte zehn Jahre nach Luegers Tode erreichen sollte, als Ausdruck der schöpferischen Kraft der sozialdemokratischen Arbeiterschaft Wiens." (7)

Kehrseiten des Lugerianismus: Die Situation der Obdachlosen wurde unter christlichsozialer Gemeindeverwaltung keineswegs besser. Die Obdachlosenfrage fand nur breiten Niederschlag im Chronikteil der Lokalzeitungen, so z.B.: „Frank H. setzte sich in der Tramway-Wartehalle auf dem Stubenring abends auf die Bank in der Hütte, schlummerte ein und schlief volle sieben Stunden in der strengen Kälte. Als man ihn weckte, sah der Mann zu seinem Entsetzen, daß ihm beide Füße abgefroren waren..." (Neuigkeits-Welt-Blatt, 16.12.1899).

Luegers Verdienst war es vor allem, die kommunalwirtschaftliche Versorgung den monokapitalistischen Betrieben zu entreißen und durch eigene preisgeregelte und soziale Monopolbetriebe zu ersetzten. Zunächst einmal begann Lueger — nach immer lauter werdenen Klagen der Bevölkerung — mit der Einbeziehung der **Elektrizitätsbetriebe** in die städtische Verwaltung. Die Wiener Stadtverwaltung errichtete von 1900–1902 in Simmering ein eigenes Elektrizitätswerk. Allmählich erfolgte die Übernahme und Kommunalisierung aller privaten Werke in Wien und damit die Monopolisierung der Elektrizitätsversorgung in der Hand und unter Kontrolle der Gemeindeverwaltung.

Auch die **Gasversorgung** wurde in städtischer Hand monopolisiert, allerdings ging man hier anders vor. Durch den zügigen Neubau eines eigenen städtischen Gaswerkes in Simmering beabsichtigte man so unabhängig zu werden, daß der mit der englischen Firma „Imperial-Continental-Gas-Association" (die ein Gaswerk am Gaudenzdorfer Gürtel, nahe des Westbahnhofs, betrieb) bis 1899 währende Abnehmervertrag nicht verlängert werden mußte. Ein ebenso großes zweites Gaswerk wurde 1909 in Leopoldau errichtet. (8)

Besonders unterentwickelt war der **öffentliche Schienenverkehr**: eine leistungsfähige Schnell- bzw. Untergrundbahn fehlte völlig. Zentrale Gestalt in der Planung der neuen Verkehrs- und Ingenieursbauten in Wien war anfangs Wagner: auf ihn und seine Ateliermitarbeiter geht nicht nur die gesamte Planung der Wiener Stadtbahn (1896–1900) zurück, sondern auch die Entwurfgestaltungen zu einer Reihe bekannter Brücken und die weniger auffallenden, aber genauso mächtigen Gürtelviadukte der Stadtbahn. Doch bevor Lueger an die Verwirklichung des neuen Verkehrskonzepts schreiten konnte, mußte er die rechtlichen und betriebsorganisatorischen Probleme bewältigen, die die privatkapitalistischen und miteinander konkurrierenden Straßenbahngesellschaften mit sich brachten. „Es gab zu dieser Zeit gleichzeitig eine mit Pferden betriebene, auf Schienen laufende Trambahn, mehrere mit Dampf betriebene Strecken, und um die Jahrhundertwende auch schon einige elektrisch betriebene Straßenbahnlinien. Jede war Eigentum einer anderen privatkapitalistischen Gesellschaft, die Linien waren untereinander nicht verbunden, so daß die Bevölkerung immer wieder von neuem eine Fahrkarte lösen und außerdem die Zwischenstrecken zu Fuß zurücklegen mußte. Die Gemeinde kaufte nach und nach alle diese Verkehrsbetriebe an, elektrifizierte sie, baute das Liniennetz aus und schuf ein einheitliches modernes Verkehrsmittel." (9)

Luegers vorausschauende Raum- und Verkehrsplanung ist auch für das heutige Wien von großer Bedeutung: Wien wurde einerseits durch eine neue zeitgemäße Verkehrsordnung mit Hochbahnen und durch den Bau mehrerer Brücken urbaner, andererseits durch die Umplanung von Friedhöfen in Parkanlagen und durch die Schaffung des Wald- und Wiesenringes als Art natürlichem Schutzwall um die Stadt grüner und im Stadtbild weicher. Mehrere Brücken für die Stadtbahn und über den Donaukanal wurden gebaut. (10) Sicherlich bekannter als Otto Wagners projektierten und ausgeführten Ingenieursbauten ist die Wienflußregulierung (1903–06) im Bereich des Stadtparks von Friedrich Ohmann und Josef Hackhofer im Stil einer großbürgerlichen Stadtplanung des Spät-Historismus.

Andere städtebauliche Konsequenzen brachte die industrielle Entwicklung Wiens nach Süden (Favoriten, Atzgersdorf) und Norden (Brigittenau, Floridsdorf) mit sich. Eine unter Lueger aktualisierte und reformierte Wiener Bau- und Raumordnung brachte nicht nur eine Kontrolle der regen Bautätigkeit mit sich, sondern auch eine Entmischung von Industriegelände und Wohngebieten, die es in der liberal-kapitalistischen Zeit nie hätte geben können. So wurden neue Industriegebiete — wie die Vieh- und Schlachthallen von St. Marx und die Schwerindustrie in Simmering und Favoriten — erschlossen. Die Nahversorgung der Bevölkerung wurde durch eine kluge Infrastrukturpolitik mit innerstädtischen Markt- und Viktualienhallen garantiert.

Eine bedeutende Errungenschaft des Lueger'schen „Gemeindesozialismus" war der Bau der leistungsfähigen **Zweiten Wiener Hochquellenwasserleitung** (1900–10), die die „rote" Gemeindeverwaltung unverändert übernehmen konnte. Mit zunehmender Expansion (11) der Stadtbevölkerung und dem scheinbar unbegrenzten Industrie- und Stadtwachstum am Beginn dieses Jahrhunderts stellte sich auch die Aufgabe der Wasserversorgung. Die in Wien bestehenden Wasserressourcen der Donau und die Reserven aus dem Schneeberg-Rax-Gebirge der Ersten Hochquellenwasserleitung (1869–73) waren schon 1900 nicht mehr ausreichend. Mit dem Bau einer zweiten Hochquellenwasserleitung, die über eine Gesamtlänge von 170 Kilometern (!) hochwertiges Wasser aus den Siebenseequellen im Hochschwabgebirge (Steiermark) zuführte, wurde schließlich nicht nur der Schlußpunkt unter ein gigantisch angelegtes städtisches Versorgungssystem gesetzt, sondern auch eine einmalige Ingenieursleistung vollbracht. Neben den diversen Wasserbehältern und Wassertürmen in der Stadt ist auch noch auf eine Anlage, die sich außerhalb der Stadt bzw. am heutigen Stadtrand befindet, hinzuweisen: das imposante Aquädukt von Liesing (1873). Mit der sicheren Frischwasserversorgung konnten dann auch Brause- und Volksfreibäder in allen Bezirken Wiens errichtet werden.

Für die Zukunft der **öffentlichen Wohlfahrt** im sozialdemokratischen Wien waren die Vorleistungen von Lueger von größter Bedeutung, denn auf Luegers Konto gingen der Bau des städtischen Kranken- und Versorgungshauses in Lainz (1904) und das Waisenhaus Hohe Warte; das Kinderspital am Wilhelminenberg am Rand der Stadt sowie das Jubiläumsspital Lainz (1903–13) zum 60. Regierungsjubiläum des Kaisers Franz Joseph I. folgten nach. Schon im Jubiläumsjahr 1898 hatte Lueger eine städtische Versicherungsanstalt gegründet — zum Schutz der Arbeiter und Angestellten der städtischen Betriebe vor einer Ausnützung durch private Versicherungsgesellschaften. Für die Arbeiterschaft schuf er eine eigene Invaliditäts- und Altersversicherung, für die Angestellten ein städtisches Krankenfürsorgeinstitut. Auch das Regierungsjubiläum 1908 nutzte Lueger mit einem Antrag zur Gründung der christlich-sozialen „Städtischen Versicherungsanstalt", die dem „kleinen Mann" ausreichenden Versicherungsschutz und Rentenversicherung gewährleisten sollte.

In der **Schulpolitik** machte Wien einen großen Sprung: In allen Bezirken entstanden moderne Schulgebäude, sodaß man bald von der „Schulstadt" Wien sprach.

Eine Verbesserung der städtischen Ver- und Entsorgung durch ein modernes Sanitäts- und Rettungswesen, die Schaffung eines städtischen Wohnungsamtes (zunächst nur für Gemeindeangestellte) und eine Kommunalisierung des Beerdigungswesens wurde erreicht. Der Zentralfriedhof wurde um ein Tor erweitert und als „geordnete" Totenstadt angelegt (bis 1910).

Bei Luegers großangelegter Kommunalisierungsaktion, die Strom-, Gas- und Straßenbetriebe von den in- und ausländischen monopolartigen Kapitalgesellschaften unabhängig zu machen und durch eine sozialpolitische Gemeindeverwaltung als preisregulierendem Faktor zu ersetzen, bedurfte er — um Boykotten des Großkapitals zu entgehen — einer andersartigen Finanzierung. Luegers anfängliche Finanzierung der Gemeinde bediente sich des privaten Kapitals, aber als diese Art der Finanzierung immer schwieriger wurde, zog er daraus die Lehre, daß ein Gemeinwesen, das leistungsfähig sein soll, auch über eine eigene Kreditorganisation und Bankwirtschaft verfügen müsse. Im Jahre 1907 gründete er die „Zentralsparkasse der Gemeinde Wien", die mit Einlagen kleiner Sparer, kleinbürgerlicher Gewerbetreibender und Geschäftsleute wirtschaften sollte. Preisregelnd und spekulationsdämmend zugleich sollte die hohe Verzinsung der großen Baugrundstücke wirken, was zwar zu einem gewissen Nachlassen der Bautätigkeit führte, aber durch die Bauaktivität der Gemeinde kompensiert wurde.
Sammelte der anti-liberalistische Lueger die unzufriedenen kleinbürgerlichen Wähler in der christlich-sozialen Partei relativ einheitlich zusammen, wodurch sie ein wirksamer politischer und wirtschaftlicher Faktor gegen das Großkapital wurden, weil sie Reformen und Kommunalisierungen der städtischen Versorgungsbetriebe begünstigten, so müssen auch die „Schattenseiten" (Hautmann/Hautmann) dieser Politik genannt werden. Das Erbe Luegers war eine unsoziale Steuerpolitik auf Kosten der ökonomisch Schwachen (12), eine höchst parteiliche Personalpolitik mit einem übertriebenen Antisemitismus und Antikommunismus (13) (Berufseinschränkungen für sozialdemokratische und kommunistische Lehrer; Agitationsverbot für Bedienstete des öffentlichen Dienstes; Verbot der Mitgliedschaft in sozialdemokratischen Vereinen), eine hohe Verschuldung und eine Dominanz der Hausbesitzer innerhalb des christlich-sozialen Gemeinderatsklubs, was arge Versäumnisse in der Wohnungspolitik mit sich brachte.
Die oftmals leichtfertig als „Gemeindesozialismus" bezeichnete Politik Luegers bildete dennoch in vielen sozialen Maßnahmen bereits die Grundlage für die Wiener Sozialdemokratie und erleichterte deren neuartigen Aufbau eines Roten Wien. Auch in bezug auf ihre Konzentration auf Wien allein, und in der Form, wie das Schicksal Wiens scheinbar immer mit dem Schicksal der Gemeindeverwaltung zusammenhing, waren die Sozialdemokraten mit ihren Vorgängern vergleichbar (14).

Historische Ausgangssituation für das Rote Wien

Mit dem Ende des Ersten Weltkrieges und dem Zusammenbruch der österreichisch-ungarischen Monarchie sank Wien aus seiner zentralen Position der Reichshaupt- und Residenzstadt eines Vielvölkerstaates in die geographisch-geopolitische Randlage eines geschrumpften Kleinstaates herab, an dessen Lebensfähigkeit Politiker zweifelten. Von der einst 56 Millonen umfassenden und sich über fast ganz Osteuropa erstreckenden Donaumonarchie war lediglich das heutige Österreich übriggeblieben — mit ca. 6,5 Millionen Einwohnern, von denen nicht weniger als ein Viertel in der ehemaligen Reichsmetropole lebte (15). Man sprach damals vom „Wasserkopf" Wien, den zu ernähren die Republik nicht imstande wäre. Der Wegfall des billigen Rohstoffbezuges aus den Kronländern führte zu erheblichen wirtschaftlichen Schwierigkeiten und umgekehrt bauten die Nachfolgestaaten eigene Industrien auf und versorgten sich selbst mit vielen Gütern, die sie früher aus Wien bezogen hatten. Das abrupte Abschneiden der Lebensmittellieferungen aus Böhmen, Mähren, Ungarn und Polen führte in Wien nicht nur zu Versorgungsschwierigkeiten und Inflation, sondern auch zu stagnierender Produktion, zu Betriebsstillegungen, Bankrotten und Arbeitslosigkeit.

Dazu kam, daß die Nachfolgestaaten alle deutschsprachigen Staatsbeamten, Eisenbahner und Militärs auf österreichisches Gebiet, vor allem aber nach Wien, abschoben. So konnte man — bedingt durch die Kriegswirren — eine ungleichzeitige Binnenwanderung beobachten, die in Wien zu einer verheerenden **Wohnungsnot** führte. In einem zeitgeschichtlichen Dokument heißt es dazu: „Zunächst ist die Wohnungsnot fast immer eine Folge der Wanderbewegung. In Bezug auf die Wanderbewegung ist nun Wien stärker betroffen worden als andere Länder und Städte (der Donaumonarchie). Die *Zuwanderung* war sowohl bei Kriegsbeginn als auch nach Kriegsende eine sehr lebhafte. Bei Kriegsbeginn und während des Krieges führten die Katastrophen in den Grenzlanden der alten Monarchie zur Zuwanderung der Kriegsflüchtlinge. Nach dem Krieg bewirkte der Zerfall der Monarchie in sieben Nachfolgestaaten, die ein Teil unseres Wirtschaftskörpers waren, daß Tausende von Existenzen entwurzelt und zur Abwanderung genötigt wurden. Ganz anders vollzog und vollzieht sich noch heute die *Abwanderung* von Wien. Während die Abwanderung aus den Nationalstaaten nach Wien meist plötzlich unter dem Druck und Zwang der Verhältnisse erfolgte und immer die Beistellung von Wohnungen erforderte, ist durch die Abwanderung von Wien zunächst keine Wohnung nutzbar geworden." (16) Die Wohnungsknappheit resultierte nicht nur aus den Ab- und Zuwanderungsschwankungen, sondern war auch schon vor dem Ersten Weltkrieg akut. (17) Nach dem Krieg verschärften sich bloß die Zustände, denn die Bevölkerungszahl Wiens blieb im Untersuchungszeitraum 1914—18 konstant; leichte Wanderungsgewinne durch die Flüchtlinge aus den Ostgebieten und durch Kriegsheimkehrer wurden durch ein Zurückgehen der Geburten und durch Kriegsopfer ausgeglichen. (18) Trotzdem herrschte Wohnungsmangel, weil die privatwirtschaftliche Wohnungsproduktion in den Kriegsjahren drastisch zurückgegangen war bzw. durch die Einführung des Kündigungsschutzes ihren Plafond erreicht hatte. Während sich also einerseits ein Geburtendefizit bemerkbar machte und durch Kriegsverluste und Abwanderung eine Abnahme der jüngeren Produktivkräfte vor sich ging, war andererseits weiterhin ein großer Bedarf an Wohnraum festzustellen: denn erstens wuchs die Zahl älterer Menschen, die weiterhin in ihren Wohnungen lebten, machte sich zweitens ein sprunghaftes Ansteigen der Eheschließungen bemerkbar und drittens wurden durch die Zuwanderung neue Haushalte gegründet. Ein weiteres Moment der Verschärfung der Wohnungsnot bildete die seit Kriegsbeginn zu verzeichnende außerordentliche Vermehrung der Büro- und Diensträume der amtlichen Zentralstellen des Staates und des Militärs. Schließlich wurde der Wohnungsmangel noch durch Zunahme der Büroflächen im innerstädtischen Bereich auf Kosten der Wohnungen verschärft. Dies alles wirkte sich auf den Wohnungsmarkt denkbar ungünstig aus: trotz sinkender Einwohnerzahl wurden paradoxerweise mehr Wohnungen gebraucht.

Eine andere Ursache für die Wohnungsnot in Wien nach 1918 lag in den furchtbaren Wohnverhältnissen der Wiener Arbeiter in der Vorkriegszeit: Wien hatte teure, aber schlechte, substandardisierte Wohnungen. Das **Wohnungselend** war aufgrund der bauspekulativen Ausrichtung der liberal-kapitalistischen Gründerzeit-Phase entstanden. Und da die Wohnungsproduktion und Wohnungserhaltung auf rein privat-kapitalistischen Kriterien einer kurzfristigen maximalen Profitierung basierten, waren Wohnwert und Wohnqualität sehr gering.

Je kleiner und schlechter eine Wohnung war, desto höher war im Vergleich zu ihrem wahren Gebrauchswert und im Verhältnis zu größeren Wohnungen der Mietzins. Arbeiter und Angestellte mußten ein Fünftel, oft sogar ein Viertel ihres

Wohnungselend: ein Stück „Alt Wien", Hainburgerstraße

16

Monatslohnes für den Mietzins der Wohnungen ausgeben, die nicht einmal den geringsten gesundheitlichen Ansprüchen genügten. Sie standen fast immer wieder vor der unerbittlichen Notwendigkeit, mit jeder angebotenen Wohnung vorlieb nehmen zu müssen und hatten dabei für die schlechteste Wohnung einen Preis zu entrichten, der im Verhältnis zu ihrem Einkommen weitaus größer war als der Preis, den die Wohlhabenden für große Wohnungen zahlten. Der hohe Zins zwang die meisten Inhaber von Kleinwohnungen zur Aufnahme von Untermietern und „Bettgehern" (Schlafburschen/Bettmädel), auf die ein Teil des sonst unerschwinglichen Zinses abgewälzt wurde. Die Aufnahme von „Bettgehern", Untermietern und das Errichten kleiner Familienpensionen wirkte sich in einer kastrophalen Belagsdichte aus, die schon zu zeitgenössischer Kritik veranlaßte. So schildert der bürgerliche Nationalökonom Eugen Philippovich rührend: ,,Man kann Wohnung für Wohnung abschreiten, es fehlt alles, was wir als Grundlage gesunden, *bürgerlichen* Lebens *zu sehen gewohnt sind.* (...) Diese Wohnungen bieten keine Behaglichkeit und keine Erquickung, sie haben keinen Reiz für den von der Arbeit Abgemühten. Wer in sie hinabgesunken oder hineingeboren wurde, muß körperlich und geistig verkümmern und verwelken oder verwildern." (19)

Im Gegensatz zum betulich humanistischen Philippovich beschreibt eine der Betroffenen, Gabriele Proft, eine der späteren Führerinnen der Wiener Arbeiterinnenbewegung, ihre ersten Tage in Wien, wohin sie 1896 von Troppau gekommen war, realistischer so: ,,In Ottakring, einem Proletarierbezirk, fand ich Quartier. Dort lernte ich am ersten Tag die Gefahren des Wohnelends kennen, als ,Bettmädel' in einer Wohnung, die für drei Erwachsene und zwei Kinder nur zwei Betten zur Verfügung hatte. Am nächsten Tag lief ich davon und nahm dann, weil ich ohne Mittel war und etwas anderes nicht finden konnte, einen Dienstplatz an." (20) Wolfgang Speiser beschreibt das Wohnungselend plastisch: ,,Vor allem in den Arbeiterbezirken außerhalb des Gürtels herrschten die furchtbarsten Zustände. In Tausenden Kellerwohnungen tropfte das Wasser von den Wänden. In den meisten großen Zinskasernen waren enge Zimmer-Küche-(Gang)-Wohnungen um einen lichtlosen Gang gruppiert, auf dem es für mehrere Hausparteien eine gemeinsame Toilette und eine Wasserleitung, die sogenannte ,Bassena' (21), gab. Noch 1917 hatten 92% der Wiener Wohnungen kein eigenes Klosett und 95% keine eigene Wasserleitung. Die Arbeiterhäuser brachten den Hausherren eine hohe Verzinsung ihres Kapitals, bis zu 25%, und wurden natürlich mit kleinsten Wohnflächen (im Durchschnitt 20 qm) gebaut. Der Mietzins für diese *Wohnhöhlen* verschlang ein Viertel eines Arbeiterlohns." (22)

Eine am 12. April 1917 durchgeführte Wohnungszählung ergab — mit einer rein statistischen Aufzählung über die Gruppierungen der Wohnungsgrößen — Aufschluß über das furchtbare Wohnungselend (23) in Wien. Bei dieser Erhebung wurden insgesamt 554544 Wohnungen erfaßt. Davon wurden vier Gruppen von Wohnungsgrößen aufgestellt: 405991 (73,21%) *Kleinwohnungen* bis einschließlich ein Zimmer und ein Kabinett; hiervon bestanden 29483 aus einem einzigen Raum (Kabinett); 10294 aus einem mehr als einfenstrigen Raum (Zimmer) ohne sonstiges Zubehör; 36775 Wohnungen bestanden aus Kabinett und Küche; 184999 Wohnungen aus Zimmer und Küche; 108273 aus Zimmer, Kabinett und

Küche; 20628 aus Zimmer, Kabinett, Vorraum und Küche, einschließlich der 15539 leerstehenden Wohnungen. Der Anteil der *Mittelwohnungen* betrug 9,35%, *große Mittelwohnungen* gab es 12,58% und bloß 4,85% des Gesamtbestandes der Wohnungen waren *Größtwohnungen*. Wohnungen mit fünf und mehr Zimmern (Palais und Luxusvillen) waren nur in manchen Bezirken mit 1,73% des Gesamtwohnungsbestandes vorhanden. (24)

Wohnungsverteilung in Wien nach Wohnungsgrößen (1934):

über 30% Großwohnungen (4 und mehr Räume)

über 50% Groß- und Mittelwohnungen (mehr als 2 Räume)

50–80% Kleinwohnungen (1 bis 1,5 Räume)

80–100% Kleinstwohnungen (0,5 Zimmer)

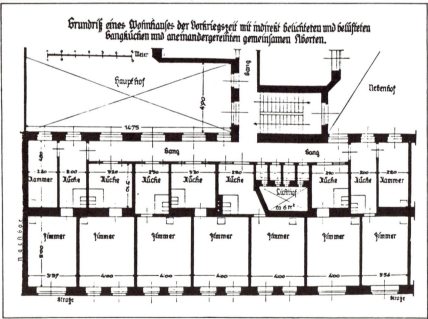

Typischer Grundriß eines sog. „Bassena-Wohnhauses"

18

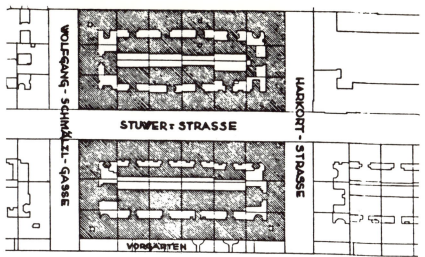

Beispiel der Verbauung aus der Gründerzeit: II. Bezirk, Stuwergasse / Vorgartenstraße

In den Arbeiterfamilien hatten 58% der Menschen kein eigenes Bett (25); 84,75% aller Kleinwohnungen hatten nur eine Wohnküche; Gas und elektrisches Licht war äußerst selten eingeleitet; Wasser und Aborte befanden sich in den meisten Fällen aller Klein- und Mittelwohnungen am Gang und wurden von mehreren Haushalten genutzt. Ein Abort diente stets für mindestens zwei Wohnungen, oftmals fürs ganze Stockwerk, und ihre Fenster mündeten in einen kleinen Lichtschacht. Badezimmer fehlten völlig. Typisch waren die Grundrisse der meisten „Gangküchenhäuser": die aus einem Zimmer und einer Küche bestehenden Kleinstwohnungen, aneinander gereiht an einem Innengang, hatten ihre Fenster auf diesen Gang. Sie entbehrten daher direktes Licht und konnten auch nicht unmittelbar ins Freie gelüftet werden. Häufig waren fensterlose Räume oder Räume mit indirekter Hofbelichtung anzutreffen. Die Küchen hatten keinen Vorraum und keine sanitären Installationen und die gesamte Wohnung war oft nur von der Küche aus zugänglich.

Selbst nach damaliger Auffassung „modernste" Häuser hatten Kellerwohnungen für Bedienstete und Untermieter. Die veraltete Bauordnung machte es obendrein möglich, Kleinwohnungen mit indirekt belichteten Küchen und mit Wohnräumen gegen schmale, undurchlüftbare Höfe zu bauen. Der Baugrund wurde vielfach bis zu 85% des Gesamtausmaßes verbaut, lediglich bis zu 15% verblieben zur Anlage von Lichtschächten und sogenannten „Lichthöfen", die aber von den Hausbewohnern nicht ausgenutzt werden konnten. Wohnungen an Lichthöfen waren berüchtigt und gefürchtet: Diese Lichthöfe waren nur 12 qm (3x4m) groß und ließen bei einer Verbauungshöhe von vier bis fünf Geschossen in die Wohnungen der unteren Stockwerke so gut wie kein Sonnenlicht eindringen. Des öfteren wurden aus den Fenstern Abfälle in die Lichtschächte geworfen und es bildeten sich „Miststätten" am Boden der schachtartigen Höfe, die kaum ordnungsgemäß gereinigt wurden, was eine potentielle Krankheits- und Seuchengefahr bildete.

19

Die aus mehreren Faktoren resultierenden Wohnungsmißstände (26), von denen nicht allein Arbeiter, sondern auch proletarisierte und verarmte Kleinbürger betroffen waren, wurden von den amtlichen Stellen vor 1919 teilnahmslos betrachtet und die fortschreitende Verschlechterung der Wiener Wohnverhältnisse (man sprach bereits von einer „Verödung" Wiens) von der schon korrupten Nach-Lueger'schen christlich-sozialen Gemeindeverwaltung gleichgültig in Kauf genommen. Bei eventuellen Diskussionen der Wohnungsfrage ging es nur um Milderung, aber nicht um die Abschaffung der Wohnungsnot und des -elends. Zu den Hauptproblemen der am 12. November 1918 proklamierten Ersten Republik gehörten deshalb der Wohnbau und die Fürsorge. Für beides konnte durch private Hand keine befriedigende Lösung erwartet werden.

Die neue „rote" Gemeindeverwaltung erkannte und wußte, daß die dringende Lösung des Wohnungsproblems mit populären Maßnahmen zum garantierten politischen Erfolg führen würde und somit wurde das Wohnungswesen zum Angelpunkt der Sozialpolitik im Roten Wien.

Geburtsstunde des Roten Wien

Erst der Sturz der Monarchie am 3. November 1918 ermöglichte die Einführung des allgemeinen, gleichen, geheimen und direkten Wahlrechts aller Frauen und Männer, die das 21. Lebensjahr überschritten hatten. Das neue Wahlrecht war ein Verhältniswahlrecht, welches auch den Minderheiten zu einer entscheidenden Vertretung im Gemeinderat verhalf. Wien galt als Hochburg der Sozialdemokraten, aber sie hatten darauf verzichtet, im Machtkampf auch außerparlamentarische Mittel einzusetzen. Ihre Haltung wurde von den Kommunisten als eine „opportunistische" und „gemäßigte" verurteilt.

Am 4. Mai 1919 fand die erste Wahl zum Wiener Gemeinderat mit folgendem Ergebnis statt: bei einer geringen Wahlbeteiligung (60,7%) erreichte die Sozialdemokratische Arbeiterpartei (SDAP) eine überwältigende Mehrheit von 54,1% (368206 Stimmen/100 Mandate), gegenüber der Christlichsozialen Partei von 27,4% (183937/50). Der Rest verteilte sich auf Deutschnationale aller Schattierungen 5% (34377/3), tschechische Sozialisten 8,2% (55770/8), Jüdisch-Nationale 1,92% (13075 Stimmen/ 1 Mandat) und einige Liberal-Demokratische Gruppen (1 Mandat) (27). Dieser Wahlsieg der Sozialdemokratie brachte ihr nicht nur die notwendige politische Stärke, um ihr kommunalpolitisches Programm wirkungsvoll in die Tat umzusetzen, sondern auch eine Vorherrschaft, die sie bis zum faschistischen Putsch nicht mehr aus der Hand gegeben hat. Große Hoffnungen standen am Beginn dieser Ära und man erwartete eine revolutionäre Entwicklung ähnlich der in der Sowjetunion oder der Novemberrevolution 1918 in Deutschland. Doch waren die Sozialdemokraten nicht so revolutionär und anti-kapitalistisch eingestellt: „Die Reformpolitik der Sozialdemokratie bewegte sich zunächst im gesamtstaatlichen Rahmen. Beteiligt an einer Koalitions(bundes)-regierung, setzte sie 1918—20 Gesetze durch, die wesentlich zur Verbesserung der Lage der Arbeiter und zur Ausdehnung ihres Einflusses in Wirtschaft und Staat beitrugen: Mieterschutz, Arbeitslosenunterstützung, Achtstundentag, bezahlter Urlaub; Betriebsräte und Arbeiterkammern. Die revolutionäre Kampfbereitschaft der österreichischen Arbeiter — die Beispiele der Räterepubliken in Rußland, Ungarn und Bayern waren bekannt — führten dazu, daß die österreichische Bourgeoisie zu etwas größeren Konzessionen bereit war als in jedem anderen vergleichbaren Land der Welt. Rückwirkend waren es aber gerade die weitreichenden Reformen, die in der Arbeiterklasse den Willen und die Bereitschaft zu revolutionären Umwälzungen schwächten. Daß die Chance einer sozialen Revolution vorbei war, wurde spätestens 1920 offenbar. Die bürgerlichen Parteien übernahmen die Alleinregierung und gingen daran, die sozialen und politischen Errungenschaften der Nachkriegszeit, den ‚revolutionären Schutt' — wie sie es nannten —, schrittweise auszuhöhlen. Den Sozialdemokraten blieb nur mehr Wien als jener Freiraum, in dem sich ihre Reformpläne verwirklichen ließen, und in dem ihr politisches Konzept einer kontinuierlichen Machtausdehnung der Arbeiterklasse im bürgerlichen Staat bis hin zu seiner friedlich-

12. November 1918:
Ausrufung der Ersten
Republik beim Parlament

parlamentarischen Eroberung vorexerziert werden sollte. Dies wurde dadurch erleichtert, daß seit 1922 Wien auch ein eigenes Bundesland war und die Stadtverwaltung damit mehr gesetzliche Möglichkeiten hatte als in anderen Städten. Dies wurde aber in dem Maße erschwert, in dem die reaktionäre Bundesregierung mit finanziellen und legistischen Maßnahmen der Wiener Kommunalpolitik gezielt entgegenwirkte. Für die Sozialdemokratie wurde Wien zum Muster austromarxistischer Politik, zur *sozialistischen Insel,* auf die sich alle Anstrengungen konzentrierten." (28)

Am 22. Mai wurde der erste aus der Arbeiterschaft kommende Bürgermeister, Jakob Reumann (1853–1925), zum ersten sozialdemokratischen Bürgermeister einer Millionenstadt gewählt. Der Austromarxist Karl Seitz (1869–1950) war Reumanns designierter Nachfolger. Er stellte ein sehr distinguiertes und gegenüber der Parteispitze (Bauer, Renner, Adler) sehr engagiertes Team von populären „Volksvertretern" zusammen: Vizebürgermeister Georg Emmerling, Hugo Breitner (1873–1946) – Finanzrat; Dr. Robert Danneberg (1885–1942) – zuerst Präsident des Landtages und nach Breitners Demission im Jahre 1932 Stadtrat für Finanzen; Dr. Julius Tandler (1869–1936) – Wohlfahrts- und Gesundheitsstadtrat; Anton Weber (1878– 1950) – Sozialpolitik und Wohnungswesen; Franz Siegl (1876–1927) – Stadtbaurat; ferner die Funktionäre Ferdinand Hanusch (Direktor der Arbeiterkammer), Adelheid Popp (Familien- und Mutterberatungsamt), Otto Glöckel (Stadtschulrat) etc. Diese Protagonisten waren die eigentlichen Baumeister des Roten Wien.

Eine sozialdemokratische Mehrheit löste die konservativ-bürgerliche ab und konnte erstmals in einer (Millionen-)Stadt an die Lösung der anstehenden sozialen und ökonomischen Probleme herangehen. Aber noch fehlten ihr verfassungsrechtliche Bewegungsfreiheit und Finanzkraft.

Bereits im Spätherbst 1919 konnten die Sozialdemokraten ein Wohnungsforderungsgesetz durchsetzen, das die Gemeinde ermächtigte, „Doppelwohnungen und ungehörig ausgenützte Wohnungen und Wohnräume" zu belegen, d.h. sich durch den freien Wohnungsmarkt fehlbelegte oder leere Wohnungen wie Hotels, Kasernen, Schulen etc. anzueignen und als provisorische Wohnstätten für ökonomisch Schwache zur Verfügung zu stellen, aber auch um die vielen Obdachlosen, Flüchtlinge und Asozialen einzuquartieren.(29) Die Gemeinde ging bald daran, eine mit großem Kostenaufwand durchgeführte Wohnungszählung zu organisieren, um die letzten Reserven an verfügbarem Wohnraum an den Tag zu fördern, die in den fünf Jahren ihrer Durchführung 44 838 Altwohnungen erfaßte. (30) Die Gemeinde Wien hat durch bauliche Umgestaltungen der nach dem Krieg freigewordenen Heeresbaracken und Kasernen, die sie in langwierigen Verhandlungen erworben hatte, sowie durch Teilung und Ausfertigung bestehender großer Wohnungen, bzw. durch Fertigstellung von im Krieg unterbrochenen Rohbauten Wohnraum geschaffen. Jedoch infolge des allmählichen Eintretens der Baufälligkeit der Baracken reduzierte sich der gewonnene Wohnraum zum Teil wieder. Maßgebenden sozialdemokratischen Kommunalpolitikern wurde nun klar, daß auf diesem Wege der Sieg über die Wohnungsnot nicht möglich war.

Der Gürtel mit seinen zahlreichen Gemeindebauten – hier der „Reumann-Hof" – sollte die neue „Ringstraße des Proletariats" werden. (Zeitdokument)

„Rot flammt es am Horizont" – Mit diesen pathetischen Worten kündigte die Arbeiter-Zeitung (31) den Beginn der „roten" sozialdemokratischen Gemeindeverwaltung an, die die Zeitgenossen – je nach Standpunkt – als die „Wiener Kommune" (32) feierten oder als „Rathaus-Bolschewismus" (33) verteufelt hatten. Das Rote Wien wurde von den Sozialdemokraten immer wieder als Modell herausgestrichen. Sie konzentrierten sich darauf, in einer Zeit der Wirtschaftsdepression und des aufkeimenden Faschismus in Wien eine *Insel des Sozialismus* zu schaffen und zu etablieren. Unter Führung politisch hervorragend geschulter Funktionäre und Beamte entschloß sich die Gemeinde, zur Behebung sozialer Mißstände ihr umfangreiches Reformprogramm anzupacken. Ihre Reformpolitik bezog sich jedoch nicht auf die Produktionsverhältnisse, deren kapitalistischer Charakter unangetastet blieb, sondern in umfassender Weise auf alle Bereiche der Reproduktion, mit einer zum Teil grotesk geglückten Aneignung und Übernahme bürgerlicher Werte und Kultur.

Beflügelt vom Wahlsieg und dem Bedürfnis, den „Austromarxismus in Aktion" (34) zu erleben, sah sich die Gemeindeverwaltung veranlaßt, eine Menge neuer Gesetzesänderungen und Bestimmungen in die Wege zu leiten, damit ihr umfangreiches Reformprogramm endlich Gestalt annehmen konnte. Für die Sozialdemokraten war dies die erste Gelegenheit, die Forderungen ihres Parteiprogramms auf demokratische Weise zu realisieren. Die Schwerpunkte der „Wiener Schule der Kommunalpolitik" (35) waren dabei:

Eine **Sozialpolitik** mit dem Schwerpunkt der Kinder- und Jugendfürsorge, dem Bau von Kindergärten, Jugendhorten, Pflegeheimen, Mutterberatungsstellen, der Einrichtung von Kinderspielplätzen und dem Bau von Zahnkliniken, Kinderspitälern und Kinderübernahmestellen. Ferner gab es Schulausspeisungen, Freimilch und schulärztliche Betreuung. „Wer Kindern Paläste baut, reißt Kerkermauern nieder", lautete einer der Leitsätze des für die Sozialpolitik verantwortlichen Stadtrates Julius Tandler (36).

Eine **Gesundheitspolitik**, mit einer breiten Vorsorgemedizin gegen typische Arbeiterkrankheiten wie Tuberkulose, die im deutschen Sprachraum ja als „Wiener Krankheit" bezeichnet worden ist (37). Ein von Julius Tandler erarbeitetes Gesundheits- und Fürsorgeprogramm führte zur erfolgreichen Tuberkulose-, Rachitis- und Alkoholismusbekämpfung. Zur Vorsorgemedizin sollte auch der Bau von Bädern, Sportanlagen und Erholungseinrichtungen für jugendliche Lehrlinge beitragen.

Eine **Schulpolitik**, die neben der Errichtung und dem Ausbau von Schulgebäuden und der kostenlosen Abgabe von Unterrichtsmaterialien auch neue emanzipatorische und experimentelle Formen des Lehrens und Lernens anstrebte: die Gesamtschule und die Arbeitsschule, die den Schülern eine klassenlose Erziehung ermöglichen und sie selbständig am Unterricht beteiligen sollte, die an den Erfahrungen der Schüler anknüpfte und die die Autorität des Lehrers in ein demokratisches System einzubauen versuchte. Die Beteiligung der Schüler am Unterricht sowie die Abschaffung des Religionsunterrichts durch die Schulreform Otto Glöckels brachte von konservativ-klerikalen Kreisen einen erbitterten Widerstand. Wie für Kinder sollte auch für Erwachsene das Bildungsprivileg gebrochen werden: ein großer Verdienst der Sozialdemokraten ist die Einführung einer neuartigen und kostenlosen Erwachsenenbildung durch Ludo Hartmann und Otto Neurath.

Eine **Kultur- und Erziehungspolitik**, die die Stadt mit einem Netz von Volksbibliotheken und Kulturvereinen versorgte (Feuerbestattungsverein „Die Flamme", „Kunststelle Wien", „Kleingärtner-, Siedler- und Kleintierzüchterverband", „Esperantobund", „Arbeiterbund für Sport und Körperkultur", „Naturfreunde" etc.). Dabei ging die Angleichung an klassisch-bürgerliche Normen bei den kulturellen Veranstaltungen (Ausstellungen, Konzerte) und Festen so weit, daß die Arbeiterklasse immer mehr zu einem imitativen Träger der bürgerlichen Kultur geriet.

Eine **Wohnbaupolitik**, die — als berühmteste und zugleich pragmatisch-fortschrittlichste Sozialreform der sozialistischen Kommunalpolitik — langfristig das Ziel verfolgte, alle Wiener Arbeiter mit guten und preiswerten Wohnungen zu versorgen und sie mit infrastrukturellen Sozialeinrichtungen auszustatten, sollte gleichzeitig eine wirksame Maßnahme zur Bekämpfung der Bau- und Grundstücksspekulation darstellen.

Um diese Ziele zu verwirklichen, brauchte man Geldmittel und eine völlig neue Art der Finanzierung aus eigenen Gemeindesteuern. Hier sollten sich die Sozialdemokraten ihren Vorgängern und politischen Gegnern als überlegen erweisen. Grundlage zur Verwirklichung aller oben skizzierten Ziele und der noch genauer zu schildernden Wohnungspolitik war ein neuartiges Konzept der Finanzierung, das für den Ökonomen Klaus Novy eine „Revolution in der Finanzierung" (38) darstellte. Genauso bedurfte es der Abschaffung einiger Restriktionen seitens der oppositionellen Bundesregierung. Da die Sozialdemokraten zu diesem Zeitpunkt nur auf städtischer (gemeinderatlicher) Ebene und bedingt im niederösterreichischen Landtag Einfluß ausübten, mußten sie sich im Nationalrat mit der konservativen christlich-sozialen Opposition, die letztlich alle Steuer- und Budgetreformen der Roten boykottierte, auseinandersetzen und meistens von ihnen überstimmen lassen. Fortan herrschte nicht nur im Parlament der Gegensatz zwischen der bürgerlichen Bundesregierung und der sozialdemokratischen

Stadtverwaltung, sondern ganz Österreich spaltete sich in ein rotes Lager in Wien und in ein schwarzes in den Bundesländern. Gleichzeitig setzte die Diskussion zur Schaffung eines eigenen Bundeslandes Wien ein.

Eine im Oktober 1920 vom Parlament vorgesehene Abtrennung Wiens von Niederösterreich konnte formell erst am 1. Jänner 1922 vollzogen werden. Ab nun war Wien ein selbständiges Land und genoß völlige Steuerhoheit. Die Bestrebungen der Gemeindepolitiker nach Autonomie und alleiniger Verwaltung wurde ihnen − im Gegensatz zu den offiziellen Stellungnahmen des Rathauses − von der konservativen Regierung im Bundesrat aus demagogischen Gründen relativ leicht gemacht. (39) Ausgangspunkt war die Abgabenteilung (Finanzausgleich), also jene Aufteilung der Steuermittel, die der Bund auf Länder und Gemeinden verteilte. Dieser permanente Gegensatz wurde dann am 29. Dezember 1921 aufgelöst, als Wien durch die Bemühungen der Rathausbürokratie zum unabhängigen Bundesland wurde.

Diese Unabhängigkeit Wiens brachte nicht nur Vorteile wie die der selbständigen Gesetzgebung, der eigenen Besteuerung der Grundstücksbesitzer, des Rechtes auf Anteile an Bundessteuern als eigenes Bundesland usw., sondern sie hatte durchaus auch politische Nachteile: die Gemeindeverwaltung konnte ab diesem Zeitpunkt für die Verhältnisse in Wien allein verantwortlich gemacht werden, was in der Praxis bedeutete, daß sie ökonomisch und politisch zusehends isoliert wurde. Obwohl die Leistungen im Kommunalwohnbau, in der Fürsorge und der Schulreform international Beachtung fanden, geriet die Sozialdemokratie den mißtrauischen Bundesländern gegenüber immer mehr in die Defensive. (40)

Finanzpolitik

Die wahre Unabhängigkeit Wiens ermöglichte allerdings erst und vor allem eine neue Finanzpolitik, die − nach Meinung des Präsidenten des Wiener Landtages und späteren Finanzstadtrates, Robert Danneberg, − die eigentliche Verwirklichung der sozialdemokratischen Gemeindepolitik darstellte. (41)

Breitners neu entwickelte Finanzpolitik beruhte auf folgenden Merkmalen:
− eine Umwandlung von allgemein fixierten indirekten Steuern in stark progressive direkte Steuern nach sozialen Gesichtspunkten.
− eine weitgehende Eigenfinanzierung und Verzicht auf Kreditnahme.
− eine sozial gerechtere Wohnbausteuer, die vorwiegend die großen bürgerlichen Etagenwohnungen und innerstädtischen Palais mit Personalräumen belastete, aber die proletarischen und kleinbürgerlichen Schichten weitestgehend schonte.
− eine sparsame Kostengestaltung im Bau- und Transportwesen mit einer preisgünstigen Vermietung und dem Verzicht auf Amortisationskosten der Wohnobjekte.

— eine Einführung verschiedener Luxussteuern, die auf Beschäftigung von Hauspersonal, auf das Halten von Automobilen, Rennpferden, Zweitwohnungen etc. eingehoben wurden, oder auf die feinen Hotels, Restaurants, Delikatessengeschäfte und Zirkus-, Varieté- und Operettenetablissements abgewälzt wurden.

— ein Verzicht auf Profit bei den städtischen Betrieben und öffentlichen Unternehmungen. Die Gemeinde übernahm die bereits von Lueger kommunalisierten Versorgungsbetriebe (Gas-, Wasser- und Elektrizitätswerke und die Verkehrsbetriebe) und auch die vormals privaten Versorgungsdienste, welche von da an auf nicht gewinnorientierter Basis weitergeführt wurden (Müllabfuhr, Kanalisation, WÖK etc.). Die sozialdemokratische Verwaltung drückte die Tarife für Strom, Gas und Wasser auf den Selbstkostenpreis und unterließ die als unsozial bezeichnete (indirekte) Mehrwertsteuer. Die Straßenbahn wurde nach genormten Tarifen bemessen, die aufgrund gesamtgesellschaftlicher Überlegungen und nicht aufgrund tatsächlich kapitalistisch-profitökonomischer Marktpreise verrechnet wurden.

Zur Durch- und Ausführung solch großer und wichtiger Maßnahmen brauchte die Stadtverwaltung eine gut ausgebildete, funktionierende und vor allem unbestechliche Beamtenschaft. Eine Verwaltungsakademie mit zweijährigen Fortbildungskursen sollte die ständige Schulung und Weiterbildung des Beamtenstandes gewährleisten, besonders was die Eintreibung von Gemeindesteuern betraf. Vielfach versuchten die Betroffenen den Sonderabgaben zu entgehen und trotz Androhung von schweren Geldstrafen und Kontrollen versuchten viele Betriebe durch Schwarzarbeit, unterbezahlte Heimarbeit, durch Auslandseinkäufe u dgl. sich von den Breitner'schen Steuern zu drücken.

Hierzu mußte ein moralisch einwandfreier und gegenüber der sozialdemokratischen Verwaltung loyaler Beamtenstand geschaffen werden, was anfänglich nicht so selbstverständlich war, denn die Mehrzahl der ehemaligen Beamten der Monarchie stand dem neuen Regime abwartend, wenn nicht gar feindlich, gegenüber. Das von der christlich-sozialen Partei übernommene Dienstrecht für das zahlreiche Gemeindepersonal mußte reformiert werden. Die Reorganisation des Beamtenapparates umfaßte acht Verwaltungsgruppen, an deren Spitze je ein amtsführender Stadtrat stand. Sie wurden vom Gemeinderat über Vorschlag der Mehrheit gewählt.

Der Leitsatz des Finanzstadtrates Hugo Breitner lautete: ,,Unbeirrt von all dem Geschrei der steuerscheuen besitzenden Klassen holen wir uns das zur Erfüllung der vielfachen Gemeindeaufgaben notwendige Geld dort, wo es sich wirklich befindet!" (42) Diese neue Klassen- und Quellensteuerstrategie Breitners wurde von den Arbeitern bejubelt, von den Reichen heftigst diffamiert; aber diese unübertroffene Art der Geldbeschaffung (43) schuf die Grundlage für das (anfangs utopisch anmutende) Sozialprogramm im Roten Wien. Im folgenden sollen diese neuen Steuern kurz angeführt werden:

Steuern auf Luxus und besonderen Aufwand

Die **Lustbarkeitsabgabe** war für die verschiedenen Arten von Veranstaltungen verschieden hoch: für Theateraufführungen mit gesprochenem Wort und für Opern betrug sie 4%, für Operrettenaufführungen und Revuen 6%, dagegen für Pferderennen, Box- und Ringkämpfe 33,3%, für Tanzkurse, Zirkus- und Varieté-vorstellungen 23%, für sportliche Veranstaltungen 26%, für Kino und Bälle 28.5%. In berücksichtigungswürdigen Fällen konnte die Steuer durch Beschluß des Stadtsenats bis auf 5% bei Kinos, bis auf 15% bei Zirkus- und Varietévorstellungen ermäßigt werden. Veranstaltungen, deren gesamter Reinertrag einem wohltätigen Zwecke allgemeiner Natur gewidmet war, ferner Vorführungen für Schüler und Lehrlinge zu Bildungszwecken ohne Erwerbsabsicht waren steuerfrei. Der Steuerbetrag für Einzelveranstaltungen wie Bälle, Feste udgl. wurde in der Regel pauschaliert. Der Ertrag dieser Steuer betrug im Jahre 1930 ca. 16 Millionen Schilling.

Die **Abgabe für Nahrungs- und Genußmittel** wurde in Betrieben eingehoben, die schon durch äußere Merkmale (höhere Preise, Ausstattung, Komfort, bevorzugte Lage usw.) als Luxuslokale erkennbar waren und dementsprechend eingestuft wurden. Es durfte aber von derselben Branche nur *höchstens* ein Drittel der Unternehmungen abgabepflichtig sein. Die Abgabe war je nach dem Grad des im Lokal gebotenen Luxus abgestuft und durfte höchstens 15% des für die verabfolgten Nahrungs- oder Genußmittel erzielten Entgeltes erreichen. Die Einnahmen aus dieser Steuer betrugen im Jahre 1930 nicht weniger als 12,4 Millionen Schilling.

Die **Kraftwagenabgabe** war *nur* für Personenautos zu entrichten, die im Gemeindegebiet von Wien garagierten. Sie betrug für ein Kleinauto 240 Schilling jährlich, für einen Wagen mittlerer Große 360 Schilling und stieg auf 1 020 Schilling für einen Luxuswagen. Für Taxis und Autobusse des öffentlichen − nicht gemeindeeigenen − Lohnfuhrwerkes betrug die Abgabe einheitlich 72 Schilling im Jahr. Lastkraftwagen und Motorräder waren von dieser Steuer vollkommen frei. Die Kraftwagenabgabe lieferte im Jahr 1930 einen Ertrag von ca. 4,6 Millionen Schilling.

Die **Hauspersonalabgabe** ist wieder ein Musterbeispiel für das Steuersystem der sozialdemokratischen Stadtverwaltung. Von ihr wurden nur die *großen* Haushalte der Bildungs- und Finanzelite getroffen. Haushalte, die nur eine Hausgehilfin beschäftigten, waren von dieser Steuer frei. Für die zweite Hausgehilfin war eine Steuer von 50 Schilling jährlich, also 4,16 Schilling im Monat, zu entrichten. Die Steuer war dann stark progressiv nach oben gestaffelt: für die dritte Hausgehilfin war schon ein Betrag von 300 Schilling zu bezahlen, die vierte kostete 550 Schilling jährlich und so weiter. In Wien gab es damals rund 650000 Haushalte, von diesen beschäftigten rund 5319 Haushalte mehr als eine Hausgehilfin und waren daher abgabepflichtig. Der Ertrag dieser Steuer betrug im Jahre 1930 ca. 1,8 Millionen Schilling.

Auch die **Pferdeabgabe** wollte vor allem die Luxusschichten treffen. Für jedes Pferd, als Reit- oder Zugpferd eingesetzt, war eine Jahresabgabe von 250 Schilling zu entrichten. Für die in freien Lohnfuhrwerken verwendeten Pferde (Lastpferde) waren aber nur 40 Schilling für das Jahr und jede Lizenz (höchstens zwei Pferde je Linzenz) zu bezahlen. Diese Steuer fiel finanziell nicht stark ins Gewicht, ihr Ertrag im Jahre 1930 war nur 46 000 Schilling. Sie entsprach eher dem Grundsatz, daß jeder Luxus in der persönlichen Lebenshaltung besteuert werden soll.

Etwas ertragreicher war die **Hundeabgabe**. Sie betrug 12 Schilling pro Hund und Jahr und brachte im Jahr 1930 einen Ertrag von 893 000 Schilling. Eine Einrichtung, die bis heute noch gilt.

Die **Getränkesteuer** und die Abgabe für den Verbrauch von Alkohol werden hier nur der Vollständigkeit halber angeführt, denn sie waren ausgesprochene Zwecksteuern, die aufgrund einer Ermächtigung durch die Staatsgesetzgebung von allen Bundesländern schon zu k.&k.-Zeiten eingehoben wurden und deren Ertrag zur teilweisen Deckung des Defizits und der Kosten der Notstandsunterstützung für die Arbeitslosen bestimmt war. Ihr Ertrag war im Jahr 1930 16 Millionen Schilling.

Eine Abgabe für den Verkauf von Luxuswaren im Ausmaß von 12% des Warenwerts, welche die Gemeinde eingeführt hatte, mußte aufgelassen werden, als der Staat eine allgemeine Warenumsatzsteuer einführte.

Betriebs- und Verkehrssteuern

Die **Fürsorgeabgabe** wurde in der Zeit der größten sozialen Not in Wien eingeführt, um die Fürsorgetätigkeit der Gemeinde zumindest im minimalsten Ausmaß aufrechterhalten zu können. Diese Steuer wurde in der Höhe von 4% (bei Banken 6%) der ausgezahlten Lohnsummen eingehoben. Sie war von den Unternehmern für alle ihre Arbeitskräfte zu entrichten, mußte monatlich abgeliefert werden und konnte nicht auf den Arbeitnehmer übergewälzt werden. Sie lieferte den höchsten Ertrag von allen Abgaben der Gemeinde Wien. Im Jahre 1930 floß der Stadtkasse unter diesem Titel ein Betrag von ca. 75,8 Millionen Schilling zu.

Rund eine halbe Million Schilling jährlich brachte die **Konzessionsabgabe**, welche die Inhaber von konzessionierten Gewerben zu bezahlen hatten. Die Abgabe schwankte zwischen 5 und 250 Schilling jährlich, war also für die betroffenen Betriebe, die durch die Konzession einen gewissen Schutz genossen, keine ins Gewicht fallende Belastung. Jedenfalls kann man kaum von einer antikapitalistischen Gangart gegen die privatwirtschaftlichen Betriebe sprechen.

Die **Fremdenverkehrsabgabe** ist ein Musterbeispiel einer weitblickenden Steuerpolitik, von der man sich eine direkte Befruchtungswirkung der Wirtschaft erwartete. Wegen der wirtschaftlichen Malaise und der dadurch in die Krise gekommenen Hotel- und Fremdenverkehrsbetriebe wurden diese Erwartungen jedoch nicht erfüllt. Die Abgabensteuer für Hotels betrug 10%, für Sanatorien und Erholungsheime 8%. Stunden- und Luxushotels hatten eine Zusatzabgabe von 25% der Bemessungsgrundlage zu entrichten. In den Jahren 1927 bis 1929 wurde auf diese Abgaben ein Nachlaß in der Höhe von 40 bis 50% der Steuer gewährt, wenn Investitionen in einer bestimmten Höhe im Betrieb vorgenommen wurden. Auf diese Weise konnten allein in diesem Wirtschaftszweig innerhalb von drei Jahren rund 20 Millionen Schilling der Gemeinde zugeführt werden. Ab 1930 gingen diese Ziffern sukzessive zurück, in den Jahren 1930 und 1931 konnte lediglich ein Achtel der üblichen Abgaben von Steuerpflichtigen eingeholt werden. Überdies konnten viele Hoteliers nachweisen, daß sie größere Beträge für Anschaffungen und Investitionen im Betrieb verwendet hatten und wurden somit steuerfrei taxiert, was aber durch die Modernisierung dem Fremdenverkehr der Stadt zugute kam. Gleichzeitig widmete die Gemeinde Wien einen Teil des Ertrages den Zwecken der Fremdenverkehrswerbung. Die Fremdenzimmerabgabe hatte im Jahre 1930 ein Erträgnis von ca. 2,4 Millionen Schilling.

Der **Plakatabgabe** unterlagen nicht nur alle an öffentlichen Orten angeschlagenen Plakate (Wahlplakate der politischen Parteien waren natürlich von dieser Steuer befreit), sondern auch alle Ankündigungen durch das Bild oder durch das gesprochene Wort. Ihr Ertrag war rund 900 000 Schilling im Jahr 1930. Im Jahre 1921 gründete die Gemeindeverwaltung ein städtisches Ankündigungsunternehmen, das bald über 90% aller Reklameflächen in Wien verfügte.

Das Architekturmodell des Roten Wien wird als Wahlargument präsentiert: mehrgeschossige Wohnhausanlage, Siedlungshäuschen, Bad, Sportanlagen und Krankenanstalten sowie das erste Fünfjahresprogramm von 25 000 Wohnungen auf einer Palette.
Dazu die infrastrukturellen Leistungen wie Elektrifizierung der Straßenbeleuchtung und Straßenbahnen, Brücken- und Straßenbau sind dargestellt.

Die **Anzeigenabgabe** war eine der Plakatabgabe verwandte Steuer und wurde von allen bezahlten Ankündigungen in Zeitungen, Zeitschriften, Magazinen und Büchern, gleichgültig ob sie als Inserate kenntlich waren oder in Gestalt von Artikeln veröffentlicht wurden, eingehoben. Sie lieferte im Jahr 1930 einen Ertrag von 3,6 Millionen Schilling.

Die **Abgabe für freiwillige Feilbietungen** betrug 1% des Erlöses bei Feilbietungen von Lebensmitteln, Rohstoffen, Rohproduktionen, Halbfertigfabrikaten (nur Transitwaren) und von solchen Feilbietungen, die an einer Börse von einem Handelsmakler durchgeführt wurden. Bei allen übrigen Versteigerungen betrug sie 7%. Diese Steuer, die bestimmt die Masse *nicht* belastete, brachte im Jahre 1930 den Betrag von 717000 Schilling ein.

Bei den **Verwaltungsabgaben und Beiträgen zu den Kosten des Strafverfahrens** handelte es sich einerseits um die Entrichtung von Gebühren und Taxen für verwaltungsmäßige Leistungen der Gemeinde in Angelegenheiten der Landes- und Gemeindeverwaltung; andererseits um Beiträge zu den Kosten von Strafverfahren, welche in Verwaltungsangelegenheiten vom Magistrat verhängt wurden. Obwohl die Sätze der Taxen niedrig bemessen waren, floß der Gemeindekasse unter diesem Titel jährlich nicht weniger als eine Million Schilling zu.

Für die Ausstattungskosten der Wiener Berufsfeuerwehr mußten die im Gemeindegebiet gegen Brandschaden Versicherten einen **Feuerwehrbeitrag** leisten. Dieser erreichte im Jahre 1930 die Höhe von 3,8 Millionen Schilling (die Ausgaben der Feuerwehr waren jedoch viel höher).

Als im Herbst 1922, in der Zeit des stärksten Niedergangs der österreichischen Kronenwährung, die Großbanken weitere Kredite für die von ihnen gemeinsam mit der Gemeinde Wien begonnenen Wasserkraftbauten verweigerten und das begonnene Werk hätte aufgegeben werden müssen, führte Breitner die **Wasserkraftabgabe** ein. Sie wurde auf den Verbrauch von Gas und Strom gelegt und betrug 1,5% vom Gaspreis und 4% vom Strompreis. Sie war eine ausgesprochene Zwecksteuer und nur für den Ausbau der Wasserkraftwerke bestimmt. Ihr Ertrag 1930 war 4,6 Millionen Schilling.

Die Gemeinde Wien beteiligte sich außerdem entweder an Unternehmungen (Holz- und Kohlenverkaufsgesellschaft WIHOKO) oder gründete ihre eigenen städtischen Unternehmungen, aus denen zusätzliche Einnahmen flossen: z.B. das Brauhaus der Stadt Wien in Schwechat, ein Plakatierungsinstitut, die Wiener Messegesellschaft und mit ihr eine Fremdenverkehrskommission, Lagerhäuser, eine Land- und Forstwirtschaftliche Betriebsgesellschaft, die Wiener Öffentliche Küchenbetriebsgesellschaft (WÖK) und schließlich die Gemeinwirtschaftliche Siedlungs- und Baustoffanstalt (GESIBA).

Boden- und Mietsteuern

Die **Grundsteuer** hatte im Gemeindebudget *keine* große Bedeutung, da sie nur vom unverbauten Grund, also vor allem von landwirtschaftlich genutzten Parzellen eingehoben wurde. Auch hier wurden wieder die wirtschaftlich Schwachen besonders begünstigt. Grundflächen, die als Siedlungs- und Schrebergärten verwendet wurden und solche, die für Kleingärten verwendbar waren, wurden mit der niedrigsten Grundsteuer von 0,32 Groschen pro Quadratmeter besteuert. Der Ertrag dieser Abgabe war daher entsprechend bescheiden, nämlich 492 000 Schilling im Jahre 1930.

In den ersten Jahren der sozialdemokratischen Verwaltung hatte die Gemeinde eine **Bodenwertabgabe** eingehoben, die aber aufgelassen wurde, weil sie durch die (infolge des weitgehenden Mieterschutzes bedingte) Ertragslosigkeit des Realbesitzes nicht entwicklungsfähig war. Als der Mieterschutz gelockert wurde, schritt die Gemeinde 1929 wieder zur beschränkten Einhebung einer Bodenwertabgabe von verbauten Grundstücken – nur nicht ihrer eigenen – und vom 1. Jänner 1930 an auch zur Erhebung einer solchen bei unverbauten Gründen. Beide Abgaben zusammen brachten im Stichjahr 1930 einen Betrag von 3,84 Millionen Schilling.

Die **Wertzuwachsabgabe** hatte eine große, nicht nur finanzpolitische Bedeutung erlangt. Sie war bei der Übertragung von Liegenschaften vom Veräußerer zu entrichten, gewisse Übertragungen innerhalb der Familie, Schenkungen, landwirtschaftliche Grundstückstransaktionen zum Zwecke der Arrondierung oder Grundstücktausch zur Herbeiführung zweckmäßiger Baugründe unterlagen nicht der Steuerpflicht. Ebenso waren Grundstücksübertragungen des Staates, der Gemeinde Wien, gewisser Privatstiftungen und Anstalten von dieser Steuer befreit. Die Wertzuwachsabgabe brachte im Jahre 1930 nicht weniger als 8,2 Millionen Schilling, im Jahre 1932 sogar 11,5 Millionen Schilling ein.

Die **Wohnbausteuer** war von jedem zu entrichten, der im Stadtgebiet vermietbare Räume in Gebäuden besaß, also auch vom Hausbesitzer selbst sowie von Eigentümern von Villen und Stadtpalästen, gleichviel, ob diese bewohnt waren oder nicht. Die Wohnbausteuer war eine der meist umkämpften und verfehlten

Immer wiederkehrende Bildstatistiken des (Österreichischen) Gesellschafts- und Wirtschaftsmuseums zur bildlichen Erläuterung der Finanzpolitik im Roten Wien

31

Klassensteuern, denn sie war scharf progressiv gestaffelt und traf die Luxuswohnungen, die Villen, Stadtpaläste etc. besonders hart. Ihre Bemessungsgrundlage war der Goldzins. Die Steuer betrug das 300fache der Bemessungsgrundlage von Kleinwohnungen, wie sie die meisten Arbeiter bewohnten, und stieg bis auf das 1800fache der Bemessungsgrundlage bei großen Luxusappartements und Villen. Die nachstehende Tabelle zeigt die soziale Anlage dieser Steuer und ihr Ausmaß in Prozenten des Vorkriegszinses: (44)

Jahresfriedenszins in Goldkronen	Wohnungstype	Jahressteuerbetrag in Schilling	in Prozenten des Vorkriegszinses
360	Arbeiterwohnung	10.80	2,083
600	Kleine Beamtenwohnung	18.–	2,083
1 200	Mittlere Beamtenwohnung	42.–	2,43
1 800	Gute Beamtenwohnung und	72.–	2,7
2 400	Mittelstandswohnungen je nach	108.–	3,125
3 000	Lage und Größe	150.–	3,47
5 000		420.–	5,83
10 000		1 620.–	11,25
50 000	Luxuswohnungen	22 770.–	31,625
100 000		52 770.–	36,64

Auch bei der Bemessung der Steuer bei Geschäftslokalen und Betriebsstätten wurde die Leistungsfähigkeit der Unternehmungen berücksichtigt. Für die Betriebsstätten wurde eine Sonderskala errechnet, die es sozial gerechtfertigte, daß sich bei großen Objekten wesentlich geringere Steuerbelastungen ergaben als bei großen Wohnungen. So bei 10 000 Goldkronen Vorkriegszins eine Belastung von 7,29%, bei 50 000 Goldkronen eine Belastung von 12,15% und bei 100 000 Goldkronen Friedenszins ergab sich eine Wohnbausteuer von 13,02%.

Im Jahre **1913** zahlte ein Arbeiter
von seiner Wohnung eine

Mietsteuer von 170.000 Kronen

monatlich

Im Jahre **1927** zahlte er
von **derselben** Wohnung ·eine

Wohnbausteuer von 9000 Kronen

monatlich

Was ist besser: christlichsoziale oder sozialdemokratische Verwaltung?

Wählet sozialdemokratisch!

Verlag und für den Inhalt verantwortlich: Alois Piperger, Wien V, Rechte Wienzeile 97. — „Vorwärts", Wien V.

Ein Flugblatt aus dem Jahre 1927 sagt mehr als alle Worte (Faksimile)

So ergab sich, daß die 527731 billigsten Wohnungen und Geschäftslokale
— das waren rund 82% aller Mietobjekte — nur 22,66% der Steuer aufbrachten,
während die 3470 (0,54%) teuersten Mietobjekte 44,57% der gesamten Steuer
entrichten mußten. Die 86 teuersten Mietobjekte in Wien zahlten allein 3,9 Millionen Schilling jährlich an Wohnbausteuer. Dieser Betrag entsprach der Wohnbausteuer von 350000 Kleinst- und Substandardwohnungen mit einem jährlichen Zins bis zu 600 Goldkronen. Die Wohnbausteuer war eine ausschließliche Zwecksteuer, nichts von diesem Fond wurde für allgemeine Gemeindezwecke
verwendet. Ihr Ertrag diente zur Verzinsung einer Wohnbauanleihe der Gemeinde und in der Hauptsache zur Finanzierung des Wohnungsbaues und zur Förderung des Siedlungswesens. Sie war die einzige Steuer, die in der Zeit der sozialdemokratischen Gemeindeverwaltung die Wiener Wohnungen und Betriebsstätten belastete. Sie trug durchschnittlich 36 Millionen Schilling im Jahr ein, das
entsprach einem Fünftel der Hauszinssteuer der christlich-sozialen Gemeindeverwaltung und nur etwa 7% des gesamten Wiener Vorkriegszinses, in Gold
gerechnet, während die Belastung der Mietzinse mit Steuern früher bis zu 40%
des Zinses einer Arbeiterwohnungen betragen hatte.

Im Budgetvorschlag, beispielsweise für das Jahr 1925, sind die einzelnen
Steuern wie folgt aufgeschlüsselt: (45)

Budgetvorschlag für Wien 1925 (in Goldkronen)

1. Fürsorgeabgabe	41 666 666
2. Fremdenzimmerabgabe	3 125 000
3. Wertzuwachsabgabe	4 166 666
4. Plakatabgabe	416 666
5. Annoncensteuer	1 736 111
6. Feuerwehrbeitrag	1 319 444
7. Abgabe von freiwilligen Feilbietungen	298 613
8. Konzessionsabgabe	104 166
9. Grundsteuer	388 888
10. Exektionsabgabe	250 000
11. Hauspersonalabgabe	1 944 444
12. Automobilsteuer	3 263 888
13. Pferdesteuer	39 583
14. Hundesteuer	486 111
15. Lustbarkeitsabgabe	8 333 333
16. Nahrungs- und Genußmittelabgabe	8 333 333
17. Wasserkraftabgabe	1 805 555
18. Wohnbausteuer	22 638 888
Summe	100 317 355

Finanzstadtrat Breitner wurde von seinen Gegnern oftmals in beleidigenden
und antisemitischen Karikaturen als „Steuerbolschewist", „Steuersadist" und
„Steuervampir" beschimpft. Das neue Breitner'sche Steuersystem war extrem
sozial kompensatorisch gestaffelt und bewirkte einige positive Veränderungen
auf dem Wohnungsmarkt: erstens stagnierte der lokale Grundstücksmarkt:

Hugo Breitner, der Stadtrat für Finanzen, wurde von der Opposition als Symbolfigur des Roten Wien wüst beschimpft. Er erfand Steuern auf Reitpferde, Pelzmäntel, Luxuswohnungen, Delikatessen und Champagner. In sehr diffamierender und anti-semitischer Weise wurde Breitner als „wildgewordener Steuerbolschewist" auf Plakaten der bürgerlichen Opposition dargestellt.
Der zusehends immer gehässiger werdenden Polemik gegen die progressive Besteuerung der Reichen trat man von sozialdemokratischer Seite mit unterkühlten Piktogrammen und Aufklärungsplakaten entgegen, die außer ihrer graphischen Wirksamkeit allerdings wenig politischen Erfolg einbrachten.

sowohl Eigentümer von kleinen Grundstücken als auch aristokratische und großbürgerliche Familien, die außerordentlich große Anteile am städtischen Boden besaßen, verkauften – mangels Angebote am Privatmarkt – ihre Parzellen an die Stadtverwaltung. (46) So trafen die Sozialdemokraten gleich zwei Fliegen mit einem Schlag: sie bekämpften erfolgreich die private Grundstücksspekulation und erhielten für ihre Großwohnbauvorhaben sehr preisgünstige – oftmals größere, zusammenhängende – Grundstücke. Zweitens aber wurde dem lokalen Baugeschäft durch die Mietzinsregelung ein fataler Stoß versetzt: der Mieterschutz erbrachte einen Kündigungsschutz und durch die Trennung der Miete in Grundmietzins, Instandhaltungskosten und Betriebskosten sank der Mietzins auf ein Minimum, sodaß die private Bautätigkeit unrentabel wurde. Am 1. Mai 1922 wurde die allgemeine Mietzinsregelung eingeführt und am 20. Jänner 1923 wurde statt der Mietzinsabgabe die neue Wohnbausteuer beschlossen, was den eigentlichen Grundbaustein für das gewaltige Wohnbauprogramm der Sozialdemokraten bildete.

Mieterschutz

Der sogenannte „Mieterschutz" bildete eine der vor-sozialistischen Voraussetzungen für den kommunalen Wohnbau des Roten Wien. Er ging eigentlich auf eine Notverordnung des Jahres 1917 zurück und wurde erst am 1. Mai 1922 mit den Stimmen der Sozialdemokraten, der Christlich-Sozialen und Großdeutschen gesetzlich fixiert.

Der Mieterschutz gehörte zu einem Paket von beschwichtigenden Notmaßnahmen, die Kaiser Karl zwischen 1916 und 1917 erlassen hatte. (47) Unter dem Druck einer außerparlamentarischen Massenbewegung veranlaßte der kaiserliche Staat am 26. Jänner 1917 seine „Verordnung über den Schutz der Mieter", welche das Kündigungsrecht der Hausbesitzer weitgehend einschränkte und die Einfrierung der Mietzinse erreichte. Die neue Verordnung schützte nicht nur die Soldatenfamilien vor dem Verlust des Obdaches (Kündigungsschutz), sondern schrieb auch eine Art Zinsfestsetzung (Mietenstop) vor, die den Mieter nur zur Zahlung eines Bruchteiles des Vorkriegszinses verpflichtete. Die neue Verordnung wandte sich gegen jene nach Kriegsbeginn eingerissene Sitte der Hausherren, (wegen der Geldentwertung) die Mieten drastisch zu erhöhen und jene zu kündigen, die nicht zahlen konnten. Es ist bezeichnend, daß der Mieterschutz auf eine Kriegsverordnung zurückgeht, um der latent revolutionären Situation eines menschenaufopfernden Krieges und einer hungerleidenden Zivilbevölkerung vorzubeugen. In der Folgezeit sollte der Mieterschutz allerdings zu einem wesentlichen Bestandteil der Wiener Wohnungswirtschaft und Wohnungspolitik wurde. (48)

Der Ursprung des Mieterschutzes war also eine kriegswirtschaftliche und politisch-taktische Notwendigkeit mit präventivem Charakter und wehrertüchtigungs-psychologischer Wirkung. Denn einerseits konnten soziale Unruhen und Angriffe vom inneren Feind erfolgreich und vorzeitig abgefangen und abgewehrt werden, andererseits sollte den Frontsoldaten zumindest die Sorge um ihre daheimgebliebenen Familien und somit ein Grund für Desertation genommen werden.

Den Hausbesitzern war der Mieterschutz natürlich ein Dorn im Auge: denn gerade dadurch, daß ihnen das Kündigungsrecht eingeschränkt und die Erhöhung der Mietzinse verboten wurde, verfiel die Rentabilität von Haus- und Grundeigentum, was zu einem starken Rückgang der privaten Bautätigkeit führte. Genauso wurde durch das Einfrieren der Mietzinse auf dem Preisniveau vor 1914 den Hausbesitzern und Baugesellschaften der Anreiz zu notwendigen Renovierungsarbeiten und zur allgemeinen sanitären Verbesserung der Wohnungen genommen, was wiederum zur Folge hatte, daß die Wohnhäuser immer mehr an Wohnwert verloren und zusehends verfielen. Die Folge war, daß die private Bautätigkeit lahmte, obwohl Neubauten nach 1917 vollständig vom Mieterschutz ausgenommen und dreißig Jahre von allen Gemeindesteuern befreit waren. Dies allein konnte nicht der Hauptgrund für die Nichtentfaltung der privaten Bautätigkeit sein; nachwievor fehlte es an Privatkapital für Bauinvestitionen.

Da die Häuser infolge des niedrigen gesetzlichen Zinses verbunden mit einer hohen Inflation, eine erhebliche Wertminderung erfuhren, gab es viele Spekulationsverkäufe zu niedrigen Preisen und Ankäufe von ausgesprochenen „Asylwohnungen" (Fremdarbeiterwohnungen) mit kurzfristigen Profiten, was zur Verschlimmerung und Verslumung der Wiener Wohnverhältnisse beitrug. Die aus dem Mieterschutz resultierende Verschlechterung der Wohnqualität und Vergammelung der Häuser führte, da sich die privaten Hausherren weigerten, in den Wohnbau zu investieren, sofort zu einem kurzfristigen Wohnungsmangel.

Der Mieterschutz hatte in Verbindung mit der Geldminderung aber auch praktische Vorteile, vor allem für die Massen der Arbeiter und Kleinbürger. Zum einen bewirkte die Inflation eine weitgehende Verbilligung des Wohnungsaufwandes und verlieh dem Mieterschutz seine entscheidende Durchschlagskraft auf dem Kapitalmarkt: bei sinkendem Geldwert wurden die Mieten nahezu nullifiziert; die Wohnung verlor ihren „Warencharakter" (49).

Mit dem Preisverfall der Wohnungen entledigten sich die meisten Wohnungsmieter ihrer gesetzlich sowieso nicht mehr geduldeten Untermieter und Bettgeher, die nun ihrerseits genötigt waren — soweit sie es sich leisten konnten — als eigene Wohnungswerber aufzutreten, was zwar zur Wohnungsknappheit nach dem Krieg beitrug, genauso aber zu einer vorteilhaften Abnahme der Belagsdichte. Die Zahl der Personen, die im Durchschnitt auf eine Wohnungspartei entfielen, ging von 4,23 im Jahre 1910 auf 3,49 im Jahre 1923 zurück. (50)

Wohnungsablösen durch den Hausbesitzer bzw. -verwalter waren verboten. Durch die Trennung der Miete in einen gesetzlich geregelten und preisgesicherten Grundmietzins, Instandshaltungszins und in Betriebskosten (Wasserverbrauch, Stiegenbeleuchtung, Hausmeisterkosten, Kanalgebühr, Mülltransport etc.) bestand für den Hauseigentümer keine Möglichkeit mehr, hohe Mieten zur Amortisation der Baukosten und Kapitalausgaben zu verlangen. Außerdem schrieb der Mieterschutz die polizeiliche Anmeldepflicht vor, verunmöglichte dadurch Doppelwohnsitze und schützte vor Abgabenmißbrauch.

Aber auch der Gemeinde und dem Staat erwuchsen Vorteile: Der niedrige Zins war lohn- und preispolitisch eine unbedingte regulative Notwendigkeit, um die Konkurrenzfähigkeit der österreichisschen Exportwirtschaft nicht zu gefährden. (51) Die Sozialdemokraten sahen im Wohnbau die Möglichkeit, negativen wirtschaftlichen Schwankungen beim Lohnniveau und der Arbeitslosigkeit im freien Baumarkt und in der Privatwirtschaft nationalökonomisch entgegenzuwirken. Nicht nur das: die Mietenhöhe war eine staatspolitische Entscheidung, um das Lohnniveau niedrig zu halten. So argumentiert Gottfried Pirhofer, daß „die Gemeindebauten (...) nicht einmal kostendeckend zu einem fast nur symbolischen Preis vermietet" wurden, und er betont nachdrücklich, „daß die volkswirtschaftliche Notwendigkeit der Verbilligung von Wohnraum zur Vermeidung sonst notwendiger drastischer Lohnerhöhungen als indirekte Hilfe für die exportorientierte Industrie" (52) ein politisches Instrument der Lohnregulierung darstellte. In Anbetracht des niedrigsten Lohnniveaus aller vergleichbaren Industriestaaten Europas und der USA hat diese Theorie doch etwas auf sich, denn „die Wiener Arbeiterschaft befand sich hinsichtlich des Lebensstandards unter Einbeziehung des Mietzinses im internationalen Vergleich auf unterster

Stufe" (53). In einer inzwischen berühmt gewordenen Selbstdarstellung der damaligen Wohnungspolitik wird der Zusammenhang zwischen preisregelnder Mietenpolitik und Kapitalismus deutlich. (54) In dieser Publikation wird der volkswirtschaftliche Nutzen von Mieterschutz und Wohnungsbau in prokapitalistischer Argumentationslogik verteidigt. Das Lohnniveau sollte bewußt niedrig gehalten werden, damit die österreichische Industrie international konkurrenzfähig bleibe. Es ist bestimmt kein Zufall, daß der Mieterschutz — von einigen Abstrichen abgesehen — in der Folgezeit während des Austrofaschismus, des Nationalsozialismus und sogar während der 2. Republik immer einen lohnregulativen Bestandteil der kapitalistischen Wirtschaftsordnung darstellt(e).

Ein weiterer Vorteil für die Gemeinde ergab sich dadurch, daß die private Bautätigkeit durch den Mieterschutz nicht nur völlig unrentabel, sondern auch der privaten Spekulation entzogen wurde. Dies führte zu einem Sinken der Bodenpreise und die städtische Wertzuwachssteuer erschwerte obendrein den Weiterverkauf, weshalb viele Spekulanten ihr nutzlos angelegtes Kapital an Grund und Boden oftmals zu niedrigen Preisen verkauften. Hauptnutznießerin dieser Politik war die Gemeinde, weil sie damit wertvolle Baugründe im Stadtgebiet zu niedrigen Preisen erwerben konnte. Sie war bemüht, neben einzelnen Baulücken im verbauten Stadtgebiet auch größere, zusammenhängende Liegenschaften für Großblock- und Siedlungsanlagen zu erwerben, oftmals nur zu einem Bruchteil des Friedenswertes von 1914. (55)

Karikatur aus der „Arbeiter-Zeitung" vom 8. Dezember 1925

Die rabiaten Hausherren.
Und wenn ihr euch noch so abstrampelt!

Der Mieterschutz – sobald er 1922 vom Nationalrat beschlossen und verabschiedet wurde – entwickelte sich innenpolitisch zu einem „heißen Eisen" und wurde ein beliebter Dauerbrenner für Karikaturisten (siehe Karikatur aus der „Arbeiter-Zeitung" vom 26. Oktober 1925). Das neue Mietengesetz vom 7. Dezember 1922, das einen Kündigungsschutz und praktisch einen Mietzinsstop beinhaltete, hemmte sowohl die private Bautätigkeit als es auch den Wert des Kapitals am Zinshaus verminderte, was ja Baufinanzierungen aus öffentlichen Mitteln direkt erforderlich machte. Der Mieterschutz blieb bis heute ein wahlpropagandistisches Thema.

Den Sozialdemokraten wurde auch bald klar, daß durch die bloße Verteidigung des Mieterschutzes ohne private oder öffentliche Bautätigkeit der Wohnungsmarkt zusammenbrechen würde, da ja durch die Stagnation der Wohnbauproduktion zwangsläufig eine Wohnungsnot entstehen und die Investitionsunlust der Hausbesitzer langfristig zu einer allmählichen Verschlechterung der Wohnqualität führen mußte. Darauf kann entweder mit einer Eliminierung des Mieterschutzes reagiert werden, was zu einer Lohnsteigerung und einem ebenso schnell ansteigenden Mietzins führt, aber Haus- und Grundbesitz wieder lukrativ macht; oder man ersetzt die private durch eine öffentliche Bautätigkeit und hält somit gleichzeitig Löhne und Mieten niedrig. D.h., man errichtet ein weitgehend von der privaten Marktwirtschaft unabhängiges Kapitalbeschaffungsprogramm. Die zweckgebundene Wohnbausteuer sollte das erforderliche Kapital für den Bau von neuen Wohnungen schaffen, ohne daß die Gemeinde gezwungen war, Anleihen aufzunehmen. Die Finanzinvestitionen in Form von aufgewendetem Baukapital, Grundstückszinsen etc. wurden gänzlich nullifiziert und irgendeine Verzinsung nicht in Betracht gezogen. „Die Gemeinde Wien entschloß sich daher auf die Rückgewinnung der Baukosten zu verzichten. Damit wurde der sogenannte ‚à fond perdu' eingeführt: investiertes Kapital, mit dessen Wiedergewinnung man nicht rechnete." (56)

Paradoxerweise blieb die progressive Gemeindereform gerade dadurch im Status quo einer kapitalistischen Rationalitätslogik stecken. Ihr Reformprogramm wurde zu einem nicht unwesentlichen Teil in das bürgerliche System integriert; da sie zur Finanzierung ständig auf Einnahmen irgendwelcher Klassensteuern angewiesen war, bemerkte Fritz Wulz wohl treffend: „Da die Abgaben vor allem die Wohlhabenderen betraf, so rechnete man in der Sozialdemokratie anscheinend (immer) damit, daß es diesen ungleichmäßig verteilten Wohlstand auch in der Zukunft geben würde. Aber damit hatte sie sich dem kapitalistischen System angepaßt." (57) Nolens volens zog sich die sozialdemokratische Gemeindeverwaltung in ihrem Konzept damit selbst eine Schlinge um den Hals!

Öffentliche Vergabe und Mieten der Wohnungen

Die Wohnungsvergabe erfolgte nach Bedarf und nicht nach Einkommen der Wohnungswerber. „Im marktwirtschaftlichen System", schreibt Wilhelm Kainrath, „erfolgt (gewöhnlicherweise) die Vergabe von Wohnungen nach der Höhe des Familieneinkommens. Wer mehr verdient, kann sich eine schönere und größere Wohnung leisten. Diesem unsozialen Prinzip der Wohnungsvergabe setzte die Gemeinde Wien ein Verteilungsprinzip entgegen, bei dem die Wohnungsnot der gesamten Bevölkerung objektiv gemessen wurde und entsprechend der objektiven Dringlichkeit die Wohnungen vergeben wurden. Nach einem Punktesystem wurden Familienumstände und bisherige Wohnverhältnisse erfaßt und die Wohnungssuchenden entsprechend in Wartelisten gereiht." (58) Nach Robert Dannebergs Beschreibung waren die Wartelisten für Gemeindewohnungen lang, denn die Wohnungen waren für den Großteil der Wohnungswerber „fortschrittlich" (59).

Die Praxis der öffentlichen Wohnungsvergabe entsprach nicht nur der Möglichkeit der demokratischen Kontrolle, sondern widerspiegelte die soziale Kompensationspolitik der Sozialdemokraten. Vor allem das Besteuerungssystem mit Verzicht auf indirekte Steuern, die Einführung von Luxussteuern und die progressiv gestaffelte Wohnbausteuer einerseits und die Bemessung niedriger Mieten für die Bewohner von Gemeindewohnungen andererseits, verfolgten das Ziel eines „sozialen Ausgleichs" und „sozialer Kompensation" in der Politik der Bundeshauptstadt.

Das Wohnungsamt übernahm die Wohnungszuteilung, die öffentlich nach einem ausgeklügelten Punktesystem erfolgte, durch das die Wohnungswerber in schwere, leichte und mittlere Bedürftigkeitsklassen zusammengefaßt wurden. Aufgeschlüsselt wurden die Klassen in Punkten: 10 oder mehr (schwer); 5 bis 9 (mittel) und 1 bis 5 (leicht). Folgende Kriterien wurden bei der Aufnahme berücksichtigt:

österreichischer Staatsbürger	1	Invalidität	1
heimatberechtigt in Wien	1	Halbinvalidität	1/2
in Wien geboren	4	Kündigung	5
in Wien seit 1 Jahr ansässig	1	Untermieter	2
jung vermählt	1	Bettgeher	2
mehr als 1 Jahr vermählt	2	Wohnungshygiene	1/2
pro Kind unter 14 Jahren	1	Unbewohnbarkeit	5
pro Kind über 14 Jahren	2	Obdachlosigkeit	5
getrennter Haushalt	2	Küchenmangel	1
Schwangerschaft	1	Überbelag	1
kriegsbeschädigt	5	Krankheit/Parteizugehörigkeit	?

Aus dieser Aufstellung läßt sich leicht herauslesen, daß dieses System länger bestehende Familienverhältnisse begünstigte, allerdings mußte von den Wohnungswerbern nicht unbedingt ein Trauschein vorgelegt werden. Ebenso enthält dieses System gewisse Schutzmaßnahmen gegen (fremdländische) Zuwanderung,

Wiener wurden eher als Wohnungswerber berücksichtigt als Bürger aus den Bundesländern – die „Beurteilung" objektiver Notlagen scheint durch „heimatrechtliche" und familienrechtliche Gesichtspunkte relativiert. Als überbelegte Wohnungen galten eine Ein-Zimmer-Wohnung, die von drei Erwachsenen und zwei Kindern (unter 10) , bzw. eine Kabinett-Wohnung, die von zwei kinderlosen Erwachsenen, bzw. einer Person mit zwei Kindern etc. bewohnt waren. Die Unbewohnbarkeit einer Wohnung wurde durch die Baubehörde und durch das Gesundheitsamt festgestellt. Eine Klausel betreffend schlechter Wohnverhältnisse und (unverschuldeter) Kündigungen (besonders von sozialdemokratischen Hausvertrauensleuten) brachte Pluspunkte, ebenso politisch-organisatorisches Engagement in der Partei, sodaß Parteigenossen sicher bevorzugt wurden. (60) Aus diesen „Sonderfällen" und Ausnahmeregelungen geht hervor, daß dieses System objektiver Bedarfsmessung gelegentlich durch Parteiprotektion oder wahltaktische Überlegungen (Parteiwähler in einen „schwarzen" Bezirk einzuschleusen) durchbrochen, und daß das Punktesystem nicht immer streng nach der Bedürftigkeit der Wohnungswerber angewendet worden ist. Trotz gelegentlichen Mißbrauchs und Parteiwirtschaft ändert dies nichts an der Bedeutung dieses Systems. Es war auf keinen Fall bloß kosmetisch.

Der Zins der Gemeindewohnungen wurde nicht den tatsächlichen Baukosten entsprechend, sondern nur in einer zur Deckung der Instandhaltungs- und Betriebskosten notwendigen Höhe bestimmt. Der ausgesprochen niedrige Mietzins wurde je nach der Verkehrslage der Wohnhausanlage, d. h. im Verhältnis zur Stadtnähe, ihrer Entfernung zur Straßenbahn, und der Ausstattung abgestimmt. Die Mieten wurden auch nach Gebrauchswerten wie kommunalen Sozialeinrichtungen (Wäschereien, Bäder, Gartenanlagen), Bauqualität und Wohnkomfort gemessen. (61) Alle Betriebskosten, für die die Hauseigentümer aufzukommen hatten, wie Wassermehrverbrauch (35 Liter pro Person und Tag waren kostenlos), Kanalräumung, Rauchfangkehrerarbeiten, Stiegenhausreinigung, Nachtbeleuchtung, Versicherung etc; ferner die Ausgaben für Gebäude- und Gartenerhaltung, schließlich die Verwaltungskosten, wurden von den Mietparteien eingefordert. Irgendeine Verzinsung noch so bescheidener Art für das aufgewendete Kapital kam nicht in Anrechnung. Die verbleibende Instandhaltungsmiete versuchte man möglichst gerecht zu verteilen und wurde vorläufig nach Erfahrungsgrundsätzen ermittelt: „Da sich bei den Neubauten naturgemäß noch keine nennenswerten Instandhaltungsarbeiten ergaben, wurden die Überschüsse in einem eigenen Fond für die Zukunft gesammelt. Es sollte dadurch vermieden werden, daß etwa Mietparteien in den ersten Jahren unverhältnismäßig wenig bezahlten, dafür aber später jene Mieter, die gerade während der Zeit einer umfassenden Reparatur ein Haus bewohnten, für die ganze Abnützungsperiode der Vergangenheit aufkommen müssen." (62)

Der Mietzins betrug im Durchschnitt 20 Groschen pro Quadratmeter (63), schwankte jedoch je nach Lage und Bauausführung zwischen 11 Groschen für den Quadratmeter als Minimum und 30 Groschen für den Quadratmeter als Maximum im Monat zuzüglich der Wohnbausteuer (die aber für die Masse keine nennenswerte Belastung darstellte). So betrug der Mietzins etwa ein Achtel des Vorkriegszinses und ein Zwölftel dessen, was in Anbetracht der tatsächlichen Baukosten zu berechnen gewesen wäre. (64)

Ein Beispiel: 1926 betrug die Miete für eine Mittelstandswohnung mit 38 qm im V. Bezirk monatlich 5,70 Schilling. Hinzu kam noch die Wohnbausteuer, die im Vergleich zu ähnlich gelegenen und ebenso ausgestatteten Wohnungen ermittelt wurde und im Durchschnitt 1,50 Schilling pro Monat nicht überstieg. Somit betrug die Gesamtmiete für eine Zimmer-Wohnküche-Vorraum-WC-Wohnung mit den von der Gemeinde beigestellten Einrichtungen (Gasherd, Sturzklosett, Wasser-, Gas- und Stromanschluß) im Schnitt 7,20 Schilling im Monat, was ca. 4% eines Arbeitereinkommens entsprach. (65)

Mit solchen Mieten konnte die private Bauwirtschaft natürlich nicht konkurrieren. Bei Krankheit und Arbeitsunfähigkeit wurden die Mieten in den Gemeindewohnungen gestundet oder (in manchen Fällen) überhaupt nicht bezahlt und der Mieter wurde nicht – wie im privatkapitalistischen Wohnungsmarkt – auf die Straße gesetzt. Es wurde nicht der tatsächliche, ökonomisch ermittelte Marktpreis für eine Wohnung verrechnet, sondern ein politischer Preis, der nach gesamtgesellschaftlichen Berechnungen ermittelt wurde. Die Wohnung wurde zu einem propagandistischen Mittel, in dem sich der „proletarische" Pathos, die Emanzipations- und Zukunftsgehalte der aufsteigenden und ihres Wertes bewußt gewordenen Arbeiterklasse manifestierte.

Richtlinien für den Wohnbau

Das Streben der Stadtverwaltung war, die Wiener Wohnkultur zu heben. Trotz der böswilligen Angriffe der Opposition gegen den ihrer Meinung nach zinskasernenähnlichen Charakter der Gemeindebauten und die – aus heutiger Sicht – kleinen Wohnungen waren die Wohnbauten der Gemeinde der Zwischenkriegsära die Alternative zu den gefürchteten Zinshäusern der Gründerzeit und denen des privaten Bauunternehmertums ihrer Zeit.

Bei der Anlage der Gemeindewohnungen wurde auf wohnhygienische Forderungen Rücksicht genommen. Bei den Neubauten wurden grundsätzlich nur 50% der Geländeflächen verbaut und der Rest in Hofform mit Gartenanlagen belassen. Es wurde streng darauf geachtet, daß jede Wohnung einen der direkten Besonnung ausgesetzten Raum enthielt. Lichthöfe zur Belichtung von Wohn- und Aufenthaltsräumen kamen nicht mehr vor. Selbst von Aborten und Küchenspülen führte ein Fenster in einen Hof oder auf die Straße.

Zum Unterschied zur „Bassenawohnung" waren die Wohnungen nicht von einem Gang aus erschlossen, sondern es lagen maximal vier Wohnungen pro Geschoß an der Treppe. Die Anzahl der Treppenhäuser war demnach größer. Die Attribute und Kommunikationsmöglichkeiten des Bassenahauses wurden zugunsten größerer Privatheit und Enklavenbildung weniger Mieter aus den Gemeindewohnbauten verdrängt. (66) Jede Wohnung erhielt ihre eigene im Wohnungsverband befindliche Toilette, und in jede Küche wurde das Wasser eingeleitet. Die

Gangtoilette und das eigentliche Symbol des Arbeiterhauses, die Bassena, wurden „der Geschichte übergeben" (67). Voll Stolz verkündete man „den Frieden des Hauses" durch die Eliminierung der Bassena, „da dadurch die Gelegenheit für den Tratsch ganz wesentlich eingeschränkt (wurde); andererseits vermißt man in den (ganglosen) Stiegenhäusern den sonst so unangenehm fühlbaren Küchendunst" (68). Eine Privatisierung des Wohnens trat an Stelle der kontaktfördernden, aber doch elenden Wohnverhältnisse in den Bassenahäusern. Was von einigen kritischen Beobachtern recht skeptisch als Zunahme der Überwachung in den Gemeindebauten und Verhinderung einer „proletarischen Solidarität" gedeutet wurde (69).

Eine Aufwertung der früher so gefürchteten Hofwohnungen trat vor allem durch die gärtnerische Ausgestaltung und das Anlegen von Spielflächen für Kin-

Wohnungstype B: 38 qm

Wohnungstype C: 45 qm

Wohnungstype D: 48 qm

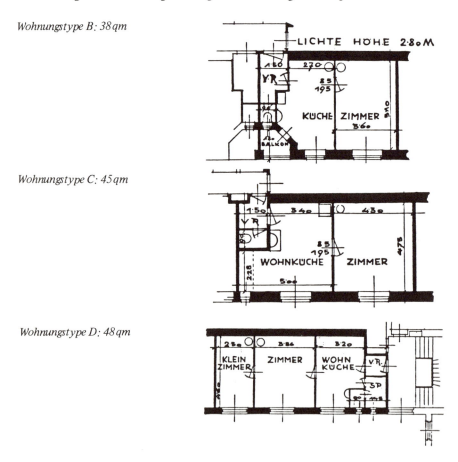

Typengrundrisse von Gemeindewohnungen: In den Gemeindebauten vor 1926 kamen zumeist zwei Wohnungsgrößen zur Ausführung (38 qm bzw. 48 qm)

42

der oder Ruheplätzen für Erwachsene ein. Sie wurden nun gegenüber den auf die Straße mündenden Wohnungen sogar bevorzugt. Reine Nordwohnungen waren „tunlichst" zu vermeiden.

Der immer mehr reduzierte Verbauungsgrad ermöglichte nicht nur eine vorteilhafte Belichtung und Belüftung, sondern weiträumige Hofanlagen mit einer Vielzahl von kommunalen Einrichtungen. Ein Grundsatz lautete, daß alle Wohnungen und Küchen ausnahmslos ins Freie führen mußten, entweder zur Straße oder in den geräumigen Binnenhof. Nur ausnahmsweise wurden Lichthöfe zugelassen, wo infolge bereits vorhandener Nachbargebäude eine andere Lösung unmöglich war. Nach Pirhofer/Sieders skeptischer Einschätzung waren die Binnenhöfe bewußt „panoptisch angelegt" (70). Sie bringen damit die Gedanken der Überwachung und Strafe von Michel Foucault in die Diskussion ein (71): „Die Kinder sollten unter den Augen ihrer Mütter (und Aufseher) spielen, die von den Balkonen und Küchenfenstern blicken konnten. Und alles überschauten die ‚Augen der Mutter Gemeinde'." (72) Diese neue Form der Kontrolle scheint architekturpsychologisch interessant zu sein, wird aber weitgehend überschätzt, denn es finden sich an der Basis ebensoviele Gegenbeispiele zu dieser Theorie (anti-autoritäre Kinder- und Schulerziehung, die entwickelte politische Kultur im Lager zum Abbau von Hierarchien und Auflösung von autoritär-patriarchalischen Strukturen, Frauenbewegung etc.).

In den Gemeindewohnungen kamen im allgemeinen zwei Wohnungstypen vor: Rund 75% der 25 000 Wohnungen des ersten Wohnbauprogramms waren

Wohnküchen-Zimmer-Wohnungen mit 38 qm Nutzfläche; die restlichen 25% waren Wohnküche-Zimmer-Kabinett-Wohnungen zu 48 qm Wohnfläche. (73) Die in Wien ausgeführten Wohnungsgrößen waren, gemessen am niedrigen Wohnstandard, fortschrittlich und den Verhältnissen angepaßt. International gesehen waren sie auch für die zwanziger Jahre eher bescheiden. (74) Von Besuchern aus reicheren Industriestaaten wurden sie häufig als zu klein empfunden. Die Kritik des Internationalen Wohnungs- und Städtebaukongresses in Wien (1927) veranlaßte die Gemeinde, ihre Richtlinien zu ändern. Schon ab 1928 waren in dem neuen Wohnungsprogramm von 30 000 Wohnungen folgende Wohnungstypen vorgesehen: Wohnungen zu 21 qm, zumeist aus einem Raum bestehend (für Junggesellen und Ledige). An-

„Frankfurter Küche" (1926)

43

stelle der Küche hatten sie eine Kochnische mit Gasherd und einen Vorraum; Wohnungen zu 40 qm mit einem Schlafraum und einem Wohnraum und womöglich mit einem Balkon; Wohnungen zu 49 qm mit zwei Schlafzimmern und einem Wohnraum und mit Balkon oder Loggia; Wohnungen zu 57 qm mit zwei großen Zimmern und einem Kabinett. Jede Wohnung erhielt einen Keller und – egal welcher Größe – einen Vorraum. Die Küchen waren meist als Wohnküche ausgebildet (anstatt der modernen „deutschen", sog. „Frankfurter Küche").

Elemente der Gemeindewohnungen

Mit gewissem Stolz hat man in den Selbstdarstellungen der Gemeinde immer wieder auf die Tatsache hingewiesen, daß alle Wohnungen ihr eigenes **Vorzimmer** besitzen. Dies wurde von amtlicher Stelle „als sehr zweckmäßig" empfunden, weil „(...) so eine direkte Ausmündung der Küchendämpfe in die Stiegenhäuser verhindert und gleichzeitig der notwendige Pufferraum gegen die Stiegen und Gänge hergestellt (wurde)" (75) und „(...) die Toilette von den übrigen Aufenthaltsräumen getrennt worden ist". (76)

Entgegen der hygienischen Fürsorge der Gemeindeväter kam der Einführung des Vorzimmers wohl weitgehend Symbolfunktion zu, einerseits für einen höheren Wohnstandard und andererseits als Zeichen für die neue Privatheit und Zurückgezogenheit im Kollektivwohnhaus: „Als Symbol sagte der Vorraum aus, daß der Mieter über eine private Sphäre verfügt, die hinter der Wohnungstür, spätestens aber hinter der Vorzimmertür beginnt. Diese private Sphäre konnte nicht von den anderen Mietern eingesehen oder abgehört werden. Man brauchte nicht

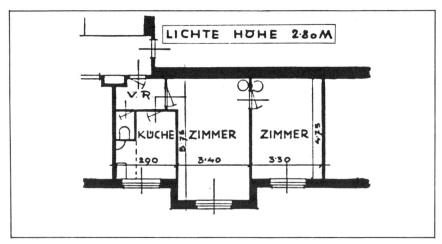

Das omnipräsente Vorzimmer bei dieser Gemeindewohnung zu 48 qm.

44

Wohnküche im „Fuchsenfeld-Hof" (1925)

Moderne Wohnküche im Haus Nr. 69 (Wagner-Freynsheim) in der Werkbundsiedlung (1932).

mehr mit der sichtbaren oder spürbaren Gegenwart der Nachbarn in allen privaten Handlungen zu rechnen. Der Mieter einer Gemeindewohnung herrschte in seiner Privatheit über seine Wohnung, wo er ungestört war; wo er sich vor den Anstrengungen der Arbeit ausrasten und neue Kraft durch Ruhe schöpfen konnte." (77) Oder, etwas schärfer ausgedrückt: Der Arbeiter bedarf der Ruhe und Abgeschlossenheit, um seine Arbeitskraft für die Produktion zu regenerieren. Die Kontrolle der Öffentlichkeit verfolgte ihn nur bis zur Türe seiner Wohnung; das Vorzimmer diente als Schwelle zur Privatheit und verwies den Bewohner in den Bereich seiner eigenen Reproduktion. Daß dieser Bereich mit dem Begriff der Familie des öfteren verdunkelt wurde, gehört zur moralisch-ideologischen Rechtfertigung, die die Gemeindeverwaltung für ihre Maßnahmen benötigte.

Das Festhalten an der altertümlichen **Wohnküche** – im Gegensatz zur durchrationalisierten „Frankfurter Küche" (78), die im wesentlichen durch Franz Schuster und Grete Schütte-Lihotzky für den Siedlungsbau in Wien entwickelt

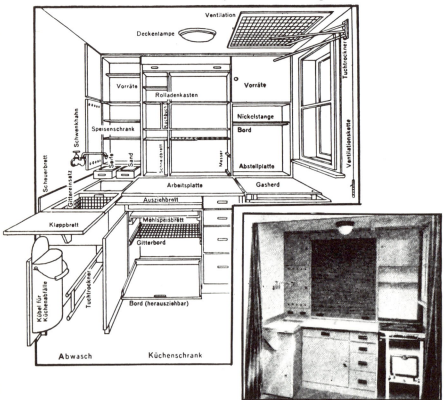

Die in Franz Schusters Buch „Eine eingerichtete Kleinstwohnung" (1927) abgebildete Zeichnung einer durchrationalisierten Kücheneinrichtung. Wie die berühmtere „Frankfurter Küche" wurde sie zum Leitbild im sozialen Massenwohnungsbau der zwanziger Jahre.

und nach Frankfurt gebracht worden ist — entwuchs weder den Antirationalisierungstendenzen im Wiener Kommunalbau noch der Kontinuität der Wiener Wohnverhältnisse innerhalb des Proletariats mit einem bewußten Anknüpfen an bestehende Erwartungshaltungen (79), sondern hatte rein praktisch-bauliche und soziale Gründe. Die Wohnküchen wurden absichtlich nach verschiedenen Typen ausgeführt, weil sich „eine Normalisierung (Normierung?) hemmend auf den erfinderischen Geist (sic) des Architekten" (80) hätte auswirken können. Und außerdem wollte man bewußt eine weitere Ausgliederung der Frau aus der Männerwelt und dem Politikalltag durch maßgeschneiderte „Küchenlabors" verhindern. Die sogenannte „Frankfurter Küche" war das Nebenprodukt betriebsökonomischer und rationalistischer Studien zur Erhöhung der Arbeitseffizienz in der kapitalistischen Industrie (Taylorismus) und der empirisch-materialistischen Sozialforschung (Sowjetmarxismus). Paradoxerweise führte sie gerade zum Gegenteil einer Emanzipation der Frau, für die sie ursprünglich als Arbeitsverkürzung und -erleichterung gedacht war. (81)

Einzelzimmerwohnungen wurden mit einer Kochnische versorgt. Häufig schloß sich an die Küche eine **Spüle** zur abgesonderten Besorgung der mit dem Kochen verbundenen Abwasch- und Reinigungsarbeiten an. Die Übernahme „bürgerlicher" Wohnkultur finden wir in der Einrichtung der Küche: „blitzblanker, reinlicher Gasherd" (82) anstatt dem „althergebrachten, die Wohnung verschmutzenden Kohlenherd" (83) und die politierten Lackmöbel und Einbauschränke statt der „Kuchlkredenz".

Nur in einem einzigen Fall wurde eine Gemeinschaftsküche (Einküchenhaus) eingerichtet: im „Heimhof" auf der Schmelz. Das Wiener Einküchenhaus um-

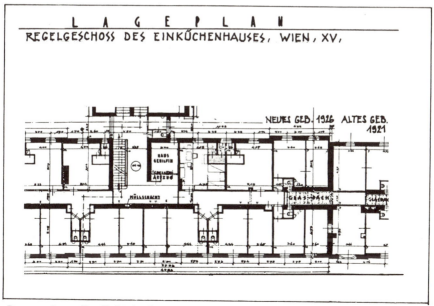

Das experimentelle „Einküchenhaus" auf der Schmelz: „Heimhof" (1922–26), Grundriß

faßte lediglich 246 Wohneinheiten, es hatte nur experimentellen Charakter und war a priori zum Scheitern verurteilt. Das Modell erwies sich für die Praxis als unbedeutend, weil es von der Gemeindeverwaltung nicht genügend gefördert wurde. Nach der Machtübernahme der Austrofaschisten und später der Nationalsozialisten wurden Speisesaal und Zentralküche im „Heimhof" zugesperrt und die Gemeinschaftseinrichtungen in Kellerabstellplätze unterteilt. Im Laufe der Zeit wurden von den Mietern nach und nach Kochnischen in allen Wohnungen eingebaut. Das Einküchenhaus diente ursprünglich berufstätigen Ehepaaren, die sich eine Hausgehilfin nicht leisten konnten. Zu diesem Zweck wurden gemeinsame Küchenführung und das Aufräumen der Wohnungen durch städtisches Personal besorgt. Das Einküchenhaus wurde vor allem von lohnabhängigen Mittelschichten (Lehrer, Beamte, Parteifunktionäre) bewohnt und hatte für die Gemeinde eher „Alibifunktion". (84)

Grundrißschwächen

„Wohnen", schrieb Walter Benjamin, „heißt Spuren hinterlassen", bezogen auf das Interiéur als „Etui" des Kleinbürgers, des „Privatmanns". (85)

Es war nicht einfach, Spuren in den Gemeindebauten zu hinterlassen. Die vielerorts bemängelten zu kleinen Wohnungen waren auch starr und unflexibel. Solche Kritik verkennt aber doch die gesellschaftspolitische Bedeutung des Wohnbauprogramms; denn bei vorgegebenem Bauvolumen und bereitgestellten Budgetmitteln konnten nur kleine, annährend gleich große Zimmer-Küche-Vorraum-Wohnungen geschaffen werden, und die Wohnungen sollten ja auch mit einer Fülle von Gemeinschaftseinrichtungen gekoppelt sein. Zum einen wäre es unsozial und verantwortungslos gegenüber den vielen Wohnungssuchenden gewesen, wenn weniger, aber dafür größere (teurere) Wohnungen eingerichtet worden wären. D.h. man zeigte „eine solidarische Haltung gegenüber den noch Wartenden" (86), und zum andern war die Wohnung nicht bürgerliches Refugium, sondern eine gemeinschaftsorientierte Fortsetzung politischen Lebens. Wilhelm Kainrath verkündet die These der „Haussolidarität" so: „Solcherart blieb ‚Wohnen' nicht bloß eine private Angelegenheit einzelner Menschen oder Familien, sondern war integriert im solidarischen Zusammenleben — oft auch in der gemeinschaftlichen politischen Auseinandersetzung — einer großen Wohnhausanlage, ja eines ganzen Wohnquartiers." (87)

Im Sinne einer offenen Sozialstruktur, hinter der politische Ziele steckten, waren die Wäschereien, Bäder, Grün-Hofanlagen, Kinderspielplätze, Jugendhorte, Leseräume, Märkte (z.B. Schlingermarkt), Läden (insbesondere Konsumgenossenschaften bei den Siedlungsanlagen), Mutterberatungsstellen usw. höchst wirksame Ansätze zu einem organisierten Gemeinschaftsleben. Doch Auffassungen, wie sie von Kainrath vertreten werden, mißachten zweierlei: erstens streiften die Arbeiter ihren Drang nach „bürgerlicher Behaglichkeit" oder dem „Glück im

Winkel" im Inneren der Wohnungen keineswegs ab und zweitens verkennt diese Argumentation, daß „Zwangskommunikation die denkbar ungünstigste Voraussetzung für solidarisches Verhalten und Handeln ist." (88) Öffentlichkeit und Kommunikation können nicht allein durch Architekturformen bewerkstelligt werden (obwohl gewisse Elemente proletarische Solidarität begünstigen können), wenn sie im Bewußtsein der Bewohner und deren (politischen) Organisationen fehlen.

Seitens der Sozialdemokratie und der Gemeinde wurde wenig getan, um eine radikale Veränderung der Wohnkultur zu erreichen, d.h. um den Haushalt und die Stellung der Familie (der Frau) in einem fortschrittlichen Veränderungsprozeß zu revolutionieren (Kommunenhäuser, Einküchenhäuser, Wohngemeinschaften etc.). Vor allem in der neueren Literatur (89) wird immer wieder betont, wie wenig die Innenarchitektur zur kulturellen Selbstverwirklichung der Arbeiterklasse geleistet hat oder gar, wie konträr die (kleinbürgerliche) Wohnungseinrichtung zur „neuen Qualität proletarischer Wohnarchitektur" im Äußeren stand. Einige Autoren versuchten – anhand der inneren Raumordnung und ihrer Gleichsetzung eines „kleinbürgerlichen Wohnzimmers" mit der „guten Stube" als Repräsentationsraum –, die verborgenen Absichten einer Domestizierung der Arbeiterklasse zu entlarven. (90) Nach diesen Autoren scheint nicht einmal eine minimale Beziehungsstruktur zwischen Massenwohnung und Bewohner vorhanden zu sein. Nach alten und neuen Untersuchungen in Form von Mieter-Befragungen (91) ließ sich jedoch eine extrem hohe Wohnzufriedenheit feststellen. Womit der anti-emanzipatorischen Theorie der empirische Boden letztlich fehlt.

Nicht ganz vorwurfslos meint Peter Kulemann: „Die bedeutenden Errungenschaften der Wiener Gemeindebauten wiesen jedoch für eine sozialistische Perspektive von vornherein eine im Konzept liegende Schranke auf: Es wurde versäumt, die Möglichkeiten für kollektive Wohn- und Lebensformen durch eine entsprechende Bauweise zu entwickeln." (92) Gerade das Vorzimmer, das immer wieder als besondere Errungenschaft erwähnt wird, weist auf die vorhin am Beispiel der „guten Stube" aufgezeigte Problematik hin: es ist zugleich Ausdruck für die Trennung von Privatheit und Öffentlichkeit wie für die Isolierung der einzelnen Kleinfamilie. Krasser als Kulemann formulieren es die Autoren Krauss/Schlandt: „Für die Grundrisse bewirkte dies eine für die Verkleinbürgerlichung der Arbeiterklasse folgenreiche Phantasielosigkeit. (...) Kollektive Lebensformen konnten von den Planern nicht gedacht werden, Fortschritt für das Proletariat bedeutete den Verantwortlichen nichts anderes als Annäherung an die Lebensformen der eigenen Klasse, des Kleinbürgertums." (93)

Ziemlich leichtfertig verurteilt die heutige Kritik aus einer eindimensionalen Fortschrittsperspektive und Rationalitätslogik diese Interiéurs als „kleinbürgerlich". Für die Massen der aus elenden Verhältnissen stammenden Arbeiterfamilien war selbst die kleinste Gemeindewohnung eine realisierte Utopie: Sie konnten und wollten sich wohl nichts anderes als das verinnerlichte kleinbürgerliche Wohlbefinden in halbwegs hellen Zimmern und angewärmten Küchen wünschen. (94)

Berechtigt hingegen scheint mir die Kritik an der schlüsselfertigen Übergabe der Wohnungen an die Mieter, ohne jemals eine Mitbestimmung im geringsten überlegt zu haben. (95) Mit wenigen Ausnahmen im Siedlungsbau verfügten die Gemeindebewohner nicht über konstruktive oder positive Möglichkeiten zum Selbstbau oder Partizipation. Die eigenen gestalterischen Maßnahmen beschränkten sich lediglich auf wenige Details (Kindergarten-, Kinderplatzausgestaltung, Festsaalschmückung, Gartenkultur) oder auf das Innere der (privaten) Wohnungen. Es gab weder Eigeninitiativen in den Gemeinschaftseinrichtungen (Arbeiterklubräume, Lesesäle, Turnhallen etc.) noch Möglichkeiten einer kollektiven und kreativen Aneignung der Wohnhäuser durch vorplanende und bauausführende Tätigkeiten. Andrerseits konnte mit einer geförderten Eigenleistung am Bau die Bindung an das Eigenheim, an den Besitz, letztlich an kleinbürgerliche Ideale, eine größere Gefahr der ,,Verbürgerlichung" darstellen. Obwohl nirgends in den offiziellen Darstellungen explizit erwähnt, konnte die Reduzierung der Arbeiter auf reine Reproduktionsverhältnisse die Gefahr einer revolutionären Entwicklung und strukturellen Umwälzung der Produktionsverhältnisse nicht nur bannen, sondern verhinderte überdies eine kreative Mitgestaltung im Produktionsbereich, die zu einer alternativen Bau- und Gegenwirtschaft führen und schließ-

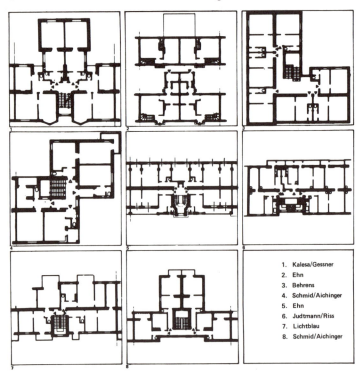

1. Kalesa/Gessner
2. Ehn
3. Behrens
4. Schmid/Aichinger
5. Ehn
6. Judtmann/Riss
7. Lichtblau
8. Schmid/Aichinger

Grundrisse typischer Gemeindebau-Wohnungen. Alle Stockwerke haben den selben Grundriß und eine Raumhöhe von 2,80 m; die Fensterzahl ist ident.

50

Wohnung im Gemeindebau Neustiftgasse 143; mit Durchsicht von der Wohnküche ins Wohn-zimmer und in die Kammer dahinter.

Einzelzimmer mit Kochnische, Wohnhausanlage Neustiftgasse 143

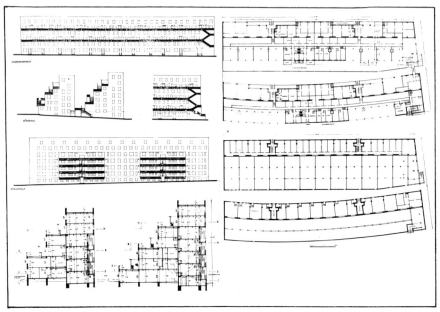

Adolf Loos: Projekt für ein Wohnhaus der Gemeinde Wien in X., Staudiglgasse 9 als „Arbeiterterrassenblocks". Abgeschlossen wird dieser Maisonetten-Terrassenblock durch einen Riegel von ein- oder zweigeschossigen Laubengangwohnungen.

lich in „autonomere" Formen einer Basisdemokratie münden hätte können. Die Loslösung von der Partei konnte gerade in diesem Sektor nicht gebilligt werden, wo sie doch andernorts — wie in Mieterausschüssen, Betriebsräten — so bekämpft wurde. Deshalb wohl boten die Gemeindebauten nur geringe Möglichkeiten der kollektiven und kreativen Aneignung, aus der psychotischen Angst vor zu viel „Freiheit" innerhalb der ansonsten autoritär-hierarchischen Parteiorganisation.

Bereits während der Bauperiode des Roten Wien stieß die uneingeschränkte Alleinherrschaft der Gemeinde in der Bautätigkeit auf Kritik innerhalb ihrer fortschrittlichen wie auch konservativen Gegnerschaft. Trotz der Massenarbeitslosigkeit gegen Ende der zwanziger Jahre war eine Mieterbeteiligung beim Ausbau der Volkswohnhäuser überraschenderweise nicht vorgesehen. Adolf Loos und Josef Frank kritisierten dieses Konzept schärfstens, handelten aber gegen ihre eigenen Prinzipien, wenn sie mehrfach Aufträge (von der Gemeinde) zum Bau von Siedlungen und Wohnhausanlagen im herkömmlichen Verfahren annahmen. (96) So berichtet Loos, „daß die häuser von den siedlern unter fachlicher anleitung selbst gebaut werden (sollten)", und „je nach mitteln, die dem einzelnen siedler zur verfügung stehen". (97) „Es ist ganz falsch, einen siedler in ein fix und fertig eingerichtetes haus hineinzusetzen, und die möbel von einem architekten zeichnen zu lassen, man hat es im gegenteil dem siedler zu überlassen, sich die möbel nach und nach anzuschaffen. Das haus sei niemals fertig, es soll immer die möglichkeit da sein, etwas weiteres hinzuzufügen. (...) Der architekt hat mit punktierten linien verschiedene möglichkeiten der einteilung vorzuzeichnen. Man bringt vorerst an den fensternischen, türen usw. vorhänge an, um später das hineinzubauen, was notwendig ist." (98)

Im Gegensatz zu Loos' war Franks Stellungnahme mehr auf die Ästhetik bedacht: „Die Normierung von Bauteilen unpersönlicher Art, wie Mauersteinen und Deckenbalken, wird sich leicht durchführen lassen. Versuche aber, Normen dort einzuführen, wo sie zwecklos sind, nur um eines klaren Prinzips willen, würden besser unterbleiben. Es ist zweifellos, daß uns die persönlichen Formen unserer Einrichtungen, die entweder auf Reminiszenzen oder falschen formalistischen Theorien aufgebaut sind, immer unerträglicher werden. (...) Die Menschen von mitgeschlepptem Ballast materieller und geistiger Art freizumachen, ist das Ziel des neuen Hauses." (99)

Diese Gedanken reißen jenen Konflikt auf, der entstehen muß, wenn sich immer mehr emanzipierende und sozialisierte Nutzer ihre Wohnumwelt aneignen wollen und sie selbst aktiv mitzugestalten beginnen. Der Selbstbauer wird sich ungern der Mehrheit fügen und sich das Recht nehmen, das zu verwirklichen, was ihm subjektiv verwehrt wird. Zum Konflikt kommt es spätestens dann, wenn er sich respektlos über die Vorstellungen des um Einheit bedachten Planers und über die Gesetze der Allgemeinheit hinwegzusetzen beginnt (Loggienschließung, Vergrößerung der Fensterflächen, Dachausbau etc.). Ein oft zitierter Fall ist die „Freihof-Siedlung", in der sich die Bewohner erst richtig wohl fühlten, nachdem sie sich ihre Häuser durch individuelle Eingriffe zu fast grotesken „Kleinvillen" umgebaut haben. Die ursprüngliche Architektur ist kaum wiederzuerkennen. Ebenso hat die starke Umwandlung der „Heuberg-Siedlung", die besonders die Reihenhäuser von Adolf Loos innerlich und äußerlich erfahren haben, viel von der seinerzeitigen einheitlich konzipierten Architektur zerstört. Diese negative Umwandlung spricht weder für den Architekten noch für den Geschmack des Bewohners, wenn längst überwunden geglaubte Dekorationselemente, Ersatz- und Kitschwelten kühn eingesetzt werden. Ähnliche Trauer empfand Bruno Taut schon etwa vier Jahre nach Fertigstellung seiner Siedlung „Onkel Toms Hütte" (1927) in Berlin: „Hier droht eine unmittelbare Gefahr heraufzukommen, die selbst der bestgebauten Siedlung ästhetisch den Hals brechen kann. Die Gefahr meldet sich damit an, daß die Bewohner mit einem geringeren Schamgefühl als früher in die Veranden und Loggien ihrer Häuser allerhand Plunder hereinbringen, daß diese äußeren Teile ihrer Wohnungen mit sonderbaren Bildern und sonstigen Kleinigkeiten, mit Geweihen usw. geschmückt werden. Gibt man diesen reaktionären Strömungen nach, so drückt sich darin sehr deutlich der nach und nach zurücktretende Gemeinschaftsgeist aus, an dessen Stelle mehr und mehr der abgesonderte Egoismus und das Eigenbrötlertum tritt."(100)

Dieses Kleinod war schon im Konzept eingebaut: die Sozialdemokraten trafen genau den Geschmack der Wiener Arbeiter. Die Gemeinde war vorsorglich genug, bei der Planung ihrer Wohnbauten nicht an den Bedürfnissen ihrer Bewohner vorbeizuplanen, indem sie ihnen einen gewissen Spielraum für ihr Bedürfnis nach Dekoration gab; vor avantgardistischen Experimenten einer konsequenten Weiterführung des Funktionalismus schreckte die Gemeinde zurück, was zumindest zu keinem extremen Rückfall in eine reaktionäre Gegentendenz bzw. zu keiner Regression in den Kitsch führte (vgl. LeCorbusiers Werksiedlung Henri-Frugès in Pessac-Bordeaux, 1925) und schließlich war von vornherein nicht intendiert, die Architektur antastbar, veränderbar, benutzbar zu gestalten: „Mehr Gewicht als auf die Selbstverwirklichung der Bewohner legten die Baumeister des Roten Wien auf die Ausdruckskraft ihrer Bauwerke". (101) Die Bauten waren „Ideologieträger", gewissermaßen ein zu Stein gewordenes Symbol der abstrakten Massen. Mit Recht konnte einer der Baumeister des Roten Wien, Bürgermeister Karl Seitz, behaupten: „Wenn wir einst nicht mehr sind, werden diese Steine für uns sprechen." (102)

Folgerichtig fand mit der austrofaschistischen Machtergreifung nicht nur der Wohnungsbau sein Ende, sondern es wurde eiligst eine Schmähschrift (103) mit Fotodokumenten der durch Sperrfeuer schwer beschädigten und zum Teil zerstörten Wohnhausanlagen herausgebracht, um die Mauern endlich zum Schweigen zu bringen.

Kritik und Niedergang

So erfolgreich die Kommunalpolitik der Sozialdemokraten für die Verbesserung der Lage der Arbeiterschaft war, so wenig vermochte sie gesamtökonomisch etwas zu ändern. Ihre Schwäche war, daß sie das kapitalistische System insgesamt nicht anrühren wollte bzw. konnte, „denn sie blieb bei all ihren Reformen eingekeilt in ein System, das auf kapitalistischer Rationalität beruhte" (104). Peter Kulemann sieht die Ambivalenz austromarxistischer Reformpolitik in der Verdrängung von Gegensätzen, die die inneren Widersprüche durch den Aufbau einer Scheinwelt zu glätten versuchte. Zugleich war aber die Politik des Roten Wien von ihrer Entstehung her als Alternative zur möglichen Verhinderung einer revolutionären Umwälzung konzipiert. In den zwanziger Jahren erwies sie sich als eher hilflos gegenüber den ökonomischen und politischen Machtverhältnissen

Fahnenschwingend, aufwärtsblickend, vorwärtsdrängend – so präsentiert sich das vom Gewerbe- und Wirtschaftsmuseum unter Otto Neurath entwickelte und vom Graphiker Gerd Arntz entworfene Piktogramm zur Darstellung der Entwicklung der SDAP von 1919 bis 1928 dar. „Mann und Weib und Kind auf Erden, alle sollen Fahnen werden." (Arbeiterlied) Die Bildsprache ist so angeordnet, daß die Bilder möglichst allein aussagekräftig sind, d.h. „sprechend", und die Schrift nur als Beigabe erscheint. Durchwegs wurde Blockschrift – wegen der besseren Lesbarkeit – verwendet.

und Krisen in der kapitalistischen Gesellschaft, und in ihrem schnellen Niedergang offenbarte sie sich als nur defensiv und letztlich untauglich gegen den Faschismus. Die Ambivalenz der dargestellten Errungenschaften wurde immer wieder von der Parteilinken klar artikuliert und sichtbar gemacht. So legte Max Adler beispielsweise auf dem Parteitag der SDAP 1927 dar, daß „Häuserbauen, Fürsorge und Schulreform" zwar wichtige Arbeiten seien, aber eben keine revolutionären Arbeiten, indem er „alles das, was den Zustand der Arbeiterschaft in der Klassengesellschaft allein zum Gegenstand hat und ihn verbessert, doch nicht als revolutionär auffaßt, obgleich es notwendig ist für den Kampf des Proletariats, aber nicht herausführt aus der Klassengesellschaft." (105) So wurde der Widerspruch zwischen der Entfaltung der sozialdemokratischen Reformpolitik und der gleichzeitigen Reduzierung ihres Handlungsspielraumes immer gravierender. Nicht zufällig traten nach 1934 viele Sozialdemokraten der KPÖ bei, um ihren Protest gegen die defensive und ausweichende Politik der SDAP auszudrücken.

Obwohl bis 1910 bereits ein Zehntel der Wiener Bevölkerung in kommunalen Wohnbauten lebte und die Lebensqualität durch die sozialen Einrichtungen der Gemeinde beträchtlich erhöht worden war, konnte die Gemeinde an den gesamtgesellschaftlichen Wohnstrukturen wenig ändern. Wie Käthe Leichter anhand einer zeitgenössischen Quellendokumentation zeigte, konnte die umfangreiche Bautätigkeit der Gemeinde Wien nicht verhindern, daß bei einer Repräsentativumfrage (1932) unter 1320 Industriearbeiterinnen noch ungefähr 68,6% in Kleinstwohnungen mit bestenfalls einem Zimmer (oder einem Kabinett) und einer Küche wohnten, und 37% dieser Arbeiterinnen sich ihre ein oder zwei Räume mit mehr als drei erwachsenen Personen teilen mußten. 17,9% hatten weder Gas noch elektrisches Licht noch eine Wasserleitung in ihren Wohnungen. (106)

Trotzdem: die wichtigsten Verdienste des Wiener Kommunalwohnbauprogramms in der Zwischenkriegszeit bleiben die realen Reformen zur Verbesserung der Lebensweise der Arbeiter durch den raschen und handwerklich gediegenen Bau von Arbeiterwohnungen mit geringen Mietkosten und die Lenkung der Partei auf eine „Solidaritätserziehung", eine Aufgabe, der die Austromarxisten der „Gemeinschaft" in ihren neuen Wohnungen durchaus zusprachen. In der Tat haben die zahlreichen Gemeinschaftseinrichtungen eine in der austromarxistischen Politik angelegte solidarisierende Wirkung gefördert und ein Gemeinschaftsleben in Teilbereichen der Reproduktionssphäre begünstigt. Diese in der Politik des Roten Wien zentral angelegte Förderung einer positiven „Vergesellschaftung im Reproduktionsbereich" war ja der Angelpunkt aller Angriffe von seiten der Konservativen. Dieser Traum von der Verwirklichung eines Stückes „Kommunalsozialismus" inmitten eines konservativ regierten Staates provozierte die Reaktion zur Konterrevolution. Gerade dieser Widerspruch vom Pathos einer siegreichen, voranschreitenden, teleologisch-deterministischen Revolution des Proletariats in Gestalt einer zur Macht gekommenen Sozialdemokratie und die tatsächlichen Unzulänglichkeiten im kapitalistischen Alltag, der Widerspruch also von illusionärer Revolution und tatsächlicher Reform war nirgends sonst so deutlich spürbar wie in Wien.

Peter Kulemann sieht die Schuld am mehr oder minder notwendigen Scheitern der SDAP vorwiegend in deren falscher Marx-Auslegung, in der im entscheidenden Moment schwachen Führung und in der mangelnden Einbeziehung der Basisbewegungen. Ihr „Wortradikalismus" wandte sich gegen sie selbst: „Obwohl die Sozialdemokratie nicht die Perspektive einer revolutionären Machteroberung verfolgte, wurde die sozialdemokratische Gemeindeverwaltung als ein unerträglicher Stützpunkt der Arbeiterpartei im Zentrum des (bürgerlichen) Staates empfunden. Wie das gesamte sozialdemokratische Organisationsgefüge galt die bloße Existenz des sozialdemokratischen Wien als ein Hindernis, das mit seiner reformistischen Politik die Manövrierfähigkeit des bürgerlichen Systems bedrohte. Die Einschränkung der Rechte Wiens, die Entfernung der Sozialdemokratie aus dem Rathaus, wurde zum bevorzugten Agitationsobjekt und Ziel der Heimwehren und der Dollfuß-Regierung." (107)
Ähnlich, aber in ihrer Personenkritik differenzierter, sehen Hautmann/Hautmann in ihrer umfassenden Dokumentation die „Schuld" am Niedergang: auch sie kritisieren die janusköpfige Haltung der Führung gegenüber ihrer Anhängerschaft und die oberflächliche, bruchstückhafte Marx-Rezeption „mit radikalen Worten, Tändeln mit Warnungen und drohenden Gesten gegenüber der Bourgeoisie" (108). Die Antwort der Sozialdemokraten war ein revisionistisches Reformprogramm, hervorgegangen aus einer unvollendeten, integrierten Revolution und beendet durch eine siegreiche Niederschlagung durch die Reaktion. „Die Dialektik bei der Entwicklung des Roten Wien bestand darin, daß die einstigen Führer der österreichischen Sozialdemokratie immerhin eines waren: Reformisten, die, den Klassenkampf im Nacken, wenigstens eine Zeitlang Reformen in bedeutendem Umfang durchsetzen mußten und auch *wollten*." (109) Diese Reformen hatten ihre natürlichen Grenzen; denn „sie waren nicht in der Lage, das kapitalistische System zu sprengen, und sie wurden zu einem nicht unwesentlichen Teil sogar für ein bürgerliches System notwendig, das seine Aufgabe der Herstellung der über die Interessen der Einzelkapitale hinausgehenden allgemeinen Produktions- und Lebensbedingungen ernsthaft wahrnehmen wollte" (110). Der Widerspruch zwischen wirklicher Entfaltung ihres Reformprogramms und ihrer zaghaften Politik gegenüber dem Kapital vertiefte sich, bis die SDAP dazu gebracht wurde, „auf das kapitalistische Rationalitätsprinzip Rücksicht zu nehmen" (111).
Je tiefer der Widerspruch wurde, desto mehr versuchte man, ihn mit radikalem Pathos, mit Symbolen proletarischer Macht zu überbrücken. Die Architektur der Gemeindebauten, die Dramaturgie der Arbeiteraufmärsche und Feste, der Stil der Reden und Artikel suggerierten die Unbezwingbarkeit des Proletariats.

Den nebenstehenden Text brachte die „Arbeiter-Zeitung", das Organ der österreichischen Sozialdemokraten, am 19. Juli 1931. Anlaß war die Eröffnung der Arbeiterolympiade, die für eine Woche fast 80000 Arbeitersportler aus nahezu allen europäischen Ländern vereinte zu einer „internationalen Heerschau, die mächtiger ist als alles, was bisher der Arbeiterklasse gelungen" (Friedrich Adler). In den Wettkämpfen wurden zwar Sieger ermittelt, auf die Verleihung von Medaillen und Diplomen aber verzichtet: „Trotz Sieg und Platz kennt der Arbeitersport keine Besten, denn jedermann, ob er nun siegt oder unterliegt, gibt ja sein Bestes und verdient für sich und sein Land gleiche Anerkennung."

Das rote Wien den roten Gästen.

Das rote Wien hat zum Empfang der roten Gäste aus aller Welt gerüstet. Ihr seid nun gekommen, liebe Freunde. Laßt euch nun sagen, warum wir Wien so innig lieben, warum unsere Augen leuchten, wenn wir euch von unserer Stadt erzählen. Glaubt nicht, daß es eitle Selbstgefälligkeit ist, jener engstirnige Lokalpatriotismus, dem seine Vaterstadt das Zenit der Welt ist. Nein, Wien ist nicht das Zenit der Welt, steht, gemessen an den Großstädten der Erde, tief unten auf der Stufenleiter weltpolitischen Ranges und weltwirtschaftlichen Reichtums. In Wien vibriert nicht die schöpferische Unrast des Hochkapitalismus, Wien hat keine Wolkenkratzer und keine Mammutwarenhäuser und die Dürftigkeit seines Straßenverkehrs läßt vergessen, daß wir in einer Millionenstadt leben. Wien wurde von der Weltgeschichte verworfen, ist eine blutig arme Stadt mit den fragwürdigsten Entwicklungsmöglichkeiten.

Aber Wien ist eine sozialdemokratische Stadt, in allen Poren durchtränkt von sozialistischem Geist, von proletarischem Willen — eine durch und durch rote Stadt, nicht allein in ihrem Oberhaupt und in ihrer Verwaltung, wie manche andre Städte auch, sondern in ihrem Leben, in ihrem Blut, in ihren Nerven.

Du durchwanderst die Straßen: von je drei erwachsenen Wienern, die du begegnest, haben zwei sozialdemokratisch gewählt, von je drei erwachsenen Wienern ist einer Mitglied der sozialdemokratischen Partei. Zwei Drittel der Wiener Wähler — 700.000 an Zahl — sind Sozialdemokraten, ein Drittel der erwachsenen Wiener Bevölkerung — 400.000 an Zahl — sind sozialistisch organisiert.

Du läßt die Baudenkmäler auf dich wirken — es ist die in Stein erstarrte Geschichte dieser alten Stadt. Sie erzählt in den gotischen Domen und in den barocken Schlössern die Geschichte vom Wien der römischen Kirche und der habsburgischen Kaiser, in den Ringstraßenpalästen und in den efeuumrankten Villenvierteln die Geschichte vom Wien des Patriziats. Aber immer dichter dringt das Neue vor. Da erhebt sich auf dem vornehmsten Platz der Ringstraße, dem Parlament zunächst, das eherne Standbild dreier Männer: es sind Viktor Adler, Jakob Neumann, Ferdinand Hanusch — drei Sozialdemokraten, die jedem Wiener Arbeiter teuer sind. Und kaum verläßt du das Zentrum der Stadt, umweht dich ein neuer Geist — ein neues Kapitel der Geschichte schließt sich auf. Neubau um Neubau steht vor dir, ganz anders in der Gestaltung als die Bauten kirchlicher, fürstlicher, patrizischer Vergangenheit. Da sind gewaltige, gradlinige, reine Formen, ein Ebenbild der Gewalt und Reinheit des sozialistischen Massenwillens. Heimstätten für hundertfünfzigtausend Menschen sind da erstanden — dennoch sind es keine Massenquartiere! Geht in die Höfe: liebliche Gärten empfangen euch, Planschbecken und Spielplätze für die Kinder, Ruhebänke für die Alten, dann Bibliotheken und Vortragssäle, Bäder und Turnsäle — Raum für ein kollektives Kulturleben. Und leuchtende rote Lettern künden von dem Geist, welchem Geist das alles geweiht ist: Karl-Marx-Hof, Bebelhof, Jaurèshof, Eberthof, Lassallehof, Matteottihof, Viktor-Adler-Hof, Neumannhof, Austerlitzhof. — hier wurden den Großen des Sozialismus würdige Denkmäler errichtet, in den Steinen der Gebäude und in den Herzen der Menschen, die sie bewohnen.

Dieser Geist durchwirkt und durchwebt die ganze Stadt. 66 Arbeiterbibliotheken, 8 Arbeiterheime, 5 Volkshochschulen, hunderte Sportplätze, Dutzende Bäder sind seine Stätten; die größten und repräsentativsten Kinotheater Wiens sind im Besitz der Arbeiterschaft, eines der größten Warenhäuser Wiens, mehr als zweihundert Geschäftsläden der Genossenschaften hat in Wien die Kraft wirtschaftlich-genossenschaftlicher Selbstbetätigung geschaffen. Da ist es vielleicht weiter nicht erstaunlich, daß die sozialdemokratische Partei allein in Wien zwei Tageszeitungen erscheinen läßt, deren Auflage ein Viertel der gesamten in dieser Stadt erscheinenden Zeitungen überschreitet.

Die Macht der sozialistischen Organisation, der sozialistischen Presse, des sozialistischen Geistes ermöglichte jenes große kommunale Werk der Kultur und sozialen Wohlfahrt, das den Ruhm unserer Stadt in die Welt getragen hat. Ueberall werden Wohnhäuser, Spitäler, Bäder und Bibliotheken errichtet — aber das Besondere in Wien ist die aus einem großen sozialistischen Plan geborne systematische Verschmelzung der Einzelwerke zu einem Gesamtwerk sozialistischer Kultur, eine strahlende Verheißung dessen, was kommen wird, wenn unsere Zeit gereift ist.

Darum, Freunde, lieben wir Wien. Nicht allein als Wiener, sondern vor allem als Sozialdemokraten. Die Wiener Arbeiter lieben ihr rotes Wien, denn sie haben das, was diese Stadt so merkwürdig abhebt von den andern Millionenstädten der Erde, selbst geschaffen in bitterster Not, in Zeiten des Massenhungers und der Verzweiflung, haben Wien dem Tod, dem es unweigerlich verfallen schien, entrissen und ihm neues, großes, starkes Leben eingehaucht.

J. B.

Einen Höhepunkt bildete ein Festspiel im Praterstadion anläßlich der Arbeiterolympiade im Juli 1931. In diesem monumentalsten Massenspiel des Roten Wien wurde versucht, die Entwicklungsgeschichte der Arbeit und der Arbeiterklasse seit dem Mittelalter darzustellen. Mehr als 4000 Mitwirkende spielten vor insgesamt 260000 Menschen! In der Mitte des Stadionrasens war ein riesiges Gerüst mit einem „Kapitalistenkopf" aufgestellt, das am Höhepunkt der Geschichtsrevue mit großem Lärm zusammenkrachte. Das gemeinsame Absingen der „Internationale" beschloß das Spektakel, das viermal vor ausverkauftem Stadion ablief. (112)

„Das ist nichts anderes", so der Historiker Roberto Cazzola vom Turiner Gramsci-Institut, „als jenes Opfer des Sündenbocks, von dem schon Freud sprach, ein Opfer mit kathartischer Wirkung auf die Wut und die Frustration, die sich in einem Proletariat aufgestaut haben, das immer mehr aus dem wirklichen politischen Leben ausgeschlossen wird, und das diese Frustration in der Reduzierung der Politik auf Ästhetik und Symbolik kompensiert. Indem man sich damit begnügt oder jedenfalls den Klassenhaß in verklärter Weise abreagiert, werden nicht nur gefährliche Selbsttäuschungen über die eigene Macht, um nicht Allmacht zu sagen, genährt, sondern es wurde auch revolutionäre Energie verschwendet: Während die Arbeiter das Götzenbild stürzen, arbeitet die Reaktion an dem Sturz der Republik." (113)

Die Politik einer offensiven Polarisierung verlor ihren Impetus, sobald die konservativ regierten Bundesländer die sozialdemokratischen Sozialisierungsbestrebungen beschnitten. Ab 1930 reagierten die Bundesländer mit der finanziel-

Eröffnungsfest bei der Arbeiterolympiade Juli 1931: Kapitalistenkopf aus Pappmache.

len Austrocknung der Sozialdemokraten, um sie so zu einer defensiven Politik zur Erhaltung des Klassenfriedens im Interesse des Status quo zwingen zu können. Durch die Verkürzung der Finanzierung aus Bundessteueranteilen fand folgerichtig auch der Wohnungsbau faktisch sein frühzeitiges Ende. So mußte Breitners Nachfolger, Dr. Robert Danneberg, im Oktober 1933 feststellen, „daß jede Wohnbautätigkeit im folgenden Jahr unmöglich sei und die Personalkosten unbedingt gesenkt werden mußten." (114) Die Folge waren Lohnkürzungen, Tariferhöhungen, reale Lohneinbußen und ein endgültiger Todesstoß in der Planung von neuen Wohnhausanlagen. Vor allem die lähmende Haltung der Parteispitze gegenüber der stark erwachten Rechten (Heimwehrverbände, grün-faschistischer Separatismus der Bundesländer) verurteilte die Wiener Kommunalpolitik einer friedlichen Koexistenz zum Scheitern. Nach der wirtschaftlichen Krise 1929/30 setzte auch die politische Krise ein, die mit dem Rücktritt Hugo Breitners im Herbst 1932 begann und sich dramatisch im Februar 1934 zuspitzte. (115) Der endgültige Sturz des Roten Wien war besiegelt, die Stadtverwaltung wurde abgesetzt, die SDAP verboten, deren Funktionäre eingekerkert oder ins Exil vertrieben.

Anmerkungen:

1. Ludwig Reichhold: Dr. Karl Lueger oder die soziale Wende in der Kommunalpolitik, hrsg. vom Dr. Karl Lueger-Institut der Wiener ÖVP, Karl von Vogelsang-Institut (Ausstellungsbroschüre), Wien 1983; S. 26
2. Schwerwiegende Versäumnisse in der Wohnungspolitik und leere Kassen waren das Erbe der christlich-sozialen Gemeindeverwaltung. Luegers selbstherrlicher Führungsstil und seine antisemitische Ausrichtung („Wer ein Jud' ist, bestimme ich!") machte Wien nicht nur als „Luegerstadt" berühmt, sondern bereitete ebenso das intolerante und antisemitische Klima des Nationalsozialismus vor.
3. zit. in: Kurt Rothschild: Wurzeln und Triebkräfte der Entwicklung der österreichischen Wirtschaftsstruktur, in: Hans Hautmann/Rudolf Hautmann: Die Gemeindebauten des Roten Wien 1919–1934, Wien 1980; S. 21
4. Hautmann/Hautmann, a.a.O. S. 21
5. Ebda. S. 18
6. Statt der übetriebenen Bezeichnung „Gemeindesozialismus" oder „kommunaler Sozialismus" sollte es eigentlich „kleinbürgerlicher Föderalismus" heißen.
7. Hans Riemer: Ewiges Wien, Wien 1945, S. 17
8. Die großen Monopolbetriebe sollten kostendeckend und auf nicht gewinnorientierter Basis arbeiten. Die Bevölkerung sollte nicht von einzelnen Kapitalisten ausgebeutet werden, sondern vielmehr sollte die Gemeinde dafür sorgen, daß ihre Bewohner durch eigene Kommunalbetriebe mit sozialer Tarifpolitik befriedigend versorgt werden.
9. Hans Riemer, a.a.O., S. 15
10. Von den drei von Otto Wagner entworfenen Donaukanalbrücken wurde keine gebaut. Wohl war Wagner dem Bürgermeister Lueger nicht nur freundschaftlich gesinnt, sondern mit ihm auch weltanschaulich sehr verbunden, doch vermochte sich Wagner mit seinen Vorschlägen zur Urbanisierung Wiens nach modernsten Gesichtspunkten bei Luegers konservativen Rathausbeamten nicht durchsetzen. Die Gemeindebürokraten lehnten Wagners Entwurf der Ferdinandbrücke mit ihren teilweise über der Fahrbahn liegenden sichtbaren Eisen-Doppelbögen noch 1900 mit dem unglaublichen Argument, sie sei „unschön", ab! Fast gleichzeitig entstanden jedoch der Zollamtssteg (1901) über dem regulierten Wien-Fluß und die Hohe-Brücke (1903) über dem Tiefen Graben als freie Bogenbrücken, letztere allerdings noch mit verkleideten Gurten.
11. Im Jahr 1880 hatte Wien eine Bevölkerung von 1.090119 Menschen, die bis zum Jahre 1900 auf 1.648335 anwuchs. Im Vergleich: Budapest 1880 (370000) und 1900 (730000). Quellen: Hans Bobek/Elisabeth Lichtenberger (Wien), Ákos Moravánszky (Budapest).
12. Die Gemeindeverwaltung bezog den größten Teil ihrer Einnahmen aus der Besteuerung von Wohnungen (Mietzinssteuer), eine indirekte Steuer, die die Bevölkerungsgruppe mit niedrigem Einkommen unverhältnismäßig härter traf. Z.B. entfielen 1913 zwei Drittel ihrer Steuereinnahmen auf die Mietzinssteuer. Hierin war Lueger bestimmt kein Vorbild für die Sozialdemokraten, denn die lehnten gerade diese Steuerpolitik aus prinzipiellen Gründen ab.
13. Im Gegensatz zu Luegers wirtschaftlichem Antisemitismus vertraten Georg Ritter von Schönerer und Pater Lunz einen pathologisch-rassistischen Antisemitismus, der den Boden für den späteren Masseneinfluß der Austrofaschisten und Nationalsozialisten vorbereitete. Ebenso war Luegers antisoziale Ausrichtung in bezug auf die Personalpolitik skandalös parteiisch und anti-demokratisch. Sie erzeugte u.a. schlimmste Abhängigkeitsverhältnisse der Beamtenschaft.
14. „Wien und Sozialdemokratie, das gehört zusammen, das ist Schicksalsgemeinschaft", schrieb am Vorabend des Austrofaschismus die Arbeiter-Zeitung am 3. 4. 1932. Der zentrale Stellenwert Wiens ist bei den Reformbestrebungen – sowohl bei der christlichsozialen als auch bei der sozialdemokratischen Stadtverwaltung – identisch. Was auf Bundesebene nicht realisiert werden konnte, wurde auf Landesebene in hegemoniale Position verlagert. Waren die Schattenseiten des „Luegerianismus" eine Finanz- und Steuerpolitik auf Kosten der Armen, die sie zusehends in Opposition brachte, so waren

die Kehrseiten des Roten Wien, daß die Sozialdemokraten das Bürgertum einerseits durch Wortradikalismus und Sozialmaßnahmen herausgefordert hatte, aber andererseits ihren reformistischen Anspruch nicht einlösen konnte, was auch zu ihrer politischen Isolation führte. Bezeichnenderweise sind Arbeiter nach 1934 aus Protest gegenüber der SDAP-Politik der KPÖ beigetreten bzw. haben mit den Internationalen Brigaden gegen den Faschismus in Spanien gekämpft.

15. Die (uneingeschränkte) Bedingung des Friedensvertrags von St. Germain-en -Lay vom 2. Juni 1919 umfaßte ökonomische sowie politische Sanktionen: Unter Anwendung des Nationalitätenprinzips von 1917 wurde das ehemalige Gebiet der Monarchie auf sieben Nachfolgestaaten (Italien, Rumänien, Polen, Jugoslawien, Tschechoslowakei, Ungarn, Österreich) aufgeteilt. Dabei wurden die ethnischen Grenzen nicht immer beachtet (Jugoslawien, Südtirol, Burgenland, Kärnten etc.).

16. Die Wohnungspolitik der Gemeinde Wien, Wien 1926, S. 8

17. In Wien verdoppelte sich die Einwohnerzahl in der zweiten Hälfte des 19. Jhdts.: 1869 (842951); 1880 (1.090119); 1890 (1.341897); 1895 (1.478242); 1900 (1.648335); 1905 (1.777590); 1910 (1.927606); 1914 (2.072556); Quelle: Peter Feldbauer Ihren Höchststand erreichte sie im Jahre 1915 mit 2.275000, um sich im Jahre 1918 wieder auf 1.842000 zu verringern (Quelle: Fritz Wulz). Paradoxerweise ist der Bedarf an Wohnungen in diesem Zeitraum nicht gesunken. Die fieberhafte Bautätigkeit vor dem Krieg mit mehr als 11672 Wohnungen verschiedenster Größe jährlich, ab 1914 nur mehr mit 9206 Wohnungen bis zum endgültigen Stillstand 1918 konnte den Wohnungsbedarf kaum mehr stillen, sodaß trotzdem ein großer Fehlbestand an Wohnraum vorlag, weshalb es zu dem Wohnungsforderungsgesetz der Gemeinde kommen mußte. Die Bevölkerungszahl Wiens blieb von 1919 (1.842000) bis 1934 (1.874300) konstant, jedoch stieg der Anteil der in Wien geborenen Einwohner um mehr als 25%. (Quelle: Bobek/Lichtenberger, S. 128)

18. Claudia Mazanek/Gottfried Pirhofer erwähnen noch, daß „im Krieg die privatwirtschaftliche Wohnungsproduktion drastisch zurückgegangen war, und die Requirierung von Wohnraum für *militärische* Zwecke, sowie der Zuzug von *Kriegsarbeitern* aus dem nicht-österreichischen Teil der Monarchie verschärften den Mangel an Wohnraum weiter". Zit. in: Das Neue Wien, Ein Rundgang durch Sandleiten, Wien 1982, S. 12

19. Eugen Philippovich: Wiener Wohnungsverhältnisse, in: Archiv für soziale Gesetzgebung und Statistik, Berlin 1894, S. 215ff

20. Gabriele Proft: Ein Beitrag zu unserer Jubiläumsfeier, in: Gedenkbuch zwanzig Jahre österreichische Arbeiterinnenbewegung, Wien 1912, S. 154

21. „Bassena'' wird im Volksmund die für alle auf einem Gang wohnenden Parteien gemeinsame Wasserleitung genannt.

22. Wolfgang Speiser: Paul Speiser und das Rote Wien, Wien-München 1979, S. 51

23. Bei den Wohnungsgrößen hat man damals in Wien eigene von der internationalen Norm abweichende Bezeichnungen für einen Wohnungsverband gehabt. Es gibt hier Wohnräume in zwei Gattungen: Zimmer und Kabinett. Letztere ortsübliche Bezeichnung deckt sich keineswegs mit dem anderwärts üblichen Begriff der Kammer. Das Kabinett ist ein meist beheizbarer, nicht immer unmittelbar belichteter Raum, der ebenso regelmäßig ein Fenster aufweist, wie das Zimmer zumindest zwei Fenster besitzt. Es kann daher ziemlich richtig als der Hälfte eines Zimmers gewertet werden, daher der Begriff Eineinhalb-Zimmer-Wohnungen.

24. Es gab Wiener Bezirke, in denen bis zu 44% der einräumigen Wohnungen von mehr als drei Personen und 36% der zweiräumigen Wohnungen von mehr als fünf Personen bewohnt waren. (Quelle: Verwaltungsbericht 1923–28, S. 1169)

25. vgl. Robert Danneberg: Kampf gegen die Wohnungsnot! Ein Vorschlag zur Lösung der Aufrechterhaltung des Mieterschutzes, Wien 1921, S. 7; bzw. Josef Ehmer: Wohnen ohne eigene Wohnung, Zur sozialen Stellung von Untermietern und Bettgehern, in: Lutz Niethammer (Hg.): Wohnen im Wandel, Wuppertal 1979, S. 132–150

26. Durch die gleichzeitige Einführung des Mieterschutzes wurde – im Zuge der Inflation – der Hausbesitz geradezu auf Null entwertet, was sich auf die Wohnbausituation und Wohnverhältnisse nach dem Krieg verheerend auswirkte. Die völlig abgewohnten Häu-

ser wurden infolge der Unrentabilität des Hauses weder durch eine entsprechende Anzahl von Neubauten ersetzt, noch durch eine öffentliche Wohnbaurenovierungstätigkeit ausgeglichen.

27. siehe Franz Patzer: Der Wiener Gemeinderat 1918–34, in: Wiener Schriften (Heft 15), Wien 1961, S. 62ff
28. Wien wirklich, Ein Stadtführer durch den Alltag und seine Geschichte, Wien 1983, S. 256
29. Durch das Wohnungsforderungsgesetz wurde „dem Wohnungsinhaber die freie Verfügung über die Wohnung entzogen, die Gemeinde tritt an die Stelle des bisherigen Wohnunginhabers, nicht mehr der Hauseigentümer oder Wohnungsinhaber vermietet die Wohnung, sondern die Gemeinde, die darüber entscheidet, von wem die Wohnung weiterhin bewohnt, benützt werden darf (...) Bei den angeforderten Wohnungen tritt die Gemeinde zwischen Hauseigentümer und Wohnpartei, sie erscheint als die Generalmieterin aller angeforderten Wohnungen und vergibt sie nach ihrem Ermessen an die Wohnungssuchenden." Zit. in Verwaltungsbericht 1919–1922, S. 389
30. Nach meiner Zählung von heute noch auffindbaren Wohnungen komme ich auf folgendes Ergebnis: 1922: 86 Wohnungen; 1920: 105 Wohnungen; 1921: 160 Wohnungen; 1922: 289 Wohnungen. Von offizieller Seite hingegen werden wesentlich mehr Wohnungen (in Kasernen) angegeben: bis 1925 konnten nicht weniger als 44 838 Wohnungen rechtskräftig angefordert und zugewiesen werden. Zum Vergleich: die Gesamtzahl der Gemeindebauten von 1919-1934 betrug 63 221. Die Zahlen der Obdachlosen schwankten von 1913 (651691) bis 1924 (302 735). Durch das Erlöschen des Wohnungsforderungsgesetztes seitens der klerikal-konservativen Bundesregierung unter Ignaz Seipel im Jahre 1925 kam es zu einem Wiederanstieg der Obdachlosen: 1926 (318513), 1927 (427515); 1928 (492861) und 1929 (662449), das heißt also, mehr als vor dem Krieg. Quelle: Solomon Rosenblum: Die sozialpolitischen Maßnahmen der Gemeinde Wien, in: Berner Wirtschaftswissenschaftliche Abhandlungen (Heft 11), Bern 1935, S. 110
31. Arbeiter-Zeitung, 5. 5. 1919
32. Karl Kautsky, in: Arbeiter-Zeitung (1. 5. 1927) und Julius Braunthal: (Juli 1927), zit. nach Robert Leser: Zwischen Reformismus und Bolschewismus, Der Austromarxismus als Theorie und Praxis, Wien-Frankfurt-Zürich 1968, S. 406
33. Johann Czerny, zit. nach Robert Leser, a.a.O., S. 374
34. zit. in: Anton Pelinka: Kommunalpolitik als Gegenmacht, Das Rote Wien als Beispiel gesellschaftsverändernder Reformpolitik, in: Karl-Heinz Naßmacher (Hg.): Kommunalpolitik und Sozialdemokratie, Der Beitrag des demokratischen Sozialismus zur kommunalen Selbstverwaltung, Bonn-Bad Godesberg 1977, S. 76
35. zit. in: Jan Tabor, Kurier vom 10. 5. 1980, S. 15
36. zit. in: Karl Mang, Der Wiener Gemeindebau als Architektur einer sozialen Evolution, in: Die Presse vom 14./15. Oktober 1978; nachgedruckt in: Reflexionen und Aphorismen zur österreichischen Architektur (hrsg. von der Bundes-Ingenieurkammer-Architektur), Wien 1984, S. 325ff
37. Fritz Wulz: Stadt in Veränderung (Bd. 1), Stockholm 1976 (3), S. 213ff
38. Klaus Novy: Der Wiener Gemeindewohnungsbau: Sozialisierung von unten, in: arch+ Heft Nr. 45 (Juli) 1979, Aachen, S. 9–25
39. Vorausgegangen waren sozio-ökonomische Überlegungen des christlich-sozial dominierten Bundeslandes Niederösterreich. Wie Wulz als erster interessant erläutert hat, waren ausschließlich konservativ-ideologische und präventive Beweggründe verantwortlich, wieso Wien ein eigenes Bundesland wurde. Vgl. Wulz, a.a.O., S. 397 (Bd. 2)
40. Nach der Wahlniederlage auf Bundesebene dem Ausscheiden aus der Koalitionsregierung konzentrieren sich die Sozialdemokraten völlig auf Wien und glaubten, eine „sozialistische Insel" inmitten des Kapitalismus zu etablieren. Wie trügerisch diese Politik war, zeigt sich erstmals am 14. Juli 1927, als bei einem Schwurgericht drei Mitglieder der rechten „Frontkämpfervereinigung" als „Schattendorf-Mörder" freigesprochen wurden und die empörte Arbeiterschaft am 15. Juli eine großangekündigte Demonstration abhielt, die von der Polizei gewaltsam aufgelöst wurde, wobei sie in die Menge schoß. Die Bilanz der Katastrophe waren 85 Todesopfer auf seiten der Demonstranten, vier Todesopfer unter den Justizbeamten und insgesamt 1 000 Verletzte.

41. Breitner: Die Finanzpolitik, in: Josef Hofbauer: Im Roten Wien, Prag 1926, S. 24
42. Plakat „Wofür nimmt's Breitner – Wofür gibt's er aus?
43. Breitner: Die Finanzpolitik, a.a.O.
44. aus: Arbeiter-Zeitung vom 18. 7. 1931
45. aus: Alfred Georg Frei: Austromarxismus und Arbeiterkultur, Sozialdemokratische Wohnungs- und Kommunalpolitik im „roten" Wien 1919–1934, hrsg. von R. Wirtz/ G. Zang (Veröffentlichung des Projekts Regionale Sozialgeschichte, Universität Konstanz, Nr. 10), Konstanz 1981
46. Die Bodenpolitik der Gemeinde Wien war weitgehend nicht von Angebot und Nachfrage bestimmt. Mit dem Zusammenbruch der Donaumonarchie waren auch viele Großbürgerliche bankrott und viele Adelige wanderten aus. Diesem Umstand verdankte die Gemeinde den billigen Erwerb umfangreicher Bodenbesitzungen: von Drasches Ziegeleiwerken erwarb die Stadt 80 ha Bauland, von Frankl 180 ha, von der Bodenkreditanstalt Floridsdorf 230 ha (Quelle: Felix Czeike). Ein wichtiger Faktor für den Erwerb von Bauland waren deren Aufschließungskosten, weshalb man den Erwerb von Baugründen im dichtverbauten Stadtgebiet bevorzugte, die von kleineren Grundeigentümern angesichts der Unrentabilität durch den Mieterschutz und der Wertzuwachssteuer notverkauft wurden. Bis Ende 1928 konnte die Gemeinde ihren Besitzanteil am Wiener Boden von 17 % (1918) auf rund 25 % (Fritz Wulz) erhöhen, bis 1930 gelang der Gemeinde der Erwerb von fast 33 % (Charles Gulick) der Gesamtfläche. Dies entsprach immerhin einem Bodeneigentumsanteil von 7902 ha, wovon 3300 ha erst nach 1919 angekauft wurden. Wilhelm Kainrath meint, daß „eine wesentliche Voraussetzung für die kommunale Wohnbautätigkeit war, daß ein Stock von relativ billigen Baugründen zur Verfügung stand." (Kainrath, passim, vgl. Anmerkung 58)
47. Andere Maßnahmen zur kriegswirtschaftlichen Entschärfung und zur Beschwichtigung der vorrevolutionären Situation waren das Amt für Volksernährung, die Erhöhung der Krankengelder, Gewährung von Schwangerschaftsunterstützungen, Stillprämien, Errichtung von „Beschwerdekommissionen" in den Fabriken, Gründung des „Ministeriums für soziale Fürsorge", Familienschutz, Amnestie für politische Häftlinge etc. Quelle: Hautmann/Hautmann, a.a.O., S. 23
48. Obwohl heftigst umkämpft, wurde der Mieterschutz in allen Regierungen seit 1917 als soziales Regulativ anerkannt. So beispielsweise schreibt 1926 die rote Gemeindeverwaltung: „Fällt der Mieterschutz, dann müssen die Löhne in die Höhe schnellen. (...) Deshalb ist der Fortbestand des Mieterschutzes das höchste wirtschaftliche Gebot im heutigen Österreich." Zit. aus: Die Wohnungspolitik der Gemeinde Wien, a.a.O., S. 31
49. Klaus Novy: Der Wiener Gemeindewohnbau, a.a.O., S. 14
50. Quelle: Die Wohnungspolitik der Gemeinde Wien, a.a.O., S. 5
51. Robert Danneberg: Das Neue Wien, Wien 1926–28, S. 63
52. Claudia Mazanek/Gottfried Pirhofer, a.a.O., S. 13
53. Peter Kulemann: Am Beispiel des Austromarxismus, Sozialdemokratische Arbeiterbewegung in Österreich von Hainfeld bis zur Dollfuß-Diktatur, Hamburg 1979 (2), S. 345
54. Die Wohnungspolitik der Gemeinde Wien, a.a.O., S. 29 ff
55. Robert Danneberg: Das Neue Wien, a.a.O., S. 63
56. Fritz Wulz, a.a.O., S. 425
57. Ebda, S. 425
58. Wilhelm Kainrath: Die gesellschaftspolitische Bedeutung des kommunalen Wohnbaus in Wien der Zwischenkriegszeit, in: Karl Mang (Hg.): Kommunaler Wohnbau in Wien, Aufbruch – 1923 bis 1934 – Ausstrahlung (Ausstellungskatalog), Wien 1978 (Presse- und Informationsdienst der Stadt Wien)
59. Robert Danneberg: Gemeindeverwaltung, Wien 1928, S. 52
60. Je demokratischer und basisorientierter die Arbeiterbewegung ist und somit auch Macht und Einfluß besitzt, die tatsächliche Politik zu bestimmen, desto geringer ist auch der Mißbrauch durch die Funktionäre.
61. Die höchste Miete von 30 Groschen pro Quadratmeter und Monat hatte das Objekt Albertgasse für höhere Parteigenossen und Beamte des Rathauses. Die Wohnungen waren mit eigenem Badezimmer, Hausgehilfinnenraum (!) und vier Zimmern ausgerüstet und befanden sich in unmittelbarer Stadtnähe.

62. Die Wohnungspolitik der Gemeinde Wien, a.a.O., S. 42 ff
63. Quelle: Hans Riemer, Ewiges Wien, a.a.O., S. 41
64. Quelle: ebda., S. 41
65. Statistische Nachrichten der Stadt Wien (1931), S. 332
66. vgl. dazu Gottfried Pirhofers Argumentation gleich in mehreren Schriften, zuletzt in: Reinhard Sieder/Gottfried Pirhofer: Zur Konstitution der Arbeiterfamilie im Roten Wien: Familienpolitik, Kulturreform, Alltag und Ästhetik; und Fritz Wulz, a.a.O.; S. 450 ff
67. Fritz Wulz, a.a.O., S. 443
68. Eröffnungsschrift „Fuchsenfeldhof", Wien o.J., S. 7
69. vgl. Gottfried Pirhofer: Linien der kulturpolitischen Auseinandersetzung in der Geschichte des Wiener Arbeiterwohnungsbaus, in: Wiener Geschichtsblätter 33 (1/1978), S. 1–23; Reinhard Sieder/Gottfried Pirhofer, a.a.O., S. 326–363; Hier wird m. E. eine Romantisierung und Idealisierung der „Bassenahäuser" und ihrer elenden Slumverhältnisse betrieben.
70. Reinhard Sieder/Gottfried Pirhofer, a.a.O., S. 358
71. Michel Foucault: Wahnsinn und Gesellschaft, Eine Geschichte des Wahns im Zeitalter der Vernunft, Frankfurt/Main 1973; ders., Überwachen und Strafen, Die Geburt des Gefängnisses, Frankfurt/Main 1976
72. Reinhard Sieder/Gottfried Pirhofer, a.a.O., S. 358
73. Vereinzelt ergaben sich aus der Grundrißlösung Restflächen, die entweder zu größeren Wohnungen mit zwei Zimmern, aber auch zu 21 qm Einzimmerwohnungen für alleinstehende Personen genutzt werden.
74. Nach einer amtlichen Zählung hatten im Jahr 1919 (Wohnungsaufnahme des Wohnungsamtes der Gemeinde Wien) nur 2,29 % aller Wohnungen ein Vorzimmer, nur 8 % hatten ein eigenes Klosett, nur 5 % eine eigene Wasserleitung. Gas war nur in 14 %, elektrisches Licht sogar nur in 7 % aller Wiener Wohnungen eingeleitet. Dazu eine zeitgenössische Erhebung: „Wien war vor dem Ersten Weltkrieg als die Stadt der kleinsten Wohnungen bei niedrow Zins bekannt. Am 12. April wurden in Wien 554 545 Wohnungen gezählt. Davon entfielen 405 191, das sind 73,21 %, auf Kleinstwohnungen, das sind Wohnungen bis zu einer Größe von höchstens 28 qm (!). Sie bestanden aus höchstens einem Zimmer und einer Küche, oft nur aus Kabinett und Küche oder überhaupt nur aus einem einzigen Raum." (Quelle: Hans Riemer, a.a.O., S. 43)
75. Die gesunde Volkswohnung, Ein Überblick über die Tätigkeit der Stadt Wien seit dem Kriegsende zur Bekämpfung der Wohnungsnot und zur Hebung der Wohnkultur, Wien o.J., S. 21
76. Das Neue Wien (Bd. 3), Wien 1926–28, S. 49
77. Fritz Wulz, a.a.O., S. 451
78. Mit dem Maschinenzeitalter kam auch die Funktionsküche, zunächst einmal mit der sog. „Frankfurter Küche" (1926) von Margarethe Schütte-Lihotzky, einer Schülerin von Oskar Strnad. Dieser Prototyp, schon in Wien für Gemeinde-Siedlungsbauten entwickelt, war für das „Existenzminimum" sozial schwacher Schichten gedacht, bei der eine detaillierte Berechnung der Wege der Hausfrau Grundlage der Planung war. Sie kann als Vorläufer der „amerikanischen" Mini-Küche nach DIN oder ÖNORM gesehen werden.
79. vgl. Peter Gorsens ausgezeichnetes Essay über die benützerorientierte Architektur mit ihren „räumlichen Identifikationsmöglichkeiten" der Gemeindebauarchitektur der Zwischenkriegszeit, erschienen in: Jürgen Habermas (Hg.): Stichworte zur geistigen Situation der Zeit, Frankfurt/Main 1980, S. 688 f
Aber auch Josef Frank und Adolf Loos sahen die Funktionstrennung von Wohnen und Kochen als eine Benachteiligung der Frau und fanden die Einraumküchen problematisch: „(Seit jeher) hat der größte Teil der zivilisierten Menschheit in der Küche gelebt; nicht in unserer Kuchel, sondern in der sog. ‚Wohnküche'!" (Josef Frank: Der Volkswohnungspalast a.a.O., S. 109). „Gekocht wird in der Wohnküche. Die Frau des Hauses hat ein Anrecht darauf, ihre Zeit nicht in der Küche, sondern im Wohnzimmer zu verbringen. Schon deswegen, weil sie während ihrer Arbeit die Kinder beaufsichtigen muß.

Es ist eine bekannte Eigenschaft der Kinder, daß sie sich in der Küche aufhalten. Das Kochen im Wohnraum ist eine englische Erfindung (Grillroom). Je vornehmer gespeist wird, desto mehr wird bei Tisch gekocht. Ich frage mich, warum der Proletarier von dieser schönen Sache ausgeschlossen sein soll." (Adolf Loos, Werksmonografie, hrsg. von Heinrich Kulka, Wien 1931, S. 34)

80. Verwaltungsberichte 1923–28, S. 121; bzw. Die gesunde Volkswohnung, a.a.O., S. 21
81. Heute wird von Teilen der Frauenbewegung gerade diese Funktionsteilung der Geschlechter als Verfestigung sozialer Rollen kritisiert.
82. Die Wohnungspolitik der Gemeinde Wien, a.a.O., S. 24
83. Ebd., S. 24
84. vgl. die Hervorhebungen in den Eigendarstellungen der Gemeinde Wien.
85. zit. in: Walter Benjamin, Das Interiéur, in: Passagenwerk – Paris die Hauptstadt des XIX. Jahrhunderts, Frankfurt/Main 1983 (Bd. 1), S. 52–53
86. Wilhelm Kainrath: Die gesellschaftspolitische Bedeutung..., a.a.O.
87. Wilhelm Kainrath, ebda.
88. Alfred Georg Frei, a.a.O., S. 99
89. vgl. Peter Haiko/Mara Reissberger, Karla Krauss/Joachim Schlandt, Klaus Novy, Gottfried Pirhofer, Dieter Worbs, Manfredo Tafuri et. al.
90. Karla Krauss/Joachim Schlandt: „Man drängte das, was man für eine bürgerliche Lebensweise hielt, auf wenigen Quadratmetern zusammen." Zit. in: Der Wiener Gemeindewohnungsbau, Ein sozialdemokratisches Programm, in: Hans Helms/Jörn Janssen (Hg.): Kapitalistischer Städtebau, Neuwied-Berlin 1970, S. 121
91. Reinhard Sieder, Gottfried Pirhofer und Brigitte Langer führten umfangreiche Befragungen für das soz.-wirt. Institut/Universität Wien durch.
92. Peter Kulemann: Am Beispiel Austromarxismus, a.a.O., S. 344
93. Karla Krauss/Joachim Schlandt, a.a.O., S. 121
94. Die heutige linke Kritik vergißt völlig, was die Umstellung auf eine zweckrationalisierte Wohnung tatsächlich für die unvorbereiteten Proletarier bedeutet hat. Es hatten die Arbeiter primär ein Bedürfnis nach billiger, sauberer Unterkunft. Sie dachten niemals, daß sie ein Träger des Kulturfortschritts waren, wie sie bürgerliche Theoretiker gerne idealisieren. Selbst das Wohnungseinrichtungsbüro des Wiener Wohnungsamtes war der irrigen Meinung, den Lebens- und Wohnstandard mittels neuer Einbaumöbel und komfortabler Polstersessel heben zu können. Die Verfechter des Zweckstils überschätzten die tatsächliche Lern- und Finanzkraft der unteren Schichten, bzw. übersahen völlig deren miserablen früheren Wohnverhältnisse der in den Elendsquartieren wohnenden Arbeiterfamilien. Die neue proletarische Wohnqualität des Wiener kommunalen Wohnbaus beruhte tatsächlich nicht auf einem Surrogat bürgerlicher Formen/Normen, denn die mühsam zusammengestückelten Einrichtungsgegenstände kamen weder aus Erbstücken, noch aus der Pfandleihe oder dem Trödlerfundus abgewirtschafteter Kleinbürger, sondern aus den wenigen Habseligkeiten der Großmutterküche (Küchlkredenz, Eßtisch und Waschkästen). Große Probleme bereiteten vielen der Neueingezogenen die beengten Raum- und vor allem niedrigen Höhenverhältnissen mit z. T. nur 2,50 m (Siedlungsbauten), sodaß viele mitgebrachten Möbel nicht paßten und weggegeben, geteilt oder verkleinert werden mußten.
95. vgl. Helmut Weihsmann: Humanes Wohnen: Österreich; Wohnbauexperimente – Partizipationsmodelle und moderne Stadtarchitektur (Farbdias und Sachinformation), Wien 1983
96. Adolf Loos hatte wohl als Gegenvorschlag zum mehrgeschossigen Wohnbau ein Arbeiterterrassenhaus mit zweigeschossigen Maisonetten-Wohnungen zu offerieren, Josef Frank hingegen konnte nur das reaktionäre und spießige Haus mit Garten-Modell bei seinen Siedlungsprojekten anbieten. Loos weniger, aber Frank hat sich nicht gescheut, Aufträge von der Gemeinde anzunehmen, obwohl beide gesinnungsmäßig ablehnen hätten müssen.
97. zit. in: Adolf Loos, Werkmonografie, a.a.O., S. 33
98. zit. in: Adolf Loos: Die moderne Siedlung, Ein Vortrag (1926), zit. in: Ders,: Trotzdem, Innsbruck 1931; (neu hrsg. von Adolf Opel, Wien 1982, S. 197ff)

99. Josef Frank: Siedlungshäuser (1929), zit. in: Ausstellungskatalog, hrsg. von Hermann Czech/Johannes Spalt, Akademie der angewandten Künste, Wien 1981, S. 132

100. Bruno Taut (1931), zit. nach Wilfried Dechau: Was spricht eigentlich gegen außen sichtbare Veränderungen der Architektur? (Selbstgestaltung), in: Lernbereich Wohnen (Bd. 2), Reinbek bei Hamburg 1979, S. 88

101. Alfred Georg Frei, a.a.O., S. 101

102. zit. in: Hautmann/Hautmann, a.a.O., S. 7 (Einleitungssatz ohne Quellenangabe)

103. Josef Schneider/C. Zell: Der Fall der roten Festung, Wien 1934

104. Peter Kulemann, a.a.O., S. 345

105. Max Adler, zit. in: Hans Jörg Sandkühler/Rafael de la Vega (Hg.): Austromarxismus, Texte zu Ideologie und Klassenkampf von Otto Bauer u. a., Frankfurt/Main 1970, S. 159

106. Käthe Leichter: So leben wir... 1320 Industriearbeiterinnen berichten über ihr Leben, Wien o.J. (1932)

107. Peter Kulemann, a.a.O., S. 346

108. Hautmann/Hautmann, a.a.O., S. 185

109. Hautmann/Hautmann, a.a.O., S. 187

110. Peter Kulemann, a.a.O., S. 345

111. Peter Kulemann, ebd., S. 346; als Folge der Geldlimitierung führt der Autor das Beispiel der Arbeitszeitverkürzung bei den Gas- und Elektrizitätswerken in Simmering an. Reale Lohneinbußen, Verteuerungen waren die Folge der Kurzzeit- und Schichtarbeit.

112. Josef Ehmer, in: Wien wirklich, a.a.O., S. 257

113. Roberto Cazzola in: Internationale Tagung der Historiker der Arbeiterbewegung (Hg.), Konferenzpapier der Arbeiterkultur in Österreich (ITH–Tagungsbericht), Bd. 16, Wien 1981

114. Peter Kulemann, a.a.O., S. 346

115. Hautmann/Hautmann, a.a.O., S. 155

II. Historische Vorbilder des kommunalen Wohnbaus

Projekte der Sozialutopisten

Anfang des 19. Jahrhunderts, mit dem Einsetzen der Industrialisierung, die zur Etablierung des modernen Kapitalismus führte, wagten die sozialistischen Utopisten erstmals — im Gegensatz zur bloß theoretischen Auseinandersetzung im 18. Jahrhundert —, ihre Visionen einer perfekten Gesellschaft einem pragmatischen Versuch zu unterziehen.

Waren Thomas Morus' und Tomasso Campanellas Stadtbau-Utopien noch weitgehend moralgetränkt bzw. eine Polemik gegen die bestehenden Zustände, die sich aber weder technisch noch gesellschaftlich ernsthaft realisieren ließen, und waren die retardierten Villenideologien (1) Andrea Palladios und des früheren Alvise Cornaros eher Utopien der Privilegierten (und daher massenhaft nicht durchführbar), so ermöglichten die objektiven Geschichtsbedingungen in den hoffnungsvollen und kreativen Jahren während und nach der Französischen Revolution, die Wünsche der Sozialutopisten für kurze Zeit in die Tat umzusetzen. Der äußere Topos der Utopie ist nun nicht mehr das ferne Island (Morus), das entrückte Paradies (Augustinus) oder der „Sonnenstaat" (Campanella), sondern das sozial eingebettete „Hier und Jetzt". „Keine ferne Reise ist mehr nötig; eine Umkehr der herrschenden Verhältnisse sollte den Erfolg ermöglichen." (2) Waren die früheren, stark religiös motivierten Sozialutopien in gelegentlicher chiliastischer und eschatologischer Form noch Utopien des „freien" Geistes (trotz aller mittelalterlicher Beschränkungen), so stellen die neuen, „gottlosen" und ein wenig technokratischen Denkideale eine Ordnung von oben dar: es sind Utopien des Zwangs zur allgemeinen Glückseligkeit und der Herrschaft eines extremen Materialismus. Erst seit Giambattista Vico bekommt Geschichte ihre Funktion, „denn sie ist nicht nur die Einkleidung einer Fahrt zu einer glückseligen Insel, sondern Bereitung oder Würdigwerden für den paradiesischen Zustand am Ende der Zeiten. Vorbestimmung also ist die Utopie von Fourier, von Saint-Simon etc.; und weitergehend bis zu den utopischen Elementen im Marxismus: stärkste Betonung der Zukunft und Heraufbringen der möglichen Zukunftsinhalte heilsamen Sinns durch menschliche Aktivität." (3) Wie Vico sahen die daraufffolgenden Materialisten, daß menschliche Arbeit der Schlüssel zum Verständnis historischer Entwicklungen sei. Die Erkenntnis, daß der Mensch die Geschichte besser als die Natur verstehen könne, weil er immerhin die Geschichte selbst mache und Gott die Natur, harrte noch auf eine Verwirklichung, da die Menschen bislang die Geschichte nicht machten. Mit dieser

Argumentation hat Vico das spätere marxistische Ideologieverständnis antizipiert.

Aber erst seit dem deterministischen Weltbild der Schulmarxisten — bedingt durch Marx' frühe Studienschriften (1844: „Pariser Manuskripte") — wird menschliches Sein durch seine Arbeit per se definiert; der Mensch kann sein Wesen nur verwirklichen, wenn er es als *gegenständliches* verwirklicht. Die marxistische Philosophie erkannte die *Vergegenständlichung* des Menschen als historisch — und nicht metaphysisch — strukturiert. Mittelpunkt der marxistisch-materialistischen Philosophie war, „(daß) die Arbeit ein ‚Selbsterzeugungsakt des Menschen' ist, d. h. die Tätigkeit, durch die und in der der Mensch erst eigentlich das wird, was er als Mensch, seinem Wesen nach, ist — und zwar so, daß dieses sein Werden und Sein für ihn selbst da ist, daß er sich als das, was er ist, *weiß* und *anschaut* (Das *Für-sich-Werden* des Menschen). Arbeit ist wissende, bewußte Tätigkeit: der Mensch verhält sich selbst und zum Gegenstand seiner Arbeit; er ist nicht unmittelbar eins mit der Arbeit, sondern kann sich ihr gleichsam gegenüber- und entgegenstellen (...) In dieser ‚Ontologie der Arbeit' (Karl Marx) wird die Arbeit als die spezifisch menschliche ‚Lebenstätigkeit' — als ‚Realität' des Menschen — begriffen." (4) Und weiter schreibt Herbert Marcuse: „Die Arbeit (...) gründet in diesem ‚Gattungswesen' des Menschen: sie setzt das *Sich-ver-halten-Können* zum ‚Allgemeinen' der Gegenstände und den in ihm liegenden Möglichkeiten derselben voraus. Und im *Sich-verhalten-Können* zur *eigenen* Gattung gründet die spezifisch *menschliche* Freiheit; die Selbstverwirklichung, ‚Selbsterzeugung' des Menschen. Durch den Begriff der freien Arbeit wird nun das Verhalten des Menschen als Gattungswesen zu seinen Gegenständen näher bestimmt. Der Mensch ist als Gattungswesen ein ‚universelles' Wesen: *Alles Seiende* kann ihm im ‚Gattungscharakter' gegenständlich werden; sein Sein ist universelles *Sich-Verhalten* zur Gegenständlichkeit. Und das ihm so ‚theoretisch' Gegenständliche muß er in seine Praxis aufnehmen, zum Gegenstand seiner ‚Lebenstätigkeit' machen, bearbeiten. Die ganze ‚Natur' ist Medium des menschlichen Lebens, ‚Lebens-mittel' (Marx) des Menschen: sie ist seine *Voraussetzung,* die er aufnehmen und in seiner Tätigkeit wieder setzen muß." (5)

Wie die „Naturbeherrschung" als beiläufiges — aber essenzielles — Produkt der Aufklärung entstand, gelangte der Eigenwert „Arbeit" im noch rohen Kommunismus eines Proudhon, Saint-Simon und anderer Sozialutopisten zu einem eigenen Ausdruck. Dieser wurde relativ schnell und unkritisch als dominantes Motiv für eine Gesellschaftsordnung einer neu entstandenen Klasse, dem Proletariat, übernommen, was eben auch Architektur und Städtebau mitbestimmte. Der Frühkapitalismus hatte an der Zeitwende des 18. zum 19. Jahrhundert nicht nur eine gesellschaftliche, sondern auch eine räumliche Umorganisation verursacht. Die durch ihren ökonomischen Einfluß an die Macht gekommene bürgerliche Handelsklasse in England und die durch eine blutige Revolution etablierte Bourgeoisie in Frankreich forcierten die Entwicklung der Produktivkraft durch neue Produktionsweisen und eine aggressive Industrialisierung. Dieser wirtschaftliche und gesellschaftliche Wandel war eng verbunden mit einem rasch einsetzenden Verstädterungsprozeß. Die Binnenwanderung der Landbevölkerung führte zu Ballungsräumen in den Zentren und zu einem vermehrten Raumbedarf der sich rasch ausbreitenden Industrie. Die alten Zentren waren dem Ansturm der Menschenmassen nicht gewachsen und verelendeten zu Slums; es florierte die Spekulations-Wohnwirtschaft in der Stadterweiterung durch Zinskasernen, was die endgültige Separation von Arbeits- und Wohnstätte mit sich brachte. Den Überlegungen, die sich rasch und unkontrolliert ausbreitenden Großstädte durch eine rational-urbanistische Planung zu ordnen, standen die Sozialutopisten – vom französischen Revolutionsklassizisten Claude-Nicolas Ledoux über Charles Fourier bis zu den Engländern Robert Owen und William Morris – gegenüber. Sie wollten nicht nur architektonische Enklaven für die Arbeiterklasse formieren, sondern strebten neue ethische Formen des Zusammenlebens an, was sie zum Teil auch verwirklichen konnten.

Realisierungsbeispiele

Schon 1779, also noch vor dem denkwürdigen Revolutionsjahr 1789, baute der Hofarchitekt Claude-Nicolas Ledoux (1736–1806) die Salinenstadt **Chaux** in Arc-et-Senans (Doubs), die eine wirtschaftliche und bauliche Einheit von Arbeits- und Lebensraum für etwa 1500 Arbeiterfamilien darstellte. Die 1775 begonnene ideale Industriestadt zeigt eine zur Hälfte ausgeführte elliptische Anordnung von pavillonartigen Gebäuden, die radial zum Mittelpunkt der Anlage (die Salzgewinnungs- und das Direktionsgebäude) gerichtet sind. Das prinzipiell neuartige Stadtkonzept stockte aber auf halbem Weg der Verwirklichung, was Ledoux nicht daran hinderte, ohne Auftrag weiter am Projekt zu arbeiten. Aus dem anfangs keineswegs idealtypischen Projekt wuchs immer mehr „la ville

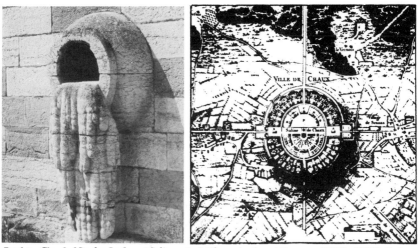

Rechts: Claude-Nicolas Ledoux' Salinenstadt Chaux in Arc-et-Senans (1775–1789); links: dekoratives Element der umgekippten Salzzurnen, aus denen erstarrte Salzlauge zu quellen scheint.

idéale de Chaux", die sich bald als eine der wichtigsten Architekturutopien der Moderne etablierte.

Obwohl die Chronologie der Entwürfe nachträglich nicht mehr feststellbar ist, denn Ledoux datierte seine Zeichnungen und Stiche geschickt vor, müssen sie alle knapp vor der Revolution 1789 ausgearbeitet worden sein. Am frühesten sind die Entwürfe in dem einzigen Band des 1804 publizierten Stichwerkes *„L'architecture considerée sous le rapport de l'art, des moeurs et de la législation"* mit 1768 (!) datiert. Auf Stichtafeln sind dargestellt: eine Ansicht aus der Vogelperspektive, Grundrisse, Lagepläne, Ansichten von einzelnen (phantastischen) Gebäuden und der Entwurf zum (unausgeführten) Friedhof von Chaux, der zum erstenmal ein volles Kugelgebäude (vorerst nur als Innenraum) zeigt.

„Das prinzipiell Neue an Ledoux' Konzept besteht gerade darin, daß der Arbeitsprozeß (der Salzgewinnung) buchstäblich zum Mittelpunkt und Leitmotiv des Stadtaufbaus gemacht wird. Nicht die Kirche, nicht ein Schloß, nicht das Rathaus sind das Zentrum, sondern die beiden großen Werksgebäude, in denen das Eindampfen der Sole und das Abpacken der Salze in Fässer durchgeführt wird. Der Salinendirektor hat sein Haus zwischen diesen beiden Werksgebäuden. Die Mitte des Stadtovals wird also nicht besetzt von einem sakralen oder politischen Repräsentationsbau, sondern von zwei Fabriksgebäuden und vom Direktionsgebäude. Wenn in dieser Ovalanlage noch hierarchische Stufen deutlich werden, dann sind es ausschließlich Hierarchien der Arbeit − und nicht mehr sakrale oder politische Hierarchien." (6)

Wenn auch die die Beurteilung durch A. M. Vogt in dieser Ausschließlichkeit zu hoch gegriffen sein mag, so ist das „Motiv der Arbeit" in der idealen Fabriksstadt doch ein wichtiger Aspekt und findet in der *„Urne à congelations"* (Salzurnenmotiv) seinen Kronzeugen. Es ist naheliegend, daß ein innerer Zusammenhang zwischen der Naturlehre Sir Isaac Newtons (oder seines romantischen Gegenspielers Jean-Jacques Rosseau) und dem Architekturvorstellungsvermögen der utopischen Revolutionsklassizisten besteht, die es ja erst seit der Französischen Revolution gibt: „Als Aufgeklärter ist sich Ledoux selbstverständlich bewußt, daß die Arbeitsleistungen des Menschen in Analogie stehen zu den Veränderungsprozessen der Natur. Gerade in der Salinenindustrie ist dieser Bezug besonders deutlich, denn die Arbeit des Menschen besteht dort vorab darin, die Natur selber zum ‚Arbeiten', d.h. die Sole zum Auskristallisieren der Salze zu bringen. Der Eingang zu Ledoux' Salinenstadt geht deshalb unter Säulen auf eine künstliche Grotte zu, die solche Ausflüsse und Kristallationsvorgänge darstellt. Dieses Motiv, stilisiert zur ‚Urne à congelations', macht Ledoux dann zum oft wiederholten Zeichen der Stadt." (7) In fast obsessiver Weise, d. h. in einer fast schon bis zur Fetischierung reduzierten Symbolisierung der Architektur auf ihre „Arbeitsleistung" hin, nimmt Ledoux bereits spätere Entwicklungen des Fabrikbaus, des Arbeitslagers, des Gefängnisses vorweg. Nach Ledoux' Vision sollte die gesamte Menschheit in ein riesiges „Arbeitshaus" organisiert und umstrukturiert werden.

Außer dem Motiv der Arbeit ist bei Ledoux' Entwurf noch ein Detail auffällig: die Versinnbildlichung absolutistischer Ordnung. Indem Ledoux auf die Versinnbildlichung des Kosmos mit planetarischen „Ringstraßen" Rücksicht genommen hat, ist sein Entwurf ebenso architektonischer Ausdruck astronomischer Erkenntnisse, denn das Schema der neuen Stadtanlage ist Spiegelbild des kosmischen Organismus; der heliozentrische Lageplan gehorcht unabänderbaren Natur- bzw. astrologischen Gesetzen. Dieser Komplex wurde – nicht wie sonst üblich – in der gebundenen Anlage des barocken Verbandes (Flügelbau in strenger, achsialer Symmetrie mit seitlichen Armen und einem organisatorischen Mittelpunkt) gebaut, sondern in Form einer in sich vollkommen geschlossenen Ellipse mit mehreren sehr regelmäßigen Pavillons, die zum Mittelpunkt weisen. Wie schon Emil Kaufmann, der Wiederentdecker von Ledoux (8), aufzeigte, haben die Bauten Ledoux' mit „der Zertrümmerung feudal-barocker Städteplanung" den Prozeß einer demokratischen Verbürgerlichung der Architektur eingeleitet: im Sinne von *Gleichheit, Freiheit* und *Brüderlichkeit* der architektonischen Massen und Formen. Wenn Emil Kaufmann diese geometrische Architektur und Städteplanung „autonom" nennt und sie als eine Art „Rückkehr zur Natur" des Architektonischen bezeichnet, dann bezieht er sich ausschließlich auf die „Autonomie" der Formen und nicht der Gesellschaft. Die Formen entspringen der vereinfachten Gleichsetzung von Architektur und Geometrie Kaufmanns unverhohlene Begeisterung für die sogenannte „autonome" Architektur seit Ledoux fand sofort heftigen Widerspruch. Schon 1939 schreibt Hans Sedlmayr – zweifelsohne der geistvollste Gegner –: „*Autonom* soll sie (die Baukunst) heißen, im Gegensatz zu der ‚heteronomen' Architektur der Renaissance und des Barock, die mit anthropomorphen und plastischen Vorstellungen durchtränkt war. Tatsächlich handelt es sich aber nicht um eine Rückkehr zu einfachen architektonischen Formen und, unabhängig davon, um Experimente, sondern beide Dinge sind Seiten ein und desselben Vorgangs: der radikalen Gleichsetzung der architektonischen mit den geometrischen Grundformen. Damit hat sich aber die Architektur unter eine andere und viel unmenschlichere ‚Heteronomie' begeben: die der puren Geometrie." (9)

Sedlmayrs Kritik bezieht sich vor allem auf die erschreckende Vision einer Herrschaft des Logos. Seine Abneigung gegen das „Bodenlose" in jeder radikalen Erneuerung richtet Sedlmayr unmittelbar auf das „schwebende" Kugelgebäude der Flurwächter bei Ledoux. Mittelbar aber bezog sich seine Kritik auf die Architektur des Neuen Bauens der zwanziger Jahre, mit ihren auf Piloten gestellten Häusern, gegen die er heftigst, aber weniger qualifiziert, polemisierte und in seinem Buch „Verlust der Mitte" (1947) besonders anklagte. Nach Sedlmayr würden durch die Anwendung der Geometrie alle Bauaufgaben nivelliert und auf die gleiche stoffliche Stufe gestellt sein – ein „Nivellierungsprozeß" in der Architekturauffassung. Er argumentiert, daß eine Architektur der reinen Vernunft zwar rational, aber nicht vernünftig und praktikabel sei, denn Kugelhäuser als Behausung von Menschen udgl. seien geradezu absurd, und eine Stadt nach einer geometrischen Schematik müsse entweder leblos oder unbequem sein. Ledoux' Dogmatik seiner Idealstadt enthüllt nicht nur die frostige Abstraktheit der rational-geometrischen Form, sondern auch Ledoux' anorganische Auffassung von Architektur, deren Erzeugnis die Idealstadt ja geworden ist.

Dennoch hat der Entwurf von Chaux – durch die Einführung des individuellen, vom barocken Absolutismus befreiten Pavillonsystems eines typisierten, doch einmaligen Architekturbildes und die damit verbundenen Vorstellungen einer industrialisierten „Siedlerdemokratie" – Vorbildcharakter für die späteren, sozialutopisch gefärbten Projekte von Charles Fourier, Robert Owen, Étienne Cabet und Ebenezer Howard.

Im Gegensatz zu Ledoux kam es den Sozialtheoretikern weniger auf die Entwicklung neuer Bauformen an, die dem gesellschaftlichen Veränderungsprozeß adäquat sein sollten. Vielmehr stellten sie neue Formen des Zusammenlebens in den Mittelpunkt, die in bereits vorhandene Architekturhülsen übernommen werden sollten. Hauptsächlich sollten die niedrigsten Bauaufgaben in der Architekturhierarchie (Fabriks- und Arbeiterwohnbau) durch die Formübernahme der allerhöchsten (Schloß, Denkmal) „veredelt" werden. Das Wohnbaukonzept der kommunitären Siedlungen war weniger eine Neuschöpfung – wie noch bei Ledoux – als vielmehr eine Fortsetzung traditioneller Herrschaftsformen: griffen doch die Erbauer der sozialromantischen Enklaven weitgehend auf lokale Bautypen und die am Ort vorhandenen Vorbilder zurück (Palastbauten, Manufakturen, Arbeiterwohnhäuser).

In England versuchte Robert Owen (1771–1858) als erster die Lebensbedingungen der Spinnereiarbeiter seiner florierenden Textilfabriken in **New Landark** (Schottland) zu verbessern. In den 25 Jahren seiner Tätigkeit als Unternehmer schuf er nicht nur ein wirtschaftlich erfolgreiches Unternehmen, sondern gleichzeitig einen Ort fortschrittlicher und menschlicher Arbeitsbedingungen. Im Gegensatz zu anderen Utopisten vor ihm begnügte er sich nicht allein mit Kritik und Theorie. Owens Hauptziel war es, für seine Arbeiter eine Umwelt zu schaffen, die am besten zu ihrem persönlichen Glück und zu einer Vergrößerung der Produktivität beitragen sollte. Ein Aspekt, der für die vielen späteren sog. „company towns" (Arbeitersiedlungen), ja sogar noch für das Rote Wien, von großer Bedeutung wird.

Die Arbeiter New Landarks hatten die besten Schulen, die höchsten Löhne und die saubersten Wohnviertel aller Industriearbeiter ihrer Zeit. Owens Modell war aufs „Milieu" konzentriert: 1816 eröffnete er in New Landark eine Art

links: Ansicht einer Siedlung „Village of Unity and Mutual Co-operation" nach Owens Angaben von 1817; oben: Idealentwurf für „New Harmony" in Indiana aus der Vogelschau (1825) von Thomas Stedmann Whitwell gezeichnet.

Tagesschule „zur Bildung des menschlichen Charakters" und eine Abendschule für die Arbeiter zur Vervollkommnung einer „humanistisch-kommunistischen Bildung". Neben dieser auf optimale Umweltbedingungen abzielende Erziehungsform war eine ökonomisch gerechtere Entlohnung der Arbeiter, ohne Gewinn, die zweite wesentliche Erneuerung des Owenismus. Owens Haltung war aber eher die eines wohlwollenden Vaters und Erziehers als die eines revolutionären Sozialisten, obwohl seine Taten ihn als solchen eindeutig ausweisen. (10) Aber vielleicht war er der erste „sozialdemokratische" Politiker der Weltgeschichte.

Nach dem Scheitern New Landarks versuchte er in Orbiston ein abgewandeltes Projekt, das hauptsächlich auf Eigenversorgung der Land- und Agrargemeinschaft basierte, zu verwirklichen. Owens Enthusiasmus für den Plan einer halbautarken Siedlung war so groß, daß er selbst Idealentwürfe für experimentelle Siedlungen verfaßte („Village of Unity and Mutual Co-operation"). Nach Owens Angaben sah der Entwurf von 1817 ein regelmäßig miteinander verbundenes Hofsystem vor. An den vier Außenseiten des Rechtecks wurden die Wohnhäuser untergebracht, als Zentrum im Innern waren drei freistehende Gebäude (Speicher, Schule, Krankenhaus) und ein Hoheitsgebäude vorgesehen gewesen.

Nachdem in England alle seine Versuche gescheitert waren, versuchte er in Amerika, wo er 1825 im Staat Indiana **New Harmony** gründete, seine Ideen durchzusetzen. 1824 entwarf der Architekt Thomas Stedman Whitwell (?–1840) für das Siedlungsprojekt einen auf das römische Castrum (Rechteckgrundriß) zurückgehenden Idealentwurf, der auch noch auf das utopisch-rationalistische Quadratmotiv von Sir Thomas Morus und Francis Bacon Bezug nahm. Doch die tatsächlich ausgeführte Siedlung entsprach weder dem theoretischen Konzept eines geometrischen Rechtecks, noch einer idealen Stadtplanung: dazu reichte das Geld nicht. Also stützte sich Robert Owen auf die bereits vorhandenen, eher konventionellen Bauernhäuser. Trotzdem bleibt der Whitwell'sche Entwurf zukunftsweisend und für ähnliche Projekte bestimmend.

Die Außenseiten des Rechteckes sind der Wohnbebauung zugedacht, im Innenhof sind die kommunalen Einrichtungen und im Mittelpunkt der Anlage das Konservatorium (Schule) mit botanischen Gärten. Die Wohnräume der erwachsenen Bevölkerung sind entlang einer stadtmauerähnlich umschlossenen, vierstöckigen Verbauung untergebracht. Die innenliegenden Gartenflächen dienen der Erholung und dem Vergnügen. Außerhalb der enklavenartigen Siedlung liegen die landwirtschaftlich genutzten Flächen. Die Türme im Inneren haben neben den Funktionen als Beleuchtungsmaste, Uhrturm, Observatorium und Schornstein (für die Küche, Bade- und Wäschereianstalt) auch noch den symbolischen Sinn, die zukunftsorientierte und fortschrittsgläubige Soziallehre Owens adäquat zu repräsentieren. „Die ganze Stadt steht auf einem Plateau mit vorgeschobener Bastei, nur an wenigen Stellen mit dem übrigen Land verbunden." (11)

Wie alle Utopisten, die dafür arbeiteten, ihre Träume und Visionen einmal realisiert zu sehen, die ihre Wünsche für eine bessere Welt zu verwirklichen suchten, wurde Owen bitter enttäuscht. Völlig verarmt kehrte er von Amerika nach England zurück, seine Anhänger verloren sich schließlich. Seine Versuche scheiterten zwar alle, aber sie hinterließen Spuren.

Victor Considerants Darstellung des Fourier'schen „Sozialpalastes" (ca. 1840)

Fünf Jahrzehnte nach der Französischen Revolution gründete Charles Fourier (1772–1837) seine **Phalanstère** (Phalanx) für eine von ihm ersehnte „achte Weltordnung der Harmonie" (12). Obwohl dem Wohnpalast andere Funktionen zugeteilt wurden, griff er bewußt auf die formale Schale der Barock-Paläste (vgl. Versailles, Palais Royal) (13) zurück: dreiflügelige Anlage mit Ehrenhof und erhöhter Mittelteil mit Seitenflügeln. Ordnendes Zentrum ist ein Uhrturm.

„Im Unterschied zu Owen gesteht Fourier den Bewohnern des ‚Phalanstères' keine getrennten Behausungen zu; das Leben soll wie in einem großen Hotel verlaufen, wo die Alten im Erdgeschoß, die Kinder im Mezzanin und die Erwachsenen in den oberen Stockwerken untergebracht sind." (14) Überdies sollte die Wohnhausanlage mit vielen Bequemlichkeiten wie Kasino, Speisesälen, Cafès, Glücksbörse, Bibliothek, Lesesälen, Tempel, Telegraphenamt, Observatorium, Orangerien, Kindergärten und Gästehaus (Karawanserei) ausgestattet werden. Nach Fouriers eigenwilligen Vorstellungen sollte der palastartige Wohnsitz ein Repräsentationsträger bzw. neues Identifikationsmerkmal für den neuen „Bürger" – nicht unähnlich dem Wiener „Volkswohnungspalast" – und für die gesamte Menschheit schlechthin sein. Die lustbetonte Selbstverwirklichung gerade durch die Aufhebung der feudal begründeten Einschränkungen, in der entschiedenen Abkehr von den absolutistischen Vorstellungen des Barocks, stand nicht im Widerspruch mit der Verwendung der barocken Schloß-Architektur, die, einmal neutralisiert, für Fourier zum Zeichen der neuen Hoffnung, des sozialen Ausgleichs wurde. Fourier hat sich nicht besonders den Kopf über die Architekturstile zerbrochen, durch die diese neuen „sozialen" Werte verherrlicht werden sollten.

Fourier beabsichtigte die Menschheit wieder in Stammesverbänden zu organisieren; er selbst betrachtete die einzelne „Phalanx" als einen Teil eines globalen Systems: jede „Phalanx" sollte nicht weniger als 1600 und nicht mehr als 1800 Mitglieder haben, wodurch die größtmögliche Mischung von Geschlechtern und Talenten gegeben sein sollte (Frauen und Männer sollten durchaus nicht monogam zusammenleben). Fouriers akribische Berechnungen ergaben sogar ein Idealmaß von 1620 Bewohnern pro „Phalanx", in denen die Bewohner gemeinschaftlich, aber nicht kommunistisch wohnen sollten. Diese Mikro-Gesellschaften würden in industrieller und landwirtschaftlicher Hinsicht zusammengefaßt sein. Fourier selbst hat die Funktion und Organisation der Phalangen bis ins Detail genau beschrieben (15), ohne sie jedoch zu erleben: Er starb 1837, kurz bevor die ersten Projekte in der Neuen Welt von seinen Schülern gegründet worden waren. Andere Verwirklichungsversuche in Algerien und Neu-Kaledonien scheiterten bereits im Anfangsstadium. Lediglich in den Vereinigten Staaten von Amerika überlebte die von seinem Schüler, Albert Brisbane, gegründete **Brook-Farm** (1841–47). Die dort errichteten, sehr konventionellen Wohnhäuser funktionieren bis heute.

Fouriers Ideen stießen erst gegen Ende des 19. Jahrhunderts auf Anerkennung. In zahlreichen Abbildungen und Beschreibungen seiner Schüler Victor Considerant und August Bebel wird die „Phalanstère" idealtypisch und prospekthaft dargestellt: Architektonisch besteht das Fourier'sche Volkswohnhaus aus einer achsial-symmetrischen, gestaffelten Ehrenhofanlage, deren mittlerer Hof, (Place de Parade) von einem mit Uhr und Telegraf bewehrten Ordnungsturm (Tour d'ordre) überragt wird. Fouriers anderem Ideal (der Passage, kombiniert mit Hotel) entspricht die erhöhte glasüberdeckte „Galeriestraße", die die Kommunikation unter den Bewohnern fördern sollte.

Wie die „Fourieristen" beabsichtigten die Nachfolger von Étienne Cabet (1788–1856) ländliche, sich selbst völlig erhaltende Gemeinden in Missouri (USA) zu gründen. Ihr Plan beruhte auf der von Cabet 1848 publizierten und ungeheuer populären Schrift „*Voyage en Icarie*", einem utopisch gefaßten Reiseroman, in dem Cabet eine ideale, sozialistisch organisierte Ansiedlung und Gemeinschaft beschreibt. Allerdings unterschied sie sich in Grundriß und Erscheinungsbild nicht sehr von der konventionellen Rasterstadt. Ein obskures Novum hatte sie: Jedes der in Rasterfelder geteilten Stadtviertel hätte einer der sechzig bedeutendsten Nationen der Erde gehört, die sich in ihren national-architektonischen Eigenheiten darstellen sollten. Eine „internationale Stadt" also, aber mit mehr Ähnlichkeit zu den ab 1851 stattfindenden Weltausstellungen als mit einer wünschenswerten Utopie. Weder dieser formale, wenig gehaltvolle Stilpluralismus, noch die tatsächlich rigide Dorfform der schließlich doch noch ausgeführten Siedlungsenklave **Corning** in Iowa (USA) entsprach den theoretischen Forderungen Cabets, was seine Anhänger angesichts wachsender wirtschaftlicher Probleme weniger kümmerte.

Die Verbindung von Frühsozialismus Fourier'scher Prägung und Industrialisierung, die Liaison von Arbeiterbewegung und Sozialreform, bestimmten häufig die Utopien der zweiten Jahrhunderthälfte. Die Zukunft gehörte der Reformierung der Industriestadt und Industriegesellschaft — nach utopisch-sozialen (Saint-Simon), ästhetisch-künstlerischen (Ruskin, Pugin, Morris) und pragmatischen (Haussmann) Gesichtspunkten. Hauptsächlich von den Schriften Fouriers und Owens beeinflußt, aber auch schon von William Morris, Edward Bellamy, Ebenezer Howard und Friedrich Engels, versuchten einige vorausblickende Industrialisten des späten 19. Jahrhunderts, neue Formen der Beziehung von Wohnen und Arbeit zu finden.

Emilè Menier schuf 1862 das Arbeiterdorf **Noisiel-sur-Marne** bei Paris, einerseits um die Arbeiter seiner Schokoladenfabrik in menschenwürdigeren Wohnungen unterzubringen, aber auch — und das ist die andere Seite dieser schönen Medaille — um sie besser kontrollieren zu können. Die Grundkonzeption der Architektur und Stadtanlage behielt in Noisiel ihre fourieristische Prägung. „Das Arbeiterdorf bietet tatsächlich eines der ersten ,funktionellen' Diagramme städtischer Raumplanung. Noisiel ist die erste technokratische Stadt, in ihr wurden alle (Vorsichts-)Maßnahmen für die Arbeiter getroffen, um deren Lebensstandard zu heben; sie reichen von der Abfallbeseitigung bis hin zur Kindererziehung. Auffallend ist eine Betonung der Details, worin Fouriers Vorliebe für die Numerisierung zutage tritt. Die strengen und symmetrischen Baumassen wurden geschaffen, um unveränderliches und meßbares Glück der arbeitenden Bevölkerung sicherzustellen." (16) Architektonisch bekannt geworden ist diese Industriesiedlung durch die sichtbare Eisenskelettkonstruktion der Fabriksmühlen (1871—72) von Jules Saulnier (1828—1900). Das nach dem Fabriksherrn benannte Dorf vereinigte alle Elemente des traditionellen Dorfes: Kirche, Hauptplatz, Schule, Cafè, halböffentliche und private Räume.

Der kühnste Idealentwurf eines Fourier-Schülers stammt von Jean-Baptiste Andrè Godin (1817—1888), der als einfacher Arbeiter begann und zum Unternehmer und Hersteller von Gußeisenöfen avancierte. Er verwirklichte in **Guise**

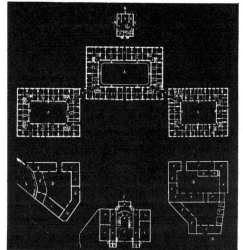

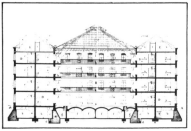

links: Lageplan des „Familistère":
a) Innenhof; b) Nourricerie und
Pouponnat; c) Schule; d) Höfe und
Wirtschaftsgebäude; e) Wäscherei,
Wannenbäder, Schwimmbad; f) Gas-
werk; oben: Schnitt durch einen
Block des „Familistère" mit glas-
überdecktem Innenhof.

(Nordfrankreich) zwischen 1859 und 1885 ein sozialpaternalistisches Konzept einer Industrie-Arbeitersiedlung, das zwar noch stark an Fouriers „Phalanstère" orientiert, aber bereits fortgeschrittener war. Ohne Architekten errichtete er das „Palais sociale" (Sozialpalast), einen Wohnbau für Werkangehörige mit gemeinsamen, überdachten Innenhöfen und sog. Infrastruktur-Einrichtungen. Das **Familistère**, wie der Sozialpalast als Gesamtanlage heißt, war eine Verkleinerung von Fouriers Modell.

Godin scheint bei der Durchführung und praktischen Organisation seiner von Fourier übernommenen und modifizierten Überlegungen radikaler als sein Lehrer gewesen zu sein. Auch was die Architektur betrifft, ist Godins Haltung konsequenter und klarer: Das „Familistère" ist − ähnlich wie Fouriers Sozialpalast − in drei geschlossene Baublöcke aufgeteilt, die aber um die jeweiligen Binnenhöfe gruppiert sind. Waren beim von Fourier inspirierten Idealentwurf August Bebels noch die Schaufronten alleine das Zentrum und der eigentliche Symbolträger, so werden bei Godin die Innenhöfe nun die eigentlichen Bedeutungsträger einer „neuen" Gesellschaft. In Guise wird nicht mehr der Ehrenplatz zum wichtigsten Identifikationsmerkmal und monumentalen Schauplatz ausgebildet, sondern das Atrium bildet nun das Zentrum der Anlage − die Dominanz verschiebt sich von außen nach innen. Vom Hof aus werden alle 465 Wohnungen erschlossen und sind über eiserne Laubengänge zu betreten. Nicht alle Höfe konnten mit einem Glasdach überdeckt werden: im Baublock Rue Campari (heute: Rue Andrè Godin) fehlt die Glasüberdeckung des Innenhofes, wodurch das Gemeinschaftsleben tatsächlich gelitten haben soll. Der Anlage angeschlossen sind die bereits von Fourier geforderten Folgeeinrichtungen: Schule, Theater, Kinderkrippen, Bäder, Wäscherei und andere kommunale Versorgungseinrichtungen, sowie ein Kasino und ein Cafè.

Godins Theorie einer wirklichkeitsnahen Gesellschafts- und Stadtutopie leitete sich ebenfalls fast wortwörtlich von Fouriers Genossenschaftsprinzip der

Gesamtansicht vom „Familistère" mit Fabriken und Sozialeinrichtungen

sozialen und baulichen harmonischen Einheit mit Berechnungstabellen ab. Er sah eine Aufteilung der Gewinne zwischen Realarbeitslöhnen (ohne Mehrwert), Kapitalzinsen, Sozialprämien und einen Sozialfond für bedürftige Arbeiter, Kranke und Rentner vor. Der Erfolg gab ihm recht: Ab 1880 gewährte er seinen Arbeitern Gewinnbeteiligung an beiden Werken, dem in Guise und dem in Schaerbeek. Schon 1887 setzte er die Arbeiter als Alleineigentümer des Unternehmens ein. Nach seinem relativ frühen Tod 1888 leiteten „Arbeiterräte" das Unternehmen bis zu der endgültigen Auflösung im Jahre 1968 (!) weiter. Die noch völlig intakten Wohnhausanlagen gingen in Gemeindebesitz über und können heute als Museum besichtigt werden.

Gerade die großstädtische, monumentale Dimension, die geschlossene Blockverbauung um große Lichthöfe und die vorbildliche sanitäre und öffentliche Versorgung der Hausbewohner dienten letztlich auch dem Roten Wien der Zwischenkriegszeit als großes Vorbild für künftige sozialdemokratische „Volkswohnungspaläste".

Industriesiedlungen

Ab 1853 baute Emilé Muller bei **Mühlhausen** (Elsaß) eine Arbeitersiedlung aus herkömmlichen Einzelhäusern mit individuellen Gärten. Gegründet wurde diese Werksiedlung von der „Société Mulhousienne des Cités Ouvrières" im Auftrag von König Louis Bonaparte (Napoleon III.), den man anfangs durchaus sozialreformistisch einschätzte. Der König gab Muller höchstpersönlich den Auftrag, ein billigeres Haus als das berühmte (englische) Arbeiter-Musterhaus von Henry Roberts (1802–1876), das bei der Weltausstellung 1851 in London mit großem Erfolg gezeigt worden war, zu entwickeln. Mullers einfache Arbeiterhäuser sollten sich für die gesamte kontinentale Entwicklung des Arbeiterwohnhauses als prototypisch erweisen: In der zweiten Hälfte des 19. Jahrhunderts entwickelten sie sich neben den kasernenartigen Mietshäusern zum vorherrschenden Haustyp. Muller entwarf ein Vierfamilienhaus mit kreuzförmiger Raumeinteilung, dessen Viertel in doppelstöckiger Bauweise jeweils einen Vorraum mit separatem Eingang, eine Küche mit eigenem Wasseranschluß, eine Wohnstube (die „gute Stube") und zwei Schlafkammern besaßen. Die Aborte waren außen angebaut. Da sich in der Folge der Muller'sche Standardgrundriß in Material und Baumethode als variabel und für die verschiedensten Regionen Mitteleuropas anpassungsfähig erwies, konnte der Prototyp allerorten übernommen werden.

Der Textilfabrikant Christoforo B. Crespi gründete bei Capriate S. Gervasio (Bergamo) an der Adda 1877 seine Baumwollspinnerei **Crespi d'Adda**. Seit etwa 1890 wurde diese nach dem Gründer benannte, „dörfliche" Anlage für ca. 1 000 Menschen von Gaetano Moretti (1860–1938) ausgebaut.

Die architektonische Konzeption behielt in „Crespi d'Adda" ihren herrschaftlich-feudalen Charakter, was die Ideologie des „Zusammenlebens" des Fabriksbesitzers mit seinen Arbeitern deutlich verrät. So wie der Sitz des *padrone* die Lebens- und Arbeitswelt der Lohnarbeiter beherrscht, so greift dieser allgegenwärtige Anspruch selbst noch auf die „gemeinschaftliche" Grabanlage über. Das Mausoleum der Gründerfamilie thront über den schlichten, schmucklosen Gräberreihen der Arbeiterfamilien.

Inzwischen erkannten weitsichtige Unternehmer und Politiker den unmittelbaren Bezug zwischen baulicher und sozialer Situation und sahen auch den kausalen Zusammenhang zwischen Wohnungselend und Kriminaliät. Vor allem waren es die humanitär-kapitalistischen Großunternehmer selbst, die sich seit Mitte des 19. Jahrhunderts — aus welchen Motiven auch immer — um eine bessere Unterbringung der Arbeiter kümmerten. Man wollte die Facharbeiter (die ersten Arbeiter überhaupt, die regelmäßig Lohn bezogen) stärker an die Fabrik binden, sie durch bessere Wohn- und Lebensbedingungen zu höherer Produktivität bringen und ihre Loyalität zum Fabriksherrn fördern. Schließlich waren die fabrikseigenen Arbeiter durch den objektiv vorhandenen Fortschritt weniger radikal und konnten so von der Arbeiterbewegung in den — bereits von Arbeitsniederlegungen und Klassenkämpfen zerrütteten — Städten abgespalten werden. Natürlich waren die Möglichkeiten der Überwachung besser und die Arbeiter konnten, falls nötig, niedergekämpft werden. Ein Beispiel für den Erfolg solcher gegenrevolutionärer Politik sind die präventiven Maßnahmen Baron Haussmanns, der nach der Niederschlagung der Revolution von 1848 nach dem Prinzip der Segregation, d. h. des Herausdrängens der Armen und Proletarier aus den Zentren, die Stadt Paris völlig umgestaltet hat; Henri Lefèbvre schreibt in diesem Zusammenhang: „Die Arbeiter, aus dem Zentrum vertrieben und zur Peripherie abgedrängt, machten sich erst über den Weg der Pariser Kommune (1871) zurück ins Zentrum, das von der Bourgeoisie mit Beschlag belegt war." (17)

Die Reaktion auf diese ideologische „Entmischung der Stadtkerne schlug sich auch in der Wertschätzung der Arbeitgeber gegenüber ihren neuen Arbeitersiedlungen (im Zusammenhang mit Industriebetrieben) außerhalb der Stadtgrenzen nieder. Nachdem dieser immanent systemstabilisierende und revolutionsvorbeugende Zusammenhang zwischen hoher Wohnzufriedenheit und Arbeitslust von seiten der Industrie und des Staates erkannt war, entstanden in der Folge in verschiedenen Industriestaaten Europas und Nordamerikas eine Vielzahl von sog. *„company towns"* (Werksiedlungen). Nur die, die für die weitere Entwicklung wesentlich waren, sollen hier kurz vorgestellt werden.

Als eines der ersten und größten Projekte dieser Art gilt die Fabrikstadt **Saltaire**, die der reiche Textilindustrielle Titus Salt mit Hilfe der Architekten Lockwood, Fairbrain und Mawson zwischen 1850 und 1872 im Tal des Aire bei Leeds für seine Facharbeiter und Führungskräfte errichten ließ. In unmittelbarer Nähe der Fabrik entstanden nach und nach 820 Reihenhäuschen in engen stereotypen „back-to-back"-Zeilen mit kleinen Vorgärten und Alleen. Die Häuser selbst wurden nach verschiedenen Grundrissen gebaut.

1886—89 baute der Architekt William Owen im Auftrag des Seifenfabrikanten Lord Leverhulme in der Umgebung Liverpools die Stadt **Port Sunlight** (nach dem gleichnamigen Produkt des Unternehmens!). Mit großen Blöcken im zeitgerechten Tudorstil und gemeinsam nutzbaren Innenhöfen ist diese Siedlung in eine parkähnliche Landschaft hineingestellt. Owen nimmt hier bereits den Gartenstadtgedanken Howards vorweg, der erst gegen Ende des Jahrhunderts konkret als Programm ausformuliert wird.

Ähnliche Projekte sind die Arbeitersiedlung der Schokoladenfabrik **Cadbury** (1895) in Bourneville und in Europa vor allem die Siedlung der **Alfred-Krupp-Werke** in Essen. Einige große deutsche Industriebetriebe bauten die Wohnviertel für ihre Arbeiter selbst, da der wilhelminisch-bismarckische Staat sich als unfähig erwies, die Probleme der Wohnungsnot zu beheben. So errichtete Arthur Krupp in Essen zwischen 1863 und 1903/06 auf seinen Latifundien neben seiner Unternehmervilla gleich mehrere Werksiedlungen. Ein anderes, weniger auffallendes Beispiel ist die **Borsig-Werksiedlung** (um 1898) in Berlin-Tegelhof.

Gleichzeitig erfolgte der Aufschwung der Gemein- und Genossenschaftswirtschaften – deren Wirken wurde in Deutschland durch ein Gesetz von 1868 geregelt, wobei der Staat allmählich diese Privatinitiativen unterstützte – und damit setzte auch der genossenschaftliche Wohnungs- und Siedlungsbau ein, der es zu besonders erwähnenswerten Leistungen auf diesem Sektor brachte (18). In Österreich begann diese Entwicklung verhältnismäßig spät und das Eingreifen des Staates beschränkte sich nur auf die Gesetzgebung und auf föderalistische Maßnahmen, die die Privatinitiativen berechtigten und ihnen ermöglichte, die dringlich notwendigen Sanierungs- und Wohnungsbauarbeiten durchzuführen. Sie führten aber nicht zu den gewünschten Resultaten, weil die Boden- und Bauspekulation trotz allem weiter wucherte.

1880 entstand unter der Bauleitung von Solon S. Beman und Nathan F. Barret im Auftrag des Eisenbahnmagnaten George M. Pullman der riesige Stadtplan von **Pullman-Town** (nahe Chicago). In den folgenden Jahren entstand diese verfeinert romantisierende, städtebaulich vorbildliche „company town", die den dynamischen Geist des amerikanischen liberalen Kapitalismus und des expandierenden Imperialismus der zweiten Hälfte des 19. Jahrhunderts exemplarisch in sich vereinte: eine Gartensiedlung mit Einzelhäusern dehnt sich in einer pittoresken, amorphen Parklandschaft am Seeufer von Lake Calumet aus (Siedlungsteppich). Die Gestaltung ist zugleich malerisch, funktional und utilitaristisch. „Pullmans Vorhaben," meint Manfredo Tafuri, „zielten nicht nur auf die architektonische Form, sondern er wollte vielmehr die formale Qualität selbst ‚produktiv' werden lassen." (19)

Es bleibt zu bemerken, daß diese Werksiedlungen sicherlich keine Utopien im Sinne der revolutionären Sozialutopisten mehr darstellten, sondern zu einem politischen Instrument der Macht und der Kontrolle geraten waren. Die Industriellen konnten durch die Beseitigung der städtischen Konkurrenz des Marktes Monopolpreise für ihre Arbeiter (Wohnung, Essen, Kleidung, Verkehr, Vergnügen etc.) festsetzen und waren überdies vor Arbeiterunruhen geschützt. Die Arbeiter waren nicht nur von ihrer Klasse und deren Organisationsformen getrennt, sie riskierten überdies bei einem Streik, nicht nur ihren Arbeitsplatz, sondern auch ihre Wohnung zu verlieren. Der „großzügige" Patron bzw. Haus- und Fabriksherr hatte somit die Macht und den Einfluß, Arbeitsmobilität und Arbeitskämpfe zu kontrollieren. Eigentlich eine zum realen Paradies geratene Utopie für den Unternehmer!

Die Theoretiker Utopias hatten sich tatsächlich eine klassenlose Gesellschaft vorgestellt, der Industrialist hingegen stellte sich selbst über die Gemeinde, die er schuf. Statt die Stadtsilhouette nach den Bedürfnissen der Arbeiter auszurichten, wurde sie nach autoritären und wirtschaftlich-technokratischen Entscheidungen anhand hierarchischer Achsen und Ordnungen konzipiert, was das Stadtbild in strenger Weise strukturierte. Die Grundkonzeption der Architektur und vor allem der Lagepläne behielt in fast allen Arbeitersiedlungen den traditionellen Charakter und die Aufgabe einer Kontroll- bzw. Unterwerfungsfunktion. Zwei Hauptrichtungen lassen sich hierbei unterscheiden: eine neoklassizistische (großstädtische) Strömung, deren Anhänger sich der monumentalen Architektur des „Ancien Regime" bzw. des wilhelminischen Deutschlands bedienten, und zweitens die Siedlerbewegung. Dieser antistädtischen Architekturrichtung schlossen sich die weniger visionsbegabten Architekten an, die eher aus politischem Kalkül die Arbeiterschaft in kleine, autonome Grüppchen zersplittern und dadurch schwächen wollten, um damit eine dem Interesse des Status quo dienende „Entproletarisierung" zu erreichen.

Diese Bewegung sprach sich für das Ideal des kleinen Mehr- oder Einfamilienhauses aus und bekannte sich letztlich zu den herrschenden Verhältnissen der Klassen- bzw. Ständegesellschaft. Ihr Bestreben war, der gesellschaftlichen Vermassung durch individuelle Gestaltung und Fragmentierung entgegenzutreten. Regressive Siedlungs- und Agrarutopien entstanden ja bereits vor 1848, aber erst im Zuge der rigorosen Industrialisierung der wichtigsten europäischen Nationen wuchs der Widerstand gegen die Stadt und die damit verbundenen Veränderungen der Lebensbereiche. Nach dem Einsetzen der anglo-amerikanischen *City-Beautiful*-Reformbewegung – zur Verbesserung des Stadtlebens im ästhetischen wie im humanökologischen Bereich –, kamen aus dem Umfeld der *Arts and Crafts*-Bewegung besonders viele Vorschläge für Landvillen, die aber für die Masse nicht wirksam waren.

Erst Arturo Soria y Matas „Bandstadt", ein lineares Siedlungsprojekt entlang einer Verkehrsstraße in Madrid, die englischen „Cottage-Häuser" in der Vorstadt und vor allem die nach 1898 einsetzende (englische) Gartenstadtbewegung, bereiteten durch die Entwicklung von neuartigen Wohnbauten, vor allem Reihenhäusern, den Boden für neue städtebauliche Lösungen vor.

Kleinstädtisches Idyll

Als Reaktion auf die sozialökonomischen Umwandlungsprozesse und die daraus resultierenden „Probleme der Großstadt", hatte sich in der zweiten Hälfte des 19. Jahrhunderts das Eigenheim herausgebildet. Es entwickelte sich zum bevorzugten Haustyp und wurde damit zum Wunschtraum des Kleinbürgertums. Durch die Rückkehr zu vorindustriellen Lebens- und Produktionsverhältnissen (Dorf, Siedlung, Kleinstadt und damit die ständische Gliederung der Gesellschaft avancierten zu Symbolen für ländliches und bäuerliches Leben voller sozialer Harmonie) hofften die verschiedenen Lebens- und Wohnbaureformbewegungen vor und nach der Jahrhundertwende, die gesellschaftlichen Gegensätze und sozialen Mißstände der Zeit bewältigen zu können. Die Haltlosigkeit und Entwurzelung der Massen — als Kennzeichen des „städtischen Übels" wurde die von Bürgerlichen verhaßte Mietskaserne der Proletarier angesehen —, deren Politisierung und Radikalisierung wurde primär darauf zurückgeführt, daß diese ihre „Bodenständigkeit" und „Wurzeln" verloren hätten. Wiederhergestellte rurale Lebensverhältnisse und -zusammenhänge sollten der „Vermassung" des Städters entgegenwirken, die Verwurzelung der Massen ihre Zufriedenheit bewirken.

Der spanische Verkehrsexperte Arturo Soria y Mata — zeitlich gesehen der erste Praktiker der modernen Siedlung — veröffentlichte schon 1882 seine Theorie der *cuidad lineal*, der „linearen Stadt". Er ging dabei von der Beobachtung aus, daß sich Siedlungen meist Verkehrsstraßen entlang entwickeln und keine nennenswerte Breitenausdehnung besitzen. Sein System beruhte auf dem Prinzip einer Radialstadt mit geradlinigen Verkehrsstraßen, die beidseitig von schmalen bebauten Streifen gesäumt werden. Erst 1892 konnte er ein 5 km langes Stück seiner **Bandstadt** erproben; im Südosten Madrids sollte eine gerade Straßenlinie das Rückgrat der linearen Stadt bilden. Die nach 1933 am nördlichen Rand von Wien entstandenen Erwerbslosensiedlungen greifen (un)bewußt auf diese städtebauliche Siedlungskonzeption zurück. Auch sie zeichnen sich durch landwirtschaftliche Nutzflächen aus, die durch „Stichstraßen" linear erschlossen werden.

Im England des 19. Jahrhunderts war die Reaktion auf die Wucherung der Städte und auf das unbeschreibliche Wohnungselend der Proletarier Ebenezer Howards (1850—1928) Vorschlag einer „Neuen Stadt" im Grünen, wo die Bewohner der **Gartenstadt** trotzdem nicht auf die städtischen Vorzüge zu verzichten brauchten. Die Lektüre von Ed Bellamys Utopie, „*Looking Backwards*", regte ihn zu der Idee der „Garden City" an. 1898 erschien sein Buch „*Tomorrow*"; 1899 wird die erste Gartenstadtgesellschaft gegründet und 1903 die erste Gartenstadt-Siedlung in **Letchworth** bei London von Raymond Unwin (1863—1940) und B. Parker verwirklicht. Den Originaldiagrammen ist zu entnehmen, daß Howards Ziele grundsätzlich städtebaulicher Natur waren; die Bestimmungen bezüglich Verbauung, Flächenwidmung, Raumordnung, Größenverhältnisse zwischen Häusern und Gärten, Infrastruktur etc. waren außerordentlich detailliert. Industrie, Landwirtschaft und Wohnen wurden sorgfältig voneinander getrennt. „In dem Buch beschreibt Howard die zukünftige Stadt und fügt auch einige Zeichnungen (und Diagramme) bei, empfiehlt jedoch, sie als rein schematisch anzusehen, da das Projekt dem vorgesehenen Platz angepaßt werden müsse; da er kein Techniker ist, verbreitet er sich hauptsächlich über die finanziellen Einzelheiten des Planes und betont, daß es sich um einen konkreten Vorschlag und nicht um ideologische Spekulationen handle. Die ‚Gartenstadt' solle von einer anonymen Gesellschaft verwaltet werden, die Eigentümerin des Geländes, nicht aber der Häuser, Betriebseinrichtungen und Wirtschaftsbetriebe sei; ein

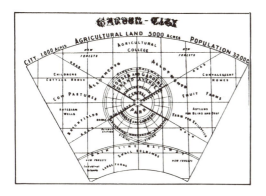

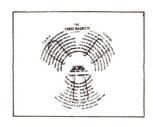

*links oben: Ebenezer Howards Diagramm der
Gartenstadt (1898); die Städtegruppen zeigen
die Verbindungen der Gartenstädte untereinander.
rechts oben: die „Drei Magneten".
rechts: Lageplan von „Welwyn Garden City" (1919)*

jeder werde die Freiheit haben, sein Leben und seine Angelegenheiten nach Gut-
dünken zu regeln, er müsse sich lediglich der Stadtordnung unterwerfen und
werde dafür die Annehmlichkeiten eines geregelten Gemeinschaftsleben ge-
nießen. Howard macht sich jedoch nicht von der traditionellen Vorstellung frei,
die Stadt müsse sich selbst genügen und auf einem harmonischen Gleichgewicht
von Industrie und Landwirtschaft beruhen; deswegen nimmt er an, daß die
‚Gartenstadt' mit ihren Wohnhäusern und Industrien ein Sechstel des verfügbaren
Geländes einnehmen werde, während der Rest der Landwirtschaft vorbehalten
bleibt; rings um den Stadtkern legt er einen Gürtel von Gehöften, die von derselben Gesellschaft abhängen." (20)

Nach dem Ersten Weltkrieg startete Howard einen zweiten Versuch einer
„Trabantenstadt im Grünen"; er gründete 1919 mit Louis de Soissons eine
zweite Gesellschaft und begann mit dem Bau der Gartensiedlung **Welwyn** bei
London, die zu der stattlichen Größe von 35 000 Einwohnern anwuchs.

Was von Howards Ideen der Gartenstadtbewegung auf den Kontinent gelangte, waren eigentlich Simplifizierungen und beruhten auf einem – aus dem
Namen herrührenden – Mißverständnis, denn Howards Ideen selbst waren ursprünglich fortschrittlicher und urbaner.

1906 wird die erste deutsche Gartenstadt in Hellerau bei Dresden von Richard
Riemerschmied (in Zusammenarbeit mit Heinrich Tessenow) gebaut; danach
folgt Bruno Tauts Siedlung in Berlin-Falkenberg (1913). Taut übertrug die ideale
Stadtvorstellung der Utopisten des 19. Jahrhunderts auf die real-pragmatische
Ebene des Ebenezer Howard. Auch die sowjetischen Kommunenhäuser und die

weniger erfolgreiche Wiener Werkbundsiedlung (1930–32) suchten mit reformiertem Gemeinschaftsleben und neuen Siedlungsformen eine „Alternative" zur anonymen, großstädtischen Lebensform des Massenwohnhauses zu verwirklichen.

Die Architekturvorstellungen der Sozialutopisten, die unterschiedlich fundierte und inhaltlich voneinander abweichende Projekte von Kollektivwohneinrichtungen suchten, wie auch die Reformbestrebungen der pragmatischeren Gesellschaftstechniker und Technokraten enthalten – trotz aller Gegensätze – ähnliche charakteristische Züge aller Utopien seit Morus: die sich selbst genügende, (halb-)autarke Gemeinschaft, der Versuch einer Synthese des unlösbaren Widerspruchs Land und Stadt, die Aufhebung des Bodeneigentums und einer begrenzten Ideal-Einwohnerzahl – jene unantastbaren Ideen eben, von denen man sich in allen Utopien die ersehnte Autonomie (des Siedlers) und ein funktionierendes Gemeinwesen versprach. Die baulichen Vorstellungen, die sich die utopischen Sozialisten von Kollektiveinrichtungen, zentralen Versorgungsstellen, niedriger Verbauungsdichte etc. machten, scheinen in den Existenzminimum-Siedlungen des „Neuen Frankfurt" der zwanziger und dreißiger Jahre wieder auf; in LeCorbusiers „Unité d'habitation"-Modellen (1945–52) als „Wohneinheit angemessener Größe" bis hin zu Frank Lloyd Wrights Siedlerutopie „Broadacre City" (1934) und sogar in den „Roten Burgen" der Gemeinde Wien.

Sozialreformistische und pragmatische Vorschläge für Arbeiterwohnhäuser

Gegen Ende des 19. Jahrhunderts rückte das Wohnungselend der Massen in den breiteren Blickpunkt der bürgerlichen Öffentlichkeit. Da die Mehrzahl der Arbeiterschaft nach wie vor in den gründerzeitlichen Zinskasernen wohnte und die Arbeiterwohnhäuser wegen der hohen Anzahlungsraten bzw. Mieten nur einem kleinen elitären Kreis von bessergestellten Facharbeitern zugänglich waren, setzten „wohlmeinende" Bestrebungen ein, die Arbeiterschaft in humaneren und hygienischeren Wohnverhältnissen unterzubringen. Die Mißstände der liberal-kapitalistischen Wohnungswirtschaft und die daraus resultierende Bodenspekulation forderten in der Hochgründerzeit erstmals ernstere, durchgreifendere, aber letztlich immer noch zum Scheitern verurteilte Reformbestrebungen heraus.

Einer dieser unwirksamen – weil sehr einfältigen – Lösungsvorschläge war das gereihte Einfamilienhaus in stereotypem Zeilengefüge, wie es in England unter dem „poor law" in der ersten Hälfte des 19. Jahrhunderts entstand. Schon Friedrich Engels kritisierte in seinem Buch *„Die Lage der arbeitenden Klasse in England"* (1845), auf zeitgenössische Berichte gestützt, nicht nur das vorherrschende Sozialelend in den Arbeiter-Cottages von Manchester, sondern bemängelte auch deren schlechten baulichen Zustand. Außer der mangelnden Hygiene in den Reihenhäusern mit ihren kleinen Vorgärten ist die Enge der Parzellen sowie das Fehlen jeglicher Gesetzgebung über die Nutzung der Grundstücke problematisch: fast durchwegs auf gepachtetem Boden gebaut – entsprechend dem englischen Bodenrecht –, wiesen diese kleinen Mietshäuschen keine dauerhafte Bauweise und Ausstattung auf. Mit ihrer oft halbsteinigen Ziegelbauweise, ohne sanitäre Einrichtungen und zuweilen nur aus einem ebenerdigen Zimmer mit einem Dachboden bestehend, sollten sie innerhalb kurzer Fristen einen möglichst hohen Gewinn abwerfen. „(...) Die ,Neustadt' (von Manchester), auch die *Irische Stadt* genannt, zieht sich jenseits der Altstadt auf einem Lehmgürtel zwischen dem Irk und der St. George's Road hinauf. Hier hört alles städtische Aussehen auf, einzelne Reihen Häuser oder Straßenkomplexe stehen wie kleine Dörfer hier und da auf dem nackten, nicht einmal mit Gras bewachsenen Lehmboden; die Häuser oder vielmehr Cottages sind in schlechtem Zustand, nie repariert, schmutzig, mit feuchten und unreinen Kellerwohnungen versehen; die Gassen sind weder gepflastert noch haben sie Abzüge, dagegen zahlreiche Kolonien von Schweinen, die in kleinen Höfen und Ställen eingesperrt sind oder ungeniert an der Halde spazieren." (21)

Wegen der zwar begründeten, aber übersteigerten Furcht der Bourgeoisie vor Seuchen und Aufständen, die von den Elendsvierteln ihren Ausgang nehmen könnten, beschloß die 1845 gegründete *„Society for Improving the Condition of the Labouring Class"* endlich den Bau von Arbeiterwohnungen im „Rowton"-Wohnbauförderungsverfahren. 1848 entschloß sich die Gesellschaft weiters, in London praktisch nachzuweisen, „daß die in den städtischen Gebieten nicht vermeidbaren Mietskasernen bei richtiger Anlage gesunde Lebensbedingungen bieten konnten". (22) Zu diesem Zweck wurde an der **Streatham Street** (1849–50) in London ein noch heute erhaltenes Musterhaus, das Laubengangwohngebäude von Henry Roberts (1802–1876), ausgeführt. Der Laubengang wurde zu einem klassenspezifischen Merkmal des Arbeiterwohnhauses und bekam bald eigenständigen ideologischen Wert. Roberts baute im Auftrag der Gesellschaft für die Weltausstellung 1851 das **Prince Albert Model House** mit einem sog. „open stairway" in einer Art Loggia. Der Wiener Wohnbaureformwissenschaftler Emil Sax schwärmte für diesen Typus: „Der Bewohner vermag demnach von der Straße aus den Zugang zu seiner Wohnung zu verfolgen und kommt (von Begeg-

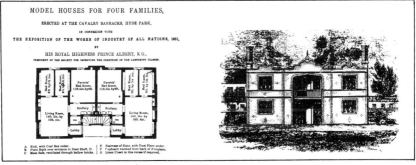

Das „Prinz Albert-Haus" auf der Londoner Weltausstellung (1851) mit dem „open staircase", gezeichnet von Henry Roberts (nach John N. Tarn).

nungen auf der Treppe abgesehen) mit gar keiner oder höchsten mit der Wohnpartei in Berührung, deren Türe oder Fenster er passiert. Was aber von Wichtigkeit ist: die Kontrolle der Öffentlichkeit folgt gleichfalls dem Bewohner bis zur
Türe." (23) Weshalb das Laubenganghaus als Instrument der herrschenden Klasse
sowohl als Panoptikum (Kontrolle) als auch als private Enklave (Regenerierung
der Arbeitskraft) eingesetzt und gebraucht wurde. Außerdem ersparte das
Anlegen der Wohnungen an einen vorgehängten Gang Aufschließungskosten (die
Treppenanlagen fallen weg), vergrößerte aber auch die Wohnungsnutzfläche.
Nicht zufällig wurde die Laubengangwohnung als Wohnung der unteren Schich-
ten wiederentdeckt, z.B. Siedlung „Dammerstock" (1929) von Walter Gropius,
Siedlung „Spangen" in Rotterdam (1921) von Johannes Brinkman (mit Hans
Schmidt) und der gute Entwurf der sozialromantischen „Kommunenhäuser"
(1929) für die Beamten des Volkskommissariates für Finanzen („Narkofin") von
Moses Ginsburg in Moskau.

Die Sozialreformer übernahmen zumeist Modelle, wie es sie seit dem Mittelalter zur Versorgung städtischer Armut gegeben hatte (Armenhäuser, Armen-
gärten, Augsburger „Fuggerei", Kopenhagener „Seemannshäuschen", Manufak-
tursiedlung „Nadelburg" etc.). Typologisch waren sie nicht neu, in sanitärer und
in gesundheitlicher Ausstattung unterschieden sich diese „auf Verbesserung der
Wohnungsverhältnisse der ärmeren Bevölkerung hinwirkenden" Wohn- und Siedlungsbauten allerdings sehr von ihren Vorgängern und den zeitgenössischen Zins-
bauten. So gesehen bedeuteten sie sicherlich einen Fortschritt in der Wohnarchitektur.

Zu diesen internationalen Vorläufern kamen noch lokale und einheimische
ideologische Präformierungen hinzu. Evolution ohne typologische Vorgänger ist
undenkbar. Der nun folgende Vergleich zu historischen Beispielen und der kommunalen Großbautätigkeit von 1919—34 soll zeigen, daß das großartige Wohnbaukonzept des Roten Wien keine Neuschöpfung war, sondern in wesentlichen
Bereichen auf am Ort vorhandene Vorbilder zurückgriff.

Entwicklung und Tradition des Wiener Hofes

Die Hofform hat in Wien eine sehr lange Tradition und ist schon seit dem Barock
nachweisbar bekannt. Als Vorstufen einer hofmäßigen Verbauung können zunächst einmal die Stifts- und Klosteranlagen nach dem rasterartigen „Escorial-
schema" (24) gelten, wo es zu einer baulichen Verbindung von Kirche, Kloster
und Palast durch mehrere hofumschließende Innentrakte kommt. Zu den bekanntesten Beispielen einer solchen „Klosterresidenz" gehört das „Stift Klosterneuburg" (1716—75); die prachtvollen Klosteranlagen „Stift Göttweig" (ab
1719), „Stift Seckau" (1681) und „Stift Melk" (1714) seien wahllos herausge-
griffene Beispiele, die sich alle aus einem Konglomerat von oft sehr regelmäßigen, die Kirche umschließenden Höfen zusammensetzen. Wegweisend dürfte
auch der von der Profanarchitektur übernommene Topos des quadratischen oder

breitgestreckten Innenhofes gewesen sein, wie wir ihn seit dem Umbau des „Heiligenkreuzerhofes" (1724) kennen. Ebenso war das auf den Schloßbau zurückführende Block- und/oder Flügelsystem mit zumeist drei innenliegenden Höfen in breiter Anlage mit umschließenden Binnen- und Seitentrakten für den öffentlichen Profanbau ausschlaggebend.

Dieses herrschaftliche Hofprinzip kann man auch an niedrigen Bauaufgaben feststellen, wie beispielsweise beim „Marstall" der neuen Hofstallungen (1719– 23) gegenüber der Wiener Hofburg. Dieses „Schloß der Rösser", wie Hans Sedlmayr den Stall einmal genannt hat, wurde in drei Blöcke zerlegt, wobei die eigentlichen Stallgebäude als hoftrennende Quertrakte hinter der breiten Hauptfassade mehrere Innenhöfe bilden. Im hinteren Teil bildete eine gewaltige Exedra mit offenen Arkaden den räumlichen Abschluß der Anlage, in dessen Mittelteil sich eine Pferdetränke befindet. Die Gestaltung der kaiserlichen Hofreitstallungen (mit Wohnungen für die Beamten im Obergeschoß und dem „Palast" des Oberhofstallmeisters im Mittelrisalit) muß in Zusammenhang mit der ganzen achsialen Anlage der gegenüberliegenden Hofburg aufgefaßt werden, dessen stereometrisches Gegengewicht sie bilden sollte.

Darüber hinaus muß auch an die Tradition der Hospiz- und Spitalshäuser mit ihren charakteristischen Hofanlagen erinnert werden: etwa an das „Armenhaus" in der Alser Vorstadt (1718), das „Invalidenhaus" auf der Wieden und an das „Josefinische Krankenhaus" (1784) mit seinen weitverzweigten Hofanlagen und Platzbildungen. Wegweisend dürfte auch der unausgeführte Idealentwurf von Balthasar Neumann für den Neubau der „Wiener Hofburg" (1745) gewirkt

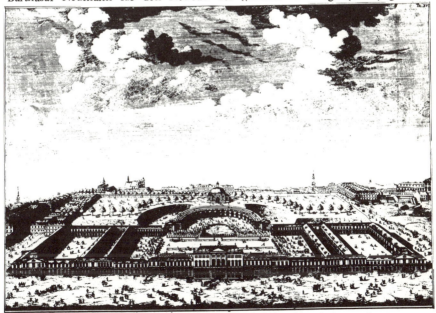

Prospekt des „Marstalles" (Hofstallungen), aus: Entwurf einer historischen Architektur, viertes Buch (Tafel XVI) von Johann Fischer von Erlach (1712).

Prospetus aula S. Crucis a Sacellum S. Bernardi b. Templum Academicum. *Prospect des Heil. Creuder-Hoffs a. Die Capelle des H. Bernardi. b. Die Academische Kirche der untern Iesuitern.*

Hofansichten des „Heiligenkreuzerhofes" (1724) nach Salomon Kleiner (aus „Das florierende Wien", III. Teil)

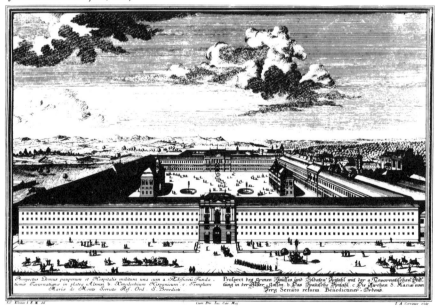

Prospectus Domus pauperum et Hospitalis militum una cum a. Edificii Funda-tionis Euarnatiana in platea Albana b. Xenodochium Hispanicum c. Templum Mariae de Monte Serrato Ref. Ord. S. Benedicti *Prospect des Armen Hauses und Soldaten Spitahl mit der a. Guuernatischen Stif-tung in der Wieden. Halten b. Das Spanische Spitahl c. Die Kirchen S. Marie von Berg Serrato reform. Benedictiner-Ordens.*

Prospekt des Armenhauses und Soldatenspitals auf der Wieden nach einem Stich von Salomon Kleiners Vedutenwerk „Das florierende Wien", III. Teil (1733)

haben, der eine vollkommene Neustrukturierung der amorphen, mittelalterlich gewachsenen Hofanlage vorsah: ein sehr achsial konzipierter Komplex sollte sechs Binnenhöfe und einen großen Ehren- und Turnierhof umfassen. Außer der Hofbibliothek von Johann Fischer von Erlach sollten nach Balthasar Neumanns Plan sämtliche älteren Bauteile abgerissen werden und der in die Breite gehenden, fast quadratischen Anlage der dahinterliegenden Hofgliederung des „Marstalles" entsprechen. Eine halbkreisförmige Platzbildung zum Michaelerplatz schloß die gewaltige, in ihrer Grundrißdisposition an römische Thermen erinnernde Anlage zur Schauseite ab.

Der Wiener Hof änderte während des Vormärzes sein Aussehen und auch seine Funktion am Profanbau und wurde zur sog. biedermeierlichen „Großanlage". Diese Entwicklung läßt sich am frühesten Beispiel, am „Schottenhof" (1826 —1832) von Josef Kornhäusel (1782—1860) heute noch nachvollziehen. Vom selben Architekten stammen die Großwohnhäuser, die in ihrer Gangküchenordnung in gewisser Weise den späteren Typus der „Zinskaserne" der Gründerzeit vorwegnehmen: der sog. „Seilerhof" (1826), der „Melkerhof" (1838) und der „Mölkerhof" (1863—65).

Die frühe Gründerzeit übernahm diesen Prototyp einer großstädtischen Verbauung, allerdings mit ökonomischen Einschränkungen und formalen Neuerun-

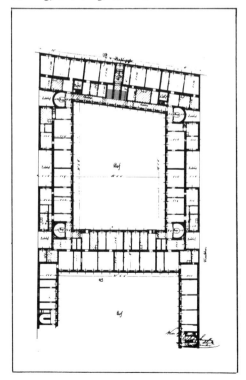

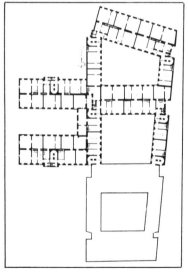

links: Josef Kornhäusel: „Melker-
Hof" (1838), VIII., Florianigasse 40;
oben: Josef Kornhäusel: „Seiler-Hof"
(1826), III., Heumarkt 7

gen. Um den nun kostbaren Baugrund gewinnträchtiger auszunützen, verbaute man die innenliegenden Grün- und Hofflächen bis zu einem Maximum von 85%. Mit der allmählich einsetzenden Stadterweiterung wurden die noch unverbauten Gebiete der Vorstadt mit aufeinander abgestimmten Häuserblöcken im sog. „Bassenatypus" sehr dicht überbaut. Diese Erstverbauung ganzer Areale der Leopoldstadt und Margaretens folgten dem Schema der spät-biedermeierlichen Werkstätten-Wohnhäuser im Gangküchentyp mit mehreren Lichthöfen.

Als die wichtigste Präformierung der späteren Gemeindevolkswohnhäuser muß zunächst der 1848 entstandene Entwurf von Ludwig Förster (1797–1863) *„zu einem Etablissement für Arbeiterwohnungen in Wien"* genannt werden.

Bei seinen jeweils fünfachsigen, dreistöckigen, an zeitgenössische Nutzbauten erinnernden Häusern in der Großen Stadtgutgasse (Leopoldstadt) verzichtete Förster — außer den durchlaufenden Fenstergesimsen und den wenig gekrümmten Fensterbögen — auf jegliches Dekor zugunsten gleichartiger Geschoße und „einfacher, jedoch solider und feuersicherer Konstruktion". Jede Wohnung sollte Zimmer, Küche, Kabinett, Keller, WC und einen Balkon erhalten; jedes Zimmer wäre direkt belüftet/belichtet gewesen, und die Wohnung sollte mittels Ratenzahlungen allmählich in den Besitz des Mieters übergehen. Die nur fragmentarisch realisierte Anlage hätte auch Gemeinschaftsküchen, Bibliothek, Lese- und Turnhallen, Kindergarten, Geschäfte und Betriebe enthalten sollen.

Ein anderes frühes Beispiel ist der sog. „Roberthof" (1855) nach Plänen der Ringstraßenarchitekten August Sicard von Siccardsburg und Eduard van der Nüll. Diese Architektur fand ihre Fortsetzung in Theophil Hansens prunkvollem „Heinrichshof" (1861–63) und seinem Massenzinshaus „Rudolfshof" (1872), dessen Kleinwohnungen über Pawlatschen von einem glasüberdeckten „Wohnhof" aus erschlossen sind.

An dieser Stelle soll noch einmal festgehalten werden, daß all diese sozialen Unterkunftsmöglichkeiten — Versuche zur Linderung der Wohnungsnot — doch sehr bescheiden waren und im Verhältnis zu den Zinshäusern eher die Ausnahme bildeten. Das Bauprinzip der profitablen Zinskaserne setzte sich in der Blütezeit des Gründerzeitalters endgültig durch und wurde sogar bis zum Ende des Ersten Weltkriegs beibehalten und erst durch die aufgelockerte Hofverbauung der Gemeindebauten des Roten Wien aus sozial- und medizinhygienischen Gründen abgelöst. (25)

1860 publizierten der Architekt Heinrich von Ferstel (1828–1883) und der Ordinarius für Kunstgeschichte an der Universität Wien, Ritter Rudolf von Eitelberger (1817–1885), eine denkwürdige Schrift über *„Das bürgerliche Wohnhaus und das Wiener Zinshaus"*. Darin propagierten sie — als Alternative zu den von den Ringstraßen-Zinspalästen abgeschauten Fassaden der Bassenazinskasernen in den Arbeiterbezirken — einen bürgerlichen Einfamilienhausentwurf mit Garten. Sozusagen die Synthese aus mittelalterlichem, mit der Schmalseite zur Straße stehenden Wohn- und Werkstättenhaus und den Etagenbauten Norddeutschlands, der Niederlande und Großbritanniens.

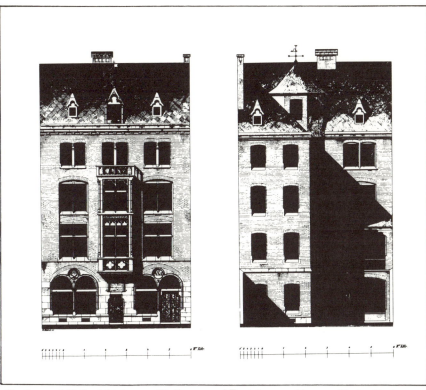

Straßen- und Hofansicht des von Eitelberger und Ferstel vorgeschlagenen Einfamilienhauses

Während ihrer Reisen (ab 1851) durch Deutschland, Belgien, Holland und England hatten sie diesen Wohntypus studiert und schätzen gelernt. Aber für die österreichischen Wohnverhältnisse war er einerseits zu „avantgardistisch" und andererseits aus praktischen Gründen ungeeignet. Wie schon aus dem ihrem Buch beigelegten Entwurf und der Beschreibung des kleinbürgerlichen Wohnhauses (Einfamilien-Reihenhaus in gotisierender Form) ersichtlich ist, bevorzugten die Autoren den kleineren Haustypus, der nicht nur − wie Felix Czeike beurteilt − „an die Tradition des ‚Biedermeierlandhauses' anknüpft", sondern ebenso auf ihren konservativen Vorstellungen der Einzelfamilie basierte, die sie als Grundlage der gesellschaftlichen und sittlichen Ordnung sahen. Da ihre Vorschläge an den Mittelstand gerichtet waren, stießen sie bei den liberalen und christlich-sozialen Befürwortern des Massenmietshauses verständlicherweise auf Ablehnung.

Dem Buch ging ein heftig geführter Diskurs voraus, der einerseits die zwei entgegengesetzten Wohntypen „Einfamilienhaus" und „Massenmietshaus", andererseits die zunehmende Stadtflucht als Folge der ästhetischen und ökonomischen Verschlechterung der Lebensbedingungen in der Inneren Stadt zum Thema hatte. Der Diskussionbeitrag von Eitelberger und Ferstel mit ihrer Kritik am

91

Zinshaus kam aber zu spät und war in gewisser Weise anachronistisch: Als die Entscheidung längst zugunsten der dichten, mehrgeschossigen Bebauung durch Zinskasernen gefallen war, diskutierten bürgerliche Volkswirtschafter, Historiker, Kunstwissenschafter und Architekten, von der Realität abgehoben, ob die Bebauung Wiens nun mit Einfamilien-Cottagehäusern oder Massenmietshäusern zu erfolgen habe. Der einzige und mäßige Erfolg war, daß 1872 über Ferstels Initiative der „Wiener Cottage-Verein" gegründet wurde. Diese für den kleinbürgerlichen Mittelstand gedachten Wohnbauten wurden aber ab 1884 zunehmend von den oberen Schichten erworben und verfehlten somit die Absichten Ferstels und Eitelbergers.

Die Versuche, das Einfamilienhaus in Wien für breite Bevölkerungsschichten durchzusetzen – wie es in England möglich war –, mußten hier auch aus anderen Gründen scheitern: Erstens war die Praxis des Grundstücksmarktes eine völlig andere als in vergleichbaren europäischen Großstädten: „(Eine) in Wien eingerissene Sitte war, beim Verkauf von Baugründen nur Parzellen von großen Flächenwidmungen und Flächeninhalten anzubieten, weil man nur an reiche Leute und Spekulanten als Bauherrn dachte" (26). Zweitens waren die Baugebiete, die durch die Auflassung der Glacis und durch eine Neuordnung der Vorstädte außerhalb des Gürtels mittels eines grundstücksexploitierenden Rasterblocksystems gewonnen wurden, wegen ihrer Lage und Größe denkbar ungeeignet für eine kleinparzellige Einfamilienhausbebauung. Der daraus resultierende Bauboom erlaubte keine langfristigere und weniger profitable Grundstücksausnützung. Drittens schließlich konnte man, bedingt durch die ungünstige und rückschrittliche Verkehrserschließung der Stadtrandgebiete, das billigere Bauland außerhalb der Stadtgrenze nicht optimal als Wohngebiet ausnützen und einbeziehen. Die in Wien erst nach 1900 einsetzende Kleingartenbewegung mit dem „Wiener Naturheilverein" zur Errichtung von „Schrebergärten" gab es vorerst nicht.

Zu den weniger zum Scheitern verurteilten Bestrebungen eines menschenwürdigeren Arbeiterwohnbaues gehörten die in Wien relativ spät einsetzenden Versuche der Errichtung von Werkswohnhäusern und -siedlungen. Rudimentär entsprachen sie noch dem mittelalterlichen Typus der „Armenhäuser" („Fuggerei" in Augsburg) und dem biedermeierlichen Manifakturwohnhaus, unterschieden sich jedoch durch bauliche und sanitäre Verbesserungen. Sie heben sich durch viel offenere Bauweise, geringeren Verbauungsgrad und durch eine teilweise sehr niedrige Flachbauweise von den gewöhnlichen Zinshäusern beträchtlich ab. Auch ihre sanitären Einrichtungen sind qualitativ besser und fortschrittlicher (Spülküchen, Bäder, Wäscherei, Aborte). Diese Anlagen standen in direkter Verbindung – oftmals auf demselben Gelände – mit dem Werksgebäude. Kleinere Nutzgärten („Werksgärten") boten dem Arbeiter einen zusätzlichen Anreiz, zugleich aber war für eine Bindung der Arbeitskraft an den Betrieb gesorgt.

Die „Südbahngesellschaft" errichtete beispielsweise nächst dem Meidlinger Bahnhof in der Eichenstraße für ihre Arbeiter und kleineren Angestellten bereits 1870 ein für Österreich sehr wichtiges Pilotprojekt, welches sehr bald Nachahmer fand. Durch Vor- und Rücksprünge der risalitartigen Bauteile, durch Motive der flachen Entlastungsbögen über den Fenstern und mit durchlaufenden Gesimsen seiner teilweise isolierten Rohziegelwohnhäuser, glaubte der Erbauer, Ritter Wilhelm von Flattich (1826–1909), den Eindruck der Kasernenhaftigkeit vermieden zu haben.

Parallel dazu wurden ab 1873 vierzehn Wohnhäuser für Bedienstete der „Kaiser-Ferdinands-Nordbahn-Gesellschaft", und acht Wohnhäuser für die Angestellten der „Nordwestbahn" errichtet. Insgesamt waren die Mieten niedriger, die Zahl der Bewohner geringer und die bauliche Ausführung solider und qualitativ besser als bei den früheren Arbeiterwohnhäusern. In der Folge bauten einige Wiener Industriebetriebe ihre eigenen Werksiedlungen: Anfang der siebziger Jahre des 19. Jahrhunderts entstanden die Wohnhäuser der „Lokomotivfabrik", später die Wohnbauten der Firma „Brevillier & Co." und „Urban & Söhne" in Floridsdorf; in den neunziger Jahren wurden Familienhäuser für die Angestellten der Kabelfabrik „Siemens & Halske", ebenfalls in Floridsdorf, gebaut. Die Arbeiterwohnhäuser der ehemaligen „Miesbach-Drasche"-Ziegelwerke (1857–83) (später „Wienerberger") entsprachen einem älteren kasernenartigen Gangküchen-Massenquartiertypus, bei dem die Fassaden mit ihrer Rohziegelarchitektur genregerecht auf ihre industrielle Zweckbestimmung hinwiesen. Neben der primitiven Ausstattung der Häuser gab es bescheidene soziale Einrichtungen für die Beschäftigten: ein Spital und eine Kinderbewahranstalt. Einige dieser Wohnhäuser sind in Inzersdorf auf dem ehemaligen Werksgelände, knapp vor dem Bahnübergang an der rechten Straßenseite noch zu sehen. Der Großteil der Häuser, die zwischen Triesterstraße und Neilreichgasse standen, sind 1982/83 geschleift worden – und damit aus dem Bewußtsein von einer alten Arbeiterkultur gelöscht worden.

Andere Lösungsversuche zur Linderung der drückenden Wohnungsnot der Arbeiter und Zuwanderer unternahmen private Gesellschaften mit zwar ehrenwerten humanitären Absichten, aber wenig Erfolg versprechenden Aussichten (Verein für Arbeiterwohnhäuser). Oder Arbeiterwohnstätten wurden von Industrieunternehmen gegründet, sicher nicht nur aus humanitären Gründen, wie z. B. die Einfamilien-Arbeiterhaussiedlungen „Eisenfeld" (1875) und „Pufferau" (1870) in Steyr, von Josef Werndl konzipiert und von Franz Arbeshuber und Anton Plochberger ausgeführt. Die Siedlung „Pufferau" basiert auf der aus England übernommenen Idee einer zweigeschossigen Reihenhausverbauung im Cottagestil, allerdings ohne Vorgärten. Ähnliche Fabrikssiedlungen entstanden in Ebensee und in St. Martin bei Linz.

Wie wichtig dergleichen privatwirtschaftliche Initiativen wegen ihrer moralischen Beweggründe und ihrer Pilotfunktion waren und wie interessant sie für das Studium der qualitativen Gesichtspunkte des Problems auch sein mögen, so waren diese Siedlungen und Wohnhausanlagen doch quantitativ ungenügend und verbesserten die Lebensbedingungen der werktätigen Klassen nicht wesentlich.

Aus der Vielzahl der österreichischen Werksiedlungen, oder besser „Industrielatifundien" (Haiko/Stekl), seien in dieser Arbeit nur zwei exemplarisch und ausführlicher behandelt: **Marienthal** bei Gramatneusiedl und **Berndorf** in Niederösterreich.

Die Entwicklung der Arbeitersiedlung steht immer in engem Konnex mit dem Kernbau um Industrieanlagen und mit der Unternehmervilla. (27) Präfigurativ hierfür waren die Krupp'schen Siedlungen und insbesonders die Siedlung Essen mit ihrem Stammhaus, der „Villa Hügel" (1869–73). Die landschaftsdominierende Unternehmervilla findet man auch in kleineren Ansiedlungen und eine ähnliche Konzeption ist auch in Marienthal und in Berndorf zu bemerken.

Zu den ältesten und noch weitgehend in der Originalstruktur erhaltenen Arbeitersiedlungen Österreichs gehört die unter dem Wiener Großtextil- und Tuchhändler Hermann Todesco errichtete, allgemein als „Marienthal" bekannte Siedlung bei Gramatneusiedl im Fischatal. Ab 1830 wurde die zur Baumwollspinnerei gehörige Siedlung mit ca. 60 Wohnungen, einer Fabriksschule, einer Kantine, einem Spital und einem Verwaltungs- und „Herrenhaus" ausgebaut. Trotz ihres hohen Alters und ihrer dürftigen Substandard-Ausstattung sind die Arbeiterwohnhäuser nach wie vor bewohnt. Die in mehreren Phasen erstellten Fabriksanlagen und Siedlungshäuser im Laubenganghaustypus würden es verdienen unter Denkmalschutz gestellt zu werden. Zur Baubeschreibung bemerkt Manfred Wehdorn: „Der älteste Teil der Arbeitersiedlung besteht aus langgestreckten zweigeschossigen Wohnblocks, die beiderseits der Hauptstraße in regelmäßigen Abständen angeordnet wurden. Auch die einzelnen Bauten zeigen im Grundriß die additive Aneinanderreihung schmaler Wohneinheiten, die aus je einer Küche mit einem anschließenden Wohnzimmer von insgesamt ca. 30 qm bestehen. Die Küchen sind im Erdgeschoß direkt vom Hof aus aufgeschlossen. Pro Wohnblock führt eine Treppe in das Obergeschoß zu einem offenen Pawlatschengang, von dem aus wiederum die Räume der darüber liegenden Wohnungen begehbar sind. Gegenüber der Küchenfront liegen gemauerte Schuppen, die den Wohnungen zugeordnet sind. Die Ansichten spiegeln diese monotone Aneinanderreihung durch die regelmäßige Achsfolge der Fenster bzw. Türen wider." (28)

Der für das Biedermeier durchaus übliche „Pawlatschenhof" war auch für diese billigst errichteten Arbeiterhäuser üblich. Es ist anzunehmen, daß die Idee der Lauben aus dem Süden zu uns kam und der Absicht der billigeren Erschliessung durch das Einsparen von Stiegen und Außentreppen entgegenkam. Doch war der Laubengang ursprünglich unter den Bedingungen der Spekulation ein brauchbares Mittel, die Verwertbarkeit eines Grundstückes im innerstädtischen Bereich zu steigern, so veränderte sich seine Bedeutung hin zu einem Klassenmerkmal: Der Laubengang in Marienthal wurde zum Manifest proletarischer Wohnkultur.

Ganz anderen Prinzipien folgte Ludwig Baumann (1853–1936), der als Chefarchitekt des Stahlwerkes Arthur Krupp in Berndorf ab 1888 eine gartenstadtmäßige Anlage mit „bürgerlichen" Mehr- und Einfamilienvillen entwarf und auch die Herrschaftsvilla, das Theater und die Kirche der Siedlung plante. „Die städtebauliche Planung ‚Neu-Berndorfs' ist von der streng achsialen Ausrichtung von Kirche und Villa, mit der Stadt im Tal dazwischen geprägt. Mit der Distanzierung der Villa wird Herrschaftspräsenz nicht mehr quasi haptisch präsent, sondern nur mehr optisch vermittelt." (29)

Laubenhaus in Marienthal bei Gramatneusiedl, Niederösterreich (1830)

Bei der Bebauung ging man unterschiedlich vor; dabei wurde oft eine Mischbebauung aus Reihenhäusern, Punkthäusern und Mehrfamilienwohnblocks angestrebt. Kleingärten und Baumgruppen sollten den Anblick freundlicher und dörflicher machen. Die Häuser selbst wurden nach verschiedenen Grundrissen und Größen gebaut. „Bei der Anlage der Siedlung selbst wurde darauf Wert gelegt, durch geschickte Gruppierung die Zusammengehörigkeit zu einem malerischen Ganzen zum Ausdruck zu bringen. Deutlich ist die Intention spürbar, der Gesamtanlage einen Cottagecharakter zu verleihen. Diese Ausgestaltung Neu-Berndorfs zu einer Gartenstadt bringt architekturpsychologisch positive Momente der Erlebbarkeit, schafft ein ‚Heimatgefühl'. Produktions- und Reproduktionssphäre sind getrennt, die Fabrik ist so situiert, daß die Wohnqualität (durch Lärm und Schmutz) nicht beeinträchtigt wird. Mit der ästhetischen Überholung der Fabriksstadt wird Fabrik und Wohnen zu einer Einheit, soll sie als die eigentliche *Heimat* des Arbeiters empfunden werden." (30)

Inzwischen war durch das Engagement karitativer, sozialdemokratischer und humanistischer Privatunternehmungen auf dem Gebiet des Arbeiterwohnbaus ein kleiner, wenn auch nur kurzlebiger Erfolg zu verzeichnen. Langfristig hatten sie aber wenig Chancen und konnten strukturell nur wenig verändern, weil sie an der gegebenen liberal-kapitalistischen Wirtschaftsordnung scheitern mußten. Rasch waren diese Initiativen an die Grenzen ihrer Möglichkeiten gestoßen. Durch den Zustrom tschechischer, polnischer, ungarischer Arbeitskräfte und die Zuwanderung vieler Ostjuden aus den „Städtel" kam es in den inneren Bezirken

Wiens zu akuten Formen von Wohnungsnot und -elend. Wie diese Zuwanderung „bewältigt" wurde, ist ein Musterbeispiel zur klaren Darstellung von Ursache und Wirkung. Das liberal-kapitalistische Wirtschaftssystem bildete eine besondere Variante des Spekulationsbaus heraus: das typische Wiener Arbeiterwohnhaus der Boomzeit war das Gangküchenhaus. Die daraus resultierenden katastrophalen Wohnverhältnisse, von denen nicht nur die Arbeiter, sondern auch die klein-bürgerliche Bevölkerung betroffen waren, wurden schon in ihren Anfängen einer scharfen Kritik unterzogen, die allerdings auf radikale Gruppen beschränkt war und daher nicht wirksam wurde.

Noch vor dem Eingreifen des Staates in den sozialen Wohnungsbau verpflich-teten sich reformistische Bestrebungen (Kirche) und autonome Institutionen (Vereine, Genossenschaften), die Arbeiterwohnungen zu einem niedrigen Preis zu vermieten, was aber nicht ganz durchgehalten werden konnte. So löste sich der erst am 1. April 1886 gegründete „Verein für Arbeiterhäuser in Wien" nach Errichtung von nur wenigen Einfamilienhäusern bereits nach acht Jahren wieder auf, da diese Häuser nur den Spitzenverdienern unter der Arbeiterschaft zugäng-lich waren. Erst als der Verein am 25. Juni 1894 sein Vermögen zur Grundlage einer „Stiftung von Volkswohnungen" dem Stadterweiterungsfond übertrug, war der Staat endlich bereit, sich direkt des Wohnungsproblems anzunehmen.

Laut Czeike konnten die Errichtung von Arbeiterwohnungen, Gesetze gegen Wucher und eine neue Bodenreform allein nicht helfen: „Seit den neunziger Jahren griff der Staat in den Bau von Arbeiterwohnungen ein, allerdings ohne nachhaltige oder verbessernde Wirkung zu erzielen. Durch die Gesetze vom 9. Februar 1892 und 8. Juli 1902 wurden für Bauten von Arbeitgebern für ihre Arbeiter bzw. für Bauten von Gemeinden, gemeinnützigen Vereinen oder Genos-senschaften Steuerbefreiung gewährt. Die Schwierigkeit lag darin, daß die den Bauherrn bindenden Auflagen die Wirkung illusorisch machten: die vorgeschrie-benen Mieten ließen nämlich eine geringere Verzinsung des Baukapitals zu, als dies auf dem freien Wohnungsmarkt (unter Verzicht auf die Steuerbefreiung) möglich war. Die Folge war, daß aufgrund des Gesetzes von 1892 nur ein ein-ziges Arbeiterwohnhaus errichtet wurde, aufgrund des Gesetzes von 1902 (durch welches übrigens auch die Aufnahme von Untermietern oder Bettgehern unter-sagt wurde) eine weitere Gruppe; außerdem nahm ein ‚Komitee zur Begründung der Ersten gemeinnützigen Baugesellschaft für Arbeiterwohnungen' seine Tätig-keit auf und errichtete 1903 bis 1905 eine Anlage in der Engerthstraße 41–43 (Brigittenau) mit 127 Wohnungen, die als Vorstufe des kommunalen Wohnbaues bezeichnet werden kann." (31)

Aber erst bei den sog. „Stiftungshäusern" in Ottakring, Favoriten usw., die von der offiziell 1896 gegründeten „Kaiser Franz Joseph I. Jubiläums-Stiftung für Volkswohnungen und Wohlfahrtseinrichtungen" erbaut wurden, kann man wirklich von einem typologischen Vorläufer des kommunalen Wohnbaus spre-chen. In ihnen sind schon die Merkmale der späteren Gemeindebauten zu finden: maximal viergeschossige Randverbauung mit locker gestaffelten Folgeeinrichtun-gen (Wohlfahrtseinrichtungen) in weiten, für die Hausbewohner als Ziergärten nutzbaren Innenhöfen mit großzügig gestalteten Grün- und Spielanlagen. Den

Volkswohnpalasthäusern des Roten Wien am nächsten kommen die sog. **Jubi-läumshäuser** (1898–1901) in der Maderspergerstraße in Ottakring. (32) Die höchstens aus drei Regelgeschossen in Randverbauung errichtete Wohnhausanlage besaß neben den 392 Wohnungen unterschiedlicher Typen auch bemerkenswerte frühe Wohnfolgeeinrichtungen (Arztzimmer, Bücherei, Dampfwäscherei, Badeanstalt, Vortragssaal). Den Gemeindebauten voraus war auch der Verzicht auf optimale Baugrundausnützung: die niedrige Verbauungsziffer von 45 % war für die damaligen Verhältnisse der Spätgründerzeit einzigartig. Der zur Straße völlig abgeschlossene Häuserfrontblock besaß 110 der früher so gefürchteten Hofwohnungen, die direkt belichtete Küchengangfenster und Lichtschächte hatten und für jeweils nur vier Wohneinheiten separate Stiegenaufgänge besaßen.

Sicher nicht ganz zu Unrecht werden die inzwischen fast zur Gänze abgetragenen „Jubiläumshäuser" quasi als ein antiquiertes Vorbild für den Wiener Gemeindebau bezeichnet. Doch der in vielen Schriften wiederholte und viel strapazierte Vergleich hinkt leicht, denn die Stiftungshäuser waren in ihrer Konzeption der substandardisierten gründerzeitlichen Bassenawohnung wesentlich ähnlicher als dem hygienischen Ledigen- oder Arbeiterheim. Auch im Vergleich mit den kommunalen Wohnbauten der Zwischenkriegszeit zeigen sich wesentliche Unterschiede in der Sozialstruktur und Differenzen in der Baufinanzierung und Mietpreisbildung. Auch die Architektur dieser „Jubiläumshäuser" unterscheidet sich überraschenderweise nicht grundsätzlich von den üblichen Zinshäusern, da ihre Fassaden ebenso instrumentiert sind. Weitgehende Übereinstimmung mit den kommunalen Wohnbauten herrscht allerdings im Bauprogramm und in der Art der Verbauung.

Entwurfsvedute der sog. „Jubiläums-Stiftungshäuser" (1896) in Wien—Ottakring von Otto Thienemann (II. Preis); Vogelprespektive

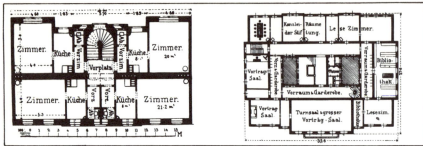

Grundriß eines Gebäudes; links: Projekt Theodor Bach und Leopold Simony; rechts: ebd., 1. Stock, Projekt von R. Breuer

Noch bevor diese Häuser in Angriff genommen wurden, entstand unweit der mächtigen Ankerbrotfabrik in Favoriten eine kleinere Arbeiter-Cottagesiedlung: die in der Absberggasse gelegene Arbeitersiedlung, die 1896 von der „Kaiser Franz Joseph I.-Jubiläums-Stiftung" nach Plänen des Architekten Josef Unger errichtet wurde, besteht aus achtzehn zweigeschossigen Einfamilienhäusern, die in Gruppen von drei bis sechs Objekten zusammengeschlossen und von klug angelegten kleinen Gärten umgeben sind.

„Das Ziel der Stiftung bestand in der Errichtung von Musterhäusern, in denen die Wohnungstypen und die Verwaltungsorganisation erprobt und die Rentabilität neuer Wohnformen überprüft werden sollten. Es wurde ausdrücklich die Errichtung großer Wohnhausanlagen gefordert, um eine optimale Nutzung der Wohlfahrtseinrichtungen zu erreichen. (...) An Wohlfahrtseinrichtungen waren Kinderhorte zu planen, Kinderspielplätze, Bäder, Waschküchen, Lebensmittellager und -läden und eine Volksbibliothek mit Lesezimmern. (...) Die alte Streitfrage, ob Einfamilienhaus oder Massenmiethaus, entschied das Kuratorium auf Grund der bisher in Wien gemachten Erfahrungen zugunsten des Massenmiethauses, mit der Bemerkung, daß der finanzielle Mißerfolg von Arbeiter-Einfamilienhäusern unvermeidlich wäre." (33)

Der auf die „Verbesserung der Wohnungsverhältnisse der ärmeren Bevölkerung hinzuwirkende" Wohnbau ist allerdings nicht nur wegen der fehlenden Radikalität bald auf seine natürlichen Grenzen gestoßen, sondern ist auch weitgehend eine Einzelerscheinung geblieben. Diese fehlgeschlagenen Versuche zeigen aber zumindest, daß eine humane Lösung der Wohnungsfrage in einem vom privatwirtschaftlichen Rentabilitätsdenken gekennzeichneten System der Wohnungswirtschaft unmöglich ist.

Zum Schluß soll noch auf die Niederlassungen des Heeres hingewiesen werden: Waren die vorherigen Beispiele vom Bestreben nach einer mehr oder weniger starken Hebung des Wohlstandes durch billige und hygienische Logierunterkünfte für Werkstätige ausgegangen, so bleiben die pragmatisch ausgeführten Kasernenbauten („Rudolfskaserne" – heute: „Rossauerkaserne" und „Franz-Josephs-Kaserne") ihrer strategisch-funktional-politischen Bedeutung treu: sie stellen ein Bollwerk gegen den dritten Stand dar. Nach der gescheiterten bürger-

lichen Revolution von 1848 wurden auch in Wien gegenrevolutionäre Maßnahmen entwickelt, um die Stadt vor inneren Feinden zu schützen. Zentrale
Maßnahme zur militärischen Verteidigung war die unverzügliche Planung und
Errichtung des sogenannten „Arsenals" (1849–56), jener militärischen „Super-
stadt", die zukünftige Revolutionen verhindern sollte. „Das Arsenalgelände
wurde als eine gewaltige, aus mehr als dreißig einzelnen Objekten bestehende,
reckteckige Anlage konzipiert, 688x480 Meter (!) in der Ausdehnung, mit einem
Kommandogebäude, einem Waffenmuseum als ideologisches Zentrum, Depots
und Kasernen als äußere Begrenzung, mit Gewehr- und Geschützfabriken und
Munitionsgießereien, mit eigenem Gaswerk, einem Schießstand und einer
Kirche." (34) Das Arsenalgebäude war eines der größten militärischen Bauwerke,
die je im 19. Jahrhundert errichtet worden sind. Die Architekten schufen ein
autonomes städtebauliches Gefüge, das eigentlich der Kategorie einer utopischen
oder idealen Stadtplanung zuzuordnen ist.

Die Großstadtvision Otto Wagners

Otto Wagners (1841–1918) Idealvorstellung einer Großstadt manifestierte sich
in dem Entwurf für einen **XXII. Gemeindebezirk**, der — mit einer spinnennetz-
artigen Aufgliederung durch Radial- und Ringstraßen — über das gesamte südliche Stadtgebiet Wiens gelegen wäre. Er schlug eine Bebauung in Blöcken vor,
die in einen rigiden Raster von ca. 23 Meter breiten Straßen eingespannt sein
sollten. Dem koordinierten Mittelpunkt — in Form eines „Luftzentrums" —
waren die wichtigsten Gemeinschaftseinrichtungen wie Kirche, Theater und
halböffentliche Gebäude zugeordnet. Kleine Grünflächen, in Gestalt ausgesparter
Blöcke zwischen den „Logierhäusern", sollten die Bebauung auflockern. Kennzeichen für diese neue Stadtlandschaft war die konsequente Entfaltung der
rasterartigen Häuserblöcke, die „durch breite Straßen zur Monumentalität
erhobene Uniformität" (35) aufweisen.
    Haiko/Stekl bemerken in diesem Zusammenhang: „Otto Wagner reduziert,
wie viele andere (Eugéne Hénard, Tony Garnier, Alphonse Cerda) die Sitte'sche
Kritik auf das rein künstlerische Moment des Städtebaues. Gegen die fehlende
malerische Wirkung bei Stadtanlagen wendet er ein, daß ‚die verlangten, größtenteils von selbst entstehenden malerischen' Punkte auch mit geraden Straßen erreicht werden könnten, und sie ‚häufig und absichtlich durchgeführt, nicht die
geringste Berechtigung' hätten. Mit der Anlage von Parks, Kirchen, öffentlichen
Gebäuden, Monumenten, Aussichtspunkten etc. wird nach Wagner dem Stadtbild jene Monotonie genommen; vor allem architektonische Monumente, Kandelaber (sic) wären dazu wie geschaffen. Er hält die ‚gerade, reine, praktische
Straße, zeitweilig unterbrochen von Monumentalbauten, mäßig großen Plätzen,
Parks' für die weitaus schönste." (36) In ihrer etwas unkritischen Sympathie und
Begeisterung für Wagner übersehen die Autoren jedoch die Tatsache, daß der

logisch aufgebaute Stadtplan von geometrischer Strenge nicht nur eine besondere ästhetische Qualität, sondern auch handfeste wirtschaftliche Gründe und herrschaftliche Kontrollmöglichkeiten besitzt. Die sich rechtwinkelig kreuzenden und sehr geraden Straßenführungen entsprechen den zwei wichtigsten modernen Faktoren: Zeit und Geld. Hier kam der Verfechter der Großstadt und des modernen Lebens doch noch zu einer angestrebten Übereinstimmung zwischen Doktrin und architektonischer Form: möglichst viel in möglichst kurzer Zeit für möglichst viele Menschen (Konsumenten) billigst und gebrauchsfertig zu produzzieren, verhieß der neue Zeitgeist des schon nicht mehr moralisch-christlichen (Mono-)Kapitalismus. Analog dieser Kosten-Nutzen-Rechnung konzipierte Wagner die rasterförmige Aufgliederung der neu zu erschließenden Gebiete mit breiten Durchzugsstraßen und achsialen Schnittpunkten, da sie vor allem eine profitable Grundstücksexploitierung garantierten. „Durch keine äußeren Zwänge als unregelmäßige, da natürlich gewachsene Gebietsgrenzen, sowie schon bestehende Verkehrsverbindungen wie Stadtbahn, und ältere, aber unbedingt zu berücksichtigende Straßenverbindungen behindert, konnte Wagner in diesem Idealentwurf seine städtebaulichen Prinzipien uneingeschränkt dokumentieren." (37)

Unter diesen fast klinisch-laborhaften Bedingungen schlug Wagner für seine Großstadtvision längs der Radial- und Zonenstraßen kreuzungsfreie Schnellbahnen als Tief- oder Hochbahnen – ähnlich dem (unvollendeten) Stadtbahnnetz – vor, die das oftmalige Umsteigen erübrigen sollten. (38)

Wagners Neuregulierungsplan für Wien verrät auch absolutistisch-militärisch-ordnungspolitische Vorstellungen und Implikationen, wie eine bürgerliche Stadt am Reißbrett auszusehen hat. Seine Umgestaltung der Stadt hat auch strategische Bedeutung: breite, durchgeschlagene Achsen und überlegt situierte Plätze eignen sich wegen ihrer Übersichtlichkeit gut für militärische Bewachung und zur raschen Niederschlagung von Revolutionen/Revolten, da die Truppen sich auf den schnurgeraden Boulevards schnell fortbewegen könne. Gleichzeitig sollte das Proletariat in dichten, autarken Enklaven in Form von „Logierhäusern" untergebracht werden, und so vom Rest der Stadt abgeschirmt sein. Natürlich konnte Wagners Vision mit der notorischen Angst der Bourgeoisie vor einem Kampf- und Widerstandsraum der aufständischen Arbeiter, die letztlich eine Besetzung und Kontrolle der Stadt

Otto Wagner: Wettbewerbsobjekt für das k&k Kriegsministerium (1907), mit Radetzky-Denkmal (aus Bd. IV., Heft I+II, Blatt 2)

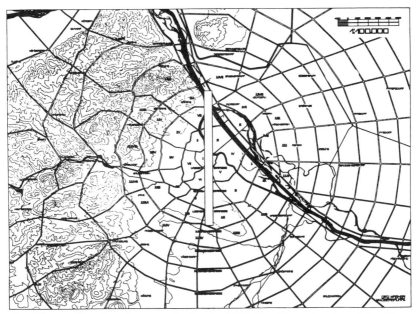

Otto Wagner: Wien als unbegrenzte Großstadt (1910–11); Übersichtsplan mit Bezirks-einteilungen

Otto Wagner: Studie zur Bebauung des XXII. Wiener Gemeindebezirkes, aus: Studie „Die Großstadt" (1911), Perspektive des geplanten Luftzentrums (Ausschnitt).

durch das Proletariat mit sich gebracht hätte, zusammenhängen. Aber Wagners wirkliche Intentionen waren andere, in erster Linie dachte er mit Optimismus an ein progressives Wachstum der Stadt.

In Wagner manifestiert sich der Zeitgeist einer vernünftigen, ordentlichen, nach dem letzten technischen Standard organisierten Stadtgesellschaft, die an ein unbegrenztes Wachstum glaubte. An mehreren Stellen seiner Schriften beweist Wagner geradezu prophetische Einsicht in die Entwicklung der Zeit, doch, wie die Verfasser der Wagner-Monografie, Heinz Geretsegger und Max Peintner, meinen, „parodiert er (Wagner) zugleich die selbstherrlichen Anstrengungen der Zivilisation zur Verbreitung der Zivilisation" mit Statements wie: „Die Ausdehnung einer Großstadt muß unserem heutigen Empfinden nach eine unbegrenzte sein." (39) Wenn er bei seinen Überlegungen eines linear-deterministischen technischen Fortschritts davon ausging, „daß die Großstadt in 30 bis 50 Jahren ihre Bewohnerzahl verdoppeln" würde (40), so zeigt dies wiederum Wagners naiv-technischen Optimismus. Der Stadtentwurf ist demnach die konsequente Entfaltung dieses Grundsatzes, denn die Stadt sollte und konnte an jeder beliebigen Stelle wachsen. Nicht zufällig zeigt der Übersichtsplan von Wien in der Studie Wagners diagonale Straßen mit einer Länge von 50 Kilometern — das ist mehr als der doppelte Durchmesserer des heutigen Wien!

Diese Gigantonomie des grenzenlosen Fortschritts stieß — häuptsächlich infolge des Ersten Weltkriegs und des Zusammenbruchs der Donaumonarchie, die Wagner bezeichnenderweise nicht überlebte — an ihre Grenzen, und Wien ist wider Erwarten (des „fin de siècle") nicht zu einer Riesenstadt geworden.

Keineswegs so absurd wirkt Wagners Stadtutopie im Vergleich mit anderen, (viel abstruseren), historischen und anti-revolutionären Neuplanungen von Wien durch die militärbehördliche Kommission. Formal sind deren Vorstellungen dennoch anders, weil sie an eine konservative Bautechnik und Architektursprache gebunden sind, aber in ihrer ideologischen Konzeption stehen sie dem Geist des Wagner'schen Monumentalismus und Absolutismus gefährlich nahe. Die Idee der Promenade — oder militärisch ausgedrückt: Paradestraße — war Wagner durchaus nicht fremd und kam auch in seinen eigenen Entwürfen vor. Sogar die Wiener Ringstraße diente in Wirklichkeit nicht nur der permanent-repräsentativen Prachtentfaltung einer Staatsordnung, sondern auch der feierlichen Inszenierung von Militäraufmärschen mit dem politischen Ziel einer Verfestigung des Status quo. Dies mag für den Wagner'schen Entwurf rein zufällig und kausal nicht unmittelbar zusammenhängend sein, mittelbar aber schon. Denn die frappierende Ähnlichkeit der symmetrischen achsialen Längskomposition beim Stadterweiterungsprojekt mit seinem früheren Studienobjekt, dem „Artibusprojekt" (ein idealer musealer Bezirk) von 1880, fiel auch den Autoren Haiko/Stekl auf: „Als Bezugspunkt der ganzen Anlage wählt Wagner (wieder) ein monumental ausgebildetes langestrecktes Zentrum mit streng achsial ausgerichteten, hintereinanderliegenden, durch Platzanlagen getrennten Monumentalbauten." (42)

Das sind Elemente, die stilistisch voll der Blütezeit des Historismus und dem „Belle-époche" Beaux-Arts-Stil entsprochen haben. Aber könnte der freie Platz in der Mitte nicht mehr als bloß die formale Bedeutung eines Zentrums besitzen, sondern durchaus auch praktische Gründe haben? Zum Beispiel könnte er als Sammlungsort für Selbstdarstellungen des Regimes dienen, wie es die anonymen militärischen Planer viel unerschrockener vorschlugen. Das Projekt „Artibus" zeigt in der Mitte seines Grundrißplanes zwei 3/4 eines Kreises abschließende Bögen um einen monumentalen langgestreckten Platz, dessen Mitte leer ist und für militärisch-politische Aufmärsche geeignet gewesen wäre. Wagners Entwurf in seiner präventiven, kontrollierenden Urbanistik verkörpert mehrfach die Verfügbarkeit der Architektur-Utopien, insbesondere wenn sie auf die Integrierung und Domestizierung der unteren Klassen abgestimmt war. In der technokratischen Stadtutopie (schon eine Perversion des Utopiebegriffs!) für einen historisch-konservierenden Museumsbezirk an einem Hügel zeigt sich Wagners monumental-pathetische und zutiefst loyale Einstellung zum Regime. Gerade bei dieser Jugendidee Wagners steht sein ansonsten so „modernistischer" Liberalismus im offenen Konflikt zu dem unterschwellig bewunderten feudal-aristokratischen Anspruch seiner Stadtplanung, die der Selbstdarstellung und -erhaltung der Monarchie ebenso diente wie der Lenkung und Unterdrückung der Bevölkerung. (43)

Die bürgerliche Stadt Camillo Sittes

Die städtebauliche Kritik Camillo Sittes (1843–1903) an der regelmäßigen, schachbrettartigen Bebauung der Rasterblöcke nimmt sich wie ein Gegenvorschlag zu Wagners Großstadtvision aus. Zum Vorbild seiner zeitgemäß-künstlerischen Stadtentwürfe nahm der Wiener Städteplaner und Städtebautheoretiker bevorzugt eine „vielgestaltige räumliche Organisation der Straßen und Plätze der mittelalterlichen (frühbürgerlichen) urbanen Strukturen." (44)

Sittes Vorschläge „zur künstlerischen Ausgestaltung der Stadt" erhoben die Stadtbaukunst wieder zu einem Gesamtkunstwerk. 1889 erschien sein Buch *„Der Städtebau nach seinen künstlerischen Grundsätzen"*, das den Städtebau aber auf rein formal-ästhetische und künstlerische Momente reduziert, obwohl seine Kritik am spätgründerzeitlichen Baublocksystem von ökonomischen Überlegungen ausgegangen ist. Seiner Meinung nach hat „das regelmäßige Parcellieren vom rein ökonomischen Standpunkte einen totalen Verlust aller jener Schönheiten einer Stadt zur Folge", die Sitte mit dem Begriff „malerisch" durchaus positiv belegt. Diese architekturpsychologisch positive Aussage werten Peter Haiko und Hannes Stekl durchaus fortschrittlich, wenn sie schreiben: „Damit konnte man zwar nicht die hinter den städtebaulichen Problemen stehenden gesellschaftlichen Widersprüche aufheben, aber Möglichkeiten aufzeigen, die *Lebensqualität zu verbessern."* (45) Die Autoren sprechen allerdings leichtfertig von „Lebensqualität" in einer Stadt der Großgeld-Bourgeoisie, wo die Trauben für die unteren Schichten noch viel zu hoch hingen.

Allerdings wirkten die von Sitte erstmals formulierten künstlerischen Prinzi-

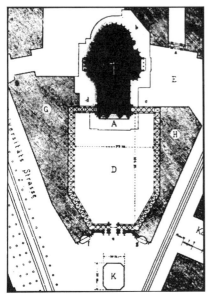

Camillo Sitte: Vorschlag zur Verbauung des Votivkirchenplatzes. Der bekannte Verbauungsvorschlag von 1889 sah drei Plätze vor: ein geschlossenes Atrium vor der Kirche, sodann einen Platz zwischen ihrer rechten Seitenfront und der Währinger Straße, schließlich sollte die eine der beiden unverbauten Dreiecksparzellen am östlichen Chorabschluß als Parkanlage erhalten bleiben.

pien in der bürgerlichen Dorf- und Stadtplanung nach 1900 und waren wichtige Anregungen und Richtlinien für den kommunalen Wohn- und Siedlungsbau im Roten Wien. Sittes von deutschen mittelalterlichen Städten (Rothenburg ob der Tauber) übernommenes Vorbild war nicht nur romantisch, sondern für eine industrielle Gesellschaft doch anachronistisch und rückschrittlich, was niemanden hinderte, seine Pläne, zum Teil überarbeitet, auszuführen (z.B. sind die Siedlungsanlagen „Schmelz", „Freihof", „Lockerwiese" usw. und der „Sandleitenhof" exemplarische Muster von Camillo Sittes Lehrthesen).

Ein heute vergessener Zeitgenosse Wagners, Eugen Faßbender (1854 –1923) (46), gab – ähnlich wie Sitte der (urbanen) Stadtbaukunst – vor allem der Siedlungs- und Gartenstadtbebauung wichtige Impulse. „Sein Wettbewerbsentwurf für einen Generalregulierungsplan Wiens aus dem Jahre 1893 mit seinem funktionell gegliederten Stadtbaukörper und dem Grüngürtel – 1905 als ‚Wald- und Wiesengürtel' teilweise verwirklicht – ist eine Anwendung des von ihm entwickelten Modells einer Radialstadt und ist in seiner Bedeutung mit den Konzepten von Soria y Mata und Howard vergleichbar." (47)

Eines sollte man sich nach diesem kurzen Abriß über die historische städtebauliche Ausgangssituation des Roten Wien immer vor Augen führen – das Rote Wien war nicht nur ein politisches Symbol, sondern auch ein baukünstlerischer Reflex auf die alte, immer noch funktionierende Metropole, der ehemaligen Residenz- und Kaiserstadt, wie sie sich noch vor 1918 nennen konnte. Fielen nach dem Zusammenbruch der Donaumonarchie auch die wirtschaftlichen, politischen, gesellschaftlichen und sozialen Strukturen, so waren die städtebaulichen Voraussetzungen für die neuen Bauherrn doch die gleichen geblieben; evolutio-

när knüpfte man an die bestehenden Strukturen der Stadtform an (vgl. Rasterblock). Die seit der Gründerzeit konzipierte und durchgeführte Blockverbauung
ganzer Stadtviertel der Außenbezirke wurde nur unwesentlich verändert. Nur:
die politischen Sachzwänge unter einer dem Sozialismus gegenüber feindlich
gesinnten Bevölkerung führten zur Bevorzugung von in sich hermetisch
abgeschlossenen Häuserblocks („Superblocks"), zur Enklavenbildung der „sozialistischen Kerngemeinschaften". Die Wohnhausanlagen wurden in weitgehend
homogenisierte Viertel gedrängt (Stadtrand), und wie Fritz Wulz notiert, hatte
„die Wahl der Standorte für die neuen Großwohnanlagen der Gemeinde und ihre
Wohnbaupolitik im Ganzen die Verstärkung der geographischen Verteilung der
Bevölkerungsklasse zur Folge" (48).

Im wesentlichen wurden auf die traditionelle Bedeutung und auf das Erscheinungsbild der historisch gewachsenen Stadt und ihr spezifisches Klassenmerkmal
sehr bewußt und behutsam Rücksicht genommen. D.h. man beachtete — trotz
ideologischer Angriffe — die gewachsenen Strukturen (was zu einer Reihe von
Spekulationen von seiten heutiger Kritiker führte) (49) und legte einen gewissen
Wert auf Kontinuität, um vielleicht auch der bürgerlichen Kritik vorzubeugen.
Trotz aller Eigenständigkeit und Unverwechselbarkeit der Wiener Gemeindebauten von 1919 bis 1934, ordnen sich die Großwohnanlagen in das Wiener
Stadtgefüge organisch ein. Die Feststellung Siegfried Theiß' schon im Jahre 1928
mag zwar aufs erste überraschen, doch ist sie sehr zutreffend: „In Wien wird mit
Charme gebaut. Das widerspricht der glatten Fassade und Schmucklosigkeit der
(modernen) Fronten durchaus nicht. Irgendwie passen die Wiener Häuser (gemeint sind die Gemeindebauten, A.d.V.), auch die allergrößten, doch in die
Wiener Landschaft!" (50) Auch ihre politische Anpassung ist in der Retrospektive bemerkenswert. Aber wen sollte es heute, in einer wahrlich von Geschichte
überfrachteten Stadt wie Wien, noch wundern? Hier kam die permanente Refle-
xion von Geschichte immer zum Tragen, bis hinauf in die jüngste Gegenwart.

Anmerkungen:

1. vgl. Reinhard Bentmann/Michael Müller: Die Villa als Herrschaftsarchitektur, Frankfurt/ Main 1970 (Reprint: Frankfurt/Main 1979)
2. Ernst Bloch: Abschied von der Utopie? (Vorträge), Frankfurt/Main 1980, S. 53
3. Ernst Bloch, ebd. S. 55
4. Herbert Marcuse: Ideen zu einer kritischen Theorie der Gesellschaft, Frankfurt/Main 1969, S. 18
5. Herbert Marcuse, ebd., S. 20–21
6. Adolf Max Vogt: Russische und französische Revolutionsarchitektur 1789–1917, Köln 1974, S. 183ff
7. Adolf Max Vogt, ebd. S. 189
8. Emil Kaufmann: Von Ledoux bis LeCorbusier, Ursprung und Entwicklung der modernen Architektur, Wien 1933 (Neuauflage in Englisch: Cambridge/Mass. 1969)
9. Hans Sedlmayr: Die Kugel als Gebäude (Festrede), Stuttgart 1939, S. 282
10. vgl. die materialreiche Arbeit von Franziska Bollerey: Architekturkonzeption der utopischen Sozialisten, München 1977
11. Peter Haiko/Hannes Stekl: Architektur in der industriellen Gesellschaft, in: Architektur und Gesellschaft; von der Antike bis zur Gegenwart (hrsg. ARGE für historische Studien) Institut für Geschichte und Sozialkunde, (Bd. 6) Universität Wien, Salzburg 1980; S. 255
12. Fourier unterscheidet zwölf Grundleidenschaften und interpretiert die gesamte Menschheitsgeschichte aufgrund ihrer Kombinationen: nach Fourier haben die Menschen seit Beginn ihrer Geschichte fünf Perioden durchlaufen (ungeordnete Serien, Wildheit, Patriarchat, Barbarei, Zivilisation) und vor der erdachten Utopie der Harmonie sind noch zwei Phasen (Garantismus, unvollständige Serien) bis schließlich – nach Berechnungen Fouriers – in rund 36 000 Jahren das Ziel erreicht ist! Vgl. dazu Charles Fourier: Aus der neuen Liebeswelt (Vorwort von Daniel Guérin), Berlin 1977
13. Fouriers Inspiration für seine überglaste Galeriestraße war der Typus der bürgerlichen Passage bzw. das Pariser Palais Royal, der damals als ein Ort der Prostitution und des hedonistischen Vergnügens seinen Vorstellungen von Sinnlichkeit und sexueller Befreiung am nächsten kam.
14. Leonardo Benevolo: Geschichte der Architektur des 19. und 20. Jahrhunderts (Bd. 1), Bari 1960 (dt. Übersetzung: München 1964; Neuauflage 1978), S. 199
15. Franziska Bollerey: Architekturkonzeption…, a.a.O.; und ausführlich auch bei Leonardo Benevolo, a.a.O.
16. Vincent Grenier; Philippe Galland (Hrsg.): L'architecture industrielle: historique evolution bilan, Centré Creation Industrielle (CCI), Paris 1976, S. 8 (Übersetzung H.W.)
17. Henri Lefèbvre: Die Revolution der Städte, Frankfurt/Main 1976, S. 120
18. siehe in diesem Zusammenhang: Klaus Novy: Genossenschaftsbewegung – Zur Geschichte und Zukunft der Wohnreform, Berlin 1983
19. Manfredo Tafuri/Francesco dal Co: Die Architektur des 20. Jhdts., Stuttgart 1977
20. Leonardo Benevolo, a.a.O., S. 210
21. Friedrich Engels: Die Lage der arbeitenden Klasse in England, (1844-45), abgedruckt in: ebd., München 1973; Über die Umwelt der arbeitenden Klasse (Aus den Schriften von Friedrich Engels ausgewählt von Günter Hillmann), Gütersloh 1970 (Bauwelt Fundamente Nr. 27); vgl. Marx-Engels-Werke Bd. 18, Berlin (Ost) 1964
22. vgl. Henry Roberts: The Dwellings of the Labouring Classes, (org. London 1850),S.10; dazu auch: die Ausführungen bei James Tarn: Working-Class Housing in 19th Century Britain, London 1871
23. Emil Sax: Die Wohnungszustände der arbeitenden Classen, Wien 1869, S. 87
24. Gerade auf die vom Frater Villapandus (1525–1608) exakt berechnete, aufs sorgfältigste und erschöpfend geschilderte Beschreibung des „Salomonischen Tempels" nach der Exegese des Propheten Ezechiel lassen sich viele Einflüsse und Anregungen bei der klösterlichen Barockarchitektur zurückführen, am deutlichsten noch spürbar im bei-

nahe zeitgleichen Bau des „Escorial" bei Madrid (ein kaiserliches „Klosterschloß") unter Juan de Herrera (1530–97) und dessen Nachfolgern, aber auch Johann Lukas von Hildebrandts (1668–1745) Stift Göttweig kann in seiner Anlage eine ideelle Herkunft kaum abstreiten.

25. Selbst bei den architektonischen „Avantgardisten" der Gegenwart können Reste dieser alten Wiener Tradition des Gemeinschaftshofes beobachtet werden (z.B. Missing-Link, Fritz Matzinger etc.)
26. Wilfried Posch: Die Wiener Gartenstadt: Reformversuch zwischen erster und zweiter Gründerzeit, Wien 1981, S. 12
27. siehe dazu: Peter Haiko/Hannes Stekl, a.a.O., S. 311; bzw. R. Bentmann/M. Müller: Die Villa als Herrschaftsarchitektur, a.a.O.
28. Manfred Wehdorn; Ute Georgeacopol-Winischhofer: Baudenkmäler der Technik und Industrie in Österreich, Bd. 1: Wien – Niederösterreich – Burgenland, Wien-Köln-Graz 1984, S. 160
29. Peter Haiko: Wiener Arbeiterwohnhäuser 1848–1934, in: Kritische Berichte, Nr. 4/5, (1977), S. 33
30. Peter Haiko/Hannes Stekl: a.a.O., S. 312
31. Felix Czeike: Wiener Wohnbau von Vormärz bis 1923, in: Kommunaler Wohnbau in Wien, Aufbruch – 1923 bis 1934 – Ausstrahlung (Ausstellungskatalog), hrsg. von Karl Mang, Wien 1978 (Presse- und Informationsdienst der Stadt Wien), ohne Seitenangaben
32. „Zur Erlangung von Entwürfen für Musterwohnungen schrieb das Kuratorium der Stiftung im Juli 1897 einen geladenen Wettbewerb aus. Von den insgesamt 11 eingereichten Entwürfen erhielt das Projekt der Architekten Theodor Bach (1858–1938) und Leopold Simony (1859–1929) den ersten Preis; der zweite Preis wurde Otto Thienemann zuerkannt; der dritte den Architekten Grüssner und Pohl. Die Projekte A. Meissner, R. Breuer und Josef Unger, dem Architekten des „Vereins für Arbeiterwohnhäuser", wurden angekauft. Ausgeführt wurde keiner der prämiierten Entwürfe, sondern ein von Bach und Simony auf der Basis des Projektes von Meissner überarbeiteter Entwurf." Zit. aus: Renate Schweitzer: Die Stiftungshäuser, in: architektur aktuell, Nr. 27, S. 12
33. Renate Schweitzer, ebd., S. 12ff
34. Gottfried Fliedl: Die Bauten der Gegenrevolution; das Arsenal und die Ringstraßenkaserne, in: wien wirklich, Wien 1983, S. 185 ff
35. Otto Wagner: Die Großstadt (Wien 1911), S. 3; vgl. auch: ders., Die Baukunst unserer Zeit (Wien 1914), Reprint Wien 1979, S. 77
36. zit. in: Haiko/Stekl: a.a.O., S. 261
37. Haiko/Stekl: a.a.O., S. 263
38. Heinz Geretsegger/Max Peintner: Otto Wagner – Unbegrenzte Großstadt, Salzburg 1964, Neuauflage: Salzburg 1982
39. Otto Wagner: Die Großstadt, a.a.O., S. 10ff
40. Otto Wagner, ebd., S. 8
41. Geretsegger/Peintner, a.a.O., S. 59; dazu auch Rudolf Till: Wiener Land (der Plan einer Stadterweiterung Wiens bis zum Semmering), in: Wiener Projekte und Utopien, Wien-München 1972, S. 55ff
42. Haiko/Stekl, a.a.O., S. 263
43. Die Wagner'schen Großstadtentwürfe sollten einmal unter dem Gesichtspunkt ihrer nicht zu unterschätzenden militärisch-strategischen Bedeutung untersucht werden. Es lassen sich durchaus mehrfach präventative Aspekte feststellen.
44. vgl. Vittorio Magnago Lamugnani: Architektur und Städtebau des 20. Jahrhunderts, Stuttgart 1980, S. 32
45. Haiko/Stekl, a.a.O., S. 26ff (Betonung von H.W.)
46. vgl. Rudolf Wurzer: Handwörterbuch für Raumforschung und Raumordnung (Bd. 1), Hannover 1970, S. 683–687
47. Wilfried Posch, a.a.O., S. 38

48. Fritz Wulz, a.a.O., S. 519
49. Z.B. Friedrich Achleitner: „Vielleicht war den Parteiführern ein gewisses Element bür-
    gerlicher Tarnung gar nicht so unangenehm, denn umso kompromißloser konnte man
    die kommunalpolitischen Programme verwirklichen." (zit. in: Wiener Architektur der
    Zwischenkriegszeit, in: arch + 67 (März) 1983, S. 55).
    Dies mag ein Grund m.E. für den Widerspruch von relativ fortschrittlichem Programm
    und konservativer Bautechnik und Architektur, für das Auseinanderklaffen von poli-
    tisch-sozialen Inhalten und Formen sein, aber erklärt noch ungenügend den Zusammen-
    hang von realer Baupraxis und utopischer Sozialtheorie, den die Sozialdemokraten in
    ihrem Wohnbauprogramm sehr wohl herzustellen vermochten. Im übrigen verkennt die
    Argumentation die politisch-wirtschaftlichen Kräfteverhältnisse jener Zeit, in der die
    Sozialdemokratie nur mehr defensiv reagierte, und beruht überdies auf einer Fehlein-
    schätzung, die die Politik „anti-bürgerlich" und radikal sieht.
50. Siegfried Theiß in einem Zeitungsinterview 1928, zit. in: Jan Tabor: Theiß/Jaksch –
    Die Kunst der Anpassung, in: Wien aktuell, Heft I/1985, S. 31

III. Architektur der Gemeindebauten

Zur Chronologie des Wohnbauprogramms

Baupraxis und politischer Pragmatismus wurden während der spannungsgeladenen Zeiten nach Kriegsende und der wirtschaftlichen Depression von 1919— 1924 den Sozialtheorien vorgezogen, und deshalb mußte die Praxis des Bauens eine Verbindung zu bereits bestehenden organisch gewachsenen, großbürgerlichen städtebaulichen Prinzipien darstellen. Was in der revolutionären UdSSR noch Theorie war, in Frankfurt am Main Utopie geblieben ist, wurde in Wien bereits nach 1919 Praxis und Alltag.

Durch die Losung Evolution statt Revolution wurde die an sich revolutionär keimende Situation nach dem Ersten Weltkrieg entschärft; die reformistischen Konzessionen an die Arbeiterklasse — während einer Krise der monarchistischen Gesellschaft und des Kapitalismus, ausgelöst durch die Niederlage im Weltkrieg — und die Aussöhnung der stark legitimationsbedürftigen Sozialdemokratie mit dem Kleinbürgertum bringen einen doppelten politischen Erfolg: einerseits die erfolgreiche Abweichung vom Klassenkampf und andrerseits die engere Bindung der Arbeiter und Kleinbürger an die Partei. Wie schon Wilhelm Kainrath richtig in der Analyse der Gemeindebauten bemerkte, war „die Sozialdemokratie in Wirklichkeit Träger jener widersprüchlichen Ereignisse, mit denen die Arbeiterklasse sie zur fortschrittlichen Reformpolitik trieb und umgekehrt von ihr mittels dieser Reformen an der Durchsetzung größerer Umwälzungen gehindert wurde" (1). Was am griffigen Schlagwort „Rotes Wien" in der Retrospektive so faszinierend und einmalig in der Geschichte wirkt, kann bei einer genauen historischen Analyse diesen dramatischen Engpaß und die Ausweglosigkeit der sozialdemokratischen Politik nicht unberücksichtigt lassen. Darüberhinaus bremste die sozialdemokratische Führung die vor-revolutionäre Begeisterung der Massen und hielt eine Revolution in einem kleinen Land für unmöglich. Die Führung verhandelte lieber mit der Bourgeoisie und dem Kapital für die Durchsetzung sozialrechtlicher Reformen.

Städtebaulich war sie ebenso vorsichtig: Schon 1919 sprach sich die sozialdemokratische Stadtverwaltung gegen eine expandierende Zersiedlung in den Außenbezirken der Stadt aus und setzte sich für den Bau von konzentrierten Riesenblöcken in urbaner Grundstücksverbauung ein. Es entstanden die Wiener Höfe, jene Prototypen, die in relativ hoher Dichte eine große geschlossene oder halboffene Blockverbauung erlaubten, die aber ebenso mit integrierten, großzügig angelegten Grünflächen, Innengärten und zahlreichen sozialen Folgeeinrichtungen ausgestattet sind. Der letztlich siegreichen Gemeindepolitik der Riesenhöfe war allerdings eine harte Auseinandersetzung mit den Befürwortern der englischen Gartenstadt vorausgegangen. Doch nach Ansicht der Rathausbürokratie sollte sich die Arbeiterbewegung vom konservativen Vorbild des Kleinbürgers, von den im 19. Jahrhundert üblichen Modellen der peripheren Villen- und Siedlungsideologie, befreien. Stattdessen sollte sie von der ehemaligen Habsburger Metropole Besitz ergreifen und nicht in idyllische, liebliche und anachronistische Kleingartensiedlungen verstreut werden.

Ende 1919 wurde also das Prinzip des kommunalen Hofes zum dominierenden Typus der Gemeindearchitektur. Terrassenwohnungen und Gartenhäuschen, wie die englischen Gartenstadtprojekte, fanden in Wien unter den fortschrittlich gesinnten Architekten (Adolf Loos, Josef Frank, Franz Schuster, Grete Lihotzky) nur bedingt Zustimmung. „Für die christlich-soziale Opposition hingegen galt es als ausgemacht, daß die ,Rathausmarxisten' mit ihren Großwohnanlagen (Mietkasernen) die Familie zerstören wollten. Daher bekämpften sie die Errichtung von ,proletarischen Massenstätten' aufs entschiedenste." (2)

Die zu Recht bewundernswerte, sich in die städtebaulich gewachsene Ordnung und soziale Bedürfnisstruktur der Arbeiterklasse einfügende Wohnbauleistung der Gemeinde begann äußerst bescheiden: der erste Versuch war die Schaffung von Notwohnungen zur Unterbringung der vielen Obdachlosen. Eine Broschüre liefert dazu eine gute Übersicht der ersten Bautätigkeit der Gemeinde: „Die günstige Gelegenheit zur raschesten Erstellung von solchen Notwohnungen bot sich der Gemeinde durch Vornahme baulicher Umgestaltungen in den Baracken. So wurden in den aufgelassenen Barackenanlagen im Jahre 1919 (insgesamt) 86 Wohnungen, im Jahre 1921 160, im Jahre 1922 251 und im Jahre 1923 288 Wohnungen, insgesamt somit 785 Wohnungen hergestellt. Durch bauliche Umgestaltungen in frei gewordenen Räumen der (schon damals vom Abriß bedrohten) Rossauer- und Kagraner Kaserne, wie in einigen Objekten des Arsenals, wurden alleine 515 Wohnungen geschaffen." (3) Durch Kauf und Aufstockung eines im Krieg nicht fertiggestellten Wohnbaus konnte das Haus XII., Tannbruckgasse 31–33 (1919) vom Stadtbauamt mit insgesamt 55 Wohnungen für Bedürftige adaptiert werden. Die zweckentsprechende Umgestaltung des freigewordenen städtischen Schulhauses IV., Argentinierstraße 41/Goldeckgasse 24 (1919) brachte weitere 23 Wohnungen. Später konnten zwei bis zum Rohbau ausgeführte Häuser in IV., Goldeggasse 28–30 (1920) erworben und mit 22 Wohnungen bereitgestellt werden. „Während die in den Baracken (und notdürftig umgebauten Zinshäusern) gestellten Wohnungen ausschließlich noch den Charakter von Notwohnungen trugen, schritt die Gemeindeverwaltung im Herbst 1919 zum ersten Male an die Schaffung einer größeren Wohnhausanlage. Es war dies die Errichtung der im ursprünglichen Projekte 150 Häuser umfassenden Siedlung (Friedensstadt) Schmelz im XV. Bezirk (Mareschplatz). Welche Schwierigkeiten sich bei der Verwirklichung des Projektes ergaben, sei durch den Umstand dargetan, daß zur Zeit der Inangriffnahme der Baulichkeiten alle vorhandenen Baustoffe von der Heeresverwaltung beschlagnahmt waren. Die Ausführung konnte nur mit minderwertigen Ersatzbaustoffen wie Betonhohlsteinen udgl. erfolgen. Da sich jedoch die Verhandlungen mit der Heeresverwaltung wegen Übergabe des Baugrundes, eines Teiles des ehemaligen Exerzierplatzes auf der Schmelz im Ausmaße von rund 100000 qm langwierig gestalteten, mußte an eine Einschränkung des Bauprojekts geschritten werden. Mit den durch den Bund vorübergehend gewährten Zuschüssen für einen Teil des verlorenen Bauaufwandes wurden schließlich vier Baublöcke mit 42 einstöckigen Wohnhäusern errichtet, die 398 Wohnungen und 14 Geschäftslokale enthalten." (4)

Ferner entstand 1921 in Rannersdorf bei Schwechat eine Siedlung für die Bediensteten des städtischen Brauhauses mit 36 Wohnungen in Doppelhäusern. Im gleichen Jahr wurde der für einen Privatauftraggeber begonnene „Metzleinstaler-Hof" von der Gemeinde weitergeführt und schließlich 1925 vollendet.

Im Jahre 1922 faßte der Gemeinderat den Beschluß, den Ertrag der mit 1. Mai 1922 eingeführten Mietzinsabgabe für Zwecke des Wohnungs- und Siedlungswesens zu verwenden. Doch aus den Mitteln der neuen Steuer wurden bis 1923 nur ca. 2 200 Wohnungen errichtet. Angesichts des übergroßen Bedarfs war diese Zahl sicherlich bescheiden. Unbefriedigt von dieser im Gesamtverhältnis zur großen Wohnungsnot der Nachkriegszeit noch sehr unwirksamen Bilanz, ging nun die Gemeinde daran, die Gesetze für die Wohnbausteuer zu ändern. Mit der Erklärung Wiens zu einem eigenen Bundesland ab 1. Jänner 1923 erhielt die Gemeinde auch die Möglichkeit durch eine neue Landesgesetzgebung Steuergelder zur Finanzierung des Wohnbauprogramms einzuheben. Anstatt der noch aus der christlich-sozialen Periode übernommenen Mietzinssteuer, die für *alle Wohnungen* eingehoben wurde, führte die Gemeinde am 1. Februar 1923 die ertragreichere und sozialere Wohnbausteuer ein. Damit wurde erst der Grundstein ihres reformistischen Programms gelegt, der die umfassende Tätigkeit des kommunalen Wohnbaus überhaupt ermöglichte. In einem zeitgenössischen Dokument heißt es dazu: „Das auf Grund dieser Wohnbausteuer aufgestellte Wohnbauprogramm für das Jahr 1923 wurde noch im Zusammenhang mit den zur Linderung der Arbeitslosigkeit aufgestellten drei großen Notstandsprogrammen der Gemeinde Wien beträchtlich gemehrt. So war es schließlich möglich, im Bauabschnitte 1923 insgesamt 2 256 Wohnungen zur Ausführung zu bringen. So stark auch diese Bautätigkeit im Vergleiche zu den Jahren seit Kriegsausbruch war, so wenig konnte sie angesichts der Wohnungsnot genügen. Deshalb faßte der Wiener Gemeinderat in seiner Sitzung am 21. September 1923 den denkwürdigen Beschluß über die Erbauung von 25 000 Wohnungen." (5) Damit war die beispielhafte Wohnbautätigkeit eingeleitet und das Aufbauprogramm konnte wirklich begonnen werden.

Die tatsächliche Geburtsstunde des Roten Wien begann somit eigentlich 1923, nachdem ein Bauprogramm für 5 000 Wohnungen jährlich verabschiedet worden war, das später (1924), nachdem dieses Produktionsziel schon im ersten Jahr erfüllt wurde, auf 25 000 Wohnungen bis 1929 erhöht wurde. Auch dieses Programm wurde sogar noch vor der Fünfjahresfrist erreicht. Von 1923 bis 1933 entstanden 58 667 Wohnungen und 5 257 Vorstadthäuser, also wurden insgesamt 63 934 Wohnungen aus den Mitteln der Wohnbausteuer finanziert. Gleichzeitig ging die Bautätigkeit durch die progressive Steuerpolitik fast gänzlich in Form von Baugenossenschaften, Baustoffwerken und der Magistratsabteilung 22 (Hochbau) in die öffentliche Hand über. Es entstanden die ersten Wiener Höfe, und das von der Opposition als undurchführbar bezeichnete Programm wurde mit der Vollendung der „Gartenstadt Jedlesee" (heute: „Karl Seitz-Hof") sogar schon vor der geplanten Fünfjahresfrist verwirklicht. (6) Daraufhin wurde ein neues Programm von bereits 30 000 Wohnungen jährlich erstellt. Bis zum düsteren Ende 1934 hatte die Gemeinde Wien für fast eine Viertelmillion Menschen, das entsprich fast einem Achtel aller Wiener, Wohnungen mit öffentlichem Vergaberecht gebaut. Die kommunale Bautätigkeit erreichte sogar einen Anteil von 70% am gesamten Bauvolumen der Zwischenkriegszeit!

Siedlungsgeschichte (7)

Mit dem Entschluß des Wiener Gemeinderates vom 21. September 1923 zum jährlichen Bau von 5000 Wohneinheiten stellte sich die Frage, ob diese neuen Wohnungen im Rahmen von Massenmietshäusern oder als Siedlungshäuser gebaut werden sollten. Daß die Entscheidung zugunsten der Befürworter von Großhofanlagen und Massenquartieren ausfiel, war nicht zuletzt eine Folge der eher schwierigen wirtschaftlichen Situation. Eine strukturelle Siedlungspolitik war wegen der infrastrukturellen und budgetären Restriktion weitgehend nicht durchführbar.

In Österreich war zugleich mit der vor-revolutionären Arbeiterbewegung, die vom Ausland beeinflußt wurde, unmittelbar nach 1919 eine autonomere Form der selbstverwalteten Siedlerbewegung entstanden, die man mit dem „Gildensozialismus" vergleichen könnte. Von sozialdemokratischer Seite stand man dieser Bewegung recht zwiespältig gegenüber, zum einen waren hohe Parteifunktionäre skeptisch-negativ, zum anderen waren einfache Mitglieder positiv eingestellt. Für die Parteiführung war es schwierig, die politische Ungebundenheit bzw. auch politische Gegensätze (z.B. Anarchismus) und den Alternativcharakter dieser Organisationen in die eigene Partei zu integrieren; für die proletarischen Subschichten allerdings ließen sich solche theoretischen Unvereinbarkeiten durchaus in der Notsituation vereinbaren, wenn es darum ging, durch Dynamik und Druck der Massenbewegung die Sozialisierung der Wirtschaft voranzutreiben. Erst als der Druck von der Basis zu stark für die Partei wurde und sie fürchten mußte, Wähler zu frustrieren oder gar zu verlieren, änderte man seine eigenen politischen Ansichten und Prinzipien, zumindest einmal rhetorisch und demagogisch.
Es wird immer behauptet, die Stadtrandsiedlungen und Gartenstadtmodelle seien aus rein ideologischen Gründen abgewiesen worden. (8) Dies ist nur zum Teil richtig, wenn man das Quellenmaterial auf gegensätzliche Aussagen im Zeitraum 1920—24 vergleichend prüft. In manchen — vorsichtig formulierten — Äußerungen der Gemeindeverwaltung war man sogar bemüht, auch der Gartenstadtbewegung in Wien zum Durchbruch zu verhelfen; sie galt, wie es einige Selbstdarstellungen des Roten Wien immer wieder verbal betonen (9), quasi als Vorbote des wahren Sozialismus. Natürlich kamen die Sozialdemokraten mehrfacherweise in Zugzwang, wenn sie ihre Stammwähler nicht an andere Parteien,

GEMEINDE WIEN
WOHNHAUSBAUTEN

ZAHL DER JÄHRLICH HERGESTELLTEN WOHNUNGEN:		
JAHR	IN GROSSHÄUSERN	IN SIEDLUNGEN
1918	386	—
1920	105	—
1921	133	150
1922	658	423
1923	1.230	8+9
1924	2.730	973
1925	13.000	700
1926 PROJ.	7.370	UNBEKANNT

GROSSHÄUSER
STOCKWERKSBAUTEN MIT GEMEINSAMEN EINRICHTUNGEN, WÄSCHEREIEN, SPIELPLÄTZEN U.S.W.

SIEDLUNGSHÄUSER
EINFAMILIENREIHENHÄUSER MIT GÄRTEN

ZUM TEIL GENOSSENSCHAFTSBAUTEN MIT GEMEINDEKREDITEN

Anteil der Massenwohnbauten und der Siedlungsbauten nach Neurath

die die Initiative im Siedlungswesen zu übernehmen begannen, verlieren wollten. Schon 1921 widmete der Gemeinderat verschiedene städtische Außenbezirke für genossenschaftliche und gemeingeförderte Siedlungsprojekte, um das wilde Siedlertum im Wald- und Wiesengürtel am Stadtrand einigermaßen einzudämmen.

So konnte in den äußeren Stadtvierteln ein ganzer Kranz von Kleingärten und Siedlerkolonien entstehen. Die Wiener Siedlerbewegung entwickelte sich folgerichtig aus der ,,Schrebergarten- und Kleingartenbewegung". Nach Einschätzung Maria Auböcks kamen die Kleingärtner relativ spät nach Österreich: ,,1903 beantragte August Bronnen, der Obmann des ‚Wiener Naturheilvereins', die Errichtung von ‚Schrebergärten'. 1904 wurde dann die erste Anlage in Deutschwald bei Purkersdorf errichtet. Auf 2,5 Joch großem Grund entstanden die ersten Gartenhütten, deren Ausrichtung einer reformierenden Gesundheitsideologie entsprach. 1911 wurde dann der erste Verein auf Wiener Boden in einem abgelegenen Tal des Wienerwaldes gegründet, der Verein ‚Rosental'. Es folgten der Verein ‚Esparsette' im 12. Bezirk, in dem sogar schon Kleintierzucht betrieben worden sein soll. (…) Dieser erste Abschnitt der Wiener Kleingartenbewegung stand unter ideellen, weniger unter nahrungswirtschaftlichen Aspekten." (10) Die Gemeinde hat in der Zeit nach dem Ersten Weltkrieg bis 1938 die Entwicklung des privaten Kleingartenvereins sehr begünstigt und den Kleingärtnern nicht weniger als 4 Millionen Quadratmeter Gemeindegrund an der Stadtgrenze zur Verfügung gestellt.

Notsiedlungen – „Bretteldörfer"

Eine weiterreichende Bedeutung hat die Siedlungsbewegung zunächst noch als ungeordnete, „wilde" Siedelei erlangt. Als im Ersten Weltkrieg die Hungersnot und das Wohnungselend ihren Höhepunkt erreichten, begannen die Wiener Arbeiter das Gebiet um die Schmelz in Besitz zu nehmen. Auf dem ehemaligen Truppenexerzierplatz der k.&k.-Armee legte die Bevölkerung – wie auch an anderen freien Flächen in der Stadt – Beete an und zog Gemüse und Kartoffeln. Die Aneignung dieser Flächen war eine Mischung aus Aufruhr und notwendiger Befriedigung: sie ging zum Teil spontan in Form wilder Besetzungen vor sich und zwar meist mit Duldung der Behörden, die kein Gegenmittel wußten. Die Gärten sollten, wie es sogar Kaiser Karl 1918 zynisch formulierte, „vielen bisher gänzlich besitzlosen Menschen das Gefühl verschaffen, daß sie nunmehr ein kleines Eigentum (sic) besäßen".

Die Welle der Besiedlung unbebauter, aber weitgehend noch im privaten oder öffentlichen Besitz befindlicher Flächen nahm nach 1918/19 einen ungeheuren Aufschwung; Schrebergärten wurden dort angelegt, wo sich das Proletariat befand, also in den Außenbezirken der Stadt. Sie wurden zu dauerhaften Einrichtungen und viele Arbeiter begannen nun, auf den besetzten Gründen auch primitive Wohnungen und Einfamilien-Bretterbuden zu errichten. Mit der Zeit geriet die Siedler- und Kleingärtnerbewegung zusehends zu einer Massenbewegung, die in vielfältigen Organisationsformen (Vereine, Genossenschaften, Kooperativen und Selbsthilfen) strukturiert war und teilweise durchaus „alternative" und „gras-wurzel"-artige (wie wir heute das Phänomen nennen würden) Formen annahm.

„Brettldorf" Bruckhaufen vor dem Abbruch

Autonome Siedlungen

Anfangs wurden die Schongebiete des Wienerwaldes, wo es mitunter auch zu Rodungen, Holzfällen und Urbarmachung des harten Bodens kam, illegal besetzt: Sogenannte „Bretteldörfer" waren auf dem Laaerberg, dem Satzberg, bei der Knödelhütte, im Lainzer Tiergarten, in Mauerbach, in Bruckhaufen usw. entstanden, und selbst in Parkanlagen waren Kartoffelbeete keine Seltenheit. Die blumigen Namen „Eden", „Neu-Hawaii", Neu-Florida", „Neuland", „Vorwärts", „Zukunft", „Freihof", „Aus eigener Kraft" usw. sollten helfen, die tristen Verhältnisse zu überspielen.

Die Gemeinde Wien, seit dem Frühjahr 1919 von Sozialdemokraten allein regiert, stand diesem „ziemlich planlosen Durcheinander" zwiespältig gegenüber. Die Kleingärtner protestierten am 3. April 1919 am Wiener Rathausplatz und forderten Grund und Baumaterial. Daraufhin wurden die Pachtverhältnisse legalisiert, die Errichtung von Wohnhaussiedlungen mit Baumaterial unterstützt. Dagegen herrschten Bedenken, ob nicht die an die bürgerliche Gartenstadtbewegung anknüpfenden Proletarier durch agrar-romantische Vorstellungen und egoistisches Besitzdenken ideologisch korrumpiert werden würden, und ob die drängende Wohnungsnot mit derlei Projekten wirklich zu mildern sei. Den Siedlern waren derartige Bedenken fremd und überdies egal: der gemeinsame Bau einer Wohn-oder Kleingartensiedlung bedeutete ihnen — neben allen materiellen Vorteilen dieses Unternehmens — auch einen Versuch zur Errichtung proletarischer Gegenwelten, ein Schritt zum liberalen (freiheitlichen) Sozialismus und zu einer kommunistischen Lebensweise. Diese euphorische Stimmung übermittelt Max Winter in einer Ausgabe der Arbeiter-Zeitung mit dem Titel „Wie eine Siedlung wird": „Unüberwindlich ist, wer mit dem Boden Zusammenhang hat (...) Der Arbeiter wird nun Siedler! Er baut Häuser, legt Straßen und Gärten an, seine Frau geht nicht mehr in die Fabrik, sie ist nicht mehr Heimarbeiterin, sie verwertet ihre Kraft daheim als Gärtnerin, als Kleintierzüchterin (sic). Und die Kinder werden draußen gesunden in Sonne und Luft. Und frei wird ihr Blick über das Gelände fliegen, der in die Enge der Gasse gebannte Blick, der nun in die Weite fliegen kann, in das trotz allem noch immer ferne Land der Erfüllung des höchsten Kulturraumes der Menschheit, der Erfüllung sozialistischer Kultur!" (11)

So organisierten sich Genossenschaften, die sich ganz selbstverständlich als Unter- oder Nebenorganisationen der SDAP, ja als „proletarische Spitzenorganisation" udgl. betrachteten. Im Gegensatz zu Max Winter sah Otto Neurath, einer der Führer der Wiener Kleingärtner und Siedler, schon 1921, auf dem Höhepunkt der Bewegung, regressive Erscheinungen. Er machte folgende illusionslose Bemerkung: „Genossenschaftsdenken hat zwei Verwandte: kleinbürgerliche Vereinsmeierei und Organisationstreiben breiter Massen. Es hängt von der geschichtlichen Lage ab, in welche Richtung es sich entwickelt." (12)

In der Retrospektive besteht kein Zweifel mehr in welche Richtung sich die Siedlungsbewegung entwickelt hat: heute sind die Arbeitersiedlungen allesamt zu Grünidyllen mit Gipszwergen und Hirschgeweih herabgesunken. Spuren vom „Pathos der Freiheit" und kollektiven Selbstbewußtsein findet man nur mehr bei den diversen Namen der „Schutzhäuser" (z. B. „Zur Zukunft" auf der Schmelz), sollten sie inzwischen nicht als gemütliche „Heurige" eingerichtet worden sein.

Mitte der zwanziger Jahre verschärften sich die Schwierigkeiten mit den wilden Siedlern und der neue Bürgermeister Karl Seitz war – im Unterschied zum gemäßigteren Jakob Reumann – der autonomen Siedlungsbewegung nicht sehr zugetan, sodaß sie schließlich entweder ganz aufhörte oder in die Parteienstrukturen integriert wurde. Das vorläufige Ende der „kommunalen" Siedlerbewegung stand nun unmittelbar bevor.

Genossenschaftsiedlungen

Struktur bekam die noch chaotische und spontane Siedlerbewegung erst durch die Bestellung von Dr. Hans Kampffmeyer, dem Gründer der deutschen Gartenstadtbewegung, nach Wien. Hier wurde er zunächst „Siedlungssekretär" der Gemeinde und später, nach der Berufung von Dr. Otto Neurath in das Forschungsinstitut für Gemeinwirtschaft, dessen Nachfolger als Leiter. Kampffmeyer und Neurath hatten sich während ihrer Zusammenarbeit zur Organisation der Siedlerbewegung im Institut kennengelernt. Mit ihrer Hilfe gelang dann im Januar 1921 die Gründung des *„Hauptverbandes für Siedlungs- und Kleingartenwesen"* (kurz: Hauptverband), dessen Leiter Neurath wurde, während Kampffmeyer bald darauf die Nachfolge von Max Ermers als Leiter des erst 1921 eingerichteten „Siedlungsamtes der Gemeinde Wien" antrat, dessen Chefarchitekt Adolf Loos werden sollte. (13) „Die Gründung des *Hauptverbandes"*, wertet Robert Hoffmann, „war ein erster Schritt zur Überwindung der Zersplitterung der Bewegung in Klein- und Schrebergärtner einerseits und Siedler andererseits. Während es die Kleingarten- und Schrebergartenvereine bereits vor 1914 gegeben hatte, die dann während der Hungerjahre des Krieges zu einer Massenbewegung wuchsen, wurde die Wohnsiedlungsbewegung erst durch die katastrophale Wohnungsnot nach dem Kriegsende stimuliert. Die Forderung nach dem Abbau der Großstadt, die vor dem Krieg von kleinbürgerlich-intellektuellen Schichten im Rahmen der deutschen Gartenstadtbewegung entwickelt worden war, wurde nun von einer proletarischen Massenbewegung übernommen." (14)

Im Gegensatz zu Deutschland gab es in Wien keine kleinbürgerlich-besitzindividualistische Tradition der Gartenstadtbewegung, sodaß sie in den Jahren nach 1918 fast ganz unter sozialistisch-proletarischen Einfluß geraten konnte. Hätte es wie in Deutschland ein entfaltetes Kleingarten- und Gartenstadtorganisationsnetz gegeben, wäre sie womöglich regressiv geworden. Aber gerade weil sie damals ideologisch nach allen Seiten so offen war, standen sowohl die bürgerlichen wie auch die kommunistischen und sozialdemokratischen Parteien ihr so ratlos gegenüber. Waren die sozialistischen Politiker anfangs wegen der Dynamik dieser Massenbewegung den Siedler skeptisch und distanziert eingestellt – trotz positiver Reaktionen von den Befürwortern wie Bauer, Winter, Ermers und Neurath (15) – so änderte sich das Bild, nachdem die revolutionär-euphorische Welle der unmittelbaren Nachkriegszeit abflaute und sich innerhalb des Hauptverbandes Machtkämpfe zwischen bürgerlichen, radikalsozialistischen und anarchistischen Gruppen um die Vorherrschung und Durchsetzung ihrer Siedlungspläne entfalteten. „Erst als man um die Jahreswende 1920/21 fürchten mußte, daß die bürgerlichen Parteien die Initiative im Siedlungswesen übernehmen könnten, wuchs in der Sozialdemokratie die Bereitschaft zur Integration der Siedler." (16)

Die genossenschaftliche Wiener Siedlerbewegung erlebte ihren Höhepunkt im Jahre 1921, als „mit Stimmen der Sozialdemokraten der Nationalrat am 15. April das von der christlich-sozialen Regierung entworfene Gesetz zur Errichtung des Bundes-, Wohn- und Siedlungsfonds" (17) beschloß. Anfang April gelang es der Siedlerorganisation in einer eindrucksvollen Massenkundgebung am Rathausplatz, Bürgermeister Jakob Reumann ein Versprechen zur raschen Durchführung eines Siedlergesetzes abzuringen und ein weitgehendes Enteignungsverfahren zu unterstützen. Im Oktober erfolgte die Vereinigung des Hauptverbandes mit dem Zentralverband der Kleingärtner- und Siedlungsgenossenschaften (früher Verein der Schrebergärtner) unter der neuen Bezeichnung *Österreichischer Verband für Siedlungs- und Kleingartenwesen* (ÖVSK). Ihr kam die innerparteiliche Funktion einer „proletarischen Spitzenorganisation" (Eigenbezeichnung) zu, und geeint konnte sie sich gegen ihre bürgerlichen Gegner durchsetzen.

Auf Betreiben von Otto Neurath gründete der ÖVSK im September die *Gemeinwirtschaftliche Siedlungs- und Baustoffanstalt* (kurz: GESIBA), die den Siedlern durch die Schaffung eines eigenen Baukonzerns mehr ökonomische Eigenständigkeit erlaubte. Mit Stolz konnte die Arbeiter-Zeitung am 25. Dezember berichten: „(...) soeben (ist) eine Organisation ins Leben gerufen worden, die für die Zukunft der Arbeiterbewegung und des Sozialismus bedeutsam werden kann. Der Zentralverband der Bauarbeiter Österreichs, der österreichische Verband für Siedlungs- und Kleingartenwesen und die österreichische Mietervereinigung haben sich zu einer *Gilde* zusammengeschlossen, um dringendere Tagesaufgaben in Angriff zu nehmen, und soweit es die Machtverhältnisse gestatten, umfassenderen gemeinwirtschaftlichen Zielen zuzustreben." (18) Somit wurde die Bauproduktion aus dem privatkapitalistischen Markt herausgeschält und durch eine sozialistisch-reformistische Alternative ersetzt. „Analog zur Konsumgenossenschaftsentwicklung gliederten sich dieser gemeinsamen Einkaufsstelle der Siedler bald auch Eigenproduktionsstätten an (teilweise zuammen mit der Gemeinde Wien): Holzabteilung (vom Sägewerk bis zur genormten Fensterrahmen- und Eichenparkettfertigung), Bausteine (eigene Ziegel-, Sand-, Zement-, Granit- und Kalkwerke). Über die Herstellung und Lieferung von Baumaterialien hinaus entwickelte sich bei den Unternehmen die Baukreditgewährung (Ansätze zu einer Siedlerbank) und die treuhänderische Baudurchführung für Teile des kommunalen Wohnungsbaues. Die Unterstützung von Gemeinde und GESIBA (z. B. mit Materialkrediten zur Fertigstellung begonnener Projekte) war gebunden an das Einhalten zahlreicher von der Gemeinde und dem eigenen Verband aufgestellten Richtlinien, die der einzelne Siedler vielfach als Einschränkung empfand, die aber reformökonomisch, reforminzidenziell und -legitimatorisch konsequent waren." (19)

Die Baustoffbeschaffung bildete nur einen Teil einer genossenschaftlichen und gemeinnützigen Siedlerökonomie, gleichermaßen regelten die Genossenschaften die Eigenfinanzierung durch die Leistung von Siedlerarbeit. Die Unterstützung der Gemeinde bei der Errichtung der zahlreichen Genossenschaftssiedlungen erfolgte durch die Vergabe des Baurechts auf Gemeindeland und durch eine finanzielle Vergütung des Bauaufwandes. Ein Teil (40%) der Baukosten wurde von der Siedlergenossenschaft aufgebracht, ein Teil (15%) durch die Arbeitsleistung der Siedler abgedeckt (bis zu 2 500 Arbeitsstunden), und der Rest wurde durch einen Zuschuß der Gemeinde ermöglicht. Der Boden der Gemeinde wurde im Baurecht vergeben; die Miete setzte sich aus den Erschließungskosten, der Gartenpflege und einem Anteil aus der Bodensteuer und den Betriebskosten zusammen. Nach Erlöschen des Baurechts ging die Wohnung in das Eigentum der Gemeinde über, die aber an den Bauberechtigten (Siedlungsgenossenschaft) gewisse Entschädigungen zu leisten hatte. Nach Fertigstellung des Hauses wurde der Bauvorschuß der Gemeinde in ein Hypothekardarlehen umgewandelt, das mit 8% zu verzinsen war. Wirklich eingehoben wurden die Beiträge aber nur dann, wenn die Hauserträgnisse dafür Deckung boten. Am Ende der Baurechtsdauer wurden etwa noch vorhandene Fehlbeträge von der Entschädigungssumme der Gemeinde abgeschrieben. Insgesamt mußten die Siedler nur für jährlich etwa ein Promille der Baukosten aufkommen. (20) Derart wurden insgesamt 31 Siedlergenossenschaften unterstützt, darunter die Siedlungen Rosenhügel, Hermeswiese, Kriegerheimstätten, Flötzersteig, Glanzing, Reformsiedlung Eden, Mein Heim, Aus eigener Kraft, Lainzer Tiergarten, Wolfersberg, Trautes Heim, Laa am Berg, Wien-West (Heuberg), Schafbergsiedlung, Denglerschanze, Triesterstraße etc.

In den ersten Baujahren wurden Siedlerstellen von etwa 350 qm bis 400 qm Größe errichtet. Die nutzbare Wohnfläche des größeren Haustyps betrug ca. 64 qm, die des kleineren Typs mit Dachausbau 57 qm, ohne Dachausbau 48 qm. Die Ausführung der Bauten unterlag streng geregelten Normen der vom städtischen Siedlungsamt genehmigten Pläne, wobei das Siedlungsamt auch die Aufsicht führte. Die Pläne für die zum Teil selbsterbauten Häuser in den Genossenschaftssiedlungen Schmelz, Heuberg und Rosenhügel wurden durch entsprechende Verordnungen seitens der Wiener Bauordnung für rechtsgültig erklärt und bildeten somit die Grundlage für den gemeindeeigenen Siedlungsbau nach 1924/25.

Daß aber der nötige Spielraum zum Selbstbau bzw. zur baulich-experimentellen Eigenleistung nicht gefördert wurde – mit der rühmlichen Ausnahme der Siedlung „Am Heuberg" – ist im nachhinein zu bedauern. Nicht nur, daß dadurch die notwendige Eigeninitiative der Arbeiterschaft zu einer wahrhaft vollendeten Emanzipation verhindert wurde, konnte auch die kollektive und kreative Aneigung der Häuser durch eigene gestalterische Maßnahmen niemals stattfinden. Hierbei besteht freilich der Verdacht, daß sie gar nicht stattfinden sollte, zum einen aus ideologisch-politischen, zum anderen aus parteitaktischen Motiven. Selbst im Falle der „2500 Stundenhäuser" war die Eigenleistung der Siedler nur formal-instrumentell angewendet worden.

Gemeindesiedlungen

Damit die für Wien neuartige Siedlerbewegung ihre organisatorischen und rechtlichen Grundmuster der Besiedlung aufstellen konnte, mußte die Gemeindeverwaltung und ihr eigener Siedlerhauptverband vorerst einen gültigen Bebauungsplan erstellen. Namhafte Architekten wie Peter Behrens, Josef Hoffmann, Oskar Strnad, Josef Frank sowie in beratender Funktion Adolf Loos, als vertraglich angestellte Mitarbeiter, wurden beauftragt, einen „Architektur- und Raumplan" für Wien zu erstellen. Dieser wurde – obwohl aus heute nicht mehr eruierbaren Gründen nie dem Gemeinderat vorgelegt – die Grundlage für die Errichtung diverser Gemeindesiedlungen. Ausgehend vom noch monarchistischen Regulierungsplan sollten auf dem gesamten Stadtgebiet Wiens (für kostensparende Aufschließung) geeignete Grundstücksflächen für Kleingarten- und Siedlungszonen ausgewiesen werden. Für die in Wien völlig neue Siedlungsbewegung wurden von der Gemeindeverwaltung drei Siedlungen („Hermeswiese", „Weißenböckstraße" und „Freihof") nach Entwürfen beamteter Magistratsarchitekten errichtet. Die späteren Gemeindesiedlungen wurden zum Teil von freischaffenden Architekten entworfen. Bis 1926 wurden folgende Siedlungen von der Gemeindeverwaltung mit Hilfe prominenter in- und ausländischer Architekten errichtet: „Schwechat-Rannersdorf" (Heinrich Tessenow), „Heuberg-Ergänzung" (Hugo Mayer, nachdem Loos ausgestiegen war), „Hoffingergasse" (Josef Frank mit Erich Faber), „Flötzersteig–Antaeus" (Alfons Hetmanek/Franz Kaym), „Lockerwiese" (Karl Schartelmüller), „Neustraßäcker" (Franz Schuster/Franz Schacherl), „Laaerberg" (Franz Schuster/Franz Schacherl) etc.

Karl Schartelmüller: Gebogene Häuserzeile in der Siedlung „Lockerwiese"

119

Auch außerhalb des Siedlungsbaues zeigte die Gemeinde für den Bau von Einfamilienhäusern Interesse und förderte auch die „Eigenheimkolonie Am Wasserturm" (Schuster/Schacherl) durch Gewährung von Darlehen im Sinne der GESIBA. Mit Hilfe der GESIBA und der „Heimbauhilfe"-Genossenschaft hat die Gemeinde 1925 eine „Siedlungskolonie" mit ca. 188 Häusern errichtet. Die Einfamilienhäuser wurden in mehreren Größen auf städtischem Grund gebaut und an finanzkräftigere Einzelpersonen in Baurecht vergeben. Die Baurechtsnehmer hatten jedoch 25% der Baukosten als Anzahlung zu leisten, während ein mit 5% zu verzinsendes Darlehen ohne Rückgaberecht gewährt wurde, weshalb nur der Mittelstand sich diese Häuser leisten konnte.

Es zeigte sich sehr bald, wie Wilfried Posch in seiner materialreichen Untersuchung festgestellt hat, daß der Anteil der Wohnungen in Siedlungshäusern hinter jenen in Massenquartieren zurückblieb. Obwohl die Zahl der Siedlungshäuser rein statistisch weiter anstieg, betrug der Anteil der Siedlungshäuser am gesamten Wohnbau 1921 nur noch etwas mehr als die Hälfte, 1923 weniger als ein Drittel, 1925 gar nur noch vier Prozent. (21) Selbst die Position eines Adolf Loos, der schon 1919 ehrenamtlicher Leiter des Siedlungsamtes geworden war und ein vehementer und zuweilen auch schwärmerischer Befürworter des Klein- und Siedlungswesens war, konnte an dieser Bilanz nichts ändern. Auch eine Kleingarten-, Siedlungs- und Wohnbau-Ausstellung 1923 auf dem Wiener Rathausplatz, auf der die vom Siedlungsamt entwickelten „Modellhäuser" ausgestellt wurden, brachte nicht die erhoffte Sympathie für die Siedlerbewegung, obwohl diese Ausstellung bei weitem erfolgreicher war als ihr englisches oder deutsches Gegenstück.

Bedingt durch die flächenmäßige Expansion der Siedlungen, die aus der Stadtgrenze auszubrechen drohten, wurden die einzelnen Siedlerparzellen von 400 qm auf 200 qm drastisch reduziert. Noch später hatten die Siedlerstellen nur mehr 120 qm Grundfläche zur Verfügung, und statt des Stall(an)baues wurde die Unterbringung des Kleintierstalles innerhalb des Siedlungshauses vorgenommen, dessen verbaute Fläche auf nunmehr 40 qm festgelegt wurde. Doch in Anbetracht der einstöckigen Verbauung ergab das immer noch eine real nutzbare Wohnfläche von ca. 63 qm; davon mißt der an das Haus angebaute oder als „Spüle" integrierte Wirtschaftsraum 3 bis 6 qm. Vielfach ist im hinteren Garten statt des Kleintierstalles bereits ein Badezimmer eingebaut. Im Erdgeschoß befinden sich außer einem kleinen Vorraum die Wohnküche mit Spüle und ein Wohnzimmer, oder die Küche mit einer kleinen Waschküche, die auch als Not-Badegelegenheit diente, und ein Wohnzimmer. Das Elternschlafzimmer und die nach Geschlechtern getrennten Schlafkammern der Kinder im 1. Stock, über eine Holztreppe zugänglich, entsprechen bereits der von Adolf Loos geforderten Trennung der Schlafräume von den Wohnräumen (22).

Jede dieser Siedlungen besteht aus einstöckigen Reihenhäusern, die aus wirtschaftlichen und ästhetischen Gründen zu Gruppen vereinigt sind. Auch geschlossene Kern- und Wohnhöfe sind mehrfach ausgeführt worden. Manche Siedlungen wurden durch mehrstöckige Wohnhausbauten ergänzt (z. B. Schmelz, Weißenböckstraße) oder folgten später überraschenderweise einem entgegengesetzten Leitbild, der bürgerlichen „Villa im Grünen" (23), wo die Nutzgärten weitgehend zurückgedrängt werden (z. B. Am Tivoli).

Von besonderer Tragweite für die bauwirtschaftlichen Möglichkeiten des Siedlungsbaues waren die von der Gemeindeverwaltung als Baubehörde gewährten Bauerleichterungen. Die bemängelten Ausführungsdetails des in Eigenregie ausgeführten Siedlungshauses und Verstöße gegen baurechtliche Normen wurden in der Folge durch Baugesetze behoben und so adaptiert, daß sie zum Allgemeingut wurden. „Stockwerkshöhen von 2,60m, Hohlmauern an Stelle von Massivwänden, offene hölzerne Decken ohne Beschüttung (und mit offener Untersicht), Verwendung von Bundträmen des Daches als Tramlage des 1. Stockes, der Einbau hölzener Stiegen ohne Rohrputz (bzw. verputzte Untersicht), die Verwendung von Torfstreuklosetten, die Herstellung einfachster Vorgarteneinfriedungen und bekiester Gehwege an Stelle bepflasterter Gehsteige" wurden zum erstenmal zugelassen. Letzter Punkt erwies sich übrigens für viele Siedler als große Enttäuschung, und viele beschwerten sich bei der Gemeinde über den schlechten Zustand der Straßen und Wege. „Auf kostspielige feuersichere Trennungen wurde nach Möglichkeit verzichtet, und die Trennungswände der Siedlungshäuser wurden sinngemäß als Wohnungstrennwände ausgeführt", analog zum System des „Hauses mit einer Mauer" von Adolf Loos am „Heuberg". Überdies faßte man „das genossenschaftliche Reihenhaus mit Recht als Mehrfamilienhaus" (Adolf Loos) auf.

„Die Mauern wurden nur in den Baujahren 1921 und 1922 überwiegend aus Zementhohlsteinen ausgeführt; andere Ersatzbauweisen und -stoffe wurden schon damals grundsätzlich nicht zugelassen. Später wurden ausschließlich gebrannte Ziegel verwendet, wobei verschiedene Systeme von Hohlmauern zur Anwendung gelangten, besonders solche aus zwei liegenden Ziegelscharen von 12cm Stärke mit 7cm breitem isolierenden Luftschlitz." (24) Die Ausführung der Siedlungsbauten erfolgte zumeist durch die Siedlungsgenossenschaft als Bauherr im Zusammenwirken mit dem städtischen Siedlungsamt oder unterlag dem Stadtbauamt und seinen beamteten Architekten. Die erforderliche Ausschreibung wurde im Wege von Anbotsverhandlungen und nur zum Teil an gemeindeeigene Baustoffgewinnungsbetriebe vergeben. Die Materialbeschaffung besorgte zum großen Teil zentral die GESIBA, an der die Gemeinde, der Bund und die Genossenschaften durch ihren Verband beteiligt waren. Die Siedlungsgenossenschaften regelten nur in den Anfängen die Siedler- und Verwaltungsarbeit. Später kümmerte sich ausschließlich die Gemeinde um die Angelegenheiten der Siedler.

Erwerbslosensiedlungen

Mit Einsetzen der Massenarbeitslosigkeit in Wien zwischen 1931 (125000) und 1932 (162000), der totalen Defensive seitens der Sozialdemokratie gegenüber den austrofaschistischen Tendenzen und ihrer Resignation gegenüber der immer stärker werdenden Wirtschaftsdepression, wurde die Frage der „Nebenerwerbs- und Kurzarbeitssiedlung" wieder aktuell. Das städtische und gemeinwirtschaftliche Wohlfahrtswesen war nun endgültig zusammengebrochen und die Partei gleichzeitig so geschwächt, daß sich eigentlich der Niedergang der eigenen organisierten Arbeiter- und Genossenschaftsverbände schon vor 1934 abzeichnete. Dem „Krisenmanagement" der Konservativen konnte man von sozialdemokratischer Seite erstaunlicherweise nichts mehr an Alternativen entgegensetzen. Obwohl die neuen Siedlungsprojekte kommunal verwaltet, administrativ ausgeschrieben und vorbereitet wurden, haben sie im Grunde nichts mehr mit den früheren Siedlungen gemein. Die 1932 bis 1934 entstandene Nordrandsiedlung „Leopoldau" unterschied sich sowohl in ideologischer wie auch in gesellschaftstechnischer Hinsicht von den früheren Genossenschafts- und Gemeindesiedlungen. Die Siedlungsbewerber wurden nun sorgfältig nach folgenden Kriterien ausgewählt: zuerst nach Kriterien der handwerklichen Qualifikation, Geschicklichkeit und beruflichen Eignung für die Landwirtschaft, dann erst nach Bedürftigkeit und schließlich auch nach Parteizugehörigkeit (SDAP-Vertrauensmänner und arbeitslose Funktionäre der Gewerkschaft). Mit anderen Worten, eine „soziale" Musterung war damit von vornherein ausgeschlossen, vielmehr stellten diese Siedlungen ein von oben diktiertes Notprogramm zur Schein-Verbesserung des Arbeitsmarktes dar. Von dieser „Binnenkolonisation" (ähnlich der amerikanischen Siedler) waren nur „ausgesteuerte" Arbeitslose betroffen, d.h. diejenigen „unproduktiven" Arbeitskräfte, die vom Staat auf keine weitere Unterstützung – nicht einmal in Form von Naturalien (WÖK-Ausspeisung, Straßenbahnfahrkarten, Übergangs- und Asylquartiere) – hoffen konnten und die auch nicht durch Kurzzeitbeschäftigung ihren Lebensunterhalt verdienen konnten. (Bei den späteren, dritten und vierten Stadtrandsiedlungsaktionen der christlich-sozialen Gemeindeverwaltung wurden diese Auswahlkriterien beibehalten, obwohl als Anwärter auch Kriegsbeschädigte, Invaliden, Kurzarbeiter und Kleinrentner in Betracht kamen.) Vom Bundes-, Wohn-und Siedlungsamt wurde eine Richtskala herausgegeben, nach der die Anwärter auf ihre Eignung durch ein besonderes Punktewertsystem geprüft wurden.

Über den Zusammenhang zwischen Baugestalt und Siedler wie auch über den ideologischen Zweck dieser sogenannten „Erwerbslosensiedlungen" im peripheren, noch weitgehend unverbauten Stadtrandgebiet von Wien—Donaustadt schreibt Klaus Novy: „Kennzeichen aller Arbeitsbeschaffungsprogramme (war) der Versuch, brachliegende Ressourcen mit geringstem (finanziellen) Aufwand wieder produktiv zu machen (Selbstfinanzierungs-Multiplikatorfunktion). Das von der Gemeinde Wien 1932 beschlossene und von der GESIBA treuhändisch durchgeführte Projekt (Leopoldau) weicht von allen bisher besprochenen Selbsthilfesiedlungen darin ab, daß die gesamte Baustellenarbeit, also 100%, von den Siedlern selbst in Eigenarbeit zu leisten war. Genau dies aber setzte die sorgfältigste Vorauswahl der Bewerber voraus. Für die ersten 80 Stellen hatten sich 1800 (!) beworben, daraus wurden 42 Baufacharbeiter der verschiedenen Richtungen ausgewählt." (25) Staatliche und private Interessen treffen sich hierbei in dem Wunsch nach Kooperation, allerdings auf Kosten der ökonomisch Schwächeren. Die Synthese von Selbstbeteiligung und Hausbau schaffte hohe Wohnzufriedenheit; die krisenwirtschaftlich bedingte Annäherung (in diesem Fall sogar Übereinstimmung) von Produzent und Konsument bekommt durch die Einnahme des Objekts im Namen einer scheinfreiheitlichen, demokratisch-postulierten Siedlerideologie (der „eigene" Herr) einen konservativen Anstrich. In

Krisenzeiten kann der Staat diese „Selbsthilfe" sehr gut für sich nutzen, da sie zu einer Verdeckung der Systemwidersprüche und sozialen Spannungen führt: durch affirmative, gegen-revolutionäre Maßnahmen nahrungswirtschaftlicher Natur wird nicht nur Milderung der Not herbeigeführt, sondern ebenso Revolutionen vorgebeugt. Merkwürdig ist hier nur der Umstand, daß in den dreißiger Jahren jene rückwärtsorientierte Bauernutopie einer vor-industriellen Gesellschaft auch breite Kreise der sozialistischen Theoretiker interessiert hat und in wirtschaftlichen Krisenzeiten von ihnen gutgeheißen wurde. (26) Es ging den Sozialdemokraten auch darum, Kurzarbeit und Nebenerwerb (als Arbeitsbeschaffungsprogramm) im großstädtischen Einzugsbereich zu etablieren; gleichzeitig wollten sie die Arbeitskräfte aber für die notwendige industrielle Produktion bereithalten. Der seinem Schicksal überlassene Arbeiter (bzw. Arbeitslose) fiel nun nicht mehr der staatlichen Fürsorge zur Last, eine Ernährungsautarkie wurde aber niemals explizit angestrebt, denn der Siedler sollte dem städtischen Arbeitsmarkt sofort zur Verfügung stehen können.

In seiner Sitzung am 15. Juli 1932 hat der Gemeinderat der Stadt Wien die Errichtung der Stadtrandsiedlung „Leopoldau" beschlossen. Die Gemeinde stellte einen 230000 qm großen Grund und eine Summe von 100000 Schilling zur Verfügung, die teils als Kredit zu 2% verzinst, teils von der GESIBA zur Errichtung der notwendigen Gemeinschaftsanlagen, für die Aufschließung und Baumpflanzungen aufgebracht wurde. Durch die Vergrößerung der Nutzgärten von 200 auf 2500 qm (!) (100x25m) und durch die viel offenere Bebauungs-

GESIBA Stadtrandsiedlung „Leopoldau" mit Kernhäusern, bei der Fertigstellung 1932.

123

weise in langen, fahnenartigen Grundstücken, die in fünf „Schläge" zerteilt waren, wurde eine geschlossene Reihenhausbesiedlung in Form von Zeilen- und Kernhäusern faktisch unmöglich gemacht. An den Stichstraßen liegen hinter Vorgärten die als vereinzelte „Doppelhäuser" ausgeführten Wohngebäude.

Das „Kernhaus" bestand aus einem Wohn- (ca. 20 qm) und einem Wirtschaftsteil (13 qm) im Erdgeschoß und ein bis zwei Schlafräumen (25 qm) im Obergeschoß; der Anbau enthielt den Arbeitsplatz, Abort und den Kleintierstall. Die kosten- und materialsparende Hohlbauweise bzw. Mischbauweise mit Holz- und Bretterkonstruktionen für den Wirtschaftsteil wurde bevorzugt: „Die Umfassungswände des Wohngebäudes bestehen aus 32 cm starkem Ziegelhohlmauerwerk auf Betonfundamenten, Decke aus Holz; der einfache Kehlbalkendachstuhl ist mit Strangfalzziegeln gedeckt. Der Stallanbau ist in Riegelwandkonstruktion ausgeführt, welcher beiderseits mit Holz verschalt ist. Die Fußböden in den Wohnräumen sind Dielenböden, im Anbau aus Beton." (27) Wie bei allen Siedlungen wurden Fenster, Türen und Treppen einer strengen Normierung unterworfen, die eine billige Serienanfertigung in den GESIBA-eigenen Werkstätten ermöglichte: „Während Türen und Fenster als Fertigware bezogen sind, werden alle Arbeiten beim Hausbau für die Aufschließung von den Siedlern geleistet. Nur so ist es möglich, mit dem vorgesehenen Barbetrag von S 3 000,— die Siedlerstelle samt dem Haus, sowie die gesamte Aufschließung etc. zu erstellen." (28)

Stadtrandsiedlungen des „Schwarzen Wien"

Mit zunehmender Arbeitslosigkeit und gleichzeitiger finanzieller Drosselung der Wirtschaft durch die internationale Weltwirtschaftskrise kam auch das konservativ-bürgerliche Wohnbauprogramm der rechts-autoritären Gemeindeverwaltung unter Bürgermeister Schmitz zum Erliegen.

Ideologisch-demagogisches Selbstinteresse bewog die Diktatur Dollfuß', der zunehmenden Unzufriedenheit in der Arbeiterschaft — u.a. auch durch die Unterdrückung und Auflösung der oppositionellen Parteien verursacht — entgegenzuwirken: Aus den traditionellen Arbeitervierteln wurde die Bevölkerung in „Stadtrandsiedlungen" zerstreut und damit die Unzufriedenheit der Arbeiter an die Peripherie kanalisiert, dabei ging es auch um eine ideologische Umerziehung: die Bindung an das Eigenheim.

Die Siedlungsanlagen wurden im Wege der Gemeinschaftsarbeit der Siedler im Rahmen des freiwilligen Arbeitsdienstes erstellt. Mit dem Gesamtaufbau der Aktion und ihrer treuhänderischen Durchführung betraute die Gemeinde den Generaldirektor der GESIBA, den späteren NS-Bürgermeister Dr. Hermann Neubacher. Er schreibt zur Baufinanzierung: „Die Kostenaufbringung des Siedlungswerkes erfolgt unter Inanspruchnahme der Randsiedlungskredite des Bundes-Wohn- und Siedlungsfonds in der Höhe von S 4 500,— pro Siedlerstelle, wobei der Siedler seinerseits bare Eigenmittel im Betrage von S 500,— beizutragen hat. Die Stadt Wien als Siedlungsträger leistet einen weiteren Beitrag von S 500,— womit die Gesamtkosten von S 5 500,— je Siedlerstelle gedeckt sind." (29) Jeder Siedler war verpflichtet, beim Aufbau mindestens 2000 Stunden mitzuarbeiten, wobei die Übergabe durch Los entschieden wurde. Kein Wunder, daß bei dieser „Selbstausbeutung" in Krisenzeiten Staat und Industrie Wohlgefallen an dieser „Volkswirtschaft" fanden und sie die Selbstversorgersiedlungen zu Minimalkosten in besoderem Maße förderten und propagierten.

Städtebauliche Prinzipien der Verbauung
Die Idee der Großform

Abgesehen vom Sondertypus der „peripheren" (Stadtrand-)Siedlung lassen sich typologisch fünf Möglichkeiten der Verbauung aufzählen, wovon vier auf die klassische Hofverbauung fallen. Als Erschließungsform wurde in fast allen Fällen der Spännertyp gewählt; alle Räume sind direkt belichtet und belüftet, weil im Gegensatz zu den Wohnhäusern der Gründerzeit, deren Höfe meist nur den von der Bauordung geforderten 15% der Grundfläche entsprachen, bei den Gemeindeflächen grundsätzlich nicht mehr als 50% der Grundfläche verbaut wurden. In manchen Fällen wurde die Ausnützung der Grundstücke auf maximal 25% reduziert.

Die Entwicklung der Gemeindebauten wurde stets in Bezug auf ihre Bebauungsform in drei bis vier Entwicklungsstufen eingeteilt: in eine frühe straßenartige (zumeist staßenseitige) Verbauungsperiode („Sandleiten", „Fuchsenfeld-Hof", „Rabenhof"); in eine reine Randverbauung („Bebel-Hof") oder Randbebauung mit Hoftrakt bei kleineren Hofanlagen („Wiedenhofer-Hof"); und die beiden letzten Stufen in eine große (achsiale) Anlage des Riesenblocks bzw. „Superblocks" („Reumann-Hof") und schließlich in eine „aufgelockerte Superblock"–Spätphase („Washington-Hof"). Einen Sonderfall bildet die Baulückenschließung mit hinterem Hoftrakt. Eine solche genaue zeitliche und kontinuierliche Entwicklung und Trennung der verschiedenen Phasen ist in Wirklichkeit nicht feststellbar und daher nicht möglich. Viermehr ist die tatsächliche Produktion der Gemeindebauten synchron, z.B. ist der Baubeginn des „Engelsplatz-Hofes" vier Jahre später als beim „Washington-Hof", und umgekehrt ist der aufgelockerte „Ebert-Hof" drei Jahre vor dem „Karl Marx-Hof" bzw. der „Matteotti-Hof" zeitgleich mit dem „Reumann-Hof" entstanden. Somit ist die These von einer „Morphologie der Superblöcke", wie sie beispielsweise Manfredo Tafuri als Widerspiegelung der konservativen Kritik gegen die Geschlossenheit der Anlagen vertritt, fragwürdig geworden. Vielmehr sollte man, wenn überhaupt der Versuch einer Typisierung sinnvoll vorgenommen werden soll, von einer „aufgelockerten" und einer „geschlossenen" Bebauungsform sprechen, wobei die blockhafte Randverbauung als ein Kriterium für die erste und die Durchbrechung der Wohnblöcke (straßenseitige Öffnung des Hofes, Durchgänge, Durchfahrten etc.) für die zweite Bebauungsform angenommen wird. Auf jeden Fall bleibt die „Großform" die tragende Idee dahinter.

Die **Lückenschließung** war eine „ad hoc"-Gelegenheit der Erschließungsform: Da die Gemeinde Wien wenige größere (unverbaute) zusammenhängende Grundstücke besaß, und diese auch nicht beschafft werden konnten, mußte die Stadtverwaltung, um „rascheste Abhilfe gegen die Wohnungsnot zu leisten" (30), mit kleineren Baulücken Vorlieb nehmen. Durch das Vorhandensein benachbarter Straßen und von Kanal-, Gas-, Wasser-, Strom- und Verkehrsanschlüssen, erlaubten sie jedoch ein rasches Bauen ohne größeren Aufwand, und desöfteren war die Füllung von Baulücken eines Häuserblocks möglich, sodaß zusammenhängende Wohnhausanlagen mit hinteren Gärten und Höfen entstehen konnten. Allerdings boten sie erhebliche gestalterische Schwierigkeiten in der höhenmäßigen Anpassung und in der Grundriß-lösung durch oftmals verzwickte und nur ungenügend besonnte Hofflächen (vgl.

Lückenfüllungen, Wien XIV.

innerstädtische Bezirke in Neubau, Alsergrund etc.). Wo es möglich war, wurden größere zusammenhängende Baublöcke mit bemerkenswerten Gartenhöfen und niedrigen Innenbaukörpern (Schulen, Kinderhorten, Kliniken) ausgestattet. Damit sollte die Verbauung möglichst gering gehalten werden, um eine ungünstige Beschattung der Hofwohnfassaden zu verhindern.

Ein weiterer Nachteil dieser Verbauung war die sehr uneinheitliche Schliessung dieser Baulücken mit Häuserplomben. Oftmals gelangten Teile eines Grundstücks – mangels entsprechender Enteignungsgesetze – erst nach und nach in den Besitz der Gemeinde Wien. So mußte also beim Verbauungsplan nicht nur allein darauf Rücksicht genommen werden, daß die Anlage oft nur in langfristigen Etappen errichtet werden konnte, sie mußten auch in die Substanz der vielen bestehenden Objekte der Umgebung eingebunden werden.

In städtebaulicher Hinsicht hat die einfache Anpassung an die bestehenden Gebäudehöhen und -klassen auch Vorteile gebracht, und trotz der oftmals sehr beengten Bauplatzverhältnisse konnten bei der Mehrzahl der Bauten die Innenflächen mit geräumigen Gartenhöfen ausgestaltet werden, die an die benachbarten Lichtschächten/Feuerwänden angeschlossen waren. Im Stadtbild heben sich diese Bauten von den benachbarten Spekulationsbauten ganz deutlich ab: Die Fassade ist meist sehr wirkungsvoll mit „Kunst-am-Bau" und mit sehr vielen Schmuckelementen (Lisenen, Gesimsen oder Verdachungen, Fenstereinfassungen, Torumrahmungen, Portal-Putti) ausgestaltet. Das Portal ist des öfteren von sehr künstlerischer Wirkung und oftmals mit einem Vestibül ausgestattet.

Die **Block- oder Randverbauung** war die häufigste Form der Bebauung: Um den Baugrund möglichst profitabel auszunützen, verbaute man in der Gründerzeit die Grundstücksfläche bis zu 85%, was die alte Wiener Bauordnung zuließ.

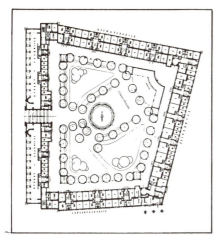

Karl Ehn: „Bebel-Hof"   *Robert Oerley: „Hanusch-Hof"*

Die nicht verbauten Flächen im Kern des Blocks waren oftmals zu klein (Lichtschächte), als daß sie von den Hausbewohnern genutzt werden konnten. Im Laufe dieser Entwicklung bildete sich der typische Wiener Zinshausblock heraus, bei dem die Ränder des Grundstücks völlig verbaut wurden, um größere – aber noch nicht zusammenhängende – Innenflächen zu ermöglichen. Dieser Bautypus bildet noch heute einen Großteil des Baubestandes der südlichen (Favoriten) und westlichen (Ottakring, Fünfhaus) Außenbezirke Wiens.

Anknüpfend an dieses gründerzeitliche Rasterviertelsystem, dem vor allem die ökonomische Überlegung einer größtmöglichen Grundausschlachtung zugrunde lag, erfolgte die häufigste Verbauungsart der kommunalen Wohnbauten: die Randverbauung. Das Prinzip der älteren Randverbauung ist jene Bauweise der marginalen Verbauung um den Innenhof, bei der nur mehr etwa 50% des Areals für die Wohnbauten, der Rest für Grün-, Spiel- und Erholungsflächen bestimmt ist. Die Stiegen sind hier noch straßenseitig angelegt. Auch hier wird der parkartige Hof nach allen Seiten der Anlage durch Wohnhaustrakte von der

Straße abgeschirmt. Beim Gemeindebau nach 1922 ist der Zugang allerdings – im Unterschied zum gründerzeitlichen Zinshaus-Modell – schon nicht mehr von der Straße aus erschlossen: erst nach Durchschreiten der gitterbewehrten Haustore gelangt man vom Hof über Stiegenhäuser in die Wohnungen. Die Fenster der Stiegenhäuser werden nun von den kleinen Fenstern der neuen Raumeinheiten (Abort und Bad, Waschküche) symmetrisch flankiert.

Diesem Typus ähnlich ist die **einseitige, zumeist straßenseitige Verbauung.** Da die konsequente Randverbauung einer Anlage für Belich-

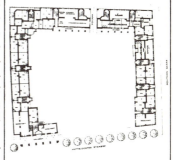

Mittag/Hauschka: „Ebert-Hof"

tung, Durchlüftung und günstige räumliche Verteilung der Wohnungsgrundrisse nicht unbedingt immer von Vorteil ist, entschloß man sich, entweder eine Straßenseite des Komplexes zu öffnen („Ebert-Hof", „Thury-Hof") oder niedriger zu halten („Hanusch-Hof").

Architektonisch hat sich der **„Superblock"** durchgesetzt — als bürokratisch-zentralistische Institution und auch als weitgehend autarkes Gemeinschaftswohnhaus. Der kleinere „Reumann-Hof" nimmt die achsial-monumentale Bebauungsform der späteren Riesenhöfe („Karl Marx-Hof", „Seitz-Hof", „Engelsplatz-Hof") bereits vorweg. Die verbundene blockhafte Verbauung erlaubt nicht nur ein in sich abgeschlossenes, sondern auch ein nach außen geschlossenes Refugium. Einerseits Abschirmung gegen die staubige, lärmende und unwirtliche Straße, andererseits auch eine künstliche Erweiterung des Wohnraums. *Enklave* und *Zufluchtsstätte* zugleich. Die Geschlossenheit und die relative Isolierung von der näheren Umgebung verliehen den Wohnhausanlagen

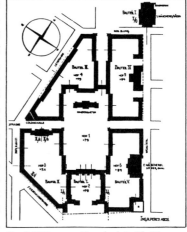

Rudolf Perco: „Engelsplatz-Hof"

autonomen Charakter und begünstigten den solidarischen Zusammenschluß der sozial homogenen Mieter. Ausgerechnet die idyllefeindlichen Sozialisten haben den alten Topos des paradiesischen Gartens inmitten schützender Mauern, einen „hortus conclusus" des Sozialismus, geschaffen.

Die Stiegenhäuser befinden sich jetzt alle innerhalb des Baublocks und sind nur mehr von der Gartenanlage aus zugänglich. Die Höfe hatten somit Verteilerfunktion und waren durch pylonenförmige „Stadttore" mit gewaltigen Eisengittertoren und mächtigen Einfahrten zu betreten. Die einzelnen Höfe wurden entweder durch mittlere Bautrakte miteinander verbunden, oder die durchschneidenden Straßen wurden überwölbt oder überhaupt aufgelassen. Auf die vorhandene Stadtgrundrißform wurde Rücksicht genommen, sodaß der Eindruck einer organisch gewachsenen Stadt entstand — gänzlich im Gegensatz zu den „tabula rasa"–Methoden der rasterartigen Reißbrett-Städte des funktionalen Städtebaus. Der immer mehr reduzierte Verbauungsgrad ermöglichte neben

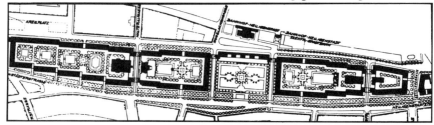

Karl Ehn: „Karl Marx-Hof"

128

gärtnerisch gestalteten Anlagen auch eine Vielzahl von niedrigen kommunalen Einrichtungen. Vor allem die Großhöfe verfügten über eine erstaunliche Anzahl gemeinschaftlicher und infrastruktureller Service-Einrichtungen (Großwäschereien, dezentralisierte Krankenstationen, Ambulatorien, Arbeitervereine, Klubs, Kinos, Freibäder, Sport- und Bildungseinrichtungen, Kindergärten, Parteilokale, alkoholfreie Gasthäuser etc.). Der Gedanke des Hofes entsprach dem einer Grüninsel, bei der man aber nicht auf die städtischen Vorzüge zu verzichten brauchte.

Die Anlehnung des Volkswohnbauprogramms an „strenge, bodenständige Palast- und Klosterbautraditionen" wurde schon von Peter Haiko und Mara Reissberger kritisiert: „Viele Gemeindebauten, vor allem jene der Wagner-Schüler, zeigen eine starke Tendenz zu achsialen Anlagen, die in einem Ehrenhof ihr monumentalisiertes Zentrum finden. Dieses eindeutig aus der Herrschaftsarchitektur, dem Palastbau, übernommene Motiv ist meist so dominant, daß der als ,demokratisch' postulierte Volkswohnbau architekturideologisch wieder zu eben jener Herrschaftsarchitektur wird." (31) Mit seiner Vierflügelanordnung, dem Ehrenhof, dem mehrtraktigen Pavillonsystem mit Laubengängen und Springbrunnen, und mit den Pergolen und machtvollen nackten Männerkörpern in der „Kunst-am-Bau"-Manier entspricht der Riesenblock typologisch eigentlich nicht dem Schloßbau allein, sondern assoziativ eher einer Art „häuslichem Fourier-Phalansterium". Die Kombination von ausdrucksvollem Monumentalismus und gemütlichem Zuhause war mindestens seit der Ringstraßenära die typische Wiener Mischung, schon aus diesem Grund sollten die Gemeindebauten ein Beispiel für höchst urbane Architektur und feudale Stadtplanung sein. Natürlich darf dabei nicht übersehen werden, daß vereinzelte Gebäudekomplexe — ja vielleicht sogar die bekanntesten darunter — nur mehr leeres Pathos besitzen, eine inhaltslose Hülle darstellen und bereits als historisch (unwiederbringbar) gelten.

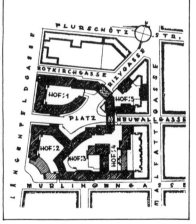

Schmid/Aichinger: „Reismann-Hof"

Einen Sonderfall bietet die **unregelmäßige Blockverbauung** der frühen Phase. Die in Ausmaß und Größe eindeutig als Riesenblock bzw. „Superblock" zu definierenden Höfe „Sandleiten", „Rabenhof", „Matteotti-Hof" besitzen eine bemerkenswerte subtile Differenzierung der Straßenräume, eine interessante asymmetrische Abfolge von offenen und geschlossenen Hofräumen. Sie wirken immer noch wie umbaute Höfe und nicht wie freie Grünflächen, an denen Baublöcke aufgestellt wurden.

Ein Bindeglied zwischen der rigorosen Blockverbauung und der Zeilenbauweise stellt der sogenannte **„aufgelockerte Superblock"** dar. Dieses stilistisch unverkennbar zum „Superblock" neigende Modell einer Großwohnanlage (extrem niedrige Hofverbauung, architektonisch formulierte Hofdurchfahrten, Frontabschirmung etc.) stellt quasi dessen „Verwässerung" dar. Durch eine optimale Randverbauung wurde eine Senkung der architektonischen Flächenausnützung erreicht. Die Höhen scheinen trotz der ausgedehnten Entfernungen in ihren Verhältnissen untereinander nicht gestört zu sein. Der von Robert Oerley und Karl Krist errichtete „Washington-Hof" ist dafür das beste Beispiel. Nicht nur, daß ein Maximum an unverbauter Grünfläche erreicht worden war, auch die Einzelobjekte wurden niedriger gehalten und anstelle der „Proletarier-Epik" eines „Karl Marx-Hofes" beispielsweise trat nun ein national-volkstümlicher, gartenstadtmäßiger Einschlag auf. Dieser Zug zu einem national-romantischen Regionalismus in der zweiten Periode, in der retrospektive Einflüsse der einheimischen Volksarchitektur aufkamen (Dreieckserker, gestaffelte Dachformen, Fresken und Keramiken mit ländlichen Motiven, naturfarbener Fassadenputz, alpenländisches Sgraffito etc.), zeigen Analogien zum lokalen „Heimatstil".

Die **Streusiedlung** wurde aus kostensparenden Gesichtspunkten nur in den seltensten Fällen angewendet. Gegen Ende 1919 wurde das Prinzip des Hofes zum dominierenden Typus der Gemeindebauarchitektur, da die „Gartenstadt" wegen der infrastrukturellen und budgetären Restriktionen nicht möglich war, was von offizieller Seite mitunter bedauert wurde. Die anfangs von Heinrich Tessenow, Franz Kaym/Alfons Hetmanek und Karl Schartelmüller ausgeführten Siedlungen entsprachen eher den Erfordernissen der Land- und Siedlerautarkie als dem realpolitischen Zweck der Machtzentrierung. Terrassenwohnungen und Gartenhäuser wie die englischen Gartenstadtsiedlungen oder die manchmal am Jugendstil anknüpfenden Einfamilien-Reihenhäuser des Deutschen und Österreichischen Werkbundes fanden bei den Rathausbürokraten nur wenige Anhänger. Eigenwilligerweise war die Nüchternheit oder gar Bescheidenheit beispielsweise eines Heinrich Tessenow (32), die den politischen Moralvorstellungen und den ökonomischen Möglichkeiten im kommunalen Wohnbau des Roten Wien durchaus entsprach, nicht gefragt. Adolf Loos wiederum, bereits ein bedeutender Architekt der modernen Bewegung, wollte ein Terrassenhaus für Arbeiter bauen, wurde aber von der Stadt Wien nicht unterstützt, und sein genialer Plan wurde abgewiesen. Leopold Bauer, ein etwas diffamierter und opportunistischer Wagner-Schüler, schlug vor, die für Wien übliche Rand- und Blockverbauung zugunsten von Häuserzeilen aufzugeben, zwischen denen sich Ruhe- und Grünhöfe ausdehnen sollten. Peter Behrens plante eine terrassierte Reihenhausanlage.

Daß man den Großteil der Anlagen inmitten der verbauten Stadt errichtete, hängt mit der Ersparnis an Aufschließungskosten zusammen und mit der industriellen Ausdehnung der Stadt in südöstlicher Richtung, entgegen den westlich gelegenen Grünsiedlungen. Ökonomisch waren hohe Gebäude und die Tendenz zu dicht verbautem Inselblockwerk grundstückssparender und billiger als die landschaftsfressenden Einfamilien- oder Terrassenhäuser.

Politische Programme und Partei-Ideologien spielten dabei eine wichtige Rolle: Nach dem Ersten Weltkrieg und während der großen Depression der frühen dreißiger Jahre wurden viele Menschen, die in grünen Vororten lebten, durch wirtschaftliche Notwendigkeit gezwungen, von ihren Gartenerträgnissen zu leben. Heute erscheint diese Lebensart charmant und „alternativ". Für die Sozialdemokraten, die das Ziel der menschlichen Solidarität und sozialistischen Gemeinschaft anstrebten, war es wichtiger, daß die Menschen wieder re-kollektiviert wurden. Wie es auch Karl Mang treffend erkannte: „Für ein Leben in der Gemeinschaft im Sinne der Sozialdemokratie war die Bebauung des eigenen Bodens, wenn auch im kleinsten Ausmaß, sicherlich nicht die ideale Voraussetzung – der Faktor der Ablenkung von der Gemeinschaft war zu groß." (33) Die Bindung ans Eigenheim, die „Verbürgerlichung" des Arbeiters konnte gerade in diesem Sektor nicht gebilligt werden, wo er doch andernorts so bekämpft wurde. Die Genossenschafts- und Gemeindesiedlungen „Hermeswiese", „Freihof", „Rosenhügel", „Flötzersteig" etc. und die baulich wesentlich interessanteren, aber sozial weniger geglückten Siedlungsanlagen „Heuberg" in Hernals und die „Werkbundsiedlung" in Hietzing-Lainz gehören zu den wenigen Wiener Ausnahmen einer Reihenhaus- bzw. Einfamilienhaus-Verbauung.

Einen Sondertypus stellt die **zweizeilige Reihenhausverbauung** dar, bei der parallel zur Straßenseite beidseitig Bautrakte in wechselnder Gebäudehöhe aufgestellt wurden. Durch die oft gekrümmten Straßen und die Platzbildungen innerhalb solcher Anlagen entstanden reizvolle, in Maßstab und Dimension angenehme Raumwirkungen (vgl. Siedlungen „Lockerwiese", „Freihof"). Die erst nach 1933 einsetzenden *Stadtrandsiedlungen* weisen einen Bebauungsplan mit Einfamilien- und Doppelhäusern mit eigenem Wirtschaftsgrundstück auf.

Was die Gemeindebauten von 1923–34 heute in toto noch auszeichnet – trotz der Mängel hinsichtlich der sanitären Einrichtungen und den keineswegs mehr unseren Bedürfnissen entsprechenden bescheidenen Raum- und Wohnungsgrößen –, ist die gelungene Durchmischung von öffentlichen, halb-öffentlichen und privaten, intimen Räumen innerhalb und außerhalb der Wohnung, die im Gegensatz zu manchen neueren Wohnhausanlagen der Gemeinde Wien eine Ghetto- oder Slumbildung verhinderte. (34)

Die Auswirkung der neuen Bauordnung auf die Ästhetik

Die 1929 erstellte, aber erst am 1. Mai 1930 in Kraft getretene „Neue Wiener Bauordnung" (LGBl vom 25. 11. 1929) war für die Umrisse der Gemeindebauarchitektur bestimmend. „Die Bauordnung kann in zwei Abteilungen gegliedert werden: in die Bodenordnung und in die Baudurchführung. In der Bodenordnung werden die funktionellen Elemente der Stadt bestimmt, welche das Grünland, die Verkehrsflächen und das Bauland umfassen (§4). Es wurde eine Planhierarchie eingeführt, an deren Spitze der Flächenwidmungsplan stand. Der Flächenwidmungsplan übernahm die früher beschlossenen Generalregulierungspläne in ihrer Wirksamkeit. Aber auch der Bauzonenplan von 1890 wurde in die Bauordnung integriert. Damit folgte die Stadtplanung im großen und ganzen den Intentionen des Städtebaus des ausgehenden 19. Jahrhunderts." (35)

Generell kann man dieser Behauptung Fritz Wulz' zustimmen. Partiell ist sie jedoch falsch, denn die gründerzeitliche Bebauungsdichte von 85% mit ihren grundstücksexploitierenden Blockverbauungen war ja das Resultat der vom liberal-kapitalistischen Wirtschaftssystem hervorgebrachten Bodenspekulation – im Gegensatz zur reformierten Bauordnung, die eine funktionelle Beschränkung durch den Flächenwidmungsplan mittels Bausperren, Enteignungsgesetzen udgl. festlegte und somit die Spekulation eindämmte bzw. ihr die Basis entzog. Im folgenden sind einige Bestimmungen der „Neuen Wiener Bauordnung" angeführt, die sich ästhetisch auf die architektonische und städtebauliche Form auswirkten:

- die Bestimmung des freien Lichteinfalls unter einem Winkel von 45 Grad auf alle Fensterflächen von Haupträumen (§ 83) machte eine Bebauungsdichte der alten Bauordnung unmöglich.
- die Bestimmung der Mindestfläche einer Wohnung mit 35 qm und mindestens zwei Aufenthaltsräumen (§ 90) und Ledigenwohnungen mit mindestens 18 qm, wobei jede Wohnung mit einem direkt belüftbaren WC innerhalb des Wohnungsverbandes ausgestattet sein mußte, ermöglichte die Abortfenster als ästhetisches Merkmal an der Außenfassade einzusetzen und zu betonen, da sie ja ein sanitär-fortschrittliches Symbol darstellten.
- die Bestimmung, wonach die Toilette in der Wohnung durch einen eigenen Vorraum von den Aufenthaltsräumen getrennt werden mußte (§ 93), bewirkte im Grundriß, daß das omnipräsente Vorzimmer (1 qm), selbst bei den kleinsten Wohnungen, kostbare Wohnfläche raubte.
- die Bestimmung, aus städtebaulichen Rücksichten die zugelassenen Bauweisen mit Gruppen-, Zeilen- und Blockbauweisen zu ergänzen, verschaffte der Baubehörde Einfluß auf die äußere Gestaltung des Baukörpers (§ 76).
- eine neue Bauklassenteilung legte die Gebäudehöhen fest, womit der Baukörper sich harmonisch und einheitlich in das Stadtbild einfügte (§ 75).
- eine Bestimmung zur Bausperre bei noch nicht erschlossenen Gebieten (§ 8).
- eine Bestimmung, die Entmischung nur mit Vorbehalt der Gemeinde laut Flächenwidmungsplan zu ändern (§ 6).
- die Bestimmung für den Einbau von Atelierwohnungen und Waschküchen (§ 80 und § 89). „Es wird dies gestattet, wenn die um das Maß der Aufmauerung vermehrte zulässige Gebäudehöhe nicht größer ist als der Abstand der Baufluchtlinien, senkrecht zur Fensterwand gemessen und wenn kein Nachteil in den Belichtungsverhältnissen für die Nachbarliegenschaften und keine Beeinträchtigung öffentlicher Interessen eintritt. An Fläche durften Waschküchen und Ateliers zusammen nicht mehr als die Hälfte der verbauten Flächen einnehmen, wenn sie im Dachgeschoß eingebaut erscheinen."
- die Bestimmung, daß die Gebäudehöhe aus dem Maß der Straßenbreite zu errechnen ist (§ 78). „Wenn sich durch die Straßenbreite eine geringere Gebäudehöhe ergibt, als die festgesetzte Bauklasse zuläßt, so ist eine Staffelung der Baumassen hinter die Baulinie oder Baufluchtlinie bis zu der der Bauklasse entsprechenden Höhe und eine Zurückrückung der Hauptfront gestattet, wenn der gesetzlich geforderte Lichteinfall gesichert und die durch die Zurückrückung entstehende Freifläche entsprechend ausgestattet wird."

— die Bestimmung, daß verglaste Balkone vor Hauptfenstern oder verglaste Türen zulässig sind, wenn sie gut belüftbar sind, und die verglaste Fläche mindestens das Dreifache der erforderlichen Fläche des Hauptfensters ausmacht (§ 82).

In der Gestaltung wirkte sich die Änderung der Bauordnung zugunsten einer ungleich individuelleren Fassadenlösung aus, d.h. man wich von der stereometrischen, hierarchisch betonten Zonenteilung der horizontalen Geschoßeinteilung ab und gestaltete nunmehr nüchterne, abgeräumte Fassadenblöcke, die sich den Erfordernissen am Bauplatz fügten. Ausschlaggebend für die Auflösung der Baumassen war die Führung der Kuben, den zulässigen Gebäudehöhen entsprechend, z.B. „unmotiviertes" Zurückspringen der oberen Geschosse den völlig neuen Lichteinfallsbestimmungen entsprechend. Die Straßenfronten mußten den Nachbargebäuden angeglichen werden und notfalls auch überhöht werden, Bei gegebenen schiefwinkeligen Parzellen mußten die Planverfasser eine Staffelung der Mauerfluchten an der Baulinie in Kauf nehmen, um rechtwinkelige Räume mit optimalen Belichtungsverhältnissen zu erreichen. Die „Neue Bauordnung" verlangte auch die rationellste Ausnützung der zur Verfügung stehenden Grundstücksflächen, allerdings in vertretbarer baulicher und gesundheitlicher Form.
Mit der neuen Bauordnung bekam der Gemeinderat somit ein Instrument, mit dem er städtebaulich „auf die äußere Gestalt und Wirkung der Baulichkeiten" Einfluß nehmen konnte. (36)

Stilgeschichte

Im Vordergrund des folgenden Abschnittes steht die stilistische Erscheinung der Gemeindebauten nach ihren Stilphasen bzw. „Stilperioden". Allgemein werden die Gemeindebauten in bezug auf ihre Erscheinungsform in drei Entwicklungsstufen eingeteilt: die erste Stilfolge kann für die Jahre 1919 bis 1924 annähernd als historisierend, die Tradition des Arbeiterhauses fortsetzend, rezeptiv und konservativ charakterisiert werden; eine zweite, sehr inhomogene Phase von ca. 1925 bis spätestens 1930 wirkte romantisch-expressiv bis kubistisch-pathetisch-fortikativ mit fast drohend-machtbewußter Gebärde; und die dritte, bereits ab 1929 erkennbare, reduktionistische Phase einer „Stilberuhigung" mit einem Hang zu funktionell-schmucklosen Baukörper. (37)
Aber eine solche simple, lineare und kontinuierliche Entwicklung läßt sich in Wirklichkeit nicht feststellen. Vielmehr kann man in der Praxis das Phänomen der Gleichzeitigkeit aller drei Entwicklungsstile — oftmals sogar an einem Bau (z.B. „Winarsky-Hof") — beobachten. In der neueren Fachliteratur wird diese evolutionäre Entwicklungsthese daher nicht mehr vertreten. Eine genaue zeitliche Trennung der verschiedenen Phasen ist de facto nicht möglich, weil kein einheitliches „Kunstwollen" festzustellen ist. Schon der einfache Vergleich der

Errichtungsdaten der Bauten in ihrer Chronologie macht klar, daß die verschiedensten Stilmerkmale sychron und alle Stilperioden unabhängig von ihrer theoretischen Zeitenfolge vorkommen. Die Verbauung der früheren Lagerplätze am Margaretengürtel erfolgte beispielsweise in den Jahren 1924—25; aber die einzelnen Wohnhausanlagen zeigen weder eine zusammenhängende, maßstabsübergreifende Bauform, noch besitzen sie einen einheitlichen Stil. Von der schloßhaften, noch sehr detailreichen Herrschaftsarchitektur eines „Reumann-Hofes" zur romantischen Anlage des „Matteotti-Hofes" bis zur kubisch-abgestuften Architektur des „Herwegh-Hofes" und des „Julius Popp-Hofes" sind alle Schattierungen und Modi vertreten. In der nur um zwei Jahre späteren Architektur des „Franz Domes-Hofes" ist wiederum eine sehr sachliche Komponente vorherrschend, die kleinteiligen Architekturen (Laubengänge, Polygonalerker, Blendbögen, Appliken etc.) sind hier bereits verschwunden. Die Ablösung der Nobelhausarchitektur zugunsten einer sachlich-kubischen Behandlung der Baumassen stand unmittelbar bevor. Der „Karl Marx-Hof" (1927—30) ist ohne diese vorangegangene Metamorphose am Beispiel der Margaretengürtelzone undenkbar und ausgeschlossen. Ein anderes Beispiel: der Baubeginn des „Washington-Hofes", der in die letzte Phase der sogenannten „aufgelockerten Superblocks" fällt, ist drei Jahre vor dem Baubeginn des größten „Superblocks" überhaupt, dem „Engelsplatz-Hof"! Wenn also keine additive Entwicklung in der stilistischen Erscheinung festzustellen ist, so müssen wir uns fragen, welche Faktoren der Baugestaltung eigentlich hinter der Wahl der verschiedenen Stilmodi und Bauformen lagen?

Ist man bei den Bauten der „**ersten Stilperiode**" versucht, von einem abstrahierten, reduzierten Historismus- und Secessionismus-Nachklang zu sprechen, so ist doch noch eine starke Anlehnung bzw. Anpassung an das gutbürgerliche Zinshaus zu bemerken. Jene Bauauffassung entfernte sich keineswegs sehr von der Begriffsvorstellung der akademischen Architektur. Fritz Wulz unterstreicht sogar die Abhängigkeit der Formauffassung der Architekten vom Historismus: „Für die Architekten der zwanziger Jahre war zur Erreichung der Monumentalität *ein* Ordnungsprinzip selbstverständlich: das Prinzip der Symmetrie und der großen Achse. Die Formauffassung des österreichisch-ungarischen Imperiums wurde zum unterschwelligen Träger des Machtausdrucks und des Machtanspruchs der Sozialdemokratie in der Ersten Republik." (38) Der Monumentalismus des Roten Wien suchte also anfangs durchaus traditionsbewußt seine Legitimation im Rückgriff auf eine ruhmreiche Vergangenheit.

Die Fortsetzung des akademischen Prinzips geht aber noch weiter: Die Wohngebiete haben — bedingt durch ihre Standorte — zwar unregelmäßige Umrißlinien, aber ihre Straßen sind nach einem regelmäßigen geometrischen Verkehrsraster angelegt — mit einer Haupt-, einer Nebenachse und einer Querachse an der Kreuzung im Zentrum; die Häuser sind in der Regel von den gründerzeitlichen, randverbauten Rasterblöcken abgeleitet, die die Architekten von Ludwig Förster oder Otto Wagner — je nach Vorliebe — übernahmen. Im Aufriß folgen die verschiedenen Gemeindebauten den ungleichen hierarchisch abgestuften, individuellen Fassadenlösungen des Historismus. Sie akzeptieren Lisenengliederungen, additive Fensterreihen, Rundbogenloggien, Blendarkaden, Appliken,

Karl Schartelmüller: Eingangsportal Siedlung „Lockerwiese" (1928–32)

hohe Balustraden, keramisch verkleidete Sockelzonen und Mauerpfeiler. Der Eingang zu den Treppenanlagen erfolgte noch direkt von der Straße über sehr stilvolle Portale und Hauseingänge mit kleinen Vestibülen. „Der Beeinflussung durch die Vergangenheit konnte (noch) nicht entwichen werden, nicht unmittelbar. In den ersten Jahren der Republik war für die Gemeindebauten und besonders für die Großwohnanlagen ein Detailreichtum kennzeichnend, der mit dem großen Maßstab der Anlagen in unproportionalem Zusammenhang stand. Das wurde damit erklärt, daß ,hier die Individualarchitektur des einzelnen Gebäudes früherer Zeiten auf die neue Gestaltung zusammenhängender Blöcke übertragen wurde, wobei der größeren Massenausdehnung zur Folge ein entsprechendes Übermaß an Architektur' notwendig wurde.'' (39) Zunehmend unterscheiden sich die Gemeindebauten von der Architektur der Gründerzeitbauten. An Stelle der aufgesetzten historisierenden Fassadenelemente tritt eine eher mono-plastische, kubisch-reduzierte Gliederung der Fassaden, welche durch funktionelle Elemente wie Balkone, Erker und Loggien rhythmisiert und akzentuiert werden.

In der „zweiten Phase" wurden die retrospektiven Einflüsse allmählich zurückgedrängt und zunehmend überwunden, obwohl noch Giebelaufsätze, Gesims-, Sohlbank- und Sockelbänder, oder von der Wiener Werkstätte angeregter plastischer Schmuck in Verwendung blieben. Bezeichnend ist jedoch, daß derartige Einflüsse nicht mehr den ganzen Bau prägten, und daß die Hoffassaden schon wesentlich ruhiger und nüchterner geformt sein konnten.
Eine winzige Detailveränderung brachte nicht nur gewaltige Veränderungen der Konzeption mit sich, sondern wirkte sich auch in der Fassadengestaltung außen aus: ab 1923 gehörte es zu den Planungsprinzipien, daß die Stiegenhäuser über innenliegende Gartenhöfe zu erreichen waren. Dadurch veränderte sich das Gesamtbild nach außen zur Straße. „Mit dem Verschwinden der Haustüren ging auch die Straßenfassade eines rythmisierenden Elements verlustig. Dazu kam der entstehende Eindruck des geschlossenen Erdgeschosses, der sich auf die Perzeption der gesamten Wohnanlage als *Geschlossenheit* überträgt. Bei kleineren Anlagen (Baulücken), und es handelte sich doch vor allem um solche, war der Verlust der Haustüre an der Straße von nicht so ausschlaggebender Bedeutung, da die Modulation der Wohnanlage als ein Bauvolumen dafür kompensieren konnte. Bei größeren Anlagen war die verschwindende Anzahl von Hauseingängen ein architektonisches Problem. Die Lösung war, daß die Haustüren zu Eingangsportalen wuchsen, welche oft imposant ausgeformt wurden.'' (40) Assoziationen mit Stadttoren drängen sich hierbei auf. Die wenigen, aber architektonisch akzentuierten und mächtig überhöhten Portale wirken einladend und abweisend zugleich. Durch zumeist (expressive) schmiedeeiserne Gitter weden die „Pforten" versperrt. Es war Absicht oder Eingebung der Architekten, die Grenzen zu betonen: außen die kapitalistische Stadt und im Inneren der Beginn einer neuen „Volkskommune". Innerhalb der Gemeindebauten demonstrierten die ausdrucksvollen Einfahrten die Verschiedenheit der Klassen und verteidigten den Anspruch einer sozialistischen „Gemeinschaft", weshalb die infrastukturellen Gemeinschaftseinrichtungen innerhalb der Wohnhausanlage notwendiger wurden.

Das Hofmodell erlaubte also in der Praxis durch seine Einrichtungen nicht nur sozial rege Aktivitäten (Kinderspielplätze, Plantschbecken, Pergolen, Sitzbänke etc.), sondern bekam durch seine Abgeschlossenheit für die Bewohner die Bedeutung einer Zufluchtsstätte. Zuvor hatte es diese Verbundenheit mit dem Wohnblock nicht gegeben, was andrerseits auch als die erste Stufe einer „Enklavenbildung" angesehen werden kann. „Das *Eingangserlebnis*", schreibt Wulz, „richtet sich gegen den Außenstehenden und signalisiert für den Bewohner die *Grenze* — und das (triumphale) Willkommen seiner eigenen Wohnweltenklave." (41) Auf diese Enklavenbildung in ihrer ausgeprägtesten Form, nämlich beim „Superblock", werde ich ein wenig später noch zu sprechen kommen.

Viele Gemeindebauten dieser zweiten Phase (und vor allem jene der ab 1923 bevorzugten Wagner-Schüler) zeigen Tendenzen zu einem palastartigen „Volkswohnbau", der seinen monumentalen Höhe- und Mittelpunkt in einem luftigen Ehrenhof findet (z. B. „Reumann-Hof", „Karl Seitz-Hof"). Oder es wurde, wie in einer bürgerlichen Platzbildung beim „Sandleiten-Hof" zu sehen ist, nach dem Vorbild des französischen Ehrenhofs im Palastbau und „um die städtebauliche Wirkung des Baues noch zu steigern" (42), ein Teil der Wohnhausanlage hinter die Baulinie zurückgenommen und damit kleine Vorplätze und Vorgärten im Anschluß an die Straße geschaffen. Die Überlegung, ein Volkswohnbauprogramm in Anlehnung an „feudale, bodenbesetzende" Palasttraditionen bzw. formal bürgerliche Platzbildungen umzusetzen, wurde schon von Peter Haiko und Mara Reissberger in ihrer Studie kritisiert: „Dieses eindeutig aus der Herrschaftsarchitektur, dem Palastbau, übernommene Motiv ist meist so dominant, daß der als ‚demokratisch' postulierte Volkswohnbau architekturideologisch wieder zu eben jener Herrschaftsarchitektur wird. Formal greift die Wagner-Schule in diesen Konzeptionen die Architekturutopien des Artibus-Projekts von Wagner auf und setzt diese, entstanden in und für ein neo-absolutistisches Milieu, jetzt für ein sozialdemokratisches Wohnhausprogramm in die Realität um, unter strengster Einhaltung der Lehrsätze Wagners: Achsialität und Monumentalität. Das Ergebnis, kurz erläutert am Beispiel des „Reumann-Hofes" von Hubert Gessner, ist eine *Palastarchitektur* mit Ehrenhof samt dominantem überhöhtem Mittelteil, abgeschlossen gegen die Straße durch funktionslose, vorgezogene Laubengänge mit Pavillons in der Art von Wächterhäuschen, im Hof eine kleine Wasseranlage (Bassin mit Springbrunnen), Rudiment *barocker Wasserspielanlagen*, in der sich das Schloß spiegeln sollte. Die vor dem Bau liegende Gartenanlage wird miteinbezogen in die Gesamtwirkung und hat damit ähnliche Funktion wie der *Schloßpark.*" (43)

Die bereits von Josef Frank kritisierte retrospektiv-ideologische Orientierung an feudalen und großbürgerlichen Bauaufgaben entsprach aber einerseits durchaus einer konservativen Bautechnik, und ist andererseits heimischen Vorbildern entsprungen (vgl. Kapitel „Wiener Lokaltraditionen"). Auch in Hubert Gessner beispielsweise fand die Arbeiterbewegung ihren Architekten, der alle „Menschen zu Aristokraten, nicht zu Proleten" machen wollte. Hoheitsmotive des Schloßbaus und die bürgerliche Kunstfertigkeit sollten in den Dienst des sozialen Fortschritts gestellt, eine „Veredelung" der Menschheit durch Architektur erzielt werden. Dieser Widerspruch in der bewußten Übernahme von Ideen bürgerlicher

Baukultur ruft berechtigterweise frühe Kritik hervor. (44) Aber die bürgerliche Villa (z.B. „Palais Stoclet" von Josef Hoffmann) und das großbürgerliche Ringstraßenpalais waren nun einmal die Prototypen für den hohen architektonischen Standard der Zeit, für das gute technische Know how und für solide handwerkliche und kunstgewerbliche Traditionen.

Betrachtet man die Großform der Wiener Gemeindebauhöfe, die Dominanz des „Superblocks" in den Jahren 1924—29, ist man versucht, neben der Usurpation des Schloßbaues auch nach anderen Motivquellen zu suchen. Erinnern zwar die hochaufragenden, kolossalen und dekorarmen Kuben der Gemeindebauten an einige grafische Lösungen der französischen Revolutionsklassizisten um Etienne Boullee und Claude-Nicolas Ledoux, so scheinen Anregungen für das mehrtraktige miteinander korrespondierende Hofsystem des (habsburgischen) Schloßbaus und die kubisch-stereometrischen Gestaltungsweisen vielmehr aus heimischen Quellen gekommen zu sein: etwa in dem Klassizismus von Josef Kornhäusel und Pietro Nobile (Narrenturm) mit seiner blockhaften, geschlossenen konturierten Architektur, die selbst der vegetabile Jugendstil nicht gänzlich verdrängen konnte. Auch klingen Reminiszenzen an den — besonders in Wien so geschätzten — süddeutschen Rundbogenstil an oder an die platzabschließende, durchlaufende Prospektarchitektur der Wiener Nationalbibliothek-Seitenflügel (1767—73) von Nikolaus Pacassi. Überhaupt kann der Josephinische Klassizismus (Palais Rasumofsky, Josephinum etc.) als möglicher Anreger gedient haben. Stilistisch kann man die Gemeindebauten der zweiten Phase schwer dem Expressionismus allein zuordnen, weil sie in der Großform stark versachlicht sind. Leichter tut man sich hingegen in der parallelen Entwicklung; mit der als „Heimatstil" abgewerteten Erscheinung der trutzigen, „nationalromantischen" Phase der „Roten Burgen". Die Neigung zu betont kantigen, kubischen und geschlossenen Baukörpern wird von der Erscheinung einer „romantisch-monumentalen" Richtung begleitet. Deren Hauptvertreter sind die beiden oberösterreichischen Wagner-Schüler Heinrich Schmid und Hermann Aichinger, die quanitativ sicher zu den erfolgreichsten Architekten des Roten Wien gehörten. Ihr Kennzeichen ist eine frei erfundene, abwechslungsreiche Gestaltung mit einer Fülle fantastisch-expressionistischer Detailformen: bei ihren dramatisch übersteigert gestalteten Fassaden verwendeten sie dreieckige Wandvorlagen, Fenstererker, Spitzbogenarkaden, Bow-windows, Rundbogenloggien, Rauhputz und Klinkerverkleidungen, unterschiedliche Fensterformen, Serlianamotive, expressive Simskanten und Sockelabstufungen.

Eine Dominanz von mehrstöckigen Dreieckserkern oder plastisch sehr differenzierten Fassadenelementen läßt sich bei ihren Bauten erkennen, die der allgemeinen Versachlichung der Architektur ab 1929 entgegenwirkten. Bei einigen Hauptmotiven (Rautenmotive, Ziegelmusterungen, unorthodoxe Fensterformen) dieser „romantischen", pseudo-mittelalterlichen Phase lassen sich formale Ähnlichkeiten mit dem nordischen Expressionismus der damals weltberühmten „Amsterdamer Schule" um Michel de Klerk und Piet Kramer erkennen. Nicht nur in der Übernahme fremdländischer Motive (Laubengänge), sondern auch in der „heimatlichen" Volksbaukultur der Alpen und des Donauraumes wird man stilistische Anregungen (Dreiecks-Erker, Spitz- und Satteldach, Gewölbekonstruktionen, Treppengiebel, Fenstergitter etc.) feststellen können. Mehrstöckige, dreieckig vorragende Fenstererker (z.B. „Blat-Hof") werden zwar immer mit Clemens Holzmeister in Verbindung gebracht (46), sind aber bereits bei den türkisch/balkanischen Holzhäusern und auch bei den (englischen) „bay-windows" des Jugendstils präfiguriert.

Konnte man für die expressive Richtung in der zweiten Stilgruppe einerseits noch das Nachklingen der Wiener Secessionisten und andererseits die expressionistischen Einflüsse aus Deutschland (Hans Poelzig, Fritz Höger, Peter Behrens, Max Berg, Erich Mendelsohn), Holland (Michel de Klerk, Piet Kramer, J. M. van der Mey) und der utopischen „Novembergruppe" als mögliche Vorbilder erkennen, so entwickelte sich die „dritte Phase" weg vom Expressionismus zur Versachlichung und Neutralisierung der Form.

Ab 1929 trat diese eher ruhige und versachlichte Richtung in der Gemeindebauarchitektur hervor. Die detailreiche Ausschmückung wurde durch Einfachheit der Baukörper und -glieder abgelöst. Dieser (Gesinnungs-)Wandel vollzog sich allmählich und war wohl auch durch die verschlechterte Wirtschaftssituation ab 1929 bedingt. Andererseits war es auch architektonische Absicht, die Bauten durch ihre reinen, geometrisch-abstrakten Formen allein wirken zu lassen, und die „funktionalistische" Richtung, der sich z.B. Josef Frank und Adolf Loos verpflichtet gefühlt hatten, schien sich durchgesetzt zu haben.

Die Wurzeln dieser kubisch-stereometrischen, aber auch asymmetrischen Gestaltungsweise liegen – wie bereits erwähnt – im biedermeierlichen Klassizismus. Doch Adolf Loos hat mit seinen Angriffen gegen das Ornament schon früh den doktrinären ideologischen Boden zu seinem sachlichen (Lebens-)Stil vorbereitet. Seine im Essay „Ornament und Verbrechen" (1908) polemisch vorgetragenen Thesen waren im Sinne einer eindimensionalen bürgerlichen Fortschrittsideologie grob verkürzt: er setzte den architektonischen Fortschritt mit Funktionalität, Funktionalität mit Ornamentlosigkeit, Ornamentlosigkeit mit sinnlicher Askese und Intellektualismus, Intellektualismus mit dem kleinbürgerlichen Mittelstand gleich, und dieser war sozusagen zugleich Träger des zivilisatorischen Fortschritts. Die Klasse der aufsteigenden Industrieproletarier hat Loos in seine Abrechnung mit der herrschenden, dekadenten und „der in kunsthistorischen Stilen bewußtlosen und imitativ frönenden Millionärsklasse" (48) nicht einbezogen. An einem kulturellen Abweichler wie Loos war das Proletariat nicht interessiert, und es war auch nicht bereit, sich für ihn zu aktivieren. Es konnte – als Nachzügler – weder mit dem aristokratischen Geschmack eines Josef Hoffmann noch mit dem sachlich-puristischen, simplifizierten Lebensideal eines Dandys wie Adolf Loos etwas anfangen. Zu sehr war es gefordert von der realen Situation der vorherrschenden, recht tristen Lebensverhältnisse, als daß es auf einen modernistischen Stil wie die „Neue Sachlichkeit" vorbereitet war. (49)

Viel eher scheinen die (bürgerlichen) Einflüsse des geometrischen Wagner-Jugendstils und auch eines Neo-Klassizismus, wie ihn Josef Hoffmann, Oskar Strnad, Peter Behrens und bedingt auch Clemens Holzmeister vertraten, bestimmend gewesen sein bzw. die Entwicklung erst eingeleitet zu haben. Denn bei einigen Bauten fällt eine Abkehr von früheren Prinzipien ganz besonders stark

Expressionistischer Formalismus bei Gemeindebau-Fassaden

Ziegelexpressionismus, „Rabenhof" (1925)

Spätkubismus, „Franz Kurz-Hof" (1923)

Vager Symbolismus, „Am Tivoli" (1927)

Stiegenhausschild, „Reumann-Hof" (1924)

Gittertore zur „roten Festung" „Rabenhof"

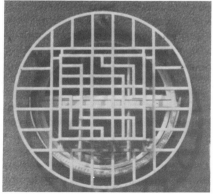

Gitterwerk am Rundfenster, Wienerbergstraße

auf, wenn auch eine „Neue Sachlichkeit" noch nicht so konsequent und radikal befolgt wurde.

Viele Kritiker erklären dieses Phänomen — fälschlicherweise — mit einer konservativen Beamtenschaft im Rathaus, die eine progressive Architektur verhinderte. Doch ist dies eher aus einer komplizierten und dialektischen — sowohl traditionalistischen als auch modernistischen, bürgerlichen und marxistischen — Stilentwicklung heraus zu erklären: das „sowohl-als-auch" anstatt eines „entweder-oder"! Kompliziert ist die elegante Umschreibung für einen Sachverhalt, der sich jeder Einordnung widersetzt und sich nicht so recht in das ideologische Raster zu fügen scheint. Analog zu der doppeldeutigen ästhetischen Bewertung der Architektur, ihrer Funktion und Rolle als Repräsentantin der Arbeiterklasse, war auch die Haltung der Partei ambivalent (wie der Umstand, daß die Stellung der Partei in Wien gerade in dem Augenblick, wo sie am gefestigtesten schien, vom aufkommenden Austrofaschismus am meisten und stärksten bedroht war!). Die Zwei-und Mehrdeutigkeiten, die sowohl in der Interpretation als auch in dem Prozeß der Herstellung vorhanden waren, wiederspiegelten abgerückt die realen Machtverhältnisse, ohne daß sie politisch als Medium eine Rolle spielten. Man muß Friedrich Achleitner schon recht geben, wenn er bei seiner Bewertung zum Schluß kommt: „Ich glaube, es wäre falsch, wenn man hinter der verbindlichen, ja zum Teil konservativ-bürgerlichen Architektur des Roten Wien ein ästhetisch-politisches Programm vermuten würde, wenn es auch, zugegeben, heute gut in die Interpretation des Reformsozialismus paßte." (50) Vielmehr stecken hinter dieser Architektur einige handfeste historische Gründe, die es in den nächsten Abschnitten zu beschreiben gilt.

Die 1930 in Kraft tretende neue Wiener Bauordnung trug zur Straffung und Vereinheitlichung der Baukörper wesentlich bei. Denn neben der ohnehin schon vorhandenen Normierung für Fenster, Türen, Küchen, Treppen, Zimmerhöhen und der Einteilung der Wohnungen in drei Größen, kamen noch die Auflagen der Bauklassen (Gebäudehöhe) und der Bauausführung hinzu, die (manchmal leider) die äußerliche und städtebauliche Form ästhetisch mitbestimmten. Mit anderen Worten, eine sterile Uniformität ist für die späteren Wohnhausbauten charakteristisch geworden. Nicht nur, daß Erker, durchlaufende Gesimse und ausgedehnte Dachlandschaften kaum mehr in Erscheinung treten, daß bewegte Fassadenlösungen nicht mehr vorkommen, daß bildnerischer Schmuck fast völlig fehlte, es wurde sogar der Baukörper egalisiert. Die Details wurden ebenso monoton vereinheitlicht wie die Höhen der Bauteile, die immer stärker zum unbewegten Block mit gleichförmigen Fensteröffnungen und mit schubladenartigen, schlichten Gitterbalkonen elementmäßig zusammenwuchsen. Damit kam es zum vorläufigen Ende der Bemühungen um ein oft vom Architekten und Künstler erstrebtes Gesamtkunstwerk.

Die späteren (durchbrochenen) „Superblöcke" („Engelsplatz-Hof", „Gerl-Hof", „Goethe-Hof") sind nicht nur glatte, völlig minimalisierte und homogen wirkende Baublöcke, sondern streben durch ihre Neutralisierung eine uniforme Standardlösung an. In ihnen zeigt sich eine Kohärenz zu gleichmäßigen, additiven und monotonen Fassaden mit unendlich rapportierbaren Fenster- bzw. Balkonanordnungen. Diese Wendung von expressiv-spitzen hin zu kubisch-ortho-

Krauß/Tölk: „Sigmund Freud-Hof" (1924)

gonalen, von pathetisch-wehrhaften hin zu den immer weniger dekorierten, geo-
metrisierenden Baukörpern verdeutlichte Karl Ehn in seiner Entwicklung vom
„Lindenhof" (1924) zum „Bebel-Hof" (1925) und schließlich zum „Karl Marx-
Hof" (1927) fast prototypisch. Der „Lindenhof" war noch eine Aneinanderkettung von einzelnen Hofblöcken durch eine starke Rhythmisierung der Fensterachsen und hervorspringende Runderker, mit keramischen Wandpfeilern
gegliedert. Beim „Bebel-Hof" nimmt Ehn ein neues Motiv auf: die Zusammenfassung von Erkerkästen mit Balkonen zu treppenförmigen bzw. mäanderförmigen Körpern vor der glatten Fassade über mehrere Stockwerke. Pylonenartige
Eckbauteile, Präsentationsloggien, Pergolen, Runderker und ehrfurchterregende
Eingangslösungen sind weitere plastische Merkmale. Der „Karl Marx-Hof"
hingegen zeigt eine schon repetative und uniformierte Balkonlösung, die mit den
ineinandergeschobenen Türmen im Ehrenhof eine vereinheitlichende und stereo-
metrisch-monumentalisierende und „versachlichte" Stiltendenz darstellt. Der
„Karl Marx-Hof" wirkt aus dem städtischen Ensemble herausgelöst, schon ein
ganz „autonomer" Baublock, der nicht mehr Bezug zur städtischen Umgebung
nimmt. Nicht zufällig hat Otto Kapfinger in einer Zeichnung zu einer MISSING
LINK-Studie den „Karl Marx-Hof" als irreales Schlachtschiff dargestellt. (51)
    In diesem Zusammenhang beobachtet Fritz Wulz, daß „die ausgesetzte Lage
der Superblocks eine architektonisch *einheitliche* Gesamtgestaltung (forderte),
welche schließlich auch in der Bauordnung von 1929 für die Blockbauweise
(§ 76) festgelegt wurde." (52) Nachwievor blieb die Großform die tragende Idee.
„Auf zwei Wegen schien es (für die industrielle Massenproduktion) möglich, die

Bedeutung der Form zu neutralisieren. Der eine war der Hinweis auf die Fortschritte der Technik und ihrer sachlichen, wertobjektiven Eigenschaften, welche auch die Form dem Rationalismus unterwerfen würde. Der zweite Weg wurde in der Kollektivität der Mieter in den homogenen Großwohnblöcken gesehen, aus welcher eine uniforme Umwelt der Kollektivität wesensentsprechend abgeleitet werden konnte." (53) Der „Superblock" bildet nicht nur einen höchst urbanen Bau block, er entsprach auch völlig den ideologischen Absichten der Austromarxisten, die „sicher mit Hilfe der ‚Superblocks' eine Art Gemeinschaft schaffen (wollten). (...) Um solche Gemeinschaften bilden und zusammenhalten zu können, waren die Wohnungen mit ihren Wohnfolgeeinrichtungen entschieden geeignet" (54). Die Höfe boten so „höchst wirksame Ansätze zu einem Gemeinschaftsleben" (55).

Nur wenige Kritiker schätzten die ideologisch-semantische Bedeutung dieser Architektur, z.B. kritisierte Ottokar Uhl: „Für unsere Begriffe sind diese Wohnhöfe etwas zu abweisend, burgartig." (56) Doch gerade das Gegenteil ist der Fall, denn die Gemeinschaftseinrichtungen waren öffentlich und und die Wohnungen und Binnenhöfe waren potentiell kommunikationsfördernd. Die Planer schufen somit eine gelungene Mischung aus öffentlicher, halb-öffentlicher und privater, von städtischer und nachbarschaftlicher Atmosphäre. Ein Faktum, das für heutige Wohnbauplaner nicht immer leicht zu erreichen ist. Oswald M. Ungers sieht – im Gegensatz zu vielen anderen Architekten seiner Generation – das dahinter stehende Programm klarer, wenn er schreibt: „Erstens wird die Wohnung als ein *Massenprodukt* gesehen und zweitens wird der soziale Wohnungsbau in einen *sozialistischen* Wohnungsbau überführt." (57) Genauso hatten es die Erbauer des Roten Wien vor. Nur soll man hinzufügen, daß das Konzept des Wohnbauprogramms für eine wahre sozialistische Perspektive von vornherein im Kern begrenzt war und das Programm als wahltaktisches Instrument genutzt wurde. Denn über das Konzept einer sozialistischen Gemeinderatsmehrheit hofften die Parteifunktionäre schließlich, einen Großteil der Wähler für die Nationalratswahlen zu gewinnen.

Architektonischer Stellenwert in der Baugeschichte

Heute sind die Gemeindebauten jener Zeit Ziel zahlreicher Architektur-Exkursionen. Sind sie es nun, weil sie das Sinnbild einer sozialistisch-realistischen Architektur darstellen, ausgehend von den Errungenschaften des Austromarxismus und dem stark kämpferischen Geist des Proletariats in der „Epoche seiner Diktatur"? Verkörpert die Architektur das Produkt kollektiver und sozialer Gesinnung in einem Wohnbauprogramm? Oder verbindet die Architektursprache „den ökonomischen Rigorismus mit einem expressionistisch angehauchten Monumentalismus, der das Pathos der ‚Roten Hochburgen' dramatisch feiert", wie es Manfredo Tafuri sieht? (58) Ihr architektonischer Wert wird von der Mehrzahl der Architekturhistoriker im Vergleich mit den dominierenden Baustilen jener Jahre, der

„Neuen Sachlichkeit", des Bauhauses, des DeStilj'usw. relativ wenig geschätzt. Aber gerade die Bindung an Tradition, die die Bauten des Roten Wien scheinbar nur oberflächlich „altern" lassen, wird heute im Laufe der vielen „Stilwiedergeburten" des gegenwärtigen „Postmodernismus" wieder geschätzt und als fortschrittlich erkannt.

Die Wiener Gemeindebauten sind Produkte ihrer Zeit: fortschrittlich in der Konzeption, rückschrittlich in ihrer Durchführung. Sie entsprechen in typologischer wie in ideologischer Hinsicht zwar völlig dem politischen Programm des Austromarxismus, aber architektonisch sind sie nur die Weiterentwicklung des großbürgerlichen Miethauses. Das Fortwirken einer bürgerlichen Bauschule, wie etwa das Gedankengut Otto Wagners, war in der kunstgewerblichen Außengestaltung noch bestimmend. Lassen sich die typologischen Eigenheiten, die den Wiener Kommunalwohnbau von der stilistisch verwandten (expressiven) „Amsterdamer Schule" unterscheiden, als ein architektonisches Entgegenkommen gegenüber dem eher introvertierten Wiener Charakter interpretieren, so dürften die Wiener Gemeindebauten der klassischen Periode auch stilistisch stärker vom konservativen Lokalgeschmack geprägt worden sein als etwa die in Berlin oder in Frankfurt/Main. Der Großteil der beim Wiener Kommunalwohnbau tätigen Architekten war bis etwa 1929 der älteren Tradition in expressionistisch-abstrahierter oder bürgerlich-repäsentativer Form gefolgt. Zwar war ihr Schaffen kaum noch von den „cinque ordini" (fünf Ordnungen) bestimmt, aber ihr Bestreben nach abwechslungsreicher Gestaltung des Baublocks durch Risalitgliederung, gestufte oder gekrümmmte Mauerführung und bewegte Silhouettierung und Schattierung, durch Erker, Laubengänge, Arkaden, Loggien und Bow-windows drückt noch dem Wiener Historismus nicht unähnliches Repräsentationsbedürfnis – wie es auch bei den Zinshäusern auftrat – aus, das aller Ökonomie im Inneren widersprach.

Hochragende Wohntürme, expressive Monumentalität, symbolischer Arbeiter-Realismus an den „Kunst-am-Bau"–Attributen, kostbare Schmuckelemente, repräsentative Innen- und Ehrenhöfe und weiträumige Ein- und Durchfahrten, burgähnliche Stadttore und „barocke" Bogenreihen vermitteln zunächst einen uneinheitlichen, widersprüchlichen Eindruck eines „sozialistischen Klassizismus", wie er sonst nirgendwo so klar zum Ausdruck kommt. Aber die Architektur entsprach weder den realen Machtansprüchen einer klassenbewußten Arbeiterbewegung, noch hielt sie sich an einen „revolutionären" Prozeß. In Wirklichkeit hielt sie sich an die Muster einer überwunden geglaubten Herrschaftsarchitektur des „fin de siècle".

Herkunft der Architekten

Von 1919 bis 1934 wurden neben diverser beamteter Architekten der Magistratsabteilung Hochbau und des Wiener Stadtbauamtes über 190 (!) freischaffende Privatarchitekten von der Gemeinde Wien mit der Planung von 384 Kommunalwohnprojekten beauftragt. Noch bis 1923 waren vorwiegend – zum Teil anonyme – Architekten der Gemeinde am Werk. Aber nachdem das erste Wohnbauprogramm verabschiedet wurde, benötigte man mehr Architekten als bei der Gemeinde beschäftigt waren. Besonders in Wien ansässige Architekten wurden von den städtischen Beamten und Politikern bevorzugt und manche von ihnen (Hubert Gessner, Karl Ehn, Hermann Aichinger/Heinrich Schmid und andere Wagner-Schüler) geradezu begünstigt. Die in Wien lebenden Architekten der verschiedenen Schulen mußten beschäftigt werden und andere Aufträge als für den öffentlichen Wohnbau und städtischen Nutzbau gab es kaum. Die vielen Privatarchitekten entstammten mannigfachen Traditionen, wobei die Mehrzahl von ihnen Otto Wagner-Schüler waren. Die sehr heterogenen Elemente dieser treibhausähnlichen Spezialklasse Otto Wagners sind teilweise daraus zu erklären, daß die Schüler den verschiedensten Nationalitäten angehört haben. Einerseits ist ein Zug zu einem nationalen Regionalismus (Deutschtum, Slawentum, Magyarentum etc.), andererseits ein schillernder Traditionalismus (Biedermeier, Jugendstil) zu bemerken. Was die Schule auch bald in Opposition zum traditionslosen „Neuen Bauen" brachte. Alle (politischen und ästhetischen) Schattierungen waren in ihr vertreten: von den großbürgerlichen, kunstgewerblich-gesinnten Architekten und Gegenstands-Designern (Josef Hoffmann, Otto Schönthal, Emil Hoppe, Pavel Janák) und ausgesprochen „heimatlich"–deutschnational gesinnten „Schülern" (Franz Kaym, Alfons Hetmanek, Hermann Aichinger, Heinrich Schmid, bedingt auch Emil Pirchan, Robert Oerley und Leopold Bauer) bis hin zu den ethnisch-bewußten und nationalistischen Serben (Josef Costaperaria), Slowenen (Josef Plečnik), Ungarn (István Benkó–Medgyaszay), Slowaken und Tschechen (Jan Kotěra, Josef Chochol, František Krásny, Bohumil Hübschmann), Italienern (Rudolf Perco, Mario Sandona); von den liberalen, zur Sachlichkeit neigenden Erneuerern (Ex-Österreicher Rudolf Schindler, Ernst Lichtblau, Rudolf Fraß, Max Fellerer) zu den deklarierten und integren sozialdemokratischen Parteigenossen Hubert Gessner, dem frühen Karl Ehn und den beamteten Rathausarchitekten Konstantin Peller, Adolf Stöckl; Karl Stoik, Heinrich Schopper, Engelbert Mang usw.

In Opposition zur Wagner-Schule standen: die außenseiterische **Privatschule** von Adolf Loos (die Schüler Josef Berger, Helmut Wagner-Freynsheim bzw. die der Loos-Schule nahestehenden Walter Sobotka und Karl Dirnhuber); die Professoren der **Technischen Hochschule** (Siegfried Theiß, Karl Holey etc.); die Lehrmeister der **Akademie** (Peter Behrens und seine „Schüler" Clemens Holzmeister, Alexander Popp, Ernst Egli, Hermann Stiegholzer, Wilhelm Baumgarten, Josef Hofbauer); die Vertreter der **Kunstgewerbeschule** (Heinrich Tessenow mit seinen loyalen Anhängern Franz Schuster, Grete Schütte-Lihotzky); der **unabhängige Kreis** der Schule um Josef Frank, Oskar Strnad, Oskar Wlach und Anton Brenner und schließlich die **Hoffmann'sche Richtung** an der Kunstgewerbeschule — beim Gemeindebau auffallend unterbeschäftigt — mit Carl Witzmann, Max Fellerer, Josef Zotti, Arthur Berger, Oswald Haerdtl und Otto Prutscher.

Gerade diese quantitative und qualitative Vielzahl an Auffassungen bzw. der „Pluralismus der Ideologien" mit seinen oftmals unvereinbaren Gegensätzen ist für das politisch motivierte Programm einer „generalisierenden" Architektursprache bezeichnend und bezeugt in eindrucksvoller Weise die „graue" Unbestimmtheit der Zwischenkriegsarchitektur in Wien — immer auf der Suche nach dem Kompromiß zwischen Tradition und Avantgarde. Das Rote Wien hat architektonisch einen „dritten Weg zwischen Modernismus und Tradition" (59) beschritten, was aber nicht hilft, das oft widersprüchliche Bild zu klären.

Jene schizophrene Haltung war charakteristisch für die Wiener Situation: ob sie radikal wie Loos das Neuerfinden von Ornamenten ablehnte oder in der Erweiterung des Ornamentenrepertoires einen neuen Sinn sah wie Hoffmann, stets blieb sie unbestimmt. Es ist aber ebenso bezeichnend, daß die sogenannte „Wiener Schule der Moderne" niemals den vollständigen Bruch mit der Überlieferung vollzogen hat, wie dies beispielsweise in der Musik sehr wohl geschah. Vielmehr knüpfte sie stets an heimische Traditionen oder an konservative Doktrinen an. Die modernen Ideen und Methoden des funktionalen Bauens wurden im Wien jener Zeit des Umbruchs und Wandels von der Mehrheit der ansässigen Architekten überhaupt nicht oder nur schlecht angenommen. Noch zu sehr waren sie in jenem „Kompromiß zwischen Klassizismus und Moderne der Wagner-Schule" (Leonardo Benevolo) verhaftet. Tatsächlich zeigten die meisten Wiener Architekten entweder ein sehr geringes Wissen um die neue Ästhetik oder, was wahrscheinlicher ist, sie bekamen es erst aus zweiter, dritter Hand – bereits mißverstanden – überliefert. Friedrich Achleitner meint in diesem Zusammenhang: „Die Wiener Gemeindebauten lieferten (dadurch) ein geschlossenes Bild der damals in Wien herrschenden Architekturauffassungen, die mit wenigen Ausnahmen (Frank, Brenner, Lichtblau, Loos) ein sehr geringes Bewußtsein um ästhetische Probleme zeigen. Wenn es sich also um keine programmatische Architektur handelte, so muß man doch danach fragen, wie es zu dieser heute so geschätzten Sprache kam. Das hängt vermutlich damit zusam-

Adolf Loos/Heinrich Kulka: Doppelhaus Werkbundsiedlung; sachliche Raumästhetik mit gediegenen Polstermöbeln und Biedermeierstühlen.

men, daß man in einem anderen Sinne durchaus programmatisch vorging, etwa im konsequenten Ausweichen vor einer modernen Bautechnologie, um durch arbeitsintensive (also ausschließlich handwerkliche) Bauherstellung die Arbeitslosigkeit zu bekämpfen. Allein dadurch war ein Bezug zur historischen Architektur gegeben, die formale Transformation der architektonischen Elemente blieben im Rahmen einer handwerklichen Technologie und damit auch im Bereich einer durchaus vertrauten Semantik." (60)

Wiener Lokaltraditionen

Die in Wien beheimateten Traditionen des verputzten Ziegelbaus und der dominierende Spännertyp als Erschließungsform wurde weitgehend weiterverwendet und -entwickelt; aus der Tradition der Zinskaserne und des Arbeiterhauses übernahm man selbst die kleinen Wohnungsgrundrisse (zwar technisch und hygienisch verbessert und anders erschlossen, aber ident in der Raumgestaltung) und die Fassadenabwicklungen. Der Wiener Lokalgeschmack wurde aus einem Mischstil aller Metamorphosen des Historismus geprägt, etwa faszinieren die Gegensätze und Zwitterhaftigkeiten (z. B. in der Gegenüberstellung von Wagners Postsparkasse, 1905-07, Ludwig Baumanns Kriegsministerium, 1910-13) mehr als sie irritieren. Die Fassaden widerspiegelten — trotz aller kulturhistorisch diagnostizierten Weltuntergangsstimmung — nicht nur Endzeitiges, sondern auch Bewahrendes, Konservierendes. Die Architektur war gleichzeitig ein Zeichen der Kontinuität, dem *genius loci* verpflichtet, hatte also jene Bindung zu früheren Herrschaftsepochen und -architekturformen, die den Erfolg bei ihrer Kundschaft — seien es die ehemaligen bürgerlichen Bauherren oder die neuen sozialdemokratischen Beamten — schon von vornherein sichern wollte und konnte.

So ist es nicht weiter verwunderlich, daß sich stilisierte Klassizismus- und Historismusformen in diesem neuen — „sozialistischen" — Stil einschleichen. Nicht zufällig gleichen die ersten Gemeindebauten („Metzleinstaler-Hof", „Jean Jaurès-Hof", Wohnhausanlage Justgasse) in ihrem Mischstil den gründerzeitlichen Zinskasernen oder dem alten Typus der ersten Arbeiterwohnhäuser. Ihr Bestreben nach polychromer Gestaltung auf Kosten etwaiger Reduktion der Baumassen, die bewegte Silhouettierung der Fassaden und Dachlandschaft durch plastische Gliederung (Erker, Loggien, Balkone, Gesimse, Lisenen, Freiluftplastiken etc.) und die gestuften oder gekrümmten Mauerführungen gehen auf den romantisierenden (eklektischen) Historismus zurück. Hier drückt sich selbst bei bescheidenen Zinshäusern ein — der Gründerzeit nicht unähnlicher — Repräsentationswille aus, der sich durch den ungelösten Widerspruch von Innen und Außen selbst ad absurdum führt.

Oft wurde dieser Zwiespalt auf die Spitze getrieben, wie im Falle des unter Leitung von Peter Behrens errichteten „Winarsky-Hofes" (1924–25), für den so gänzlich verschiedene Persönlichkeiten wie Adolf Loos, Josef Frank, Josef Hoffmann, Peter Behrens, Oskar Strnad, Oskar Wlach, Franz Schuster und Grete Schütte-Lihotzky zu einer Einheit als Planungsteam gebracht wurden. Oft wurden die Architekten eingeladen, in Arbeitsgemeinschaften zu planen (z. B.

„Sandleitenhof", 1924—25) und mit Künstlern zusammenzuarbeiten („Kunst-am-Bau"); manchmal wurden auch international bekannte Architekten eingeladen, wie bei der „Wiener Werkbundsiedlung" anläßlich der Werkbundausstellung 1930.

Wiener Besonderheiten

Die Magistratsbeamten vertraten eine Sonderposition, indem sie ein Bauen mit Symbolgehalt und gesteigertem sozialistischen Pathos im Dienst der Gemeinschaft forcierten, natürlich ideologisch — aber auch mit dem Argument der Ökonomie örtlich gewinnbarer Baumaterialien (Ziegel und Holz) und der Arbeitsplatzsicherung — begründet. Hin und wieder wurde gegen diesen Standpunkt polemisiert: Giftig bemerkten Loos, Frank und andere Befürworter der industriell vorgefertigten Leichtbauweise, „die Hinwendung zu traditionellen Materialien, Methoden und Formen sei ein Schlag gegen die kommunistischen Theorien, (was) von einer asozialen (sic) Partei nicht anders zu erwarten ist" (61).

Die formalistische, programmatische, einen „nationalen Ausdruck in der sozialistischen Architektur" suchende Wiener Gemeindebauarchitektur war für die Gemeindeverwaltung eine „architecture parlante" (sprechende Architektur), in der auch die Emotionen der Arbeiter Platz hatten. Dieses „Ornament der Masse" lag natürlich dem Faschismus gefährlich nahe. (62) Der eigentliche Niedergang der österreichischen Moderne ereignete sich schon vor dem Austrofaschismus und dem Anschluß Österreichs an Deutschland. Zweifelsohne ist diese Architektur von der zwischen konservativ und modern schwankenden Wagner-Schule ebenso geprägt wie von kleinbürgerlichem Baugeschmack. Tatsache ist auch, daß viele Wagnerschüler, soweit sie nicht eindeutig loyale Sozialdemokraten waren wie die Brüder Gessner, sich eher einer traditionalistisch-nationalromantischen Architektur zuwandten, aus deren Inhalten und Formen später mühelos die NS-Architektur zusammengesetzt wurde. (63)

Die Wiener Gemeindebauarchitektur ist aber auch keinem klischeehaften „sozialistischen Realismus" verpflichtet gewesen, viel eher wurde eine österreichische Variante zu einer „sozialistischen Romantik" entwickelt, was sich in der Außengestaltung, besonders bei dem schon fast kitschigen „Kunst-am-Bau" bemerkbar gemacht hatte (Deckenmalereien mit Märchenmotiven, in deren Zentrum jeweils verklärte Handwerksszenen dargestellt sind; „Mutter-mit-Kind"-Statuen mit erschreckend naiven, zuweil auch reaktionären, inhaltlichen Aussagen). Dies sind einige Indizien dafür, wie sehr das Rote Wien bei einer Reform nur an der Oberfläche geblieben ist, bei ihrer „gesellschaftlichen" Erneuerung der Reproduktion die Augen vor den industriellen kapitalistischen Produktionsverhältnissen verschloß und die Widersprüche geschickt zu glätten wußte. Die Architektur der Gemeindebauten geriet geradezu als Ersatz für eine anfänglich stattgefundene und unvollendete „Revolution". Dies stand natürlich in Opposition zu einer nach Wahrheit strebenden Moderne in der Architektur und zu einer wirklich marxistischen Kultur-Avantgarde, die sich entweder vom Stil und den „Lügen" der Vergangenheit befreien oder die gesellschaftlichen Verhältnisse revolutionieren wollte.

Arbeiter als Ritter Siegfried verkleidet,
„Kunst-am-Bau"-Beispiel am „Thury-Hof".

Nicht zufällig ist die Bereitschaft für die Ideologie der national-
sozialistischen Architektur bereits in den proletarischen Hochburgen zu erkennen. Karla Krauss' und Joachim Schlandts interessante Bemerkung, daß gerade in dieser Architektur rigide, fast
militärische Ordnungen herrschen (64), ist richtig. Aber ebenso
stellt Architekturkritiker Friedrich Achleitner fest, daß „in dieser
Architektur, die vollgestopft ist mit Anspielungen, Zitaten, Ver-
schleierungen und Irritationen, auch jene Elemente einer sozialen
Ästhetik stecken, einer *begreiflichen* und *verständlichen* architektonischen Sprache, die den Wiener Gemeindebauten neben dem
wirtschaftlichen und politischen auch den ästhetischen Erfolg gesichert hat." (65)

Die Wiener Gemeindebauarchitekten reduzierten — im Gegensatz zu ihren Kollegen in der UdSSR, in Frankfurt, Berlin und
Villejeuf — den Bereich des Wohnens nicht allein auf die nackte
Funktion, sie begriffen Architektur als Erlebnis. Bedauerlicherweise waren der Heroismus und der Siegeszwang an den Fassaden
nur mehr künstlerischer Selbstzweck. Die Straßendekorationen,
Propagandazüge, Freiluftspiele, Massenspektakel in der Art des
sozialistischen Realismus — oder besser: „proletarischen Natura-
lismus" — innerhalb der Hofgemeinschaften waren letztlich
bedeutungslose Rituale, Zeichen der Ohnmacht und Ablenkung von einer gescheiterten sozialen Revolution. Aber es ist immerhin eine Zeichensprache
(gleichgültig, ob sie uns heute nostalgisch stimmt und zugleich skeptisch macht),
die in der Architektur noch als „sozialer Auftrag" verstanden wurde!

Internationaler Vergleich

Die Stellung des Wiener Kommunalwohnbaus in der Architektur des 20. Jahrhunderts ist einmalig und unwiederholbar. Die zurecht in der ganzen Welt be-
wunderte Leistung einer sozialistischen Kultur und Architektur stellt gewissermaßen eine Alternative zur Strategie der deutschen und sowjetischen Avantgarde
dar. In Wien beschränkte man sich nicht nur auf eine theoretische (wie in der
UdSSR) oder auf eine nur funktionelle und instrumentelle (wie in Frankfurt am
Main) Auseinandersetzung, sie mußte empirisch sein und politisch unmittelbar
zum Erfolg des Gemeinde-Sozialismus führen. Der Einfluß der Partei ist in
diesem Zusammenhang wesentlich: Die Architektur war nicht ausschließlich auf
Nutzwert orientiert und wie im Taylorismus durchrationalisiert, sondern war
gemeinschaftsfördernd und propagandistisch. Grundprinzip des Roten Wien war,
eine Einheitsfront gegen das reaktionäre Bürgertum zu repräsentieren, die
monumentale Architektur sollte dies symbolisieren.

Nirgendwo sonst — ob in Amsterdam oder Moskau, ob in Frankfurt/Main
oder in Berlin — existierte ein so vollendetes Wohnbauprogramm wie in Wien.

Weder die grünen, anglo-amerikanischen Trabantensiedlungen, die parabel- oder linearförmigen makrostrukturierten Stadterweiterungsversuche in der UdSSR, noch die — nicht so frei über Boden verfügende — Berliner Siedlungspolitik oder die budgetär-restriktiven Generalbebauungspläne des Neuen Frankfurt oder die elitären Versuche des Flachbaus von Celle, Stuttgart, Dessau können an die entschlossenen, das soziale Endziel klar erkennenden Wiener Kommunalprojekte anschließen. Lassen sich wohl gewisse stilistische und typologische Affinitäten zu der architektonisch wie reformistisch verwandten, expressionistischen „Amsterdamer Schule" finden (so verschieden sie auch politisch sein mögen), so ist der Gegensatz absolut zu den progressiven Ideen von Moses Ginsburg, Jakob Tschernykow bzw. der kommunistischen (deutschen) Emigranten, die nicht zufällig alle während der Weltwirtschaftskrise in der Sowjetunion wirkten (66). Letztgenannte gerieten aber in zunehmendem Maße in Opposition zum regime-sanktionierten sowjetischen Realismus und Klassizismus.

Die monumentalen Wohnhausanlagen der osteuropäischen „Volksrepubliken" zeigen oft verblüffende Gemeinsamkeiten mit den Gemeindebauten von Wien. Der „Engelsplatz-Hof" (1930—33) könnte als Vorläufer für die neuen Wohn- und Bildungspaläste und die neuen Bürokratenstädte der UdSSR gelten. „Der sozialistische Realismus in der Wohnbauarchitektur wurde im Roten Wien der zwanziger Jahre *erfunden*, nirgendwo anders" (67), behaupten Hautmann/Hautmann sicherlich nicht ganz zu unrecht. Ihre Begründung hingegen scheint fadenscheinig, wenn nicht spekulativ, und ist daher fragwürdig: „Daß er in Wien von einer reformistischen Arbeiterpartei und bürgerlichen Architekten in einer bürgerlichen Umwelt bereits einige Jahre vor der Sowjetunion geschaffen werden konnte, erscheint paradox und fast unglaublich. Die Ursachen liegen jedoch beim näheren Hinblicken klar auf der Hand: zunächst einmal war in Sowjetrußland, bedingt durch die schwierige ökonomische Lage und die Notwendigkeit, zuallererst die im Bürgerkrieg zerstörte Volkswirtschaft zu rekonstruieren, zu jener Zeit ein Massenwohnbau gar nicht möglich. Und während sich im revolutionären Rußland von 1917 bis 1929 vorerst jene Künstler und Architekten in den Vordergrund schoben, die den ‚Proletkult', den Irrweg der vollkommenen Negation des Alten und historisch gewachsener Formen beschritten, setzte sich in Wien, begünstigt durch objektive und subjektive Umstände, die Dialektik des Aufhebens in richtigerer Form durch. Dabei kann kein Zweifel bestehen, daß die Auftraggeber und ihre Architekten diesen notwendigen Prozeß im Roten Wien eher *instinktiv* vollzogen." (68) Nicht nur, daß diese etwas verschwommen formulierte Behauptung ihrer eigenen — im Buch mehrfach vertretenen — Thesen einer rückständigen, anti-emanzipatorischen Situation in Wien widerspricht, sie ist aus zweierlei Gründen auch unrichtig: Erstens war die wirtschaftliche Ausgangssituation nach einem verlorenen Krieg und der Schrumpfung auf ein „Rest-Staat" in Österreich ähnlich der in der Sowjetunion nach. der Revolution, und zweitens wirkten die sozialreformistischen Ideen des progressiven, liberalen Bürger- und Judentums noch bestimmend in Wien nach. Das aufgeklärte Bürgertum der Monarchie ermöglichte gerade die fortschrittliche, städtische Kultur eines Adolf Loos, Peter Altenberg, Otto Wagner, ebenso wie die visionär utopischen Weltbilder von Hugo Bettauer, Otto Groß, Rudolf Steiner, Wilhelm

Reich und schließlich die sozialreformistischen Gedanken sozialdemokratischer Intellektueller des Wiener Kreises (Otto Neurath) und verwandter Vertreter des Neo-Positivismus (Ludwig Wittgenstein) und des Austromarxismus (Otto Bauer, Karl Renner). In diesem schöngeistigen Klima und geistig-sozialen Umfeld mit Sigmund Freud, Theodor Herzl, Alfred Adler, Karl Kraus als wichtigen Vorläufern, wuchs das Zeitalter der „Sozialmoderne" heran.

Bereits 1911 beschrieb Otto Wagner in seiner Studie *„Die Großstadt"* die musterhafte sozialistische Stadt der Zukunft: „Volkshäuser, Volkswohnhäuser, Volkssanatorien, Bauwerke für Warenmessen und Musterlager, Wandelbahnen, Monumente, Fontainen, Aussichtstürme, Museen, Theater, Wasserschlösser (sic), Walhallen (sic, sic) etc., durchaus Dinge, an welche heute kaum gedacht werden kann, die aber im künftigen Großstadtbild nicht vermißt werden können." (69) Natürlich war Otto Wagner weit davon entfernt, „Sozialist" zu sein, aber seine Haltung verrät doch ein verstärktes Interesse an solchen Fragen und Problemen der Zukunft. Es ist seine persönliche Tragik, daß von den vielen Projekten seiner — durch Monumentalbauten geprägten — Großstadtvisionen das meiste unausgeführt geblieben ist. (70) Wäre Wagner fünfzig Jahre später geboren, hätte er auch ein anderes soziales Bewußtsein entwickelt und wäre womöglich ein großer Sozialreformer geworden. Wagners Erbe wurde aber von seinen Schülern aufgegriffen und weitergeführt. Die großstädtische Konzeption für die Architektur dieser Schule einerseits und die Faktoren der „Sozialisation" andererseits (d.h. die „sozialen" Inhalte und Schwerpunkte in den Werken der progressiven Wagner-Schüler hängen mit der sozialen Stellung, mit ihrer Herkunft, den Fähigkeiten und ihrer Ausbildung zusammen), sind verantwortlich für das Zustandekommen jener spezifischen Kommunalarchitektur und für den Städtebau nach dem Ersten Weltkrieg. Beispielsweise Hubert Gessner: Anders als Wagner, aber ähnlich wie viele seiner Kollegen aus kleinbürgerlichen Verhältnissen stammend, ist er in einer liberalen Gesellschaft aufgewachsen und entwickelte das Bewußtsein für die vordringlichsten Aufgaben des Industrieproletariats, ohne aber die Erfordernisse der ehemaligen Gesellschaft aus den Augen zu verlieren. Geschult in der Bewältigung großstädtischer Bauaufgaben und daher mit ihrem repräsentativen Charakter durchaus vertraut, ist Gessners verhaltener Klassizismus symptomatisch für das proletarische Heldenepos seiner ersten Bauten für die Partei (noch lange vor dem sozialistischen Realismus), als er zum ersten Architekten der politisch aufsteigenden Sozialdemokratie wird. Mehrere Bauten für proletarische Verbände und Genossenschaften gelangten schon um 1900 zur Ausführung. Seine erste proletarische Architektur von Bedeutung ist das Arbeiterheim (1901–02) in Favoriten; hinzu kommen die Bezirkskrankenkasse Floridsdorf (1905) und das Druckhaus der sozialistischen Arbeiterzeitung „Vorwärts" (1907). Ebenso ist sein Beitrag zur Industriearchitektur der Donaumonarchie wichtig und einzigartig.

Nach Gessner gingen aus dem Wagner-Atelier einige Architekten hervor, die bereits in Schulentwürfen eine bemerkenswerte Reife und fein entwickeltes Gefühl bei den formalen Erneuerungen der Wagner-Schule im Sinne einer modernen Formen- und Sozialsprache beweisen: Karl Ehn, Rudolf Perco und Rudolf Fraß, die alle im Sozialwohnbau tätig waren. Zur historischen Bedeutung der Wagner-

Hubert Gessner: Verlagshaus „Vorwärts"
(1907); links: Otto Wagner: Zinshaus Neu-
stiftgasse (1910)

schule bemerkte Otto A. Graf unter anderem: „Der innere und äußere Reichtum
der Leistungen der Wagner-Schule ist das Produkt eines dreifachen Prozesses, der
Negation, der Synthese und der Mutation, eines Prozesses, der mitten im Span-
nungsfeld der Veränderungen um 1900 liegt, aus dem alle entscheidenden Tendenzen der Kunst des 20. Jahrhunderts hervorgegangen sind. Die Frage nach der
Teilnahme der Wagner-Schule am historischen Strukturationsprozeß bedingt
daher eine kunsthistorische und eine biographische Beantwortung, die sich
gegenseitig erhellen. Die Wagner-Schule bildet einen Teil, in mancher Hinsicht
ein Modell der komplexen künstlerischen Veränderung in aller Welt, die in der
Wiener Architektur auf dem Problembewußtsein Wagners beruht, dieses erst
konsequent und vielschichtig auslotet und Antworten auf die Fragen findet, die
Wagner zwar nicht beantworten konnte, die aber ohne ihn niemals gestellt
worden wären. Die oft widersprüchlichen Tendenzen im Denken Otto Wagners
flossen in der Schule zu einer offenen Problematik zusammen, die von den
Studenten durch den dreifachen Prozeß verwandelt wurde. Eine radikale Erneuerung bedarf der Synthese der vorhergegangenen progressiven Tendenzen, da das
Neue nur einer besonderen Dichte der Ideen entstammen kann. Die zweite
unabdingbare Voraussetzung war im Falle der Wagner-Schule die entscheidende

Negation des Traditionszusammenhanges, des obsessiven Syndroms des Historismus und dessen paranoischer Zeitvorstellung. Die Mutation aber beruhte auf einem besonderen Grade der Originalität." (71) Vorraussetzung für das Rote Wien war, daß sich die Donaumonarchie auf einem Höhepunkt auf geistigem und kulturellem Gebiet befand. Man hielt das Jahr 1919 für einen neuen, denkwürdigen Anfang, aber die Mutation war bereits früher geschehen.

Die Erneuerung begann mit Wagner, Kraus, Schönberg und Loos. Otto Wagner war nicht so sehr am Einfamilienhaus interessiert, sondern an der Stadt und besonders an den Massenquartieren (Logierhäusern). Seine Vorschläge hatten große Wirkung auf seine Schüler und haben den späteren kommunalen Wohnungsbau der Zwischenkriegszeit wesentlich beeinflußt. Im Unterschied zur — von Hautmann/Hautmann so glorifizierten — Sowjetunion wurde die Avantgarde nicht angegriffen und vernichtet, sondern integriert. „Nachdem die kommunismusbegeisterten Revolutionsarchitekten und Künstler als ‚schädliche Träumer' und ‚bourgeoise Elemente' enttarnt und beseitigt worden waren, wurden auf das grenzenlose Baufeld die alten Akademiker berufen..." (72) In Wien passierte das nicht, weil die Trennung zwischen „künstlerischer" und „wissenschaftlicher" Betätigung der Architekten nicht bestand und die Wiener eher pragmatisch als dogmatisch vorgingen.

Rudolf Perco: Entwurf für eine Kirche (1931)

Das Rote Wien hat architektonisch einen „dritten Weg" (Peter Kulemann) zwischen Pragmatismus und Radikalismus beschritten, weil es Rücksicht auf die vorhandenen, historisch gewachsenen Bedürfnisstrukturen der Menschen nehmen mußte. Peter Gorsen hat diesen Kompromiß sehr schön beschrieben: „Die Architekturentwicklung im Wiener kommunalen Wohnungsbau verlief allem Anschein nach weder ausschließlich funktionalistisch noch lediglich traditionalistisch. Sie verkörpert auch nicht einen willkürlichen Eklektizismus zwischen Secessionsstil und Neuer Sachlichkeit, sondern war auf weiten Strecken ein Produkt situationsbezogenen Bauens, das die lokalen ökonomischen, sozialen und technischen Möglichkeiten ebenso berücksichtigte wie die in sich widersprüchliche subjektive Bedürfnisentwicklung der proletarischen Kleinbürgerschicht." (73) Die durchaus evolutionäre und architekturpsychologische Vorgangsweise der sozialdemokratischen Planer sollte bei der Beurteilung dieser Architektur zwischen zwei Zeitepochen unbedingt berücksichtigt werden und zu denken geben.

Verhältnis zur „Prager Schule"

Man hat viel über die Verwandtschaft der Wiener kommunalen Architektur mit den expressionistischen Zentren Amsterdam und Berlin spekuliert und geschrieben (74), jedoch hat man kaum oder noch zu wenig über die zweifellos näher liegenden Beziehungen zu dem Kreis der Wagner-Schüler und frühen „Kubisten" in Prag erfahren. (75) Karl Mang gab zwar einen unterschwelligen und nicht näher beschriebenen Hinweis auf die experimentellen Methoden der „Fassadenschmückung" des Prager „Kubismus" und seine Abwandlung in der Wiener Architektur, jedoch ist diesem Zusammenhang überraschenderweise niemals mehr Aufmerksamkeit geschenkt worden, bzw. sind die wechselseitigen Dependenzen zwischen „Provinz und Hauptstadt" nicht weiter beachtet worden.
Evolution ist undenkbar ohne Vorbilder: In vielen Details lassen sich Beweise für die Übernahme verschiedenster Formen, Formelementen aus der Architektur der „Prager Schule" finden. Besonders die Wagner-Schüler in Prag könnten Vorarbeit geleistet haben: Jan Kotěra, ein Prager Wagner-Schüler, der mit seinem ersten und einzigen Bau in Wien, der Villa Lemberger (1914) in der Grinzinger Allee, bereits Elemente des bewegten „Prager Kubismus" nach Wien importiert hatte, trug indirekt sicherlich zur Ausbildung dieses Stils bei den Gemeindebauten bei, den man als „bürgerlich-proletarischen Expressionismus" umschreiben könnte. Denn einerseits weist er mit einer feinen, klassizistischen Baukörpergliederung „bürgerliche" Formenelemente auf, andererseits ist gerade er in der Auswahl von bizarr-plastischem Dekor, dramatischer „naturalistischer" Fassadenbehandlung und mächtigem figuralen Schmuck auch einem „sozialistischen Realsimus" nahe. Auch in der visuellen Gesamtwirkung ist der Bezug der Gemeindebauten zu Prager Bauten von Kotěra unverkennbar. Es gibt viele Gründe zu glauben, daß die Prager Bewegung des Kubismus, deren Höhepunkt zwischen 1910 und 1914 war, in die Wiener Gemeindebauarchitektur der Zwischenkriegszeit ungehindert und von der Fachliteratur unbemerkt eingeflossen ist. Eine detaillierte Erörterung des vielfältigen Motivrepertoires würde den zur Verfügung

stehenden Rahmen ebenso sprengen wie eine genaue Darstellung des böhmischen Kubismus. Dafür sei ein kurzer Hinweis auf etwaige Anregungen und Einflüsse der tschechoslowakischen Architektur auf die formal stilistische Erscheinung des Wiener Kommunalwohnbaus erlaubt.

Ausgangspunkt für den tschechischen Kubismus in der Architektur (76) war einerseits die starke ideelle und reale Bindung an die Wagner-Schule in Wien, andererseits ihre gleichzeitige Indifferenz der Hauptstadt gegenüber, verbunden mit einer national-politischen, kulturellen Unabhängigkeitsbewegung und einer gewissen künstlerisch-eigenständigen Suche nach neuen Lösungen. Die Ergebnisse waren z.T. aus böhmischen national-romantischen Quellen gespeist, z.T. durch die nähere Bindung an Paris, dem damaligen Zentrum des gerade entstandenen Kubismus, bedingt. Eine Verbingung von zuweilen ortgebundenen klassischen und auswärtigen avantgardistischen Elementen kennzeichnet die Erneuerungsbewegung im regen Prager Kulturklima um die Jahrhundertwende. Diese verblüffend ähnliche Situation wie in Wien verursacht auch in Prag einen „Schock der Moderne", der zu intensiver Beschäftigung mit den neuesten innovativen Kulturströmungen führte und interdisziplinär ausdiskutiert wurde. Radikaler als in Wien jedoch war in Prag die Auffassung einer plastisch-dynamischen Architektur mit mehreren hervorragenden theoretisch-didaktischen Arbeiten von ehemaligen Wagner-Schülern, die in zunehmender Opposition zur Architekturphilosophie Wagners standen. Die Wiener Architektur und die Leistung Wagners war in Prag gut bekannt und es wurde oft voll Bewunderung darüber geschrieben, aber auch mit Distanz. Die talentiertesten Architekten im

Jan Kotěra: Villa Lemberger (1914), XIX., Grinzinger Allee 50

damaligen Prag übertrugen nicht bloß die Wiener Verhältnisse, sondern sie paßten sich der Prager Situation gut an. Erst nach der Gründung des eigenständigen tschechoslowakischen Staates im Jahre 1918 wurde dieser anfangs noch rational und tektonisch klar komponierte Stil etwas unkritisch von einem national-folkloristischen Baustil („Rondokubismus") vereinnahmt. Daß in Prag eine theoretische Auseinandersetzung mit dem „Wien-Erbe", verkörpert durch die dominante Ringstraßenarchitektur in allen Kronländern, und der internationalen Wagner-Schule entstehen konnte, ist paradoxerweise letztlich Verdienst der zentrifugalen Kräfte in der Donaumonarchie. Denn die schon ab 1880 einsetzende nationalistische Revivalbewegung bedingte vorerst eine politische Unabhängigkeit, der später eine künstlerische folgte. Die Öffnung Prags zu anderen Städten war die Folge des gesellschaftlichen Wandels; ab 1910 richtete sich die Aufmerksamkeit nicht mehr nur auf Wien, sondern auch auf Berlin, München und vor allem Paris. „Gemeinsam mit Theoretikern überlegten die Architekten, wie kubistische Vorgangsweisen, die die Maler in Paris praktizierten, auf die Konzeption von Architektur, Innenarchitektur und Gebrauchsgegenstände zu übertragen wären (...).

Es stellten sich für die Architektur eine Reihe von Problemen, da bei aller Freiheit die Zweckdienlichkeit und die statischen Regeln nicht aus dem Auge verloren gehen durften. Die Schwierigkeiten stellten sich im Versuch der Darstellung: einer räumlichen Totalität des Objekts, das heißt gleichzeitiger Darstellung von Innen und Außen, von Grundriß und Schnitt; die ineinander verzahnten geometrischen Formen, die Volumen des Objektes so in Facetten zu zerlegen, daß sie eine Verfremdung des Objektes bewirken; die Vervielfachung der Durchdringung der Figurationen, die durch Veränderung der Blickpunkte zustande kommt; die Verschmelzung des Objektes mit dem Hintergrund, die optische Aufhebung der Beziehungen von Körper und Raum zu erreichen. Es war den Architekten klar, daß die Theorie der kubistischen Malerei nur zum Teil auf die Architektur übertragbar war." (77)

Was in Prag bei der Übertragung der kubistischen Prinzipien auf die Architektur sehr klar definiert und sehr anspruchsvoll durch zahlreiche hervorragende Beispiele — nicht nur auf dem Papier — gelungen ist (78), wurde in Wien banal und oberflächlich, auf die formalen Gedanken reduziert, übernommen. Waren die Prager Architekten vor 1914 schon weit in der gewünschten und geforderten Durchdringung von Außen- und Innenraumarchitektur fortgeschritten, so beschränkten sich die Wiener Kollegen nach 1923 bloß auf die Oberfläche, ohne im geringsten (außer bei Erkerbildungen und Turmvorsprüngen und -erhebungen) auch den Grundriß miteinzubeziehen. Das Einschwenken der Wiener Gemeindebauarchitektur auf den Kubismus ist im Vergleich zu Prag bloß dekorativ und rein ornamental geblieben. Wiens „kubistische", zweite Architekturphase (ca. 1925—29) ist stark von einer stereometrischen (vom Historismus abgeleiteten) Anordnung charakterisiert, die die Unbeweglichkeit des Blockes durch wenige prismatisch-kristalline und abgerundete, stromlinige Formen aufzulösen versuchte. Damit stand sie im totalen Gegensatz zum Prager Kubismus, der durch ein sehr kompliziertes System von geneigten Flächen und schiefen Ebenen in zerlegter Auffächerung der Mauer eine viel stärkere Plastizität, Unruhe und Durchdringung der Fassadenflächen erreichte. Jedoch in manchen Detaillösungen , z.B. bei fischgrätenartigen Sprossen, Bändern, Simsen, stilisierten Schlußsteinmotiven, Fensterflügelumrahmungen, Sohlbankbändern etc. zeigte sich auch in Wien eine stärkere Wechselwirkung von statischen und dynamischen Wandelelementen, die sich den ursprünglich kubistischen Intentionen wieder annähern, ohne daß am Raum oder Baukörper grundsätzlich etwas geändert wurde.

War es unter anderem eine theoretische Forderung des Prager Kubismus, daß die formalen Gedanken den technischen Funktionen und der tektonischen Gliederung unterzuordnen sind, so ist dieses Prinzip in Wien weitgehend mißachtet worden — durch die willkürliche Schmückung und oft widerspruchsvollen Anordnungen einer schon standardisierten Zeichensprache auf Bauten unterschiedlichster Funktionen (z.B. Nebeneinrichtungen und zentrale Versorgungsstellen bekommen den gleichen architektonischen Schmuck und die gleiche Formensprache wie Wohnbauten). Ferner beschränkten sich die Wiener Architekten darauf, die tektonischen Funktionen lediglich der formalen Logik anstatt der technischen unterzuordnen, was oft zu mißverstandenen ,,kubistischen" Lösungen führte. Zum Beispiel ist die mäanderförmige Balkonanordnung des ,,Karl Marx-Hofes", welche mehr vom Symbolgehalt als von technischen Funktionen getragen wird, ein solches Mißverständis.

Heimatlicher Regionalismus

Im Zuge des Rationalismus keimten in Wien schon vor demEnde des Ersten Weltkrieges regionalistische und ethnische Tendenzen in der Wiener Architektur auf. Das romantisch-volkstümliche und heimatbetuliche an manchen Jugendstilvillen war typisch für das neuerwachte Interesse an einer eigenen Volkskunst und an der anonymen Architektur. Neben der allgemeinen Aufmerksamkeit für die ethnischen Besonderheiten des Vielvölkerstaates und unter dem Einfluß der aus vielen Regionen der Monarchie stammenden Bevölkerung in Wien, war die Hinwendung zur Volksarchitektur nicht ganz so überraschend.

Josef Frank sah verkürzt eine der Ursachen des aufkommenden Regionalismus in der allgemeinen Unterentwicklung und in den regionalen Unterschieden der in der Donaumonarchie vorhandenen Kulturen und Völker, die er — ein wenig chauvinistisch — so charakterisierte: ,,Der Wiener war seit jeher dekorativ veranlagt. Das kommt zum Teil daher, daß der Zustrom seiner Bevölkerung aus Gegenden erfolgte, wo noch ursprüngliche (sic) Kulturen spielerischer dekorativer Art vorhanden waren, die mitgebracht wurden. Denken Sie etwa an die slawische Volkskunst." (79) Frank geht — wie auch Adolf Loos — in seiner Abrechnung mit der schlechten Wiener Wohnkultur nicht nur an der sozialen Wirklichkeit breiter Volksmassen vorbei, sondern macht sie überdies noch für diesen Zustand in wenig qualifizierter Weise verantwortlich, wenn er sie in seiner sehr eindimensionalen bürgerlichen Fortschrittshysterie zu ,,Fortschrittsverweigerern" degradiert!

In Wien kam es zu Überschneidungen, Konformitäten und wechselseitigen Dependenzen. Als Beispiele lassen sich die kuriosen Villenbauten anführen, die

Karl Ehn: Torbau zur Siedlung „Hermeswiese"; Rückbesinnung auf Vergangenes

eifrig aus dem Fundus „bodenständiger" Baukultur schöpften und die in Kitzbühl, Bad Aussee, Bad Ischl, Bad Gastein und in anderen Kurorten Westöster-
reichs entstanden sein mögen (Loden- und Lederhosenarchitektur). Selbst Otto
Wagner hatte für die regionale Eigenart seiner aus allen Teilen der Monarchie
stammenden Schüler viel übrig, mag es einerseits Protest gegen den geltenden
Kanon des Historismus, andererseits Ausdruck ethischen Bewußtseins gewesen
sein, wobei er für das Deutsche am meisten übrig hatte (vgl. Entwürfe von
Lichtblau, Pirchan, Bauer). Lagen die Gründe zur Entdeckung der heroischen,
folkloristischen und dekorativen Architektur der unmittelbaren Nachkriegszeit
noch eindeutig auf einem wiedererwachten, weil durch die Friedensverträge von
Versailles und St. Germain gekränkten und verletzten ethnischen Heimatgefühl,
so übernahmen die dem Echo der Zeit gegenüber aufmerksamsten Architekten
die latent schlummernden eigenen heimatlichen Triebkräfte zur Ausformung
eines neuen „alpenländischen Expressionismus" (vgl. Clemens Holzmeister,
Schmid/Aichinger, Robert Oerley, Lois Welzenbacher). Wie im Prager „Rondo-
kubismus" wurden bei uns die kubisch-geometrischen Grundformen durch ornamentierte Applikationen ersetzt, die zu einer viel stärkeren inkohärenten und bewegten Erscheinung beitrugen. Innerhalb des Regionalismus begann man, sich an
örtlichen konventionellen Bauformen zu orientieren, um größeren Gestaltungs-
reichtum, mehr Verständlichkeit, einen stärkeren Bezug zur Tradition und eine
intensivere emotionale Wirkung zu erreichen. Die Verschmelzung aller bereits
bekannten und erprobten Bauteile (bes. die Tessenow-Schule) versuchte, architekturpsychologisch positive Elemente des kulturellen Erbes „unpolitisch" zu

transportieren. In gewissem Sinne kann man daher auch von einem „romanti-
schen Nationalstil" sprechen, der Voraussetzung für die spätere „Blut-und-
Boden"-Architektur des Dritten Reiches werden sollte. Als Beispiele für die
Gemeindebauten ließen sich nennen: Rabenhof, Metzleinstaler-Hof, Franz
Silberer-Hof, Thury-Hof, Blat-Hof, Siedlung Starchant, Schlinger-Hof, Siedlung
Mühlermais, Siedlungskolonie Rannersdorf-Schwechat etc.

Parallelerscheinungen des Wiener kommunalen Wohnbaus

Dieser Abschnitt soll Vergleichsmöglichkeiten mit international gleichzeitig entstandenen Projekten bieten, dabei sollen weniger Ähnlichkeiten als vielmehr die
Unterschiede hervorgehoben werden. Ein Vergleich des Wiener Kommunalbaus
mit anderen europäischen Städten zeigt nicht nur wesentliche Unterschiede bei
der Baufinanzierung bzw. bei der Miet- und Sozialstaffelung, sondern auch erhebliche baukonzeptionelle und organisatorische Abweichungen im Bauprogramm und im Bauvolumen. Konzentrieren möchte ich mich bei diesem Vergleich nur auf Frankreich; denn erstens wurde dieser Zusammenhang kaum noch
beachtet und zweitens, weil ich mich bei der Materialwahl und -übersicht ein-
schränken und mich dafür mit einzelnen Beispielen intensiver beschäftigen möchte. (80)
    In Frankreich sind die Verhältnisse für die modernsten Strömungen der Archi-
tektur der zwanziger Jahre günstiger als in Österreich. Dennoch gelingt es auch
dort nicht, eine kohärente Bewegung (mit Ausnahme der Gebrüder Perret, Tony
Garnier, LeCorbusier) zu schaffen. Die gute fortschrittliche Architektur hatte es
im wirtschaftlich so progressiven Frankreich nicht so leicht, wie man annehmen
könnte, aus der Isolation auszubrechen. Ähnlich wie in Wien ist ein Aufbegehren
gegen die Tradition spürbar. Abgesehen von den interessanten Beiträgen, die die
Ingenieure Gustave Eiffel und Eugène Freyssinet lieferten, trug Frankreich mit
der Art Nouveau nur bedingt zum Entwicklungsprozeß der neuen Architektur
bei. Eine Ausnahme bilden noch Hector Guimards filigrane Métro-Stationen
(1898–1900) und besonders Henri Sauvages (1873–1932) sozialexperimentelle
Kollektivwohnhäuser (ab 1903) der „Société anonyme de logements hygièniques
à Bon Marche".
    Nach einem brillantem Debüt in der „École de Nancy" entwickelte sich Sau-
vage später zu einem der wichtigsten Hauptvertreter der frühen Moderne in
Frankreich. Sein wichtigster Beitrag sind die in Partnerschaft mit Charles Sarazin
(1873–1950) entwickelten Arbeiterhäuser mit regelmäßig terrassierten Etagen.
Das 1912–13 erbaute „maison à gradins" in der Rue Vavin ist mit seiner stufen-
weise zurückversetzten Skelettkonstruktion aus Stahlbeton schon eine vage Vorwegnahme der futuristischen Terrassenhäuser von Antonio Sant'Elias „Citta
Nuova" (1914). Die Straßenfassaden erinnern mit ihren cremefarbenen kerami-
schen Flächenverzierungen noch stark an den geometrischen Jugendstil eines
Josef Hoffmanns oder sind mit ihren abgesetzten Stiegenhaustürmen und
Brückengeländern von Auguste Perrets wegweisendem Miethaus in der Rue
Franklin (1903) abgeleitet, aber sie sind mit bemerkenswert avantgardistischen

Henri Sauvage: Projekt für eine Terrassenhochhausstadt am rechten Seine-Ufer (1928)

Serviceeinrichtungen ausgestattet: In den gradweis gegeneinander zurückversetzten hinteren Teilen der Wohnhausanlage dient eine Bogenkonstruktion dazu, ein Schwimmbecken, Gemeinschaftssäle, Küchen und bereits Autogaragen (!) zu beherbergen. In der Folgezeit errichtete er mit seinem Schwager Sarazin mehrere Wohnbauten für die Kooperative, die wegen ihrer hohen Wohnqualität und der außergewöhnlich guten sozialen Einrichtungen vorbildlich in Westeuropa wurden. Ideengeschichtlich konnte die Gemeinde Wien sich allerdings nicht auf Sauvages berühmt gewordenes Projekt bezogen haben, denn sie lehnte das noch völlig neue Modell des Terrassenhauses ab. Kaum einer der realisierten Gemeindebauten erinnern an den Stil von Henri Sauvage, doch viele Ideen des Roten Wien lassen sich mit den Gedanken der Serviceeinrichtungen mit ihm verbinden.

Nach einer kriegsbedingten Unterbrechung führte Sauvage – nun im Alleingang – 1922–25 seinen letzten, aber besten, kooperativen Wohnblock in der Rue des Amiraux aus, in dessen Inneren mehrere Folgeeinrichtungen untergebracht sind. Wieder griff er zu der um 1909 verfolgten Idee des geschoßweise nach oben zurückgestaffelten Hauses. Seine letzten (unausgeführten) Arbeiten waren die utopisch anmutenden Terrassenstädte für das Quaigebiet von Paris (1925–31), die auch Adolf Loos gekannt haben muß und die ihn bei seinen eigenen Terrassenhotelprojekten und Arbeiterterrassenhäusern inspiriert haben könnten.

Ein anderer sozialistisch gesinnter Architekt und Städteplaner war Tony Garnier (1869–1948), den man als „Jean Jaurès des Städtebaus" bezeichnet hatte. Sein gewaltiger Entwurf für eine Industriestadt aus den Jahren 1899 bis 1904 gelang ihm während seines Rom-Aufenthalts als Stipendiat der Akademie. Man hat Tony Garnier des öfteren mit Otto Wagner verglichen (81), doch so verlockend dies auch sein mag, es stimmt nicht ganz, denn Garnier war in seiner Vision reifer, wirklichkeitsnäher und sein gesellschaftlich-utopischer und kritischer Gehalt fortschrittlicher. Im Unterschied zu Wagner baute Garnier in seiner „Cite industrielle" bereits für eine sozialistische Industriegesellschaft mit Fabriken, Hafenanlagen, Kraftwerken, Schulen, Krankenhäusern, Wohnhäusern, unterirdischen Bahnhofanlagen, Sportanlagen, Kulturbauten etc. *ohne* Gefängnisse, Polizeistationen, Kirchen und Beamtenpaläste! Garniers detailliert formulierten Architekturvorstellungen und -vorschläge sind längst aus dem frostigen Klassizismus der Wagner-Schule hinausgewachsen und zeigen wohl noch formale, aber keinesfalls mehr funktionale Ähnlichkeiten mit der Wagner-Schule. Die städtebaulichen Prinzipien sind allein den Bedürfnissen und der Ökonomie der industriellen Großstadt entwachsen und dienen keinerlei Repräsentation. Im Gegensatz zu Wagner wird nur (unverkleideter) Stahlbeton verwendet, die Architektur ist dekorlos und ohne (Gold-)Zierrat. Auch die Stadtkonzeption ist klar gegliedert in die Funktionen Wohnen, Arbeiten, Erholung und Verkehr; Trennung der Verkehrs- und Kommunikationswege, Berücksichtigung des industriellen Wachstums durch Erweiterungsmöglichkeiten im System; Differenzierung zwischen Produktions- und Reproduktionsbereichen – alles Planungen, die die funktionalistisch-rationellen Forderungen des ersten CIAM-Kongresses (1928) vorwegnehmen.

Tony Garnier: Wohnviertel, Cite industrielle (ca. 1910)

Garnier siedelt seine zukünftige Stadt für 35 000 Menschen in einer imaginären Landschaft an, die aber seiner Heimatstadt Lyon haarscharf gleicht. Erst als
der neugewählte radikalsozialistische Bürgermeister Edouard Herriot ihn zum
Chefarchitekten der Stadt Lyon macht, kann Garnier seine ersten Bauten ausführen: in erster Linie die „Grand Travaux de la Villé de Lyon" (Der Schlachthof
„La Mouche", das Olympische Stadion und das „Grange-Blanche" Krankenhaus). Daß nicht alle Projekte in Angriff genommen werden konnten bzw.
manche von ihnen nicht früher vollendet wurden, verhinderte der Ausbruch des
Ersten Weltkriegs. Nach 1920 konnte Garnier seine umfangreichen Pläne – Dank
der Schützenhilfe der kommunistischen Gemeindeverwaltung – endlich fertig-
stellen und es entstanden das Wohnviertel „Les États Unis", die Telefonzentrale
und kleinere Versorgungseinrichtungen, die bereits eine Verbesserung der auf-
fälligsten Mängel in der Anfangsphase der Industriestadt bedeuteten
Garniers Bedeutung liegt, neben der gründlichen und technisch ehrlichen
Stadtentwicklungsplanung seiner baureifen Utopie, auch in der konsequenten
Architekturanwendung neuartiger Baumethoden und Materialien, die er mit verblüffend klassischen Formen zu kombinieren wußte. Sein latenter Klassizismus
ist ein mehr „mediterraner" als Wagner; die Wohnstadt ist eine sonnige und
locker gegliederte Terrassenstadt mit vielen Gärten und Parkanlagen. „Das
Stadtviertel ‚États-Unis' (...) hatte zwei- und vierstöckige Häuser geplant (...); sie
beruhten auf Wohneinheiten, die beliebig geordnet werden konnten, so daß eine
abwechslungsreiche Anordnung der Gebäude gewährleistet ist (...); sie sind mit
Ruhebänken versehen, und da und dort setzen merkwürdige Lauben aus Beton
einen Akzent. Die Häuser sind untereinander nach einem fortlaufenden, aber
nicht symmetrischen Schema verbunden, dadurch wirkt die ganze Anlage nicht
wie eine geschlossene Komposition, sondern verschmilzt zwanglos mit der sie
umgebenden Stadt." (82) Im Unterschied zu Wagner sind die Villensiedlungen
Garniers weniger historisierend.
Mit Wien vergleichbarer ist die Wohnbautätigkeit der kommunistischen
„Volksfront" unter Lèon Blum in Frankreich. Die Verschiebung der Bautätigkeit vom privaten auf den kommunalen Wohnbau hängt auch mit der schweren Krise im Bauwesen zusammen und mit einer Verschärfung des politischen
Klassenkampfes, der eine links-verbündete, populistische „Volksfront" an die
Macht brachte und „bei den Konservativen die Furcht vor jeder Neuerung, auch
auf kulturellem Gebiet, erhöhte" (83). Lyon ist im Gegensatz zu Wien eine reine
Arbeiterstadt, weshalb es dort zu sehr frühen und andersartigen Lösungen des
Arbeiterwohnbaus kam. Prägend waren natürlich die vorgegebenen städtebauli-
chen und architektonischen Strukturen von Tony Garnier.
Der Lyoner kommunale Wohnbau der zwanziger Jahre wurde ähnlich wie in
Wien aus den Mitteln einer eigens eingeführten Steuer finanziert, sodaß die Mie-
ten niedrig gehalten und die Spekulationen eingedämmt werden konnten. Quan-
titativ kann die kommunistische Gemeindeverwaltung mit den Leistungen des
Roten Wien nicht mithalten, doch in der Qualität waren sie – durch rationellere
Baumethoden und funktionalistische Grundrisse – dem sozialdemokratischen
Wiener Wohnbauprogramm weit voraus. Auch die Grundhaltung dieser Architek-
tur, allen voran das Wolkenkratzerviertel „Gratte Ciel" (1929–33) in Villeur-

Monumentales Entrée in der „Gratte-Ciel", Villeurbanne (Lyon) von Môrice Leroux (1929)

banne, einem Vorort von Lyon, scheint vordergründig von politisch-revolutio-
nären Auffassungen radikaler mitbestimmt gewesen zu sein als in Wien. Fast zeitgleich mit dem „Karl Marx-Hof" (1927–30) erbaut, ist Villeurbanne eine
adäquate Widerspiegelung einer machtpolitischen Ideologie des siegreichen
Proletariats, wie kaum ein anderes europäisches Bauwerk seiner Epoche. War
der „Karl Marx-Hof" die horizontale Ausbreitung einer „Massenform", so ist das
neue Stadtviertel von Môrice Leroux (1896–1963) mit seinen imposanten
Portalhochbauten die vertikale Ausformung dieses Prinzips. Die „Hochhausstadt"
war das Prestigeprojekt der kommunistischen Regierung und die Antithese zur
bürgerlichen Stadt eine LeCorbusiers. Jedoch werden hier – wenn auch in etwas
abgemilderter Form – LeCorbusiers kurz zuvor formulierten Thesen der hoch-
verdichteten Stadt „Plan voisin de Paris" (1925) mit ihren kreuzförmigen, sehr
gleichförmigen Wolkenkratzern übernommen. Die „Grands Travaux" – durchaus
im Sinne der utopischen Saint Simonisten so bezeichnet – sollten eine neue
gesellschaftliche Epoche und eine allgemein verbindliche und sozialistische
Humanität ankünden.

Die Hochhausstadt – auf Anregung des kommunistischen Bürgermeisters
Lazare Goujon gebaut – ist trotz allem ein höchst zweideutiges Denkmal: Einerseits widerspiegelt sie auf recht selbstbewußte Weise die Errungenschaften der
Arbeiterschaft auf dem Gebiet des Kommunal- und Wohnungswesens; andererseits ist sie eine Kompromißarchitektur, wenn nicht sogar ein Plagiat, die sich
konkrete Anleihen bei der bürgerlichen Baukunst holt, um sie entsprechend für
sich zu reklamieren. Das „Wolkenkratzerviertel" ist das Resultat des politischen
Kampfes der Arbeiterklasse einer „roten" Vorstadt Lyons, und es wurde von der
kommunistischen Partei entsprechend propagandistisch ausgeschlachtet bzw.
gleichzeitig von der kommunistischen Presse gefeiert und von der konservativen
denunziert. Selbst ein noch so verläßlicher und objektiver Kritiker wie Leonardo
Benevolo nimmt die Siedlung etwas überkritisch und polemisch aufs Korn, wenn
er schreibt: „Es ist eine Produktion, die der deutschen (und österreichischen!)
von (Emil) Fahrenkamp und (Clemens) Holzmeister ähnelt", (was sehr anzu-
zweifeln ist!). Und weiter schreibt er: „Die Architekten nehmen völlig kritiklos
die volumetrischen Folgerungen hin, die sich aus der größtmöglichen Ausnutzung der Baugrundstücke ergeben, und ebenso die üblichen traditionellen
Mittel, um die Baukörper angenehm zu gestalten, wie mit der Suche nach par-
tiellen Symmetrien, nach abgestumpften Ecken, usw. Ob die Architektur dann
modern oder antikisierend ist, ob sie glatte oder ornamentierte Mauern aufweist,
ist letzten Endes eine reine Geschmacksfrage..." (84).

Zugegeben, die abgemilderte und ideologisch nicht ganz widerspruchslose
Version der modernen und bewußt klassenkämpferischen Formensprache mit
überhöhten symbolischen Werten ist sicher für einen heute hoffnungslos aus der
Mode gekommenen rationalistischen Funktionalisten wie Benevolo ein Problem.
Doch muß man diese Architektur auch von ihren historischen Wurzeln her
sehen: Unabhängig von der leidigen und konfliktgeladenen Diskussion, „Arbei-
ter- bzw. Proletarchitektur" in bürgerliche Gewänder zu kleiden und die alte
(klassische) Formensprache mit neuen Inhalten zu füllen (und die damit verbundenen Widersprüche zu glätten), kam in Frankreich noch hinzu, daß die uneinge-

Môrice Leroux: Entwurf für einen Arbeiterpalast, Villeurbanne (1929)

schränkte Herrschaft des Bürgertums und des akademischen Beaux-Arts-Stil fast achtzig Jahre lang ohne Unterbrechung und Veränderung dominierte und selbst die progressivsten und radikalsten Vertreter der Architektur wie Auguste Perret und Tony Garnier davon stark geprägt waren. Die Mehrzahl der ,,moderneren'', ja sogar die wenigen sozialistisch gesinnten Architekten akzeptierten meiner Meinung nach kritiklos diese Hegemonie des Neoklassizismus, nicht ohne sich opportunistisch anzubiedern. Der pragmatische Krompromiß kennzeichnete schließlich die geschichtliche Dimension dieser architektonischen Verwirklichung im Lichte der populistischen ,,Volksfront'' und ihren gesellschaftlich fortschritt-lichen Kern. Unter einem sozialistisch-kommunistischen Banner schritten neo-traditionelle Architekturauffassungen einher. Eine ähnliche Situation herrschte bezeichnenderweise in Wien unter den Austromarxisten auch vor.

Die etwas einseitig auf hiesige Verhältnisse konzentrierte Wiener Architektur-forschung hat die ebenso interessante – und vor allem parallele – Leistung des kommunistischen Lyon bisher kaum erwähnt, geschweige denn die Arbeiten mit-einander verglichen. Es dürfte Absicht dahinter liegen, daß in den vielen selbst-preisenden Eigendarstellungen des Roten Wien – auch in der Gegenwart – die ideologisch (marxistisch-kommunistisch/radikal-sozialistisch) anders geartete Sozialreform-Wohnbauprogramme anderer Länder methodisch verschwiegen wurden und werden, denn der Mythos und der Selbstruhm der ,,Pionierleistung'' durfte dabei nicht getrübt bzw. zerstört werden

165

Architekturkontroversen

Disput: Volkswohnungen oder Sozialpalast

Bereits vor 1919 sprach sich die sozialdemokratische Stadtverwaltung gegen eine expandierende Zersiedelung in den Außenbezirken der Stadt aus und setzte sich für den Bau von konzentrierten mehrstöckigen Riesenblöcken mit großzügigsten Hofeinrichtungen ein. Es entstand jene typische Wiener Variante der Großhofanlage, die eine große geschlossene oder halboffene, durchbrochene Blockverbauung erlaubte, mit relativ hoher Dichte, aber integrierten, gärtnerisch angelegten Grün- und Binnenhofflächen und zahlreichen sozialen Folgeeinrichtungen, den sogenannten „Wohlfahrtseinrichtungen" (übrigens ein Begriff, der sich noch lange Zeit in der für den kommunalen Wohnbau entwickelten Terminologie erhalten hat).

Alfred Georg Frei faßte in seiner Studie das Problem des Massenwohnungsbaus einfach so auf: „Die Sozialdemokraten entschieden sich bewußt dafür, viele, aber dafür einfache (und kleine) Wohnungen zu bauen." (85) Otto Bauer stellte fest, „daß die Wohnungen sehr klein seien", begründet dies aber mit der Notwendigkeit, *„viele* Wohnungen zu bauen" (86). Das dahinter stehende Programm des Austromarxismus' war, billige, aber gesunde Wohnungen zu schaffen, die quantitativ wie qualitativ effizient sein mußten. Man entschied sich für den Massenwohnbau im Stockwerksbau im Anschluß an bereits ausgeführte Wohnviertel. Nur so konnten 220000 Menschen in den Genuß einer neuen Gemeindewohnung kommen: „Der Wohnungsbau des Roten Wien war praktisch *massenwirksam."* (87)

Dafür bedurfte es aber Symbole: Eines davon war der Mythos des Superblocks. Neben diesem die Ideologie des Austromarxismus sichtbar machenden Zeichen wählte man die traditionellen Elemente des „Sozialpalasts", womöglich kombiniert mit einem urbanen „Superblock" (z.B. „Reumann-Hof"). Wohntürme, expressiv gesteigerte Monumentalität, repräsentative Herrschaftssymbole wie Blendarkaden, Präsentationsloggien, vertikalisierte Eckbauteile und weiträumige Toreinfahrten vermitteln einen wehrhaften, drohenden Charakter, der den Machtanspruch einer klassenbewußten und kämpferischen Arbeiterklasse suggeriert. Die Architektursprache, die in die tragische Loyalität eines humanistischen „Stadtsozialismus" fest eingefügt ist, verbindet den ökonomischen Rigorismus mit einem expressionistisch gesteigerten Monumentalismus. Sie entspricht einem „proletarischen Pathos", das sich aber auch an feudale Formen und Muster anlehnt. Die Spannung zwischen den beiden Begriffen „Volkswohnung" und „Sozialpalast", zwischen dem Gegensatz von Bequemlichkeit und Repräsentation, zwischen dem verwirklichten Vokabular einer Herrschaftsarchitektur und dem rhetorischen Anspruch eines sozialistischen, demokratischen Programms, war nicht ohne geschichtliche Parallelen. Nach den „Verwirrungen" der Konstruktivisten und Proletkult-Avantgardisten im nachrevolutionären Rußland, kreierten die wieder zu Aufgaben berufenen Akademiker ihre theoretischen und pragma-

tisch-klassizistischen Modelle von „Arbeiter-Palästen". El Lissitzky, ein Gegner
solcher Neo-Historismen, zeigte einige der Gefahren auf, wenn formalistisches
Pathos (sowohl des „Sozialistischen Realismus" als auch des „Neuen Sachli-
chen") im revolutionären Kampf verwendet wird: „Wenn wir überhaupt das
Wort *Palast* in unserem Leben aufnehmen wollen, sollten wir die Fabriken zu
Palästen der Arbeit umgestalten." (Typoskript im Archiv Lissitzkys, ohne
Datum, doch höchstwahrscheinlich aus den Jahren 1924 bis 1925.) Was für einen
Konstruktivisten wie El Lissitzky ein rhetorisches und intellektuelles Problem
war, wurde zur gleichen Zeit im sozialdemokratischen Wien bauliche Wirklich-
keit. Dieser Grundwiderspruch prägte nicht nur die Debatte zwischen Angreifern
und Verteidigern des Wiener Wohnbauprogramms, er mußte in der Gemeinde-
architektur der späten zwanziger und dreißiger Jahre auch in Wirklichkeit
ausgefochten werden. In Wien sollte im Sinne einer „Propaganda der Tat" (Otto
Bauer) vor allem die Praxis wirken. Ein Musterstück der Sozialdemokratischen
Gemeinderatsmehrheit im kapitalistischen Staat war der „soziale Wohnhof".
Hubert Gessner lieferte gleich die Vorlage für den „Sozialpalast": er schmückte
seinen schloßhaften, mehrtraktigen „Reumann-Hof" mit herrschaftlichen
Attributen und stattete ihn mit jenen Gemeinschafts- und Serviceeinrichtungen
aus, die den Wiener „Volkswohnungspalast" kennzeichnen. Er, den man ironi-
scherweise auch den Architekten der „proletarischen Gründerzeit" nannte (88),
schuf den vorbildlichen und verbindlichen Typus der Großwohnhofanlage.
    Von seinem Lehrmeister Otto Wagner übernahm Gessner die Vision der Groß-
stadt samt seiner Vorliebe für monumentale Uniformität und Totalität einer
Grundrißmonotonie im Städtebau. Dieses Erbe einer großbürgerlichen Schule,
die zu Beginn ihrer Entstehung zu den modernsten, repräsentativsten Strömungen Europas zählte, sank bald zu einem fortschrittsfeindlichen, kleinbürgerlichen

DER VOLKSWOHNUNGSPALAST.

*Entwurfsvedute von der Exedra „Gartenstadt Jedlesee" mit obeliskartigem Denkmal im
Mittelpunkt der Anlage (aus: Josef Frank „Der Volkswohnungspalast")*

Regionalismus ab. Allein Gessner behielt seine Vision der modernen Großstadt. Ein wenig kritiklos übernahm er die neo-absolutistischen Prinzipien einer feudalen, herrschaftlichen Architektur in den zweckbetonten Massenwohnungsbau. Der repräsentative Charakter Wagner'scher Verkehrs-, Büro-, Sanatorien- und Wohnungsbauten wurde auf die neuen Massenarchitekturen Gessners übertragen. Merkwürdig ist nur, daß auch ein so eigenständiger und begabter Architekt von den technischen und wirtschaftlichen Notwendigkeiten seiner Zeit überrollt wurde, was ihn in ein zwiespältiges Verhältnis sowohl zur Tradition als auch zur Moderne brachte. Gessners Haltung war – darin glich er vielen Wiener Architekten seiner Generation – eine gespaltene.

Diesen Punkt hob Josef Frank, ebenfalls ein Zerrissener, besonders in seinem Angriff gegen die Wagner-Schüler im allgemeinen und gegen den „von Gessner kreierten" Volkswohnungspalast im besonderen hervor. Frank vermißte proletarisches Gestaltungsbewußtsein und warf dem Architekten des „Karl Seitz-Hofes" phantasielose Anlehnung an die Vergangenheit einer feudalen Kultur vor. Am Beispiel der „ganz neuen Wohnungstype" (Wohnraum mit getrennter Küche, WC und Vorraum) erläuterte Frank sein Mißfallen an der Wiener Wohnkultur: „Ganz neu ist an ihr, daß sie 50 Jahre verschlafen hat und offenbar nicht weiß, was inzwischen geschehen ist. Das ist die typische-Palastwohnung mit den für einen Zug durchmarschierenden Burggendarmen stramm ausgerichteten Türen, die eine ‚weite Perspektive' durch die Gemächer eröffnet. Hier steht zwar am Ende dieser ‚Zimmerflucht' kein Thron, wohl aber symmetrische Prachtbetten in einem Abstand von 35 Zentimentern (!) von der Tür und darüber ein nach Oeldruck schreiender leerer Fleck. Es fehlen nur die Spiegel an den Wänden – sonst wäre es wie in Versailles." (89)

Durchaus erst gemeint in Franks Polemik ist die Aufdeckung des Widerspruchs von „Volkswohnung" und „Palast", mit der er das Wiener Wohnbauprogramm und die damit verbundene Bevorzugung dieses Typus einer tiefschürfenden Kritik unterzog: „Wenn ich die beiden Wörter ‚Volkswohnung' und ‚Palast' zu einem verbunden lese, (habe) ich die Empfindung, daß hier zwei Dinge miteinander ver-

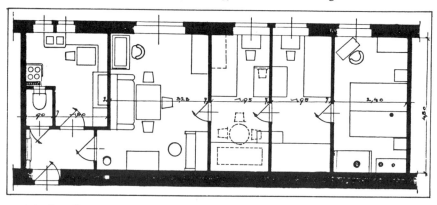

„wie in Versailles . . ."; Wohnungsgrundriß „Karl Seitz-Hof" von Hubert Gessner

schmolzen werden sollen, die nie etwas miteinander zu tun gehabt haben und bei deren Vereinigung notwendig der eine Teil zu kurz kommen muß, wobei das der geringere Schaden ist, wenn dies dem Palast geschieht. Man denkt bei diesem Wort unwillkürlich an jene italienischen Paläste heruntergekommener Adelsgeschlechter, in deren Erdgeschoß die Säle in Volkswohnungen umgewandelt (sind)." (90)

Frank erweist sich als wortstarker Kritiker gegen die bewußtlose und formenimitative Kultur des Wiener Bürgertums, die „zu Geld, Sicherheit und damit Gesinnungslosigkeit gekommen," jenes Erbe der Aristokratie rein äußerlich antreten wollten: „Hinter diesem Wort (‚Volkswohnungspalast') sehen wir auf einmal wieder eine ganze Gesinnung auftauchen, die des gesinnungslos gewordenen Kleinbürgertums. Eine Gesinnung, die vom Stützpunkt des Palastes ausgehend, ihren ganzen Drang nach Repräsentation auf Kosten der Wohnkultur unserer Zeit gerettet hat. (...) Unser Vorbild war eben der adelige Palast, das einzige wertvolle Baudenkmal Wiens, aber mit ihm eine Kultur, die nicht die *unsrige* ist, die von oben und nicht von unten kommt und keinen Boden mehr hat. Die Wohnung des Arbeiters ist wiederum die dem Kleinbürgertum entlehnte; auch das ist nicht seine Schuld, sondern die der Umstände und Kulturbegriffe unserer Spekulanten (?!) (91). In seiner stellenweise spöttischen Kritik kommt Frank nicht nur im essayistischen Stil, sondern auch in diesem einen inhaltlichen Punkt Adolf Loos sehr nahe: „Wohnkultur besteht nicht in der Anzahl (in Anspielung auf die eben fertiggestellte 25000ste Wohnung) und Größe der bewohnten Räume, sondern in der Art, wie die vorhandenen Mittel verwendet werden." (92)

Zum Schluß seiner Abrechnung mit dem Gessner'schen Typus des „Sozialpalastes" kommt seine nicht allzu kritische Haltung dem gehobenen englischen Lebensstil gegenüber durch, und er unterstreicht seine Sympathie für das angelsächsische Gartenhaus mit einem fadenscheinigen Argument: „Selbst die beste und gesündeste Wohnungsform im Miethaus ist ein Surrogat." (93) Es scheint, daß auch Frank, in Anbetracht seiner vergangenheitsorientierten Auffassung von der „Auflösung der Städte" in viele kleine Gartenstädte, nicht mehr „auf der Höhe seiner Zeit" war. Anstatt „kollektiver" Wohnformen (z. B. „Kommunenhäuser") war sein Vorbild das Einfamilienhaus mit Garten! (Schon 1919 entwarf Frank Grundtypen von Einfamilienhäusern und Reihenhäusern aus Gußbeton für eine „Landkolonie", die zwar nie realisiert wurde, aber immer Ausgangspunkt für seine Überlegungen des Massenwohnungsbaus waren; z. B. Beamtensiedlung Ortmann, Genossenschaftssiedlung Hoffingergasse, Siedlungsprojekt Klosterneuburg, Werkbundsiedlung-Doppelhaus. Im Bebauungplan für das Siedlerprojekt Klosterneuburg sind die Flachbauten locker in einer weiten Gartenlandschaft verstreut und suggerieren eine „verschwindende Stadt".) Obwohl Frank für die Gemeinde Wien einige Projekte ausführte („Winarsky-Hof". „Wiedenhofer-Hof", „Leopoldine Glöckel-Hof" etc.), lieferte er praktisch kein Gegenbeispiel zum Gessner'schen Volkswohnungspalast.

Die Kritik Josef Franks galt vor allem dem kleinbürgerlichen Programm, „das darauf abzielte, die arbeitende Klasse nicht zu revolutionieren, sondern zu domestizieren" (94). Josef Frank formulierte es für die Architektur so: „Der *neue* Stil ist aber auch ein Beruhigungsmittel für das Proletariat, ihm scheinbar als Geschenk dargebracht, samt dem Willen, sich anzugleichen." (95) Er hoffte, daß das (klassenbewußte) Proletariat den ihm aufgezwungenen „neuen Stil" ablehnen würde, was sich aber als Irrtum erwiesen hat. Frank beweist an mehreren Stellen seines Vorwurfs dennoch eine geradezu prophetische Einsicht in die Entwicklung des beginnenden „Funktionalismus": „Die Betonung des Modern-Formalen ist immer dort, so sie betont als Zweck auftritt, verdächtig, in ihrem Kern *asozial* zu sein, um mit ihrer Symbolik abspeisen zu wollen. (...) Das Proletariat ist nicht geistig führend wie das revolutionäre Bürgertum des 18. Jahrhunderts, das ja die ganze geistige Kultur trug und sie auch jetzt noch trägt. Und das Proletariat führt heute den Kampf um dieselben Symbole, die im 19. Jahrhundert das Bürgertum erobert und in diesem Kampf die schwersten Opfer für seine Behaglichkeit gemacht hat. Machtbesitz und Repräsentation hängen innig miteinander zusammen." (96) Er unterstellt dem Proletariat bewußt, einen „Kampf" um seine „eigene" (Wohn-)Kultur mit dem Wunsch nach Repräsentation im kleinbürgerlich-imitativen Sinn vertauscht bzw. umgangen zu haben.

Franks warnender Fortschrittspessimismus trifft sich in mancher Beziehung auch mit den hochinteressanten Aussagen von Peter Gorsen, der zur Wiener Gemeindearchitektur meint, daß sie weder konformistisch dem Leitbild des Funktionalismus, noch einem traditionell-retrospektiv-historischen Bauen gefolgt ist. Ihr „dritter Weg" (Peter Kulemann) war „eine Konsequenz des sozialen Reformismus" (97). Nach Peter Gorsen hatte der „Antikonformismus" der Wiener Kommunalbauten der Zwischenkriegszeit gegen den Stil der vorherrschenden Moderne und besonders gegen die elitäre, progressiv-bürgerliche „Neue Sachlichkeit" primär soziale und politische statt wirtschaftliche Ursachen. Den „Kompromiß zwischen Planung und Finanzierung" konstatiert er wenigstens als Teil für die Zurückgebliebenheit der Architektursprache. Eine weitere These Gorsens ist, daß die „Ungleichzeitigkeit zwischen den tatsächlichen — entfremdeten — Wohnbedürfnissen (Glück im Winkel) und einem von avantgardistischer Architektur als Fortschritt eingeforderten sachlichen Lebensstil, der sich von all dem Rückständigen emanzipiert hätte" (98), also daß der Widerspruch zwischen „idealer, möglicher und wirklicher Wohnsituation" (99) von den sozialdemokratischen Bauherrn erkannt und berücksichtigt wurde. Denn: „Vorstellbar und wünschenswert erschien dem durchschnittlichen proletarischen Quartierhalter im Wien der zwanziger Jahre dagegen eine Wohnung in der gutbürgerlichen Aufteilung von vier Zimmern, einem Speise- und einem Schlafzimmer, einem stets leeren Wohnzimmer zu Repräsentationszwecken und einer Küche — als dem eigentlichen Zentrum des familiären Lebens." (100)

In diesem Lichte ist das Nachempfinden eines bürgerlichen Wohnstils bzw. der Wunsch „in einem Palast zu wohnen" (Josef Frank) keineswegs widersprüchlich, wie es die fortschrittliche liberal-linke Architekturkritik immer wieder auffaßte, sondern konkreter Ausdruck eines zwar „entfremdeten", aber legitimen Bedürfnisniveaus der proletarisierten kleinbürgerlichen Massen (101). Diese evolutionär und reformistisch angelegte Architektur ist demnach bedürfnisorientiert und trägt den widersprüchlichen Wohnbedürfnissen der völkisch-bildungsmäßig gemischten Arbeiterklasse Wiens Rechnung. Nicht zufällig waren die Massen der

Arbeiter und Angestellten weder innerlich auf den für sie sehr fragwürdigen Fortschritt eines kalten Fabrikstils (den sie aus ihrem Alltag ohnehin kannten) vorbereitet, noch wollten sie ihn bedingungslos akzeptieren. „Auf die revolutionäre
Überwindung kleinbürgerlicher Wohnbedürfnisse in einer eigenen Klassenstruktur
waren die proletarisierten Schichten gar nicht vorbereitet. Sie wollten vielmehr
die kleinbürgerliche Kultur mit ihren subjektiven Annehmlichkeiten nachah-
men. Sie wollten auf kleinbürgerliche Weise gelebt haben, anstatt für die intellektuelle Utopie einer Zweckarchitektur ‚reif zu werden', in der Form und Funktion sich rational sollen durchdringen können." (102) Auf die intellektuelle
Trägheit der Wiener, die radikalen und neuartigen Lösungen meist reserviert bis
feindlich gegenüberstehen, wird in Gorsens treffender Analyse bedauerlicherweise nicht viel eingegangen.

Es kann daher auch kein Zufall sein, daß die häufig verurteilte ästhetische,
hygienische und technische Rückständigkeit der Gemeindebauten mit den krisen-
haften, subjektiv-widersprüchlichen Wiener Wohnverhältnissen und rückständigen
Wohnbedürfnissen der Zeit zusammenhängt. Dazu Gorsen: „Dies könnten der
Kern und die unterschätzte Strategie der sozialdemokratischen Baugesinnung im
Wien der zwanziger Jahre gewesen sein − nämlich dort, wo sie fortschrittliche
und rückschrittliche Tendenzen in den Anlagen kombinierte, z.B. funktionalen
Weitblick in der sozialen Organisation von Höfen, Gartenanlagen, Kinderspielplätzen, Klubs mit dem Rückgriff auf Formen des Fassadenschmucks, der Orna-
mentierung und Skulptierung des Baukörpers; biedermeierliche Enge und Unfle-
xibilität im Inneren der Wohnräume mit expressiver Monumentalität und großzügiger Eleganz in der äußeren Gesamterscheinung. Die in sich widersprüchliche
und gebrochene Erfahrung des Fortschritts bei den kleinbürgerlichen Bewohnern
hätte demnach in einer gebrochenen und stilistisch ‚inkohärenten' Architektur
ihre Entsprechung gefunden − aus der Einsicht heraus, daß ein Harmonisierungs-
konzept im Ästhetischen und Architektonischen der Wohnanlagen gegen die
herrschenden Widersprüche und Arbeitsteiligkeit des Alltagslebens nicht nur
machtlos, sondern einer gesamtgesellschaftlichen Veränderung auch hinderlich
ist." (103)

Wie immer in Wien ging man vorsichtig, bedächtig und gemäßigt vor: „Vielleicht war gerade die langsame, um 1925 ihren Gipfelpunkt erreichende Anpas-
sungsphase des Wiener kommunalen Wohnbaus an die *in sich widersprüchliche*
Bedürfnisentwicklung der Arbeiter- und Angestelltenmassen für den gesamtgesellschaftlichen Fortschritt wirksamer als die ‚revolutionäre' Vorwegnahme ihrer
rational wie technisch und industriell differenzierten Bedürfnisse und Fähigkeiten in einer den Massen noch unverständlichen und lebensgeschichtlich kaum
erträglichen Zweckarchitektur." (104) Weswegen die Wiener kommunale Architektur „ein Produkt situationsbezogenen Bauens (ist), das die lokalen ökonomischen, sozialen und technischen Möglichkeiten ebenso berücksichtigt wie die in
sich widersprüchliche subjektive Bedürfnisentwicklung der proletarisierten Kleinbürgerschicht." (105)

Wie richtig und haltbar die häufigen Angriffe von bürgerlich-fortschrittlicher
Seite gegen den Wiener „Volkswohnungspalast" immer auch waren und sind, sie
unterstellen jedoch, „daß damals ein widerspruchsloser architektonisch-ästheti-

scher Gesamtausdruck des kollektiven Wohnens und Lebens möglich gewesen wäre." (106)

Die erzieherische Rolle des „Volkswohnungspalasts" zur Verwirklichung des sozialistischen Ziels wird von der Mehrheit der liberalen, progressiv-bürgerlichen, aufgeklärten Kritiker leichtfertig und bequem mit dem Argument des unadäquaten Gebrauchs herrschaftlicher Architekturformen glattweg bestritten und „proletarisches" Wohnen als eine authentische Selbstdarstellung bezweifelt. Dem muß man widersprechen, weil es einerseits ahistorisch ist, andererseits den emanzipatorischen und *dialektischen* Gehalt der Ästhetik der Wohnbauten mißachtet. Ahistorisch insofern, als gänzlich neue und radikale Formen (107) „proletarischer" Wohnarchitektur nicht möglich und überdies deterministisch angelegt sind, weil eine *qualitative* Veränderung bzw. *Verbesserung* der allgemeinen Wohnsituation der Arbeiterklasse als objektive Errungenschaft der Gemeindeverwaltung und Wohnbauten nicht anerkannt wird. Oder, um Karl Marx zu zitieren: „Die Befreiung der Arbeiterklasse kann nur das Werk der Arbeiter selbst sein", d.h. die „Selbstverwirklichung der Arbeiterklasse" (108) kann nicht nur auf die Architektur beschränkt sein/bleiben. Architektur ist nur ein Hilfsmittel, weshalb die Konzentrierung auf ästhetische Fragen und die formal-polemische Kritik gegen sie allein, sie letztlich sehr überbewertet. Denn schließlich war, wie ein altes Arbeiterlied etwas pathetisch ausdrückt, der „Volkswohnungspalast" ein *„kleiner roter Baustein, bau 't die neue Welt"!* Abschließend resümieren Hautmann/Hautmann: „Es gilt, dieser Gemeindebauarchitektur in der Kunstgeschichte ihren Platz zu geben", wobei sie meinen, „daß (die Architektur) gerade durch ihren realistischen und klassenbezogenen Inhalt im Gegensatz zur ‚Neuen Sachlichkeit' (...) steht" (109). Und um mit Peter Gorsens Worten zu schließen: „Ihre (die Architektur des kommunalen Wohnbaus) verurteilte Kleinbürgerlichkeit wirkt heute realistischer, deutlicher bedürfnisorientiert und menschlicher als die gleichzeitige Architekturentwicklung zu funktionalem Rationalismus und neusachlichem Zweckstil." (110)

Das wird in der Pro-und-Contra-Diskussion zur Gemeindebauarchitektur sehr oft vergessen, wie man auch den Schöpfer des „Volkswohnungspalasts", den eigentlichen Architekten des Roten Wien, nicht mehr kennt. Wenn Hubert Gessner gelegentlich in Fachpublikationen erwähnt wird, dann meist negativ und gelegentlich wird er auch als Sündenbock hingestellt (111) oder er wird, wie in einem relativ alten Wiener Bautenführer als „Hugo" Gessner oder Hubert „Gassner" tradiert, die es beide in Wirklichkeit natürlich nie gab (112), bzw. wird er mit seinem jüngeren Bruder Franz Gessner (1879–1975) verwechselt (113).

Gessners Großwohnhofanlagen haben der Stadt ein neues Profil verliehen. Seine Leistung als Architekt des Roten Wien war, wie Marco Pozzetto etwas pathetisch charakterisiert, ebenbürtig den Leistungen der roten Politiker: „Innerhalb der Wiener Architektur würde (Gessner) ein Platz gebühren, der dem Rang der großen sozialistischen Bürgermeister wie Reumann und Seitz auf politischer Ebene entspräche." (114)

Richtet sich der fortschrittlich-bürgerliche Vorwurf gegen die beabsichtigte Rückständigkeit der Baumethode und die synkretistische Form der Architektursprache, so wird von sowjet-marxistischen Architekturhistorikern neben den inhaltlichen Widersprüchlichkeiten einer „sozialistischen" Architektur innerhalb einer kapitalistischen Wirtschaftsordnung auch deren soziale Demagogie vorgehalten. Merkwürdigerweise werden die gleichen Argumente gegen die „Volkswohnungspaläste" angebracht, die sich eigentlich besser gegen die Architektur des „Sozialistischen Realismus" (oder besser: „Proletarischen Monumentalismus") sowjetischer Spielart richten lassen: „Eine fortschrittliche soziale Tendenz, die sich nicht mit dem sonderbaren Streben nach betontem Prunk und Eleganz im Äußeren vertrage." (115) So behauptet die sowjet-marxistische Kunstgeschichte des 20. Jahrhunderts, letztlich sei „der sozialdemokratischen Leitung der Wiener Stadtverwaltung die Befriedigung des Bedürfnisses der Arbeiter nach Wohnungen nicht so sehr Ziel als vielmehr Mittel zur Propaganda ihrer sozial-reformistischen Doktrin" (116) gewesen. Diese Attacke richtet sich im Grunde genommen gegen sich selbst und erübrigt jede Kritik. Daß in der Sowjetunion unter stalinistischer Vorherrschaft an den tatsächlichen, gesellschaftlichen Erfordernissen der Arbeiterschaft vorbeigebaut wurde, bedarf hier keines Belegs.

Interessant ist, wie sich aus verschiedenen ideologischen Gründen und Anschauungen heraus ähnliche festgefahrene Standpunkte gegen den „Volkswohnungspalast" gebildet haben. Dazu Gorsen: „Es scheint, der Vorwurf der ‚sozialen Demagogie' gegenüber dem Wiener kommunalen Wohnungsbau ist ebenso bequem und oberflächlich wie dessen Abwertung in der Fluchtlinie der funktionalistischen Avantgarde." (117)

Genauso wie die „Linken" sparten auch die „Rechten" nicht mit Verleumdungen und Denunziationen. Sie störte weniger die Widersprüchlichkeit des Konzepts, als die latente Bedrohung der bastionartigen „Superblöcke" (übrigens eine Wortschöpfung der Reaktion), die als „rote Inseln" ein politisches Machtmittel darstellten. Verstärkt wurde diese notorische Angst vor einer sozialistischen Besetzung der Stadt durch die drohgebärdende Architektur der Gemeindehöfe. Für die Bürgerlichen waren die „Superblocks" als architektonisch abgeschlossene Einheiten nicht nur allein ein „Ort der Kollektivierung" (118), um die Bewohner besser beeinflussen und indoktrinieren zu können, sondern auch militärisch-strategische „Festungen" (119), weil sie z.T. an Schlüsselstellen entlang von Gleisanlagen und an Brückenköpfen situiert waren. In einer gleich nach der Niederschlagung der Februarkämpfe mit großer Genugtuung eiligst verfaßten Schrift „Der Fall der Roten Festung" (1934) heißt es: „Wer sich die Verteilung der Wohnhausbauten und anderer Bauten der sozialdemokratischen Gemeinde Wien in einen Stadtplan einzeichnet, der erkennt auf den ersten Blick, daß an allen Straßen (...), allen Eisenbahnen, allen wichtigen Brücken große Gemeindebauten wie Sperrpforten errichtet sind." (120) Richtigerweise bemerken Haiko/Reissberger dazu: „Doch gerade bei einigen dieser Anlagen wird der Realwert des Befestigungscharakters durch die in hohem Maße auf optische Wirkung bedachte architektonische Ausgestaltung stark gemindert. (...) Hätte man Bauten mit effizientem Festungscharakter errichten wollen, dann hätte man sich nicht an Lösungen der Repräsentationsarchitektur des 19. Jahrhunderts orientiert, sondern an solchen Bauten jener Zeit, die nachweisbaren Angriffs-und Verteidigungsabsichten dienten und deren es in Wien nicht wenige gab (Arsenal, Roßauerkaserne etc.)." (121) Solche partikuläre, lokale und gegenrevolutionäre Traditionen dürften wohl den politischen Gegnern der Kommunalwohnbauten unbekannt geblieben sein, wenn sie diese als Arbeiterburgen, Bürgerkriegsfestungen, rote Kasernen und die Gartenhöfe mit Kinderspielplätzen als getarnte „Aufmarschplätze des para-militärischen Schutzbunds" (122) bezeichneten und die an den Fassaden vorkommenden Nebenraumfenster als „Schießscharten" sowie die „häßlichen Ballustraden als Maschinengewehrnester" (123) denunzierten. Der latente Wehr- und Drohcharakter der Wohnblöcke war entweder (un)beachsichtigt symbolisch oder war semantisch-ideologisch bedingt bzw. er hatte Doppelfunktion: einerseits eine Abriegelung zur Stadt, während im Inneren ein starkes Gemeinschaftsgefühl durch die Abschirmung nach außen erzeugt hätte werden sollen; andererseits sollten die Bauten ein weithin sichtbares aggressives Symbol der Macht sein, das durchaus den Mythos einer Festung unterstrich.

Auch wegen des dort entwickelten Widerstands einiger Schutzbündler bekamen die Gemeindewohnbauten den noch zeitgenössischen Ruf als „Rote Festungen"; dieser Mythos wird hartnäckig auch heute noch tradiert (124). Die Absurdität dieser Logik erwies sich spätestens im Februar 1934, als der bewaffnete Arbeiteraufstand in manchen dieser „Festungen" schon nach wenigen Tagen durch Bundesheer und Polizei zerschlagen wurde. Selbst der zum Symbol des Kampfes gewordene „Karl Marx-Hof" wurde nach wenigen Tagen eingenommen

(und prompt zum „Heiligenstädter-Hof" umbenannt). Die Bastionhaftigkeit war für die freiwilligen Verteidiger der österreichischen Demokratie ein verhängnisvoller Trugschluß im polarisierten politischen Klima der Ersten Republik. Den Sozialdemokraten war es nicht gelungen, eine wirkungsvolle Machtstruktur auch baulich zu entwikkeln und die Statushaftigkeit der bürgerlichen Stadt entscheidend zu brechen.

Ein Bild mit Symbolgehalt:
12. Februar 1934 im Bild der Sieger.
Der starkumkämpfte „Schlinger-Hof"
in Floridsdorf mit seinen Einschuß-
löchern – ein Triumph der faschistischen
Reaktion über die „Roten Burgen".

174

Disput: Siedlung versus Massenmiethaus

Eine der heftigst geführten Auseinandersetzungen im Bauprogramm des Roten Wien war die alte Kontroverse zwischen den Befürwortern und den Gegnern der Gartenstadt. Das Konzept „Gartenstadt gegen Großstadt" hatte ideologische und kulturhistorische Dimensionen und nahm bereits Konturen eines Klassenkampfes an. Die einen wollten Ein- und Kleinfamilienhäuser-Siedlungen, die anderen das urbanistische Massenwohnhaus. Sahen die Anhänger der bürgerlichen Gartenstadt die moralische und kulturelle Verarmung in der Großstadt und sehnten sich nach einer rural-agrarischen Vergangenheit des „ländlichen Milieus" zurück, so hatten die Stadtbefürworter die Baukosten für die Erschließung und die Gefahr der Verbürgerlichung der Gartensiedler im Auge. Damit drängte sich die Frage auf, ob das Wohnbauprogramm der 25 000 Volkswohnungen in Gestalt einer Gartenstadt in Flachbauweise oder in dichtverbauten Hochhäusern unterzubringen wären. Mit dem Argument der raschesten und konkretesten Abhilfe der Wohnungsnot wurde von der Gemeinde das Stockwerkhaus bevorzugt. (125) Der Bau von innerstädtischen Anlagen war nach gemeindeeigenen Worten billiger und naheliegender, weil weder größere zusammenhängende Bauplätze im Besitz der Gemeinde waren, noch mußten sie erst erschlossen werden.

Die damalige Polemik gegen den Massenwohnbau erreichte im Herbst 1926 wegen des in Wien abgehaltenen Kongresses des „Internationalen Verbands für Städtebau, Landesplanung und Gartenstädte" ihren Höhepunkt. Die Tagung, zu der internationale Fachleute aus Westeuropa und Amerika kamen, gipfelte in einer massiven Kritik der Wiener Wohnbaupolitik, die ihre Wirkung auf die Stadtverwaltung nicht ganz verfehlte. Eiligst wurde eine etwas heuchlerische Broschüre über „Die Wohnungspolitik der Gemeinde Wien" (1926) verfaßt, bei der die Gemeinde die Gelegenheit zu einer ausführlichen Gegendarstellung wahrnimmt. In ihrer Version „zur Bekämpfung der Wohnungsnot und zur Hebung der Wohnkultur seit dem Kriegsende" (126) heißt es: „Die außerordentlichen Vorzüge der Gartensiedlungen sind einleuchtend und diese Art des Wohnens im Einfamilienhaus ist selbstverständlich auch für Wien das Erstrebenswerte. Tatsache ist, daß das Einfamilienhaus im großen Maße nur in den westlichen reichen Ländern die herrschende Wohnform geworden ist. In den Großstädten des europäischen Festlandes hat es sich mit dem Einsetzen der starken industriellen Entwicklung dieser Städte nicht mehr zu behaupten vermocht. Paris, Berlin, Wien, Budapest weisen denselben Typus der Mietkaserne für die arbeitenden Klassen schon in der Vorkriegszeit ausschließlich auf. Es hat sich eben gezeigt, daß die Schaffung des Eigenheims mit kleinem Garten über die wirtschaftliche Kraft der Arbeiter- und Angestelltenbevölkerung dieser Städte weit hinaus geht." (127) Der anonyme Autor wendet sich dagegen, wie in bürgerlichen Genossenschaften die Arbeiterfamilien in Eigenheimen unterzubringen: „Ganz anders bei den viel besser bezahlten Industriearbeitern Amerikas und Englands. Doch finden wir bemerkenswerter Weise auch in den Großstädten Amerikas bereits den Kampf zwischen Einfamilienhaus und dem Miethaus mit mehreren Stockwerken. Dabei ist hervorzuheben, daß die amerikanischen Städte als ganz moderne Siedlungszentren erst in einer Zeit zu Großstädten angewachsen sind, als ihnen bereits

Rudolf Perco: Verbauungsstudie, unausgeführtes Projekt für einen mehrgeschossigen Wohnbau am Gaudenzdorfer Gürtel (1928); Beispiel für den urbanen Block.

technisch hochentwickelte Massenverkehrsmittel zur Verfügung standen. Mit diesen Verkehrsmitteln und durch sie konnten sich die Städte genügend rasch und weit ausdehnen, um das Einfamilienhaus auch noch für die arbeitenden Schichten zu ermöglichen. Während also die Bodenpreise im ‚down town' Viertel schwindelnde Höhen erreichen, ganz so wie die dortigen Geschäftshäuser, sind die Bodenpreise in den Wohnvororten durchaus mäßig geblieben, weil es immer ein leichtes war, durch schnell laufende Bahnen neues Wohngelände in großem Maßstab zu erschließen." (128)

Sehr treffend erkennt der Autor die Unterschiede in der wirtschaftlichen Expansion im Vergleich zu den anglo-amerikanischen Verhältnissen. Da Wien bis Mitte der zwanziger Jahre dieses Jahrhunderts kein leistungsfähiges, weitreichendes und elektrisches Massenverkehrsmittel außer der Vorortelinie und der Stadtbahn unterhielt, konnte deshalb auch kein billiges Bauland in den Stadtrandbezirken erschlossen werden. „Unsere Stadt hatte die erste Million Einwohner bereits überschritten, als ihr durch die Einführung der elektrischen Straßenbahn ein Verkehrsmittel geboten wurde, welches zwar die brennendste Verkehrsfrage notdürftig löst, keineswegs aber die bodenerschließende Wirkung von weit hinausstrahlenden Schnellbahnen auszuüben vermag. Wien fehlten also und fehlen noch immer (1926) die Schnellverkehrsmittel, welche allein in Zeiten einer normalen Wirtschaftslage den notwendigen Impuls auszuüben vermöchten, um die Bautätigkeit auch an den entferntesten Rändern der Stadt immer wieder neu anzuspornen. Dies mag als einer jener Gründe angeführt werden, die schon vor dem Krieg das mehrstöckige Miethaus zur herrschenden Wohntype werden ließen. Die überaus hohe Besteuerung des Wohnraums war ein anderer, gleichfalls sehr wesentlicher Grund." (129)

Obwohl dezente Kritik an der Stadtentwicklung herausgehört werden kann, verschweigt der Autor, daß die Wiener Wohnverhältnisse durchaus städtisch und zentralistisch waren. Noch immer war das typische Arbeiterquartier die gründerzeitliche „Bassenawohnung", wie sie heute noch einen Großteil des Baubestandes der Außenbezirke Favoriten, Ottakring und Leopoldstadt bildet. Das Einfamilienhaus war für die einkommensschwachen Arbeiter utopisch. Außerdem erlaubte die wirtschaftliche Stagnation keine neuen Ansiedlungen von

Industrien und die Möglichkeit von Übertragungen bestehender Fabriken in die sogenannten „Trabantenstädte" wie in England und in den USA. „Die bestehenden Industrien sind nur teilweise beschäftigt, die Gründungen neuer Industrien oder die Abtragung bestehender Fabriken an neue Örtlichkeiten kommt in Anbetracht der geringen Prosperität und der außerordentlichen Geldnot gar nicht in Frage. Es bliebe noch, den Gedanken von Gartenstädten auf Wiener Boden zu überlegen. Eine Gartenstadt für 25 000 Familien erfordert, wenn man für ein Haus mit Garten 200 qm und samt Straßenanteil und Freiflächen 300 qm rechnet, ein Gelände von 7.500 000 qm (7,5 qkm). Ein solches zusammenhängendes Gebiet war weder im Besitze der Stadt, noch hätte man es beschaffen können. Auch mehrere baureife Gelände, die zusammen dieses Flächenmaß ergeben hätten, wären zu angemessenem Preise nicht erhältlich gewesen. Man stelle sich die gewaltigen Aufschließungskosten für ein so großes Gebiet vor. Hauptsammelkanäle, Hauptrohrstränge für die Wasserversorgung, Zuleitungen für Gas und Strom, ein Netz von Verkehrs- und Wohnstraßen hätten geschaffen werden müssen. Dieses große Baugelände hätte natürlich auch einer vorzüglichen Schnellbahnverbindung mit dem Stadtkerne bedurft, deren Kosten ganz ordentlich hoch wären, da hierfür nur eine Hoch- und Untergrundbahn in Betracht kommen könnte!" (130)

Nicht nur, daß eine Zahlendemagogie mit den Siedlerflächen betrieben wurde, auch die Sorge um einen Nahanschluß der Bewohner an eine leistungsfähige Straßenbahn war nicht ganz aufrichtig. Denn zumeist entschied man nicht danach, wie schnell die Bewohner zum öffentlichen Verkehrsnetz gelangen könnten, sondern — mit gerade umgekehrter Logik — überlegte man, wie rationell und billig man die Baustelle mit Material versorgen konnte. „Im Baukonzept der Stadtplanung war die von der Gemeinde betriebene Straßenbahn das optimale Transportmittel von Baustoffen zu den Baustellen." (131)

Legitimation für den Bau von „Volkswohnungen" war schließlich ein Plädoyer für die konkreteste und kostensparendste Antwort zur Lösung der naheliegenden Probleme: „Da die Wohnungsnot in Wien raschester Abhilfe bedurfte, mußte die Stadtverwaltung auf alle jene kleineren Flächen greifen, die käuflich waren und die wegen des Vorhandenseins benachbarter Straßen, Kanäle, Gas- und Wasserleitungsanlagen, Stromleitungen usw. das rasche Bauen ohne großen Aufwand für diese Einrichtungen erlaubt." (132) Und zur Rechtfertigung des Wohnbauprogramms abschließend gleichsam die Entschuldigung: „Wo der Gemeinde größere Grundflächen in einer verhältnismäßig noch ländlichen Charakter tragenden Umgebung zur Verfügung standen, wurden sie ohnehin für die Errichtung von Gartensiedlungen gewidmet. Wenn sonach die Gemeinde bei Verwirklichung ihres großen Bauvorhabens einen Weg beschritten hat, der für Wien der einzig mögliche war, so ist sie dennoch nicht an der Gartenstadtbewegung interesselos vorübergegangen. Im Gegenteil!" (133). Quasi als Trost wurde auf die Leistungen der „Freihofsiedlung" und der „Lockerwiesensiedlung" bzw. der gerade in Bau befindlichen „Gartenstadt-Jedlesee" (ein Superblock!) und den ebenfalls geplanten „Washington-Hof" hingewiesen, nachdem sich der Vorsitzende der Sozialdemokratischen Partei, Otto Bauer, für den Flachbau im allgemeinen und für die Siedlung im besonderen ausgesprochen hatte. Der 1927 geplante „George-Washington-Hof" in Favoriten/Meidling war die bauliche Antwort auf die Kongreßkritik, – ein Mittelding zwischen einer Gartenstadt und einem Stockwerkhaus. Die Quintessenz der Bautätigkeit der Gemeindeverwaltung konzentrierte sich und verteilte sich nicht allein wegen bestehenden Eigentumsverhältnissen auf zahlreiche Einzelparzellen in der Stadt, sondern „knüpfte mit dem Standort ihrer großen Wohnhöfe in topographischer Hinsicht an die durch den Ersten Weltkrieg abgerissene Bautätigkeit der Gründerzeit an, indem sie günstige Möglichkeiten zur Lückenfüllung vor allem am Saum des geschlossenen Stadtkerns wahrnahm." (134)

Nachdem mittels Untersuchungen festgestellt bzw. den Politikern von den Rathausbeamten eingeredet worden war, daß man die dringende Wohnungsnot durchgreifend nur durch Stockwerksbauten zu beheben vermag, hatten die noch geplanten und gebauten Siedlungen nur mehr Alibifunktion. Allein schon die Standortwahl im meist dicht verbautem Gebiet mit den gegebenen Bebauungsvorlagen und Wohnstrukturen ließ keine andere Wahl, als die neuen Wohnhausanlagen als Hochbauten auszuführen. Somit waren a priori die Weichen gestellt. Schon längst, nachdem die Entscheidung zugunsten der dichten, mehrgeschossigen Bebauung gefallen war, setzte die Diskussion Einfamilien-Siedlungshaus versus Massenhaus am Internationalen Städtebaukongreß (1926) ein. Sie kam etwas zu spät und hatte kaum Auswirkung auf die Wirklichkeit.

Verunsichert durch das ungemeine Interesse der Fachleute und die Popularität der „Weißenhofsiedlung" des Deutschen Werkbundes in Stuttgart, die nur ein Jahr nach dem Wiener Städtebaukongreß eröffnet wurde, entschloß sich die Gemeinde zwei Jahre später, eine ähnliche Ausstellung und ein anschließendes Projekt in Wien zu beginnen. Sie förderte, wo es um die Finanzierung des Baugrundes ging, den Österreichischen Werkbund und beauftragte ihren Präsidenten Josef Frank (einen der eifrigsten Advokaten der Gartenstadtbewegung) mit dem Bau von ca. 70 Einfamilienhäusern. Im Unterschied zu den von der Gemeinde erstellten Siedlungshäusern sollten die „Haus und Garten"-Varianten der Werkbundsiedlung zum freien Verkauf gelangen. Ottokar Uhl resümierte den experimentellen Charakter dieser Siedlung: „Der Bau von Einfamilienhäusern war für die damalige Notzeit ein Luxus, auch wenn sie klein und wirtschaftlich waren; vielleicht war es überhaupt falsch, Einfamilienhäuser auszuschreiben, da man auch von den besten Lösungen keine Anregungen für den Wohnungsbau im großen erwarten konnte. (...) (Das Vorbild), die Weißenhofsiedlung von 1927, in Ausschreibung und Durchführung mit Wien vergleichbar, brachte mehr realisierbare Vorschläge zum Wohnungsproblem, weil dort auch Wohnblöcke, nicht ausschließlich kleinste Einfamilienhäuser entworfen wurden; sie war auch konstruktiv (Stahlbetonfertigteilbauweise) und städtebaulich (Zeilen- und Gruppenbauweise) fortgeschrittener." (135)
Die Werkbundsiedlung ist eine späte Korrektur – bzw. eine kritische Alternative – zur übrigen kommunalen Wohnbautätigkeit, aber noch keineswegs „das letzte unschuldige Manifest der Wiener linkskritischen Architektur(avantgarde)-szene", wie Adolf Krischanitz etwas pathetisch formulierte. (136) Obwohl die

Flugbild der Wiener Werkbundsiedlung (1930–32): Beispiel einer aufgelockerten Zeilenverbauung mit Villencharakter.

Kleinhäuser beispielgebend für das Wohnbauprogramm sein hätten können, waren die Intentionen des Werkbundes für 1930 bereits anachronistisch.

Merkwürdigerweise hatte die Siedlung — außer einem inzwischen rein methodisch-didaktischen Wert in der Architekturpädagogik — kaum unmittelbare Auswirkungen auf den Einfamilienhausbau der Nachkriegszeit gehabt. Lag es am Geschmack des Wiener Kleinbürgertums, daß es (noch immer) „Sachlichkeit" als ein Greuel empfand, oder waren es ausschließlich elitär-wirtschaftliche Gründe, die die Siedlung für die Bauwirtschaft unprofitabel machten? Dieser Ansatz einer reformierten Gartenstadtbewegung sollte heute nochmals überprüft werden.

Disput „Wolkenkratzerstadt"

Die Idee des Hochhauses kam über Amerika (137) nach Europa (Mies, LeCorbusier, Loos). Die ungemein wirkungsvollen, halbabstrakten und pathetisch übersteigerten Zeichnungen eines Hugh Ferriss (1889–1962) beispielsweise beeindruckten die europäischen (deutschen) Expressionisten durch ihre dramatische Symbolhaftigkeit so sehr, daß sie öfters als Vorlagen verwendet wurden (Behrens, Feininger etc.). Auch in Wien beschäftigte man sich in jenen Tagen mit dem Wolkenkratzer — wie das Projekt Adolf Loos' für ein Verwaltungsbürohaus für

Rudolf Fraß: Auffallende Monumentalität zeigt sich bei diesem Entwurf für das Hochhaus-projekt Spitalgasse/Währingerstraße (1924).

die amerikanische Zeitung „Chicago Tribune" beweist – unterschied aber prinzipiell zwischen Büro- und Wohnhochhaus, wobei letzterem der Vorzug gegeben wurde.

Clemens Holzmeister und Oskar Strnad entwarfen ebenfalls Wohnhochhäuser. Präfigurativ für das Wiener Hochhaus war das frühere Projekt von Adolf Loos für die Verbauung des Gartenbaugeländes mit einem Kaiserdenkmal (1916), wo eigentümlicherweise historisch-klassizistische mit rationalistischen Motiven verschmolzen werden sollten. Dieser staatliche Repräsentationsbau sollte zwei Ministerien aufnehmen, die als zwei völlig dekorlose schlanke Türme eine Art „portici" bilden sollten, der mittlere Teil war aus Rücksicht auf das dahinterliegende „Palais Coburg" als offene Ruhmeshalle mit ionischen Säulenarkaden für das Kaiserdenkmal und den Büsten von bedeutenden österreichischen Staatsmännern gedacht. Schon damals hatte man allein gegen die Türme des Verwaltungstrakts Bedenken, die österreichische „Walhalla" wurde jedoch prinzipiell akzeptiert.

Erneutes Interesse für das Hochhaus zeigte das sozialdemokratische Wien, als sich ein Hochhausprojekt für einen Prestigegemeindebau anbahnte. „Der erste Wiener Wolkenkratzer", wie eine Zeitung am 1. Februar 1924 berichtete (138), sollte als zwölfgeschossige und 40m hohe Anlage für den Mitteltrakt des „Reumann-Hofes" von Hubert Gessner am Margaretengürtel errichtet werden. Zuvor „gab es ein Projekt für ein 24geschossiges Bürohaus auf den Gründen der schon damals in ihrem Bestand gefährdeten Roßauerkaserne und einen Plan für ein 25-geschossiges Geschäftshaus auf dem Karlsplatz." (139)

Für den Mitteltrakt des eben begonnenen „Reumann-Hofes" schlug Gessner einen monumentalen Mittelteil vor, von dem er selbst berichtete: „Das Hochhaus,

Hubert Gessners nicht genehmigter erster Entwurf vom „Reumann-Hof" (Jänner 1924).

das den Gesamtkomplex mächtig überragt, wird auf einer Grundfläche von 550 qm gebaut und wird in jeder Etage sechs dreiräumige Wohnungen, zusammen also 72 Wohnungen enthalten. Es wird eine Höhe von 40 Metern erhalten, also ungefähr so hoch sein wie der Turm der Minoritenkirche oder zweimal so hoch wie ein modernes Zinshaus." (140)

Gessners ehrgeiziger Plan wurde nicht ausgeführt, denn die Stadtverwaltung gab den Protesten innerhalb der Parteigremien nach. Gessner mußte sein Hochhausprojekt um die Hälfte verkleinern. In der Eröffnungsschrift heißt es dazu: „Wie monumental dieser Bau aufgefaßt war, geht schon aus dem Vorprojekte hiezu hervor, wo als Dominante in der Mittelpartie ein Hochhaus geplant war, wodurch die architektonische Wirkung ganz besonders gesteigert erschien, ein Projekt, das, so interessant es an sich auch gewesen ist, aus verschiedenen Gründen fallen gelassen werden mußte." (141) Die sozial denkenden Rathausbürokraten leisteten diesen Plänen Gessners hartnäckigen Widerstand. So ist in einem Gemeinderatsprotokoll folgender sozialer Einwand gegen das Wohnhochhaus zu lesen: „Ist es denn irgendwo in einer Stadt üblich, den Bewohnern die Auflage aufzubürden, derart hochgelegene Wohnräume durch die (aufzugslosen) Stiegen zu erreichen?" (142) Der Einbau eines Aufzugs hätte sich in einer Erhöhung der Miete ausgewirkt.

Daß der Widerstand gegen das Hochwohnhaus auch durchaus andere – eher ideologische – Beweggründe hatte, beschreibt Max Ermers nach Studien der Geschäftspraktiken der amerikanischen Büro- und Warenhaus-Bauspekulanten: „Für den Grundbesitzer bedeutete natürlich die Bauerlaubnis für Wolkenkratzer eine außerordentliche Wertsteigerung seines Terrains, aus welchem Grunde in Deutschland überall die Kompensation durch Heimfall an die Gemeinde nach Ablauf von 30 bis 90 Jahren verlangt wird. Keinesfalls aber sollte man daran denken, Turmhäuser für Wohnzwecke zu errichten." (143) Der fortschrittsgläubige Aspekt wurde in Wien von sozialdemokratischer Seite – richtigerweise – als Rückschritt empfunden. Wien war damals aus guten Gründen nicht wolkenkratzerreif: neben Hinweisen auf erhöhte Brandgefahr, Schwierigkeiten mit der Versorgung, teuren Erhaltungskosten und allgemein höheren Baukosten solcher

Bauten, bemerkte Baustadtrat Franz Siegel in diesem Zusammenhang: „Persönlich bin ich prinzipiell dagegen, daß solche Hochhäuser errichtet werden. Ich bin der Ansicht, daß solche Bauten schon deshalb nicht empfehlenswert sind, weil sie weit mehr noch als unsere jetzigen modernen Hochbauten über die Proportion der menschlichen Größen hinauswachsen und weil meiner Meinung nach nur schön wirken kann, was noch in einem entsprechenden Verhältnis zur Körpergröße des Menschen steht." (144)

Nur fünf Jahre später tauchte erneut der Wunsch nach einem Hochhaus auf. Dieses Mal beabsichtigte die Gemeinde Wien, auf den Gründen des ehemaligen „Bürgerversorgungspitals" an der Währingerstraße/Spitalgasse ein achtstöckiges Gebäude zu errichten. Für den bevorzugten Standort am Verkehrsknotenpunkt Währingerstraße/Spitalgasse schrieb das Stadtbauamt einen beschränkten Wettbewerb aus, zu dem Hubert Gessner, Josef Frank, Heinrich Schmid/Hermann Aichinger, Rudolf Perco, Rudolf Fraß, Siegfied Theiß/Hans Jaksch, Josef Berger/Martin Ziegler und Otto Prutscher eingeladen wurden. Neuartig waren die Ausschreibungsforderungen, die „ein multifunktionales Zentrum" mit neuen urbanistischen Maßstäben hätten entstehen lassen sollen. Für das Prestigeobjekt der Gemeinde machten sich sogar die früheren Kritiker wie der Publizist Max Ermers und Bürgermeister Karl Seitz stark und die Gemeinde wollte dieses Mal ihren Gegnern keinesfalls nachgeben! Nur stritt man sich nicht nur allein wegen des Bauvorhabens, sondern zweifelte, ob sich der Bauplatz im innerstädtischen Bereich dafür überhaupt eigne. Für die am Wettbewerb teilnehmenden Architekten war die Aufgabe gestellt, eine „möglichst ökonomische und praktische Gestaltung" und „eine äußere bedeutungsvolle und ästhetische Form" zu finden. Gefordert waren eine Untergrundstation, Büro-Schau- und Geschäftsräume für die städtischen Gas- und Elektrizitätswerke, Räume für die Zentralsparkasse und für die städtische Versicherungsanstalt, die Gebietskrankenkasse und für die Fürsorge, ein Jugendheim, ein Postamt, Künstlerateliers, einen Kindergarten, eine Musterbibliothek mit der großgedachten „Karl Seitz-Lesehalle" an hervorgehobener Stelle und mit Übergangstraßen, unterirdischen Fußgängerpassagen und Galeriestraßen mit Geschäften.

Von den insgesamt 245 Wohnungen sollten mehr als 25% mit luxuriösen Apartements zu 95 qm ausgestattet werden, der Rest fiel auf Ledigenwohnungen (30 qm), Mittel- (65 qm) und Kleinwohnungen (48 qm). Das Projekt sollte den Stellenwert einer Sehenswürdigkeit für das Rote Wien haben. Von den acht Architekten, die eingeladen wurden, langten aber nur sieben Entwürfe ein, denn Gessner trat zurück. Der sehr elegante Entwurf von Rudolf Fraß wurde mit dem 1. Preis prämiert. Jan Tabor schreibt über die Qualität und charakteristische Monumentalität aller eingelangten Entwürfe: „Abgesehen von dem vornehmen Projekt von Josef Frank zeichneten sich alle anderen Projekte durch auffallende Monumentalität aus. Der siegreiche Entwurf von Rudolf Fraß war wohl der monumentalste. Für das dreieckige Grundstück (...) schlug er eine achsial angelegte, stark gegliederte Bebauung vor. Vorne an der Spitze sollte das einstöckige Gebäude des E-Werkes stehen. Hinter einem kleinen Arkadenplatz war, wie eine Kulisse, ein halbrundes Riesentor aus zwei achtstöckigen Gebäuden vorgesehen. An der Achse sollte der 16 Stockwerke und rund 62 Meter hohe erste Wiener

Peter Behrens/Alexander Popp: Verbauungsstudie für Terrassenhochhäuser (1934).

Wolkenkratzer stehen. Die beiden zangenartig angelegten Straßentrakte waren sechs- und viergeschossig konzipiert." (145)

Daß der Bau starke Ähnlichkeit mit den klassizistischen Hochhäusern des amerikanischen „Art Déco" aufweist, ist bestimmt kein Zufall, denn eine Amerikareise von Fraß ist belegbar. Er konnte in New York, Boston und in Chicago die gerade zeitgleich entstandenen Wolkenkratzer „Empire State"-, „Chrysler"-Gebäude (NYC), das „John-Hancock-Centre" (Boston) und das „Broad-of-Trade-Building" (Chicago) gesehen und in Bezug auf die dortigen Baumethoden studiert haben. Auch die Großstadtarchitektur Erich Mendelsohns konnte von Einfluß gewesen sein. Flachdächer und Stahlkonstruktionen waren damals in Wien nicht gebräuchlich, nicht von ungefähr sprach der Kunsthistoriker Max Ermers die Tatsache aus, daß alle eingelangten Entwürfe Flachdächer und moderne Baumethoden aufweisen, und er sprach von einem „neuen Abschnitt der Wiener Baukunst" (146). Einst erbittertster Gegner des Hochhauses, schrieb er in der Tageszeitung „Der Tag" „von einem mustergültigen Baukomplex", einer „Sehenswürdigkeit des Roten Wien" (147). Wieder wurde der Versuchsbau „mit neuen Maßstäben" (148) in die Schublade gesteckt und der „erste Wiener Wolkenkratzer" blieb wieder einmal unausgeführt: Die Gemeinde hatte dem Projekt die Mittel entzogen und in einen ideologisch „richtigeren" Bau (149), den „Karl Marx-Hof", gesteckt, den sie „als die Krönung all ihrer Bemühung" (150) sah.

Erst das Hochhaus Herrengasse (1932), das bürgerliche Prestigeobjekt der christlich-sozialen Bundesregierung unter Bundespräsident Wilhelm Miklas war das erste vollendete Hochhaus in Wien. Die Konservativen drehten den ursprünglich „proletarischen" Sinngehalt des Hochhauses um, und ihr Hochhausprojekt wurde als „Antithese" zum kommunalen Wohnbauprogramm der Wiener Sozialdemokraten aufgefaßt. Somit erscheint das Hochhaus – in seiner ideologisch-dogmatischen Gegenüberstellung – später als der verkehrt verwirklichte Wunschtraum der Realsozialisten.

Anmerkungen:

1. Wilhelm Kainrath: Die gesellschaftliche Bedeutung des kommunalen Wohnbaus im Wien der Zwischenkriegszeit, in: Karl Mang (Hg.): Kommunaler Wohnbau in Wien, Wien 1978, ohne Seitenangaben
2. Alfred Georg Frei: Austromarxismus und Arbeiterkultur, Sozialdemokratische Wohnungs- und Kommunalpolitik im „roten"Wien 1919–34, Veröffentlichung des Projektes Regionale Sozialgeschichte (hrsg. von R. Wirtz/G. Zang), Nr. 10, Konstanz 1981, S. 102
3. Die Wohnungspolitik der Gemeinde Wien, Wien 1926, S. 12
4. Ebd., S. 13
5. Ebd., S. 15
6. Den Bezug dieser 25 000sten Wohnung konnten die tüchtigen „Rathausmarxisten" erst bei der Fertigstellung des „Karl Seitz-Hofes" 1931 feiern.
7. Symptomatisch für die Mehrzahl der „armen" Massenbewegungen, fehlen auch der Wiener Siedlerbewegung nachschlagbare Quellen, Dokumente und archivarische Artefakte. Wenig ist überliefert, dokumentiert und aufgearbeitet worden. Einige Projektfotos, seltene Materialien, Mitgliedsausweise etc. sind noch in den Privatsammlungen einiger Pionier-Siedler und heute noch lebender Beteiligten zu finden; bauliche Spuren der ersten Phase sind sowieso schwer auffindbar und größtenteils verloschen und verschwunden. Noch ist eine Chronik nicht geschrieben, geschweige denn bibliographisch erfaßt; sie wird auch nachträglich nicht geschrieben werden können, denn selbst für eine sog. „oral history", also jene mündlichen Berichte (Interviews) von Menschen über ihre persönliche Geschichte und die um sie herum, ist es bedauerlicherweise zu spät. Über 65 Jahre sind inzwischen verstrichen und sehr bald wird es auch die letzten Augenzeugen nicht mehr geben.
   Ab 1980 begann die Wiederentdeckung: inzwischen erschienen zur Siedlerbewegung und den „Gartenstädten" informative und aufschlußreiche wissenschaftliche Arbeiten. Hervorzuheben sind die Verdienste einiger junger Forscher/Wissenschafter, allen voran Wilfried Posch, Klaus Novy, Robert Hoffmann, Wolfgang Förster, Margit Altfahrt und bedingt auch Maria Auböck. Sie beschäftigen sich alle mit der leider etwas peripheren, zum „Superblock" entgegengesetzten (deswegen von einigen Autoren heruntergespielten und übersehenen) Siedlungspolitik des Roten Wien und wußten diese entsprechend zu würdigen und zu kreditieren. Eine Ausnahme bildet auch die wachsende Wanderausstellung von Klaus Novy und Günter Uhlig aus RWTH-Aachen, die mit großem Erfolg im Frühjahr und Sommer 1983 in den einzelnen Wiener Gemeindesiedlungen gezeigt worden ist. Alle diese Autoren werden auch namentlich in der Literaturliste am Ende des Buches angeführt.
8. vgl. Karl Mang: Kommunaler Wohnbau in Wien, Aufbruch – 1923 – 1934 – Ausstrahlungen (Ausstellungskatalog), Wien 1978 (Hg. Pressestelle- und Informationsstelle der Stadt Wien)
9. Hans Riemer: Ewiges Wien, Wien 1945, S. 44
10. Maria Auböck: Im Garten, Schrebergärten in Wien: Korrektur und Gegenwelt, in: Stadtbuch 1983 (hrsg. von Falter), Wien 1983, S. 111
11. Max Winter: Wie eine Siedlung wird, in: Arbeiter-Zeitung, 11.11.1923
12. Otto Neurath: Kleingärtner und Siedler, Neue Wirtschaft, neues Leben, in: Arbeiter-Zeitung, 20.11.1921
13. vgl. Wilfried Posch: Die Wiener Gartenstadtbewegung: Reformversuch zwischen Erster und Zweiter Gründerzeit, Wien 1981
14. Robert Hoffmann: Proletarisches Siedeln, Otto Neuraths Engagement für die Wr. Siedlungsbewegung und den Gildensozialismus von 1920–25, in: Arbeiterbildung in der Zwischenkriegszeit (hrsg. von Friedrich Stadler), Wien 1982, S. 140ff
15. vgl. Otto Neuraths, Max Ermers und Otto Bauers Aussagen in den Zeitungskommentaren der Arbeiter-Zeitung von 1919 bis 1921
16. Hans Blum: Der Abbau der Großstadt, in: Arbeiter-Zeitung, 22.8.1919; zit. in Robert Hoffmann, a.a.O., S. 143

17. Protokolle des Parteivorstandes der SDAP vom 16.12.1920, 13.1. und 13.2.1921; zit. in: Robert Hoffmann, a.a.O., S. 143
18. Siedlungs-, Wohnungs- und Baugilde, in: Arbeiter-Zeitung, 25.12.1921
19. Klaus Novy: Selbsthilfe als Reformbewegung; Der Kampf der Wiener Siedler nach dem Ersten Weltkrieg, in: arch+, Nr. 55 (1981), Aachen, S. 31
20. Quelle: Die Gemeinde Volkswohnung, Wien o.J. (1926), S. 27ff
21. vgl. Wilfried Posch, a.a.O., S. 66
22. vgl. Adolf Loos: Das Werk des Architekten (Werksmonographie hrsg. von Heinrich Kulka), Wien 1931, (Reprint: Wien 1979), S. 34; gegenüber den bisher üblichen Verhältnissen war die Trennung von Schlaf- und Wohnräumen zwar fortschrittlich, widerspiegelt aber auch das bürgerliche Ideal von Individualität in der Kleinfamilie.
23. Im Gegensatz zu England, wo man mehrheitlich relativ früh zum Einfamilienhaus tendierte und daher die Anglosachsen viel eher bereit waren, aus ihrer Tradition heraus für die Gartenstadt einzutreten, herrschte bei uns die Meinungsverschiedenheit über Massenmiethaus oder Einfamilienhaus bis spät in die zwanziger Jahre hinein, und die Problemstellung blieb weitgehend ausgespart und uneingelöst, bis sie endgültig zugunsten des Massenmietblocks entschieden wurde. In diesem Zusammenhang ist es interessant, auf die dennoch entstandene Siedlung „Am Tivoli" hinzuweisen, die nachträglich die Ideen der Gartenstadt aufnimmt.
24. Quelle: Wohnungspolitik der Gemeinde Wien, a.a.O., S. 48–49
25. Klaus Novy, a.a.O., S. 38
26. vgl. Hans Blums Aufsatz in der Arbeiter-Zeitung (22.8.1919), wo er unter dem etwas mißverständlichen Titel „Abbau der Großstadt" in diesem Zusammenhang aufschlußreich schreibt: „Fort von Wien! (...), (weil) die Großstädte unfrei werden, weil sie Schöpfungen und Werkzeuge des Imperialismus sind".
27. Richard Bauer: 80 Selbstversorger in der Leopoldau, in: Bau- und Werkkunst, Wien 1934
28. Richard Bauer, a.a.O., S. 43ff
29. Hermann Neubacher: Die dritte Randsiedlungsaktion der Stadt Wien, in: Profil, Jg. 2, 8. August 1934, S. 273
30. vgl. die Wohnungspolitik der Gemeinde Wien, a.a.O., S. 21
31. Peter Haiko/Mara Reissberger: Die Wohnhausbauten der Gemeinde Wien 1919–34, in: archithese, Nr. 12 (1974), Niederteuffen (Schweiz)
32. Nicht zu unterschätzen ist der Einfluß der „Tessenow-Schule" in Wien, deren schlichte Architekturauffassung bedeutende Schüler prägte. Zwischen 1913 und 1919 war Tessenow auch Lehrer an der Kunstgewerbeschule – neben Josef Hoffmann. Sein schlichter und unpathetischer Stil und seine Apotheose des Handwerklichen wirkte nachhaltig auf seine Schüler. Vor allem seine österreichischen Schüler, Franz Schuster und Grete Schütte-Lihotzky, wurden von seinen Gedanken der Einfachheit, Zweckmäßigkeit und Reduktion in ihrem Zeichen- und Graphikstil stark von Tessenow geprägt. Manches an seinem Graphikstil hat Gemeinsamkeiten mit der „anonymen" Architektur.
Des öfteren verurteilen Autoren (bes. Hautmann/Hautmann) Tessenows Weg zur architektonischen Erneuerung als „kleinbürgerlich" und „retrospektiv", weil er sich nicht – ihrer Meinung nach – einer revolutionären (ästhetischen wie gesellschaftlichen) Avantgarde („Kommunenhäuser") angeschlossen hat und mehr das Einfamilienhaus und die Familie bevorzugte. Das ist meines Erachtens kurzschlüssig, weil nicht differenziert wird zwischen politisch-bürgerlichen (Liberalismus) und politisch-kulturellen (Neue Sachlichkeit) Wurzeln. Im Gegensatz zu Josef Hoffmann beispielsweise ist Tessenow keineswegs ein Lakai des Großkapitals, kein Vertreter bürgerlicher Normen seiner Zeit; und im Vergleich zu anderen, noch am Jugendstiltraum des „Gesamtkunstwerks" anknüpfenden Architekten von Reihenhaussiedlungen im Geiste des reaktionären deutschen und österreichischen Werkbundes, ist Tessenows geradezu unaufdringliche und strenge Architekturhaltung fast schon „anti-bürgerlich" und fortschrittlich! Zweifellos bestimmen das demokratisch-aufgeklärte Bürgertum und der Zweckrationalismus einer aktiven kapitalistischen Industriegesellschaft Tessenows geistige Herkunft und seinen Idealismus; umso weniger mindert es das Argument, daß Tessenow viel eher die Bedürf-

nisse der Arbeiterschaft untersuchte, respektierte und kannte (und auch deswegen viel besser für die Mehrheit dieser bauen konnte) als die sog. „versachlichten" (pseudowissenschaftlichen und „sozialistischen") links stehenden und kommunistisch gesinnten Architekten seiner Zeit. So paradox es klingt, Tessenow kam der Seele und dem Gemüt des deutschen und österreichischen Arbeiters viel näher als die vielen wortradikalen und scheinbar „antibürgerlichen" modernen Architekten Weimar-Deutschlands. Tessenows Position wurde sowohl von konservativer als auch von sozialdemokratischer Seite bekämpft, weil für die Konservativen und Nationalisten (Heimatstil) seine Architektur zu wenig „malerisch-volkstümlich", ortsgebunden war, und weil sie für die kämpferischen Sozialdemokraten und Kommunisten zu wenig monumental, selbstbewußt und pathetisch war. Es ist fast überflüssig zu bemerken, daß der in Hellerau bei Dresden lebende Tessenow zu keinem weiteren kommunalen Wohnbauprojekt der Stadt Wien eingeladen wurde.

33. Karl Mang, a.a.O.
34. Oswald M. Ungers stellt verwundert fest: „Eines jedoch ist bemerkenswert. Trotz der vielen Mängel sind die Superblocks in den dreißig Jahren ihres Bestehens nicht verwahrlost und haben sich nicht in Slums verwandelt." (Vorwort zu „Wiener Superblocks", Veröffentlichung des Lehrstuhls für Entwerfen VI, TU–Berlin, Nr. 23 (März 1969)
35. Fritz Wulz: Stadt in Veränderung, Eine architektur-politische Studie von Wien (2 Bde.) 1918–1934, Stockholm 1976 (3), hrsg. vom Institut für Gesellschaftsplanung – Städtebau – Architektur an der Technischen Hochschule Stockholm
36. Verwaltungsbericht 1929–31, S. 686; zit. in: Fritz Wulz, a.a.O., S. 442
37. Wagt man ein solches simplifiziertes Einteilungsschema, begibt man sich leicht und unweigerlich in die Gefahr eines kruden Schematismus. Auch ist das Weglassen einer typologischen und chronologischen Stilkunde nicht vorteilhaft. Merkwürdigerweise fehlt in der bisherigen, eher an den politischen, historischen und sozial-politischen Ereignissen interessierten Fachliteratur eine methodische Stiluntersuchung. Eine ausführliche Typisierung würde allerdings den hier zur Verfügung stehenden Rahmen sprengen.
38. Fritz Wulz, a.a.O., S. 486
39. Karl Brunner: Städtebau, Nr. 6, 1929; zit. in: Fritz Wulz, a.a.O., S. 489
40. Fritz Wulz, a.a.O., S. 454 (Betonung von H.W.)
41. Fritz Wulz, a.a.O., S. 454 (Hervorhebungen von H.W.)
42. Verwaltungsbericht 1923–28, S. 1224
43. Peter Haiko/Mara Reissberger, a.a.O., S. 51 (Hervorhebungen von H.W.)
44. hierzu: Josef Frank: Der Volkswohnungspalast, in: Der Aufbau, Nr. 7 (1926), S. 107ff; und Franz Schuster/Franz Schacherl: Proleatrische Architektur?, in: Der Kampf, Nr. 12, (1925)
45. Die breite, horizontale Gliederung durch durchlaufende Simse war in den Jahren 1925 –1930 sehr beliebt, was als ein mögliches Indiz für die Wiederentdeckung des „Josephinischen Klassizismus" gedeutet werden kann.
46. Karl Mang, a.a.O.
47. zit. in: Josef Frank (Ausstellungskatalog), a.a.O., Wien 1981
48. Peter Gorsen: Zur Dialektik des Funktionalismus heute, Am Beispiel des kommunalen Wohnbaus im Wien der zwanziger Jahre, in: Jürgen Habermas (Hg.): Stichworte zur geistigen Situation der Zeit, Frankfurt/Main 1980, S. 688ff, bes. S. 700
49. vgl. Alfred Georg Frei, a.a.O., S. 126ff
50. Friedrich Achleitner: Wiener Architektur der Zwischenkriegszeit; Kontinuität, Irritation und Resignation, in: arch+, 67 (März 1983) Aachen, S. 54
51. vgl. „Wiener Wohnhöfe" aus: „Wiener Studien" (Ausstellungsheft), Museum des XX. Jahrhunderts, Wien 1978; abgebildet jedoch in: Austrian New Wave Architecture (Ausstellungskatalog), IAUS Nr. 13, New York 1981, S. 37
52. Fritz Wulz, a.a.O., S. 511
53. Fritz Wulz, a.a.O., S. 502
54. Robert Waissenberger: Die historische Entwicklung der Wiener Gemeindebauten in der Zwischenkriegszeit, in: Wiener Kommunalpolitik 1919–1938 (Ausstellungskatalog), Wien 1980, S. 34

55. Karl Mang, a.a.O.
56. Ottokar Uhl: Moderne Architektur in Wien, Von Otto Wagner bis heute, Wien 1966, S. 49
57. Oswald M. Ungers Vorwort zu: Die Wiener Superblocks, a.a.O.
58. Manfredo Tafuri/Francesco dal Co: Moderne Architektur, Stuttgart 1977, S. 241
59. Peter Gorsen, a.a.O., S. 690
60. zit. in: Friedrich Achleitner: Comments on Viennise Architectural History, Motifs and Motivations, Background and Influences, Therapeutic Nihilism, in: Austrian New Wave Architecture (Ausstellungskatalog) IAUS Nr. 13, New York 1981, S. 11
61. Adolf Loos: Mai 1932; zit. in: Jan Tabor: Die erneute Vision, Zur Renovierung der Werkbundsiedlung, in: Wien aktuell, Heft Nr. IV, (1984), S. 23
62. Unter dem Austrofaschismus wird eine Variante des sozialdemokratischen Wohnbaustils für öffentliche Bauten übernommen (vgl. Hauptanstalt der Anstaltenversicherung, Wohnhausanlage der Angestellten der Nationalbank, Polizeiwohnhäuser etc.), aber unter mehr heimatlichen Vorzeichen. Diese „Lodenarchitektur" weist wiederum starke Verwandtschaft zum konservativen Flügel der prä-faschistischen Architektur von Paul Schmitthenner, Paul Bonatz (Gruppe „Der Block") auf.
63. Es wäre aber falsch zu meinen, daß die national-romantische, zuweilen auch „heimatliche" Architektur des Roten Wien bei einiger Reduktion auch der NS-Ideologie dienstbar gemacht werden könnten, d.h., daß die konservative Bauideologie im Sinne der politischen Ideologie anwendbar und übertragbar wäre. Vielmehr ist es genau umgekehrt: Die NS-Architekten bedienten sich eines bereits vor ihrer Zeit präfigurativen, entwickelten und angewandten Bauvokabulars für ihre politischen Zwecke, aber dieses war nicht a priori ein politisches Engagement der Architektur. Die NS-Architektur schloß inhaltlich und formal nahtlos an die Entwicklung einer sentimentalisierten und heimattümelnden Baukunst der regionalen Schulen der Weimarer Republik an, bzw. auch noch an Konzepten des Wilhelminisch-Bismarckischen Reiches, auch wenn der nationalsozialistische Baustil mit dem Anspruch auftrat, das Bild der Baukunst neu zu formen.
64. vgl. Karla Krauss/Joachim Schlandt: Der Wiener Gemeindewohnungsbau, Ein sozialdemokratisches Programm, in: Hans G. Helms/Jörn Janssen (Hg.): Kapitalistischer Städtebau, Neuwied–Berlin 1970, S. 113–124, bes. S. 123
65. Friedrich Achleitner, a.a.O., S. 11f (Hervorhebung von H. W.)
66. Waren die freiberuflichen Aussichten vor allem deutscher Architekten, die eine andere ideologische Gesinnung und politische Meinung gegenüber dem NS-Regime vertraten, nach 1933 sehr finster, bzw. gänzlich unmöglich gemacht, so bot die UdSSR nicht nur Verdienstmöglichkeiten, sondern für die fortschrittlicheren unter ihnen endlich die lang ersehnte Realisierung ihrer kühnsten Träume, Hoffnungen und Visionen, die sich in den kapitalistischen Staaten ausnahmslos nie hätten verwirklichen lassen können.
67. Hautmann/Hautmann: Die Gemeindebauten des Roten Wien, Wien 1981, S. 217 (Hervorhebungen von H. W.)
68. Hautmann/Hautmann, a.a.O., S. 217f (Hervorhebungen von H.W.)
69. Otto Wagner: Die Großstadt, Wien 1911, S. 20
70. Waren jene frühen Bauten von Otto Wagner (z.B. Wienzeile-Häuser) noch im Gewand des Jugendstils und entsprachen die Grundrisse noch den ökonomischen Ansprüchen des Hausbesitzers und der bürgerlichen Mietgesellschaft, so bildeten seine letzten Bauten (z. B. Neustiftgasse/Döblergasse, das Sanatorium „Lupusheilstätte" im Wilhelminenspital) bereits Marksteine auf dem Weg zur Lösung zeitgenössischer und zeitgemäßer Miets- und Logierhäuser sozialer Unterschichten, obwohl diese von Wagner erwogen, aber niemals realisiert worden sind.
71. Otto Antonia Graf: Die vergessene Wagner-Schule (Ausstellungskatalog), Museum des XX. Jhdts., Wien 1969, S. 24
72. Jan Tabor: Die Kunst des Otto Wagner (Ausstellungskatalog), hrsg. von Gustav Peichl, Museum in der Akademie der bildenden Künste, Wien 1984, S. 60
73. Peter Gorsen, a.a.O., S. 704
74. vgl. Karl Mang, a.a.O.

75. Marco Pozzetto: Die Schule Otto Wagners, Wien 1980; Franco Borsi/Ezio Godoli: Wiener Bauten der Jahrhundertwende, Stuttgart 1985; Werner Schweiger: Wiener Werkstätte, Wien 1980

76. Ist der Begriff „Kubismus" als kunsthistorische Strömung der europäischen Malerei des 20. Jahrhunderts längst anerkannt und unzweifelhaft eindeutig als Terminus modus definiert und festgelegt, so schwierig ist es, wörtlich von einem „Kubismus" in der Architektur zu sprechen, denn die unmittelbaren Übertragungsversuche der kubistischen Methode und Technik von der Malerei auf die Architektur sind nicht nur methodisch, sondern auch formal problematisch. Zuweilen auch mißverständlich. In diesem Zusammenhang werden auch die bizarren Architekturskulpturen und die kristallinharten Bauformen des Prager Kubismus gerne dem (deutschen) Expressionismus bzw. seiner Unterordnung, dem Kubo-Expressionismus, zugeordnet. Ein sonst so gut informierter Architekturhistoriker wie Wolfgang Pehnt begegnet dieser Architektur mit einer gehörigen Portion Skepsis, wenn er die vordergründig kubistischen Versuche zum „Pseudo-Kubismus" degradiert. Seiner Meinung nach bleiben die Versuche der Architektur nur an der Oberfläche, allenfalls an der plastischen Durchgestaltung der Fassade, welche Grundriß und Schnitt nicht beeinflussen. Aber gerade das Gegenteil ist bei einigen Projekten der Fall, wo es auch gelungen ist, die gewünschte Durchdringung und Verschmelzung von Flächen, wie die kubistische Theorie in der Malerei es verlangte, zu erreichen. Analog der Methode des analytischen Kubismus, war die Architektur ebenso bestrebt, die zweidimensionale Fläche zu brechen, zu fraktionieren. Charakteristisch war die Zerlegung der einzelnen geometrischen Flächenkompartimente, mit der Annäherung zur Vereinheitlichung aller kubischen Formen; die Anlehnung an anorganischen, anti-naturalistischen Gebilden, mit der Betonung der plastisch-räumlichen Qualität und mit einem Auflösen des Zentrums zugunsten der Fragmentierung und Zersplitterung; die Auflösung der Zentralperspektive etc.

77. François Burkhardt/Milena Lamarová: Architetture e interni del Cubismo cecoslovacco, Mailand 1982 (Übersetzung von H.W.) S. 47–48

78. Josef Chochol: Mehrfamilienhaus Prag-Nekanova (1913) und Villa Lubisina (1912); Otakar Novotny: Mehrfamilienhaus in Prag-Parizka (1919–21) nehmen viele Stilelemente des Roten Wien vorweg. Ihre Bauten verkörpern – im Unterschied zu Wien – die gesuchte Dynamik durch Einsatz prismatischer Körper und kristalliner Formen vollkommen. Ihre starke systematische Rhythmisierung der Fassade wird besonders durch die vertikalen Strukturen der Tektonik unterstrichen, wo windschiefe, aber koordinierte Ebenen und die Zerlegung der Volumen in Facetten die Auflösung des massiven Blockes verdeutlichen.

79. Josef Frank: Der Volkswohnungspalast, a.a.O., S. 108

80. Dieses Vorgehen mag auf den ersten Blick überraschen, entspricht jedoch durchaus der Logik und der inneren Struktur meines Vergleichs und Themas. Ähnliches soll man mit Ähnlichem vergleichen. Da es grundsätzlich nicht um eine vollständige enzyklopädische Darstellung geht, sondern um deren Strukturanalyse, kam ich nach reiflicher Überlegung zu dem Entschluß, mich nur auf Frankreich zu beschränken, denn erstens wird auf die Leistung der Amsterdamer-Schule und des Neuen Frankfurt schon genügend im Katalog „Kommunaler Wohnbau" (1978) eingegangen, und zweitens gibt es ausführliche Einzeldarstellungen zu beiden (hier sind die zwei wichtigsten genannt: Donald I. Grinberg: Housing in the Netherlands – 1900–1940, Delft University Press 1982; und Heinz Hirdina: Neues Bauen, Neues Gestalten – Das Neue Frankfurt, Berlin 1984). Drittens verdient der Vergleich zur französischen Zwischenkriegsarchitektur, mit einer sehr verblüffend ähnlichen historischen Ausgangsituation wie Wien, mehr beobachtet zu werden.

81. zuletzt bei Jan Tabor: Die Kunst des Otto Wagner, (Ausstellungskatalog), a.a.O., S. 54ff

82. Leonardo Benevolo: Storia dell'architettura moderna (Bari 1960), dt. Übersetzung: Geschichte der Architektur des 19. und 20. Jhdts. (Bd. 1), München 1964 (Paperbackedition: München 1978), S. 396

83. Leonardo Benevolo, a.a.O., (Bd. 2), S. 212

84. Leonardo Benevolo, a.a.O., (Bd. 2), S. 212

85. Alfred Georg Frei, a.a.O., S. 104
86. Otto Bauer: Mieterschutz, Volkskultur und Alkoholismus (Rede, gehalten am 20. 3. 1928), in: Otto Bauer, Werkausgabe (Bd. 3), Wien 1976, S. 602ff; zit. in: Alfred Georg Frei, a.a.O., S. 104
87. Alfred Georg Frei, a.a.O., S. 104
88. siehe dazu Max Ermers interessante Bemerkung anläßlich der Eröffnung der von Hubert Gessner gebauten Linzer Arbeiterkammer, zit. in: Jan Tabor: Hubert Gessner, Der Architekt des Herzens, in: Wien aktuell, Heft Nr. VI, (1983), S. 29f
89. Josef Frank, Der Volkswohnungspalast, a.a.O., S. 108
90. Ebd., S. 107
91. Ebd., S. 108
92. Ebd., S. 109
93. Ebd., S. 110
94. Peter Haiko/Mara Reissberger, a.a.O., S. 52
95. Josef Frank: Architektur als Symbol, Wien 1931 (Reprint: Wien 1981), S. 115
96. Ebd., S. 115–116
97. Peter Gorsen, a.a.O., S. 690
98. Ebd., S. 693
99. Peter Gorsen; zit. nach Josef Frank: Der Volkswohnungspalast, a.a.O.
100. Ebd., zit. nach Josef Frank: Der Volkswohnungspalast, a.a.O., S. 689
101. Ebd., S. 704
102. Ebd., S. 696
103. Ebd., S. 699
104. Ebd., S. 702
105. Ebd., S. 704
106. Ebd., S. 696
107. sog. ,,Neuschöpfungen", durch die eine neue Epoche ihre neuen Anschauungen verkörpert, sind meistens durch Umformungen älterer erzeugt (vgl. Hans Sedlmayr)
108. Peter Haiko/Mara Reissberger, a.a.O., S. 50
109. Hautmann/Hautmann, a.a.O., S. 215
110. Peter Gorsen, a.a.O., S. 701
111. vgl. in der neueren Literatur: Wilfried Posch, a.a.O., S. 68: ,,(...) dem berühmt-berüchtigten (sic) Schöpfer des Wiener ,Volkswohnungspalastes' (...)"
112. Karl Schwanzer/Günther Feuerstein: Wiener Bauten von 1900 bis heute (hrsg. vom Österreichischen Bauzentrum), Wien 1964; Fehlern auf S. 9, 20 und 23
113. vgl. Marco Pozetto: Die Schule Otto Wagners, a.a.O., S.224; Verwechslung der Brüder
114. Marco Pozetto, passim.
115. Moses Kagan: Vorlesungen zur marxistisch-leninistischen Ästhetik (2. Aufl.), Berlin 1971
116. Allgemeine Geschichte der Kunst (Bd. VII), Die Kunst des 20. Jhdts., hrsg. von der Akademie der bildenden Künste der UdSSR, Institut für Theorie und Geschichte der bildenden Kunst, Leipzig 1975, S. 269; zit. in: Peter Gorsen, a.a.O., S. 694
117. Peter Gorsen, a.a.O., S. 704
118. ,,Das Wohnhaus der Fünftausend" (Karl Marx-Hof), in: Neues Wiener Tagblatt (12. 10. 1930)
119. Ebd.
120. J. Schneider/C. Zell: Der Fall der roten Festung, Wien 1934, S. 6
121. Peter Haiko/Mara Reissberger, a.a.O., S. 54
122. J. Schneider/C. Zell, a.a.O., S. 45
123. Ebd. S. 7
124. siehe bes. die ,,fortifikatorische" Bedeutung und Analyse dieser Architektur bei Manfredo Tafuri: Vienna Rossa (Ausstellungskatalog), Biennale Venedig, Milano 1980; Karla Krauss/Joachim Schlandt, a.a.O.; und die architekturpsychologische Studie von Reinhard Sieder/Gottfried Pirhofer: Zur Konstitution der Arbeiterfamilie im Roten Wien, Familienpolitik, Kulturreform, Alltag und Ästhetik, in: Historische Familienforschung, Frankfurt/Main 1982, S. 326ff; durchgängig in der neueren Auseinander-

setzung ist die Betonung der janusköpfigen Funktion der betont wuchtigen Baukörper als Bedrohung und Schutz. Diese Diskussion nimmt in den Grundstukturen den damaligen Diskurs in überraschend unkritischer Weise wieder auf.

125. Die Wohnungspolitik der Gemeinde Wien, Wien 1926, S. 21
126. Ebd., Untertitel
127. Ebd., S. 17–18
128. Ebd., S. 19
129. Ebd., S. 19
130. Ebd., S. 20–21
131. „Das Neue Wien" (Bd. 3), Wien 1926–28, S. 56; diese in vier Bänden auf insgesamt 2170 Seiten Glanzpapier erschienene Werk ist die bedeutendste Eigenpublikation zur Glorifizierung des Gemeindesozialismus, die jemals die Gemeinde Wien herausgebracht hat.
132. Wiener Wohnbaupolitik, Wien 1926, S. 21
133. Ebd., S. 22
134. Hans Bobek/Elisabeth Lichtenberger: Wien – bauliche Gestaltung und Entwicklung seit Mitte des 19. Jahrhunderts; Wien–Graz–Köln 1966, S. 137ff
135. Ottokar Uhl, a.a.O., S. 47ff (leicht gekürzt)
136. zit. in: wien aktuell, Heft VI (1984), S. 24
137. Mit der Erfindung des Personenaufzugs durch den Amerikaner Elisha Grave Otis 1853 begann die Höhenstreckung der Büro- und Geschäftshäuser auf teuren innerstädtischen Grundstücken. Schon um 1870 entstanden die „Elevator Buildings", die zur Entstehung der Wolkenkratzer in Chicago führten, weil durch die neue Technologie von elektrischen Aufzügen, Rohrpost und Telefon jede beliebige Höhe und Anzahl von Stockwerken möglich wurde.
138. Der Tag (1. 2. 1924)
139. Wilfried Posch, a.a.O., S. 68
140. Stellungnahme von Hubert Gessner; zit. in: Wilfried Posch, a.a.O., S. 68
141. Festschrift „Jakob Reumann-Hof", Die Wohnhausanlage der Gemeinde Wien im V. Bezirk, Wien 1926, S. 9
142. Protokoll zur Gemeinderatssitzung vom 30.5.1924; Stellungnahme von Gemeinderatsabgeordneten Biber
143. Max Ermers, in: Der Tag (23. 2. 1924), S. 7; zit. in: Wilfried Posch, a.a.O., S. 69
144. Franz Siegel: Der Hochbau am Margartengürtel, in: Der Tag (11.1.1924), S. 6
145. Jan Tabor: Zwischen den Extremen (Rudof Fraß), Wiener Baukünstler der ersten Hälfte des 20. Jhdts (3), in: wien aktuell, Heft II, (1984), S. 25f
146. Max Ermers, in: Der Wiener Tag; zit. in: Jan Tabor, a.a.O., S. 25
147. Max Ermers, ebd.
148. Max Ermers, ebd.
149. Hautmann/Hautmann, a.a.O., S. 87
150. Ebd., S. 87

IV. Rundgang durch das Rote Wien

RUNDGANG 1: MARGARETEN – MEIDLING

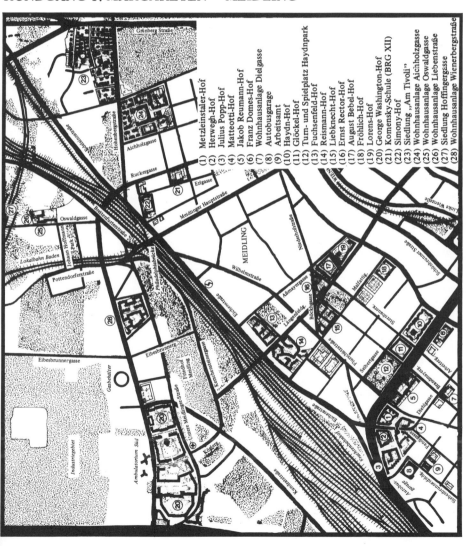

(1) Metzleinstaler-Hof
(2) Herwegh-Hof
(3) Julius Popp-Hof
(4) Matteotti-Hof
(5) Jakob Reumann-Hof
(6) Franz Domes-Hof
(7) Wohnhausanlage Dießgasse
(8) Autobusgarage
(9) Arbeitsamt
(10) Haydn-Hof
(11) Glöckel-Hof
(12) Turn- und Spielplatz Haydnpark
(13) Fuchsenfeld-Hof
(14) Reismann-Hof
(15) Liebknecht-Hof
(16) Ernst Rector-Hof
(17) August Bebel-Hof
(18) Fröhlich-Hof
(19) Lorens-Hof
(20) George Washington-Hof
(21) Komensky-Schule (BRG XII)
(22) Simony-Hof
(23) Siedlung „Am Tivoli"
(24) Wohnhausanlage Aichholzgasse
(25) Wohnhausanlage Oswaldgasse
(26) Wohnhausanlage Liebenstraße
(27) Siedlung Hoffingergasse
(28) Wohnhausanlage Wienerbergstraße

0   100   500   1000m

Im Baublock der Margaretengürtel-Zone, von der Einsiedler-, Siebenbrunnen-, Fendi- und Siebenbrunnenfeldgasse umschlossen, entstand in einer Art Randverbauung eine riesige städtebaulich zusammenhängende Anlage mit insgesamt 1804 Wohnungen, aus mehreren in sich geschlossenen, abgegrenzten und (halb-)autonomen Einzelhöfen bestehend. Dazu zählen der „Matteotti-Hof" (Pos. Nr. 4), der „Julius Popp-Hof" (Pos. Nr. 3), der „Herwegh-Hof" (Pos. Nr. 2), der „Metzleinstaler-Hof" (Pos. Nr. 1), schließlich der „Jakob Reumann-Hof" (Pos. Nr. 5) und der entlegenste Hof, der „Franz Domes-Hof" (Pos. Nr. 6). Auffallend an diesem kleinen Stadtviertel ist die urbanistische Einheit trotz der Vielfalt der angewandten Architektursprachen. Die Entwicklung von den eher kleinstädtischen, weniger repräsentativen Wohnhausanlagen der ersten Phase (kurz nach dem I. Weltkrieg) hin zu den großstädtischen, megalomanen Superblockeinheiten der mittleren und späten Phase (gegen Mitte und Ende der zwanziger Jahre) läßt sich hier gut beobachten.

Für die zeitgenössischen Gegner des Roten Wien war längst erwiesen, daß die „proletarischen Massenstätten" als leicht umzufunktionierende Festungen gedacht waren. Daß die Wohnhausanlagen an strategisch wichtigen Stellen im Stadtbild postiert waren, wie z.B. in der Nähe der Eisenbahnschienen der Südbahn, der Nordbahn, der Stadtbahn und der Vorortelinie, erschien ihnen umso beunruhigender. Die Ballung von mehreren Wohnhausanlagen dürfte aber in diesem Fall aus dem günstigen Zusammenhang der leeren Baugründe entstanden sein.

Durch die Auflockerung in mäanderförmige Straßenführungen, unterbrochene Randverbauungen, intimere Hofbildungen und Abstufungen je nach Terrain entstand ein lebendiges und niemals langweiliges Bild einer organischen Stadtentwicklung. Infolge der Abänderung vorgegebener Baulinien und Straßenführungen durch Überbrückungen und Torbögen war es möglich, große und lichtdurchflutete Gartenhöfe anzulegen, wie z.B. beim „Matteotti-Hof", der durch seine haken- und mäanderförmige Anordnung sich ganz gegen die Regelmäßigkeit eines „Jakob Reumann-Hofes" abhebt.

An den beiden Endpunkten des Areals liegen der mächtige, phalanstère-artige „Reumann-Hof" und der vierkantige „Julius Popp-Hof". An der Knickstelle des Gürtels befindet sich der „Metzleinstaler-Hof", der erste Wohnblock des Roten Wien, und der „Herwegh-Hof", und in der hinteren Zone die geschwungene und vielfach gegliederte Anlage des „Matteotti-Hofes". Gerade durch diese mit vielen krummen Linien versehene Bebauung kam ein Stadtentwurf zustande, der an mittelalterliche Stadtanlagen erinnert. Am äußersten Ende dieser Flächenbebauung liegen der schon als „Superblock" definierte und idealtypisch ausgebildete „Jakob Reumann-Hof" und der „Franz Domes-Hof", mit seiner zur Straße etwas aufgelösten Front bereits ein fortgeschritteneres Beispiel des „aufgelockerten Superblocks". Ist der „Reumann-Hof" ein imposanter „Volkswohnpalast" mit allen repräsentativen Attributen, so ist der „Franz Domes-Hof" ein bewußt unterspielter, „sachlicherer" Bau mit einem größeren, gärtnerisch ausgestalteten Straßenhof, wenig abgestuften, architektonischen Massenbetonungen. Eine gänzlich andere Randverbauung verfolgen die an der anderen Gürtelseite liegenden Wohnhofanlagen „Haydn-Hof" und „Leopoldine Glöckel-Hof" aus der späten Phase des Wiener Gemeindebauprogramms. Hier kann man auf engstem Raum verdichtet die verschiedensten Phasen der Bebauung und die Schwierigkeit ihrer zeitlichen Abgrenzung beobachten: der Baubeginn der beiden letztgenannten Höfe fällt in die dritte Phase (also noch vor dem „Franz Domes-Hof"), aber greift zurück zum Typus der ersten Phase, ohne daß man wirklich von einem „Zwischenspiel" des „aufgelockerten Superblocks" sprechen kann. Parallel dazu entstand der „George Washington-Hof" (Pos. Nr. 20) in Meidling/Favoriten, der ein ganz anderes „Kunstwollen" gegenüber dem „Haydn-Hof" oder dem „Leopoldine Glöckel-Hof" zeigt.

Nicht unmittelbar zum Wohnviertel, aber in Zusammenhang mit der Verbauung des oberen Margaretengürtels gehören die gemeindeeigenen Einrichtungen wie Arbeitsämter, Krankenkassen, öffentliche Schulen, Verkehrseinrichtungen etc. Im Gegensatz zur Sowjetunion bewies das Rote Wien einmal mehr, daß zwischen Wohnen und Arbeiten (Trias: Volkswohnungspalast – Fabrik – Arbeiterversammlungssaal), auf die Architektur umgesetzt, kein Widerspruch bestand. Schwieriger scheint es für die Gemeinde gewesen zu sein, proletarisches Ausdruckspathos auf anonyme, größere und vor allem öffentliche Komplexe zu übertragen. Gegenüber der sonst üblichen expressiven Architektursprache der Gemeindebauten setzte sich bei den kommunalen Großstadtprojekten der eher sachliche Aspekt durch (1). Die Übertragung der Syntax beschränkte sich lediglich auf Details: Rohziegelverkleidungen und/oder Klinker im Sockelbereich, Eckabtreppungen bzw. Abkantungen, plastisch-bildhauerische Gliederung durch Reliefs („Kunst-am-Bau") und andere Schmuckmotive und Elemente der „bürgerlichen" Baukultur wie Stab, Mäander, Knöpfe, Rosettenornamente udglm. Einige der besten Beispiele dieser städtebaulichen Szenographie bilden Schulen und Freizeiteinrichtungen, die auf eigentümlich synkretistische Weise diverse Anregungen und modische Tendenzen (Kubismus, Böhmischer Rondo-Kubismus, Art Déco, Neo-Historismus etc.) ineinander verschmelzen. Paradoxerweise waren die einzigen öffentlichen großen Bauaufgaben (2) zur Zeit der großen Depression Arbeitsämter und Pfandleihanstalten (Dorotheen). Gerade zur Zeit der höchsten Arbeitslosigkeit und Geldknappheit ging der Anteil des kommunalen Wohnbaus zurück und das Bauen krisenreformistischer Einrichtungen wie Nebenerwerbssiedlungen, Assanierungs-wohnbauten mit niedrigen Kapitalinvestitionen oder der Bau von Arbeitsämtern blühte auf. Interessant auch in diesem Zusammenhang sind die Dorotheen, die als Beispiele für den fragwürdigen Luxus und das elegante Pathos der Moderne gelten können, und die eher eklektischen Freizeiteinrichtungen für die aus dem Arbeits- und Produktionsprozeß unfreiwillig ausgesperrten Arbeitslosen (vgl. Amalienbad, Plan Nr. 2/Pos. Nr. 5).

① METZLEINSTALER-HOF (1919–1920; 1923–1925)
Hubert Gessner/Robert Kalesa
V., Margaretengürtel 90–98/ Fendigasse/ Siebenbrunnengasse

Der in zwei Etappen errichtete „Metzleinstaler-Hof", gelegen an der Knickstelle der Gürtelbiegung, gehört einer viel umfassenderen Stadtanlage an. Er ist der erste dieser massiv-konzentrierten und dicht verbauten Wohnhausanlagen des Margaretengürtels und gilt allgemein als der erste Gemeindebau Wiens. Der erste Teil des schon um 1916 projektierten, aber erst im Jahre 1919 von Robert Kalesa in Angriff genommenen Plans der Errichtung von fünf Wohnhäusern mit 101 Wohnungen wurde im Winter des Jahres 1920 vollendet. Der ursprünglich noch mit dem alten Formenvokabular des gehobenen „Zinshauses" errichtete Bau wurde von Hubert Gessner nach 1923 mit den schon neuen Kriterien der direkten Belüftung und Belichtung bzw. der Anordnung der Hofstiegen erweitert. Die Hauseingänge des älteren Bauteils befinden sich noch an der Strassenseite zum Gürtel. Der Bau ist also „eine Auseinandersetzung mit dem Historismus" (3) bzw. „eine Aneinanderreihung einzelner Miethäuser" (4) und von der Idee des einzig-repräsentativen Stiegenhauses her noch tief in der Tradition des schon ausgeklungenen Jugendstil-Historismus verwurzelt. Im Gegensatz dazu machte Gessner beim Zubau die Stiegenhäuser vom Hof aus

zugänglich, was prototypisch für die gesamten Wiener Hofanlagen nach dieser Zeit werden sollte. Gessners Zubau weist noch andere Unterschiede, Eigentümlichkeiten und Ambivalenzen zu dem Vorgängerbau von Kalesa auf: die Hoftrakte des 19. Jahrhunderts wurden abgewandelt und tendierten zur reinen Blockform, was sich für die spätere Entwicklung ebenfalls als besondere Eigenart der Wiener Gemeindebauten erweisen sollte und sie auszeichnet. Am Grundriß wurde einiges anders, denn im Gegensatz zu den unvorteilhaften Gangwohnungen versuchte Gessner den Grundriß aus den inneren Funktionen der Wohnungen zu entwickeln. Diese Entwicklung läßt sich aber kaum an der Fassade ablesen, denn noch hielt man sich sklavisch an das Dogma der wohlproportionierten Gliederung der Schauseiten analog dem Historismus. Im Hof verteilen sich acht Stiegenhäuser, die zu den 143 Wohnungen des Zubaues führen. Die gesamte Anlage umfaßt 252 Wohnungen, und zu jeder Wohnung des Zubauteils gehört bereits ein kleiner, als Verteiler wirkender Vorraum mit (Wohn-)Küche und WC. In den eineinhalb-Zimmer-Wohnungen befindet sich auch ein kleiner „Klopfbalkon", der direkt vom Vorzimmer aus dem Hof zu gelegen ist. Die (nach außen gelegenen) Wohnungen können quer durchlüftet werden und jeder zweite Wohnraum besitzt einen Erker zur Straßenseite.

„Die Hauptgesimse wurden durchlaufend geführt, so daß sich infolge einer Längsgliederung der ‚Metzleinstaler-Hof' flach über einen sanften Hügel an der Gürtelbiegung hinzieht." (5) Die Fassade am Gürtel wird durch den Wechsel der Dachformen und Erkerausbildungen plastisch bestimmt. Durch die beliebten Erkervorsprünge und durch eine hierarchisch gegliederte Geschoßeinteilung (Belle Étage bzw. „piano nobile") ist die Fassade sowohl vertikal als auch horizontal profiliert und gegliedert. Wesentlich anders erscheint die Rückpartie in der Siebenbrunnenfeldgasse gegenüber dem „Matteotti-Hof" (vgl. Pos. Nr. 4), wo man ebenfalls verschiedene Architekturformen wie Terrassen, Balkone, Fassadensprünge usw. einsetzte und sie mit reichen, keramischen Ziergliedern (mit Rosetten, Rankenwerk, Füllhornmotiven) schmückte, um jener Angst vor den „reinen" Flächen, dem „horror vacui", zu entweichen. Der „Metzleinstaler-Hof" knüpft tektonisch noch an den Historismus an, ist aber im Gegensatz zu dessen Wohnbauauffassung und -lösung bereits der erste Schritt in Richtung einer späteren Wohnkultur und die erste Stufe zum späteren (klassischen) Wiener Wohnhof.

② HERWEGH-HOF (1926—27)
Aichinger/Schmid
V., Margaretengürtel 82—88/ Chiavaccigasse 1/ Fendigasse 39/ Siebenbrunnenfeldgasse 7

Diese annähernd trapezförmige Hofumbauung weist eine sehr einfache, aber klare Gartenhofgestaltung mit gemauerten Sitzgruppen, Foren, Treppen und Terrassen auf, die auf Grund des Geländeunterschiedes notwendig ist. Durch die strenge Mittelachse bekommt die Anlage einen schloßartigen Charakter, was bei der Gestaltung des Ehrenhofs besonders auffällig ist. Durch Pergolen und Rundbänke mit gemauerten Sitzbänken um Plastiken herum gruppiert, erinnert der Garten etwas an die Barockgartenarchitektur. Man hat den Eindruck eines „kleinen Versailles". Der Grundriß ist vielfältig gegliedert und entsprechend dem Terrain abgestuft. Zur Siebenbrunnenfeldgasse hin ist der Block in relativ ruhigen, einheitlichen (siebengeschossigen) Bauteilen abgetreppt und im Erdgeschoß durch lange Arkadenbogenreihen interessant aufgelöst; zur Fendigasse hin ist der Trakt ruhiger und glatter gestaltet; zum Gürtel sind die Fassaden um eine gemeinsame Symmetrieachse angelegt, wodurch ein monumentaler (Portal-)Eindruck entsteht. Am Margaretengürtel wurde ein großer Bauteil (Mittelrisalit) vor die Baulinie geschoben und durch in der gesamten Frontlänge durch Arkadenreihen aufgelöst, um für die Gartenhöfe eine größere Tiefe zu ermöglichen. Die ganze Wohnhausgruppe umfaßt insgesamt 220 Wohnungen.

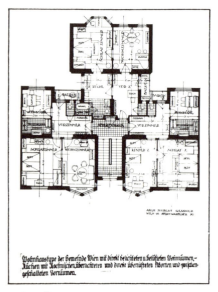

Hubert Gessner: „Metzleinstaler-Hof"

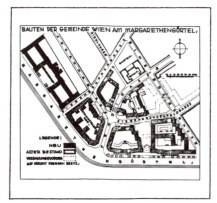

Lageplan Margaretengürtelverbauung

194

In annähernd symmetrischer Weise bilden die beiden Blöcke „Herwegh-Hof" (Pos. Nr. 2) und „Julius-Popp-Hof" (Pos. Nr. 3) eine geschlossene Hofanlage, die uns auf den ersten Blick als ein Ganzes erscheint. Zurückführen läßt sich dies auf das übergeordnete Baukonzept des Wiener Stadtbauamtes und auf die – unbedingt auf die Großform bedachte – Entwurfleistung der beiden Architekten Schmid/Aichinger. Die Wohnhausanlagen in der „zweiten Reihe" dahinter bilden mit denen in der „vorderen Reihe" ein einheitliches Ganzes, wie wir am „Matteotti-Hof" (Pos. Nr. 4) sehen können. Infolge einer Neuplanung der Straßenführung waren die Architekten in der Lage, durch eine geschickte und geschwungene Bebauung einen äußerst reizvollen, abwechslungsreichen Lageplan zu schaffen. Auch auf Grund einer Bauzonenbegrenzung entstand eine sehr lebendige vertikale Verbauung. Auf diese malerische Art entstand ein kleines Stadtviertel, das sich markant von den Spekulationsbauten vieler Straßen dieses Bezirkes unterscheidet und ein bleibendes (architektonisches wie politisches) Wahrzeichen der Stadt ist.

③ JULIUS POPP-HOF (1925–26)
Aichinger/Schmid

V., Margaretengürtel 76–80/ Einsiedlergasse 1/ Chiavaccigasse 2/ Siebenbrunnenfeldgasse 5

Während die westlichen Gebäudeteile noch den gegenüberliegenden „Herwegh-Hof" (vgl. Pos. Nr. 2) widerspiegeln, erscheinen die Trakte im Osten selbständig. Steht die Baumassengestaltung gegen den Margaretengürtel hin mit den Merkmalen der Eckpylonen und arkadendurchzogenen Mittelrisaliten des Zwillings noch im Einklang, so ändert sich diese Einheitlichkeit, je weiter man sich von der geordneten Mittelachse entfernt: die Gebäudeteile strecken sich in die Breite und passen sich organischer und platzsparender dem Bauplatz an und verselbständigen sich. Besonders deutlich zeigt sich dies entlang der Einsiedlergasse: interessant gestaffelte „Halbe"-Giebelfelder treten hier hervor und durchziehen die etwas ansteigende Gasse. Der angenförmige Bautrakt im Inneren der Hofanlage ist vielfältig gegliedert und weist Eckloggien und dreieckige Erker auf. Die Wohnhausanlage besitzt 402 Wohnungen und partizipiert an der bereits vorhandenen Infrastruktur der Gemeinschaftseinrichtungen in den benachbarten Höfen.

④ MATTEOTTI-HOF (1926-27/30)
Aichinger/Schmid

V., Siebenbrunnenfeldgasse 26–30/ Fendigasse 33–37/ Einsiedlergasse 3–5/Siebenbrunnengasse 85/Diehlgasse 1

Im Bereich der hinteren Zone des Margaretengürtels liegt der mächtige „Matteotti-Hof", posthum nach dem von Faschisten ermordeten sozialistischen Arbeiterführer Giacomo Matteotti (1885–1924) benannt. Zu dessen Ehren ist an der Straßendurchfahrt des zentralen Torbogenbaus Fendigasse eine Erinnerungsplakette angebracht.

Die blockhafte Anlage ist in vier Abschnitte gegliedert, welche geräumige Gartenhöfe, verschnittene Binnenwege, Durchzugsstraßen und Kinderspielplätze bilden. Zur Erreichung der angestrebten Zusammenhänge und zur Vereinheitlichung der Baumassen wurden bei diesem Bau nicht nur zahlreiche Bezüge zu den anderen Bauten aufgenommen, sondern auch eine Reihe von – für den Durchzugsverkehr unwesentlichen – Straßen senkrecht zur Achse Margaretengürtel aufgelassen. Aus dem gleichen Grund wurden die beiderseits der gekurvten Fendigasse gelegenen Baublöcke durch eine großzügige Überbauung der Gasse mit einem Triumpfbogenmotiv zusammengefaßt. Diese Verdichtung der Baumasse verfolgte durchaus eine propagandistische Aufgabe im Sinne der Austromarxisten, obwohl die Architekten doch mehr aus räumlichen als aus politischen Überlegungen handelten. Die plastische Wirkung der straßenseitigen Fassade wird noch kräftig durch die Modellierung der horizontalen Gesims- und Sohlbanksstreifen betont. Die etwas verspielte Verwendung von raumdurchschneidenden dreieckigen Erkern mit Rund- und Eckbauteilen ergibt zusammen mit Eckloggien eine „dynamische Wirkung".(6)

Die keineswegs achsial angelegte Wohnhausanlage verdankt ihre dominante Stellung dem zentralen Torbau, der durch die trichterartige Straßenführung der Fendigasse vom Gürtel her sichtbar ist. Der stark hervortretende Mittelkubus wird in den unteren Geschossen geschickt in die beiden vorgelagerten Geschäftslokale eingebunden;

195

ganz ähnlich werden die „Pumpen"-artigen Treppenhauszylinder durch die erkerartigen Stiegenhausfenster durchbrochen. In der von Zubringerstraßen umschlossenen Anlage befanden sich eine Zentralwaschanlage, eine Badeanstalt, ein Jugendamt, eine Mutterberatungsstelle, ein Jugendhort, zahlreiche Geschäftslokale und eine alkoholfreie Gaststätte. Charakteristisch gegenüber den anderen Wohnhöfen der Umgebung ist die geschwungene Art der Straßenführung und die lageplanmäßige Baumassenangleichung. Die mehrere Höfe umfassende Anlage besitzt 452 Wohnungen unterschiedlichster Grundrißgröße und -anordnung.

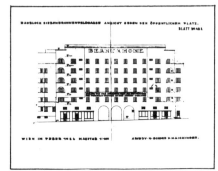

„Matteotti-Hof": Ansicht Hauptblock (Einreichplan)

(5) JAKOB REUMANN-HOF (1924–1926)
Hubert Gessner (mit Josef Bittner/Adolf Stöckl/Wr. Stadtbauamt)

V., Margaretengürtel 100–110/ Siebenbrunnenfeldgasse 90/Brandmayergasse

Ursprünglich war der Bauplatz durch mehrere Straßenzüge senkrecht zum Gürtel in einzelne Baublöcke zerteilt. Zur Erzielung einer größeren, einheitlicheren Architekturgestaltung wurden die Straßen aufgelassen und zu einem dreiteiligen Block zusammengefaßt. Der „Reumann-Hof", benannt nach dem ersten sozialdemokratischen Bürgermeister Wiens, präsentiert sich als ein langgestreckter Monolith mit 480 Wohnungen zu je 25 – 60 qm Wohnungsgröße. Der dominierende, neungeschossige Mittelteil bildet mit beiderseitigen flankierenden, mächtigen, siebengeschossigen Seitenflügeln das Zentrum der Anlage, die in strenger Symmetrie errichtet ist. Durch diese Zeichenhaftigkeit einer Fourier'schen „Phalanstère" einerseits und durch die auf Fernwirkung berechnete Architektur andererseits, ist diese erste große Straßenhofanlage Wiens zu einem Symbol für den monumentalen Gemeindebaustil geworden. Wie monumental dieser Bau ursprünglich werden sollte, geht schon aus dem Vorkonzept hierzu hervor, wo als Dominante in der Mittelpartie „ein fast zwanzig Stockwerk umfassendes Hochhaus geplant war, wodurch die architektonische Wirkung ganz besonders gesteigert erschien. Dieses Projekt wurde vor allem aus anderen (politischen, A.d.V.) Gründen wieder fallen gelassen, so interessant es auch gewesen ist." (7) Die Lage dieses Gemeindebaus ist günstig, denn er ist von einer großen Freifläche umgeben. Die Hauptfront wurde von der Baulinie zurückgenommen und bildete so einen ehrenhofartigen, gärtnerisch wie architektonisch ausgestalteten Vorplatz, der gegen die Straße mit Pavillons, Laubengängen und Gitterwerk abgeschirmt wurde. Der hintere Wohntrakt wurde wegen der portalähnlichen Aussparung mächtig erhöht. Durch diese zwar repräsentative, aber platzverschwendende Zäsur in der Verbauung verminderte sich die Wohnungszahl innerhalb der Anlage beträchtlich, was aber offensichtlich weder den Architekten noch die Rathaus-Bürokraten und Parteifunktionäre störte. Ihnen kam es mehr auf die symbolische Aussagekraft dieses Baus an. Der monumentale Mittelteil ist – trotz inhomogener architektonischer Elemente zur Minderung der Monumentalität – von erstaunlich einheitlicher Wirkung. Er weist eine geordnete Flächenteilung auf: ein harmonikaartig gefaltetes Mittelfeld mit zwei blockhaften, farbig akzentuierten Eckteilen, durchgehende, ebenerdige Torarkaden in der unteren Zone, Blendfensterarkaden im Dachgeschoß und eine monumentale Dachzonenlösung mit heraustretenden Erkerfenstern und Rundbögen. Die bei Gessner so häufig vorkommenden Dreiecks-erker und eisernen Fahnenstangen in regelmäßiger (Dreier-)Komposition schließen den Block nach oben ab. Die niederen Trakte mit ihren zwei seitlichen Gartenhöfen werden ebenso von dieser Einteilung erfaßt, allerdings nicht so rigoros. Die langen geraden Fronten entlang der Gürtelstraße

Hubert Gessner: „Jakob Reumann-Hof" (1924); erhöhter Mitteltrakt mit Ehrenhof zum Margaretengürtel (zeitgenössische Aufnahme)

Heinrich Schmid/Hermann Aichinger: „Giacomo Matteotti-Hof" (1926); zentraler Torbau, Blick vom Gürtel; rechts: „Herwegh-Hof" (1926)

werden nur durch erkerartige Vertikalstreifen und offene Doppelloggien-Rundbogenöffnungen durchbrochen. An den jeweiligen Ecken treten flache Risalite hervor. Der gesamte Block unterliegt ebenso einer dezenten horizontalen Gliederung, nämlich durch die mit Geschäftslokalen ausgestattete untere Arkadenreihe, darüber durch die feinen Schichten der fünf Regelwohngeschosse und als Abschluß durch das zurückgenommene Dachgeschoß mit den Waschküchen.

Inmitten des Straßenhofes erhebt sich auf einem Sockel die Bronzebüste von Jakob Reumann, die vom Bildhauer Franz Seifert stammt. Zwei Puttigruppen von Max Krejča schmücken den Arkadenaufgang, der zum Kindergarten führt. Der Bau bietet aber noch eine bemerkenswerte Sehenswürdigkeit: die als Torbogen in Majolika ausgeführte Bautafel links vom Ehrenplatz.

⑥ FRANZ DOMES-HOF (1927–28)
Peter Behrens

V., Margaretengürtel 126–134/ Gießaufgasse 36/ Josef Schwarz-Gasse 11–15/ Margaretenstraße 155–157

Diese langgestreckte Anlage mit 174 Wohnungen um einen schönen Straßen- und einen kleineren Innenhof zeichnet sich durch ihre einfache und strenge Durchbildung aus. Die langen Fronten werden durch Balkongruppen waagrecht gegliedert. Diese horizontale Gliederung suggeriert Weite und wird durch senkrecht betonte und das Dach durchbrechende Stiegenhausfensterstreifen ausbalanciert. Selbst die Tektonik der Bauteile wird durch diese dezente Teilung in Untergeschoß (mit Klinkerverkleidung ausgeführt) und Obergeschoß (durch rauhen Verputz abgehoben) unterstrichen. Die übereck gehenden Balkonbänder und Konsolenstreifen halten den Bau an den kritischen Eckstellen zusammen. Einen besonderen Eindruck hinterläßt diese Wohnhausanlage beim Anblick der mächtigen Ecklösungen am Kreuzungspunkt Margaretengürtel/Margaretenstraße, wobei das Zurückweichen an der Ecke gut gelöst ist und von Behrens' virtuoser Formbeherrschung zeugt. Flaggenmasten und Schornsteinscheiben zeigen die einfache und vornehme Gliederung dieser Schauseite. Am Bau ist eine interessante expressionistische Plastik von Josef Franz Riedl angebracht.

⑦ WOHNHAUSANLAGE DIEHLGASSE (1928–1929)
Fritz Judtmann/Egon Riss

V., Diehlgasse 20–26/ Brandmayergasse 24

Die in einer sehr schmalen Straßenverbauung eingefügte Ecklösung mit einem zusätzlichen Bauteil im Hof umfaßt 76 Wohnungen und ist dem sachlich-modernen Nutzstil verpflichtet. Bemerkenswert an dieser einzigartigen Anlage ist die Verwendung von verglasten Veranden in Verbindung mit offenen Balkonen an der Ecke und durchgehenden Loggien in den Seitenfassaden, was den örtlichen Windverhältnissen angemessen ist. Diese Überlegung ging aus zwei entgegengesetzten Auffassungen hervor, und die Lösung der z.T. verglasten und z.T. offenen Veranden stellt den gesuchten Kompromiß dar: einerseits die betonte Trennung der freien Balkone durch die mauerumschließende Wohnung und andererseits die Öffnung und Bereicherung der Grundrißfläche mit einem freien, aber doch mit Glas geschützten Raum. Die äußere Erscheinung des südlichen Gebäudeteils erhält durch die durchgehenden Loggien eine interessante Rhythmisierung, und die Abwechslung von offenen und verglasten Veranden schafft eine zusätzliche Raumschicht von sehr markanter Prägung. Charakteristisch ist die außergewöhnliche Lösung an der Ecke, wo die eingeschobenen, verglasten Elemente ausgespart sind, was eine Auflösung der Masse mit sich brachte.

Ansicht der Wohnhausanlage Diehlgasse 20–26

⑧ GARAGE DER STÄDTISCHEN AUTOBUSSE (1928)
Erich Leischner(Wr. Stadtbauamt)
V., Siebenbrunnenfeldgasse 2/ Einsiedlergasse

Obwohl dieser Zweckbau natürlich eine andere Funktion erfüllte als eine Wohnhausanlage, weist er doch ähnliche Semantik und Motivik auf: kubische Mauervorsprünge und sogar vereinfachte Risalit- und Pilasterbildungen an der Seitenfront entlang der Einsiedlergasse sind übernommene Zitate der Wiener Gemeindebauanlagen. Die tonnenartige Halle aus regelmäßigen Kreissegment-Stahlbetonbindern hingegen ist ganz sachlich und bietet einen interessanten hellen und geräumigen Raumeindruck, der durch

Seiten- und Oberlicht (Glassatteldächer und -reihen) noch an Freiheit gewinnt.
Die Frontseite mit den beiden Einfahrtsportalen und den flacheingeschnittenen Fenstern ist eine reine Schauseite mit sehr flacher Reliefierung und Profilierung. Interessant wieder die eigentümliche Ecklösung in Form von prismatisch-kubischen Risaliten und die elementartige Auffassung der einzelnen Bauteile. Die Garage hat eine Nutzfläche von ca. 2000 qm.

Hinzuweisen wäre auch auf die vom Abbruch bedrohte städtische Autobusgarage in XV., Schanzstraße 4–12 (1928) vom selben Architekten. Auffallend bei diesem Bau ist die Reduktion auf kubische und schiffsartige Detailelemente.

⑨ ARBEITSAMT METALL- UND HOLZINDUSTRIE (1927–1930)
Hermann Stiegholzer/Herbert Kastinger
V., Siebenbrunnenfeldgasse 4/Emblegasse 2–4/Amtshausgasse 1

Die zwei autonomen Baublöcke decken eine 3400 qm große Grundstücksfläche und sind je nach Funktion geteilt, jedoch architektonisch zu einer Einheit zusammengefaßt. Die Hauptfassade ist gegen die Siebenbrunnenfeldgasse orientiert; der quer-oblonge, dreischossige Baublock mit gering gegliederten Trakten gruppiert sich um einen Innenhof. Der wandhaft geschlossenen Front des Arbeitsamtes für die Metallindustriearbeiter ist der in drei Kuben aufgelockerte Block des Arbeitsamtes für die Holzindustriearbeiter gegenübergestellt. Auch die Wandgestaltung der beiden voneinander getrennten Arbeitsämter ist in ihrer Gesamterscheinung kontrastierend durchgeführt. Die Fenstergruppen an den Fronten des Metall-Arbeitsamtes sind von den großen geschlossenen Flächen der Eckblöcke abgerückt, gegen die Mitte zu in vertikalen Betonstreifen zusammengerückt und zu risalitartigen Bündeln zusammengefaßt. Die Gleichartigkeit der Fenstergruppen verklammert die drei Einheiten jeder Schauseite übergreifend mit den tiefenhaft eingeschnittenen Teilen. Die Fenster an den Blöcken des Arbeitsamtes für Holzarbeiter gehen hingegen in horizontal gerichteten Bändern über den gesamten Baukörper. Sie ziehen sich auch über die Ecken, im Gegensatz zu den vertikal zusammengefaßten Fensterschlitzen am

Metall-Arbeitsamt. In dessen mittlerem Teil der Straßenfront beginnt ein leichter Horizontalismus in der Gliederung der Fenster. Die horizontalen Reihen der Fenster am Arbeitsamt für Holzarbeiter aber werden auf das stärkste durchbrochen von im steilen Vertikalismus auffahrenden, ganz in Glas aufgelösten Stiegenhausfenstern, die die drei Kuben des Holz-Arbeitsamtes zusammenbinden.
In der Außenerscheinung beider Körper ist ein gravierender Unterschied zu erkennen: der blockhaften Sammlung der Massen, der strengen Kompaktheit der Mauer und der monumentalen senkrechten Wandgliederung des einen Arbeitsamtes steht der ebenso ernste, aber ein wenig aufgelockerte Trakt des anderen gegenüber. Beide strahlen prunkvolle, wenn auch kühle Festlichkeit und Ernsthaftigkeit aus.
Alle Gebäude sind als moderne Skelettbauten in Eisenbeton mit Füllmauerwerk ausgeführt und mit flachen Dachabschlüssen versehen. Die für Wien relativ ungewöhnliche und neuartige Konstruktionsform ermöglichte die weiteste Öffnung der Wände durch Fensterflächen. Sie gestattete kontruktive Möglichkeiten auch im Falle einer Umgestaltung bzw. einer neuen Verwendung der Bauanlage für andere wirtschaftliche, industrielle oder administrative Zwecke.

Wie der Aufriß, ist auch der Grundriß in ähnlich sachlicher Weise aus den Aufgabenstellungen eines zeitgemäßen und auf Massenbetrieb eingerichteten Arbeitsamtes entwickelt und bewältigt die verkehrstechnischen Ansprüche einer Massenorganisation mit sicherer raumorganisatorischer Formung: Die Grundrißgestaltung entspricht dem System der Einzeljobvermittlung. So ist der Katasterraum im Kern der Anlage das Rückgrat der gesamten Organisation des Arbeitsamtes, dazu kommen Parteienräume in unmittelbarer Verbindung. Im Parterre geschieht dies durch den direkten Zusammenschluß der Räume; in allen anderen Regelgeschossen durch Aufzüge und Rohrpostleitungen.

Für die einzelnen Berufszweige sind in den Stockwerken Warteräume (mit Schalterstellen) und Amtsräume eingerichtet. Für den Parteienverkehr gibt es vier große Ecktreppen, die im Erdgeschoß direkt über die Straßeneingangsräume von der Amtshaus- und der Emblegasse aus erreichbar und von der eigentlichen internen Beamtentätigkeit in der Mitte des Baukomplexes getrennt sind. Der gegen den Straßenhof gelegene fünfgeschossige Hoftrakt nimmt Werkstätten und Lehrsäle für Nach- und Umschulung und Ausbildung der Lehrlinge auf, im obersten Stockwerk befinden sich besonders lichte Ateliers für Unterrichtszwecke. Im mittleren Block sind durch einen offenen Verbindungsgang die allgemeinen Aufnahmskanzleien erreichbar; zu den besonderen Vermittlungs- und Beratungszimmern, vor denen jeweils Wartezimmer liegen, führen in den Eckblöcken die schon vom Straßenhof sichtbaren Treppen.

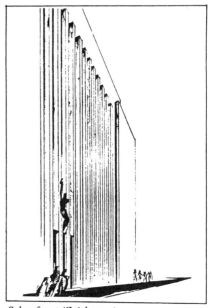

Schaufront (Zeichnung)

Der mittlere Trakt besteht aus drei, die Eckblöcke hingegen aus vier Stockwerken. Im Straßenhof, zwischen den beiden Arbeitsämtern, ist unterirdisch eine große Klosettanlage für beide Häuser eingebaut.

Die straffe Gestaltung aller Bauglieder, die auf jede Schmuckform verzichtet, vermittelt den Eindruck einer solid geführten Verwaltung: moderne Sachlichkeit in der Architektur als Spiegel der klaren Konsequenz des Beamtentums. Für die krisengeschüttelte Zeit kein unbedeutendes Symbol!

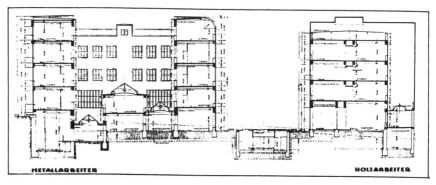

Querschnitt durch die Arbeitsämter und den Straßenhof

⑩ JOSEF HAYDN-HOF (1928–29)
August Hauser

XII., Gaudenzdorfer Gürtel 15/ Steinbauergasse 4–6/ Siebertgasse 9/Arndtstraße 1

Diese große Anlage mit 304 Wohnungen gruppiert sich in einer U-förmigen Randbebauung um einen großen Innenhof. Die Verschachtelung der großen, mehrfach zurückgestuften Baumassen wird durch kräftige Trennscheiben zwischen den flach gezogenen Halbloggienstreifen in einzelne Bauabschnitte gegliedert, damit die Hofanlage in lauter kleine Wohnblocks aufgelöst erscheinen soll. Kleine optische Tricks (z.B. Zusammenlegen der Blöcke mittels Dachgruppierungen) stellen den Versuch dar, den Baukomplex zu gliedern, um den Mangel an Identität bei konventionellen Miethäusern zu verringern. Ein mögliches Indiz, um vom schlechten Image der Kaserne wegzukommen?

Lageplan „Josef Haydn-Park" gegenüber dem „Reumann-Hof"

⑪ GLÖCKEL-HOF (1931-32)
Josef Frank (mit Oskar Strnad, Oskar Wlach)

XII., Steinbauergasse 1–7/ Gaudenzdorfer Gürtel/ Herthergasse/ Siebertgasse

Diese mit 318 Wohnungen ausgestattete Anlage ist eine konsequente Randbebauung um einen fast quadratischen, parkartig gestalteten Binnenhof. Die Fassaden wirken schlicht und sind tektonisch nur durch die additiven Reihen der aufgesetzten Balkone gegliedert. Nicht einmal die Stiegenhäuser sind architektonisch ausgebildet, sie sind eben mit der Mauerfläche und werden nur mittels zarter Pastellfarben („Aquarell-Hof") hervorgehoben. Auch die flachliegenden dreiteiligen Fenster wurden mit dunklen und hellen Fensterfaschen hervorgehoben. Die Rhythmisierung durch Balkonelemente gibt der glatten, monotonen Fassade eine gewisse Lebendigkeit und Eleganz. Die ursprüngliche Färbelung blieb bei der Renovierung unberücksichtigt.

⑫ TURN- UND SPIELPLATZ IM „HAYDN"-PARK (1925)
Wiener Stadtbauamt

XII., Gaudenzdorfer Gürtel/ Siebertgasse/Herthergasse/Flurschützstraße

Diese auf dem Gelände des aufgelassenen „Hundsturmer-Friedhofes" errichtete 20400 qm große Parkanlage entstand nach Plänen des Architekten Josef Joachim Mayer. Seinen Namen hat der Park nach dem Komponisten Josef Haydn erhalten, dessen Grabstätte sich hier einmal befand. Der Originalgrabstein ist auf einem kleinen exedraartigen Platz in seiner ursprünglichen Form aufgestellt worden. Entlang der Flurschützstraße betont eine Pergola den Haupteingang zum Park. Durch einen in der Achse Kopflergasse angelegten Durchgangsweg vom öffentlichen Parkteil getrennt, liegt der ca. 6000 qm große Rasen- und Spielplatz. Gegen eine längslaufende Symmetrieachse sind sieben kleinere dreiviertelkreisförmige Platzbildungen mit Parkbänken und Sträuchern angelegt, wodurch sich ein sternförmiges Grundrißmuster im Parkteil bildet. Eingänge und Turnplatz sind eingefriedet.

AM FUCHSENFELD

Die Bebauungsplanung für die Wohnhausanlagen „Fuchsenfeld-Hof" (Pos. Nr. 13) und „Reismann-Hof" (Pos. Nr. 14) geht auf das Jahr 1915 zurück. Gemeinsam mit dem „Metzleinstaler-Hof" (vgl. Pos. Nr. 1) stellt der „Fuchsenfeld-Hof" in der Längenfeldgasse eine der ersten Wohnhausanlagen der Gemeinde Wien dar. Der Baugrund befand sich auf dem Gebiet des ehemaligen „Fuchsenfeldes" in Meidling und wird von der Längenfeld-, der Murlingen-, der Aßmayer- und der Neuwallgasse (heute: Karl-Löwe-Gasse) begrenzt. Die ca. 1100 Wohnungen, die auf dem gesamten Areal in den Jahren 1922 bis 1925 errichtet wurden, stellen keine Verwirklichung einer baukünstlerisch-einheitlichen Planung dar, sondern umfassen drei Perioden des Entwurfes und der Bauausführung: Vorerst war nur der „Fuchsenfeld-Hof" (1922), welcher den Gartenhof I umschließt, an der Längenfeldgasse geplant. Erst später wurde der zweite Bauteil (zwischen der ehemaligen Neuwall-, der Rizy- und der Murlingengasse) ausgeführt und schließlich, in der dritten Bauperiode, der Teil auf dem Gebiet zwischen Längenfeld-, Roth- und Murlingengasse errichtet. Der erste Teil wurde im Frühjahr 1923 besiedelt, der zweite Teil erst 1925.

Die Architektur der Bauten ist im wesentlichen auf die Gliederung der Baumassen beschränkt. Nur in den ersten beiden, also älteren, Bauabschnitten wurden noch ornamentale und plastische Details angewendet. Über die grundrißliche Gestaltung sei kurz erwähnt, daß der erste Bauteil auch die erste Wohnhausanlage war, bei der mit den in Wien früher üblichen Lichthöfen und langen Stiegengängen und Gangfenstern gebrochen wurde.

Zur Ausstattung der Höfe gehörten eine Zentralwäscherei und vier Kinderaufenthaltsräume mit vorgelagerten Kinderspielplätzen. Im Mittelhof des II. Bauabschnittes stehen zwei Kinderaufenthaltsräume in Verbindung mit einem ansehnlichen Plantschbecken, das von zwei exotischen Tierplastiken aus Keramik (vom Bildhauer Josef Riedl) flankiert wird. An weiteren Räumen standen den Kindern eine Lehrwerkstätte und ein Lesezimmer zur Verfügung. Außerdem besitzt der Hoftrakt auf der z.T. eingegrabenen Waschküchenanlage eine Dachterrasse mit einem kleinen Pavillon.

Im III. Bauteil („Reismann-Hof") ist ein öffentlicher Kindergarten mit vier Abteilungen und eine Spielterrasse im Gartenhof eingebaut, ferner ein Speisesaal für die Schulausspeisung und ein Kinderbad mit Duschen. Schließlich ist eine zentrale Wäscherei der Badeanstalt angeschlossen; an der Murlingengasse, im Südtrakt, befand sich ein Vortragssaal und eine Bücherei und am öffentlichen Platz im östlichen Trakt eine städtisch-öffentliche Mutterberatungsstelle. An den verschiedenen Stellen des Komplexes befanden sich außerdem Konsumläden, eine Apotheke, ein Kaffeehaus und eine Reihe von Geschäften. Beide Wohnhausanlagen sind durch einige Gemeinschaftseinrichtungen sowie durch den städtebaulichen Verband als ein Ganzes verknüpft.

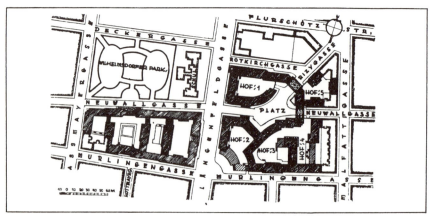

Lageplan „Am Fuchsenfeld"

(13) FUCHSENFELD-HOF (1922—25)
Hermann Aichinger/Heinrich Schmid
XII., Längenfeldgasse 68/ Karl Löwe-Gasse 25—27/ Aßmayergasse 63/ Murlingengasse 32-34

Diese weitgehend „romantische" Anlage weist eine konsequente Blockrandverbauung mit vier großen Binnenhöfen auf. Sie grenzt im Südwesten an einen Altbau und konnte somit architektonisch nicht einheitlich geschlossen werden. Hier befinden sich übrigens die ältesten Gemeinschaftseinrichtungen der Stadt, die von der sozialdemokratischen Gemeindeverwaltung errichtet wurden. Die Wohnhausanlage bildet mit dem gegenüberliegenden Hof ein einheitliches Ganzes; durch den modernen Verkehr heute verschwindet aber dieser Eindruck.

Bei den beiden Bauteilen blieben die straßenseitigen Baulinien ziemlich unverändert. Nur in der Karl Löwe-Gasse wurden durch das Herausrücken des Mitteltrakts ca. 40 Meter Gehsteig überbaut und unter einen Laubengang geführt. Für den Gartenhof II wurde derart eine größere Tiefe erzielt, andererseits eine stärkere architektonische Gliederung dieser Front erreicht. Da bei der Errichtung des I. Bauteils eine Erweiterung eigentlich nicht vorgesehen war (die Grundfläche für den II. Bauteil wurde erst später durch einen Grundtausch erworben), waren für die Planung des II. Bauteils einerseits der I. Bauteil und andererseits die Häusergruppen an der Ecke Aßmayergasse/Murlingengasse als alter Bestand vorhanden. Dadurch ergab sich eine Aufteilung in drei Höfe, wovon der mittlere, der Schmuckhof, größere

Ausmaße erhielt und mit „Kunst-am-Bau" reicher ausgestaltet wurde. Der Eingang zu diesen drei Höfen erfolgt von der Karl Löwe-Gasse durch einen großen Torbogen – mit seitlichen Bögen für Fußgänger –, der zuerst in den Mittelhof mündet und unter nur eingeschossigen Überbauungen durch seitliche Torbögen zu den beiderseits gelegenen Höfen führt.

In beiden Bauteilen befinden sich – wie in der Ausschreibung verlangt – die Stiegenhäuser im Hof. Durch 24 Stiegenanlagen gelangt man in die einzelnen Stockwerke, in denen sich 3–5 Wohnungen befinden (zumeist – wie der Grundriß zeigt – „Vierspanner"). Die Wohnhausanlage enthält 481 Wohnungen mit durchschnittlicher Wohnungsgröße von 50–60 qm. Ausgestattet sind diese Wohnungen mit einer 16–20 qm großen Wohnküche, einem Vorraum, einem WC und ein bis zwei Zimmern (Kabinett). Eine kleine Anzahl von Wohnungen besteht nur aus einem Raum samt Nebenräumen und ist für allein lebende Personen bestimmt. Die Aborte liegen im Wohnungsverband, ihre Zugänglichkeit und Isolierung erfolgt durch kleine „Spülküchen", die an die Wohnküchen angegliedert und mit Abwaschbecken versehen sind. Auffallend ist schon die Ausbildung des winzigkleinen Vorraums (1 qm), der als Puffer gegen Kälte, Lärm und Geruch die Wohnungen vom Gang trennt.

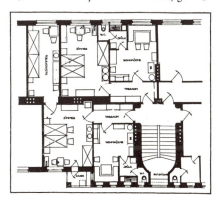

Wohnungsgrundriß

Entwurfskizze

(14) EDMUND REISMANN-HOF (1924–1926)
Hermann Aichinger/Heinrich Schmid
XII., Am Fuchsenfeld 1–3/ Längenfeldgasse 31–33/ Malfattigasse 16a/ Murlingengasse 16/ Karl Löwe-Gasse 15–18/ Rizygasse 3, 5, 6/ Rotkirchgasse 1

Charakteristisch für diesen III. Bauabschnitt mit 604 Wohnungen sind die großen, geschwungenen Straßen und Wege durch die Wohnhausanlage und die polygonalen und sehr amorphen Platzbildungen, die angeblich aus rein verkehrstechnischen und humansanitären Gründen (Belichtung, Belüftung) entstanden sind. (8) Da gewisse Mindestabstände der einzelnen Baublöcke und Trakte gegeben sind, ergaben sich gekrümmte, verzogene und verschnittene Platz- und Hofbildungen, ebenso Baukörper von interessanten Konfigurationen und komplexen Raumdurchblicken. Außer einem eher monumentalen zentralen (Haupt-)Platz, der durch stilistisch auffallende pylonenartige Eckaufbauten flankiert ist, entstanden geräumige und luftige Innenhöfe, die vielfach dem historisch bewährten Schema einer organisch gewachsenen Stadt gleichen, obwohl sie sich nur dem vorgegebenen, nicht geradlinigen Verlauf der neuen Straßen- und Platzsituation anpassen. Dem unterschiedlichen Niveau des Geländes, die Rücksichtnahme auf die Nachbarbausubstanz, dem hakenförmigen Lageplan etc. mußte sich der Grundriß in mannigfacher Weise angleichen. Ebenso ergaben sich vertikale Auflagen der differenzierten Bauhöhen, die eine Vielfalt an außergewöhnlichen Bauformen zur Gliederung der senkrechten Architekturelemente ermöglichten.
Zur bestmöglichen Schließung der südwestlichen Ausmündung der durchschneidenden Karl Löwe-Gasse wurden die Fußwege beiderseits überbaut; sie gehen in Laubengängen unter dem Gebäude durch. Die Höfe sind auch im III. Bauteil durchwegs geräumig, niemals ganz abgeschlossen, sondern zwecks günstiger Besonnung und gutem Luftdurchzug gegen den Nachbarhof, den Platz bzw. die Straße geöffnet. Auch beim vertikalen Aufbau der Baumassen wurde auf die Besonnung der Höfe besondere Rücksicht genommen; so ist z.B. der bogenförmige südliche Trakt nur zweistöckig und der daran schließende Saalbau nur einstöckig gehalten. Diese Abstufung aus bauvorschriftlichen Gründen hatte gleichzeitig die erwünschte Bewegung und Abwechslung im architektonischen Aufbau zur erfreulichen Folge.
So präsentiert sich die Anlage in einem kuriosen Wechselspiel von horizontalen und vertikalen Gliederungselementen bis hin zu übersteigert expressiver Detailgestaltung: diamantförmige Fensterpfeiler, dreieckig vorspringende Glasflächen usw. Eindrucksvoll war die agressive Färbelung der Fassade: die reinweißen oberen Partien kontrastierten mit dem unteren tiefroten Edelputz und den roten Ziegeldächern und Gesimsbändern. Die Hofinnenseiten waren mit einem edlen silbergrauen Putz versehen. Wie so oft wurde diese Abhebung der Baukörperteile farblich verändert, entstellt und auch bei (neuerlichen) Renovierungen nicht in den Originalzustand zurückgeführt.

Frontispitz der Eröffnungsschrift (1926):
Merkwürdig, wie die Architekturdarstellung
sich auch auf den expressionistischen Holz-
schnitt übertragen ließ und sich auch daran
orientierte, was möglicherweise mit deren
ideal vervielfältigbaren Ausdrucksmöglich-
keiten zusammenhängt.

Entwurfzeichnung aus: Eröffnungsschrift (1926); Überbauung der Neuwallgasse (heute: Karl Löwe-Straße)

⑮ LIEBKNECHT-HOF (1926—27)
Karl Krist

XII., Längenfeldgasse 1/ Herthergasse 37/ Malfattigasse 12/Böckhgasse 2—4

Das von drei Straßen so ungünstig dreieckig zugeschnittene Grundstück erlaubte weder nennenswerte Folgeeinrichtungen noch eine günstige Bebauung mit Binnenhofbildung. Die aufgelockerte, straßenseitige Bebauung wurde so bewerkstelligt, daß jeweils haken- bzw. rautenförmige Baukörper in Verbindung mit zungenförmigen Straßeneinschnitten miteinander verbundene Höfe schufen. Die Trakte längs der Grundstücksgrenze wurden durch die Anlage von zwei Straßenhöfen und zwei umschlossenen Höfen ihrer Länge nach unterbrochen, wodurch Baufluchten entstanden, die günstig belichtet und geräumig voneinander getrennt werden konnten. Diese Führung der Bautrakte ermöglichte auch die Öffnung der Anlage nach außen. Entlang der Böckh- und der Herthergasse entstanden zwei monumentale Eingangspforten mit symmetrischen Turmaufbauten. Außerdem wurden zwei weitgehend zur Straße geöffnete Hofanlagen von ansehnlicher Größe und Gestalt geschaffen.

Die imposante, 428 Wohnungen umfassende Großwohnhofanlage ist in architektonischer Hinsicht stark durch expressionistische und symbolträchtige Einzelformen und Detailgestaltungen gegliedert: Spitzbögen, dreieckige Erker, spitzwinkelige Dachfenster, geometrische Kugel- und Zylinderformationen gehören zur interessanten Schmuckausstattung dieser in ihrer äußeren Erscheinung doch einheitlichen Architektur- und Gartengestaltung. Einen Hauptschmuck der Hofgestaltung bilden die einfachen, aber sehr wirkungsvollen plastischen Kugeln und die kräftigen Sockelkanten mit den stilvollen Hauseingängen. Die äußere Erscheinung wird durch eine betont horizontale Gliederung und Profilierung bestimmt.

Die ganze Anlage enthält neben den Wohnungen noch zahlreiche Gemeinschaftseinrichtungen wie Badeanlagen, eine Wäscherei, eine Bücherei, einen Kindergarten und Geschäftslokale im Parterre.

⑯ ERNST RECTOR-HOF (1926)
Wiener Stadtbauamt

XII., Böckhgasse 6—8/ Längenfeldgasse 22/ Steinbauergasse 33—35

Diese Anlage stellt eine größere Baulückenschließung eines dreieckigen Grundstückes dar. Der Baukörper mit expressiver Eckbetonung ist ansonsten sehr einfach gehalten.

⑰ AUGUST-BEBEL-HOF (1925-26)
Karl Ehn

XII., Steinbauergasse 36/ Aßmayergasse 13—21/ Klährgasse 1/ Längenfeldgasse 20

Diese Wohnhausanlage ist ein imposanter Frühbau von Ehn, dem späteren Erbauer des ,,Karl Marx-Hofes" (vgl.Plan Nr. 5/ Pos. Nr. 1). Der geschlossene Block mit 301 Wohnungen hat mehrere Folgeeinrichtungen und mehrere Geschäftslokale in einem terrassenförmigen Vorbau. Auffallend ist die besondere Eck-Akzentuierung durch zwei kräftige Eckpylonen und die Auflösung der Baumasse in klare Kuben. Mitten durch den Baugrund geht eine Bauzonengrenze zwischen drei- bzw. vierstöckiger Verbauung, weshalb die Bauten in der Klähr- und in der Aßmayergasse auf drei Stockwerke begrenzt sind, hingegen die in der Steinbauergasse und der Längenfeldgasse vier Stockwerke aufweisen. Eine Ausnahme bilden die Mittelpartien in der Steinbauergasse und die beiden Eckpylonen, die fünfstöckig verbaut sind.

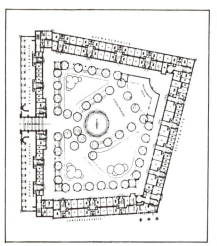

Erdgeschoß „August Bebel-Hof"

Der Grundbaukörper wird von der Baulinie zurückversetzt; die Durchbrechung der zulässigen Gebäudehöhe an der Kante mittels eines turmartig ausgebildeten Ecktrakts, die Umrahmung der Vorbauten und Terrassen zeigen schon Ehns Talent für die Beherrschung der großen Form. Die äußere Lösung verzichtet bewußt auf jeden Aufwand kostspieliger Dekors und will nur durch die schlichte und elegante Gliederung der Bauteile wirken. Im „Bebel-Hof" zeigt sich bereits die spätere Handschrift Ehns beim „Karl Marx-Hof" (1927–1930) (9)

Das Parterregeschoß mit dem großen Eingangsportal befindet sich auf der Baulinie. Langgestreckte, mit einer Pergola verbundene Balkone, kleinere, in dreieckiger Form gehaltene und größere, runde Erker zeugen von einer vielfältigen und kleinteiligen Architekturgliederung. Die Front an der Längenfeldgasse ist insofern bemerkenswert, als durch ihre Gehsteigüberbauung nächst der Klährgasse eine Art halböffentlicher Raum entstanden ist. Einen besonderen Eindruck vermittelt die Wohnhausanlage beim Anblick von ihrem geräumigen Gartenhof aus: Hofeinbauten erzwingen eine gewisse achsiale Ausrichtung des keineswegs regelmäßigen Grundstücks. Ein kreisrundes Wasserbecken und die geometrische Gartengestaltung geben dem Hof eine barocke Künstlichkeit. Bemerkenswerte Balkonabtreppungen und mäanderförmige Balkonanordnungen sind im Hof zu sehen.

⑱ FRÖHLICH-HOF (1928–29)
Engelbert Mang

XII., Arndtstraße 27–29/ Malfatti-gasse 1–5/ Fockygasse 2a/ Oppelgasse 14

Diese sehr breite Anlage mit 149 Wohnungen in einer U-förmigen Verbauung mit einem großen, zur Straße geöffneten Hof, weist eine sehr prismatische Architektur auf. Dabei fällt als hervorstechendes Merkmal am Außenbau die allmähliche Stilreinigung und Flächenbetonung der Baumassen ins Auge. Durch das Zurücksetzen von Loggien und Einsetzen von elementarartigen Balkonen werden die Fassaden beträchtlich aufgelockert.

⑲ CARL LORENS-HOF (1927–28)
Otto Prutscher

XII., Längenfeldgasse 14–18/ Klährgasse/ Arndtstraße

Diese breite Schließung eines Häuserblocks setzt die Art der Verbauung der unregelmäßigen Grundstücke im Bereich der sich sternförmig treffenden Böckhgasse, Längenfeldgasse, Steinbauergasse und Aßmayergasse fort. Der Gemeindebau mit 146 Wohnungen stammt vom Hoffmann-Schüler Prutscher, der vor allem als Designer und Möbelentwerfer tätig war und eigentlich wenig Gelegenheit zu bauen hatte. Sein frühes Schaffen war fast gänzlich den dekorativen Künsten gewidmet. Wie Hoffmann übertrug Prutscher die Kompositionsweisen, die typisch für das Mobiliar sind, auf seine architektonischen Größenordnungen; umgekehrt erscheinen seine Möbel als verkleinerte Architekturen. Prutschers Nachkriegswerk erfüllte leider nicht, was die wesentlich kühneren Formfindungen vor dem Ersten Weltkrieg versprachen. So gesehen ist der Bau eine Diskontinuität der Formsprachen auf mehreren Ebenen: die Einfachheit der Fassadengliederung bekommt eine unruhige, fast übersteigert expressionistisch wirkende (interessante) tektonische Aussage. Prutscher versuchte, die Gleichförmigkeit der regelmäßigen Fensterreihen durch starke durchlaufende Simsbänder, Terrassenrücksprünge, gebogene Eckteile, Polygonalerker und Spitzbogenpaare zu durchbrechen und mit einer reichen Bauausschmückung zu kompensieren.

⑳ GEORGE WASHINGTON-HOF (1927–1930)
Karl Krist/Robert Oerley
XII., Untere Meidlinger Straße 1–12/X., Wienerbergstraße/Triester Straße 52

Mit der Erschließung des damals noch unbe-
bauten bzw. zum Teil „wilden" Siedlungsge-
biets des Wienerbergs, am Rand der Stadt im
Übergang zum damaligen Favoritner Indu-
striegebiet und um die Tongruben der
Ziegeleiwerke gelegen, wurde erst 1927 begonnen. Obzwar schon eine Reihe von
städtischen Wohnhausanlagen an der südlichen Peripherie Favoritens standen (z. B.
Siedlung „Am Wasserturm", Wohnhausanlage Wienerbergstraße etc.) wurde gewissermaßen an der südlichen Durchbruchstelle
Wiens, an der verkehrsreichen Triesterstraße,
eine weitere umfassende Wohnhausanlage
errichtet.

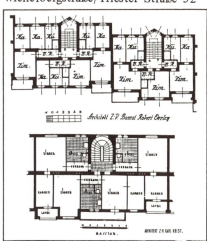

Auf der Höhe des Wienerberges, nahe der
gotischen Gedenksäule „Spinnerin am
Kreuz", dachte man vorerst an ein Stadt-
randsiedlungsprojekt wie das 1923 gebaute
Siedlung „Am Wasserturm" (vgl. Plan Nr. 2/
Pos. Nr. 16). Stattdessen errichtete man
dann einen weiteren Wohnblock, aber einen
der sehenswertesten und für die Entwicklung ungemein wichtigen Wohnbau, der in
mancherlei Hinsicht bereits als „Überwindung des Superblockprinzips" (10) gelten
kann: den „George Washington-Hof". Im
Volksmund auch „Birken-", „Flieder-",
„Ahorn-", „Ulmen-" und „Akazien"-Hof
genannt, Bezug nehmend auf die einheitliche gärtnerische Ausgestaltung der einzelnen Höfe. Dies ist höchst bemerkenswert
und aufschlußreich, da die Identifikation
nicht mehr mit der gesamten großen und
anonymen Anlage erfolgt, sondern mit dem
einzelnen Wohntrakt.
Die sehr aufgelockerte, mittels extremer
Randverbauung weite Anlage wird gerne als
Paradebeispiel für die geringe Bebauungsdichte (hier: 21 %) der Gemeindebauten her-
genommen. Und das, obwohl es – wie Fritz
Wulz herausfand – keine entsprechenden
Hinweise dafür gibt, „daß sich was in der
Haltung der Rathausbürokraten geändert
hat", oder „daß die Stadtplanung eine
grundsätzliche Veränderung ab Mitte der
zwanziger Jahre durchgegangen wäre". (11)
Ursprünglich als Gartenstadt vorgesehen und
in Planung, nimmt der Hof – als Reaktion
auf die unmittelbar gegenüber gebaute
Kleinhaussiedlung der GESIBA (1923) und
beeinflußt von der massiven Fachkritik

*Wohnungsgrundrisse; oben: Bauteil Oerley;
unten: Bauteil Krist*

seitens des Internationalen Kongresses für
Wohnungs- und Städtebau (1926) – gewissermaßen unfreiwillig die markanten
Elemente der Stadtrandsiedlung auf.
Eine schrittweise Öffnung der Höfe erfolgte
möglicherweise auf Druck der Opposition
gegen den kasernenartigen Charakter der
Großwohnhofanlagen. Die Auflösung der
Fronten bedeutet in diesem Fall allerdings
nur einen Kompromiß, denn die U-förmig
aneinandergeketteten Folgehöfe waren in
ihrer Erscheinung (immer noch) geschlossen.
Auch wenn die Anlage zwischen den
Gartenhöfen mit Verkehrsadern durchschnitten war, wirkte der Hof noch halbwegs einheitlich, weil wertvoller Gartenraum
nicht durch breite Straßen verschwendet
wurde. Diese Lösung der tangierenden,
geschwungenen Durchzugsschneisen war für
die Öffentlichkeit doppelt nutzbar: einerseits erschloß man sich der Stadt, und
andererseits war die Benützung der Grünflächen für alle Anrainer gewährleistet,
„womit die eigene ‚Wohnenklave' über der
Vorstellung über die Wohnwelt über den
physischen Rahmen hinaus expandiert und
auch die Nachbaranlagen miteinschließt".
(12) Die Eingänge der Häuser liegen den
Parkanlagen zugekehrt.

Das für die Verbauung ausgewählte Grundstück wird einerseits von der Radialstraße Triester Straße, der hierfür neu angelegten Unteren Meidlinger-Straße, der Wienerbergstraße und der Kastanien- bzw. Eschenallee umschlossen und andererseits von der Rotdornallee und der Köglergasse durchschnitten. Die Grenzen des X. und XII. Bezirkes gehen mitten durch die Anlage. Die langgestreckte und relativ flache Verbauung des Grundstücks wurde in fünf Teile gegliedert. Sie ist ein Konglomerat aus immer unregelmäßiger und größer werdenden, klammerähnlichen Hofgebilden – in ihrer Umrißgestaltung einem Papierdrachen ähnlich. Die weitläufige Anlage mit 1085 Wohnungen (131 Ledigenwohnungen, 593 Wohnungen mit Zimmer-Küche-Kabinett, 250 Wohnungen mit Zimmer-Küche-2 Kabinetten, 111 Wohnungen in Sondergrößen) und umfangreichen Neben- und Gemeinschaftseinrichtungen vermittelt weder das Bild eines verdichteten Stadtviertels, noch das eines ausufernden Siedlungsteppichs, da sehr geschickt mit kleinstädtischer Architektur und den „malerischen" Prinzipien Camillo Sittes gearbeitet wurde. Ottokar Uhl spricht sogar von einer der besten Wohnhausanlagen des Roten Wien, schränkt aber gleichzeitig ein: „...die Leistung ist aber nicht ganz so erstaunlich, weil die Geschoßflächenzahl und deren Ausnutzungsziffer sehr gering ist." (13) Die „niedrige, weiträumige Bebauung" (14), die „Auflösung der Fronten" (15), die „größere Auflockerung der Verbauung" (16) und die „schrittweise Öffnung der Höfe" (17) machen diese Anlage zu einer der „charmantesten" (18) Wohnhausanlagen der Zwischenkriegszeit.

Die durchwegs von den Höfen zugänglichen Wohnhäuser enthalten drei bis vier, mitunter fünf Wohnungen mit eigenem Balkon oder Loggia. Die Gestaltung der Baublöcke ist sehr verschieden und abwechslungsreich, aber „architektonisch entspricht der Bau den gleichzeitig entstandenen Gemeindewohnungen". (19) Die Ausbildung der Baublöcke um die von Karl Krist gestalteten „Birken"-, „Flieder"-und „Ahornhöfe" kennzeichnet sich durch Gruppierung und Höherziehen der einzelnen Bauteile. Deren Gestaltung wird in ihrer Gliederung durch die tiefen Loggiengruppierungen, die dreieckig hervorspringenden Stiegenhäuser, die plastische Verwendung von polygonalen und spitzen Erkern und die romantisch-expres-

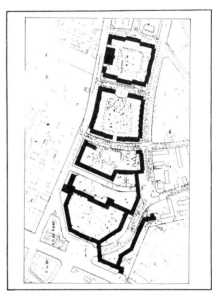

Lageplan „George Washington-Hof"

sive Höhenstreckung gewisser schmückender und akzentuierender Bauelemente (Giebelfronten, Dachabschlüsse, Zinnen etc.) bestimmt. Architektonisch fallen vor allem Robert Oerleys Bauteile um den „Ulmenhof" und den „Akazienhof" auf, mit ihren engsprossigen und verglasten Veranden im Wechsel mit einfachen, rhombengeteilten Kieselputzflächen und rautenförmigen Bandelwerkornamentationen. Die Ausbildung der Architektur beschränkt sich hier nur auf die Anordnung der Loggien, die dreieckig übers Dach vorspringenden Stiegenhäuser und auf die rein dekorative Ausgestaltung durch farbige Naturputzflächen.

An Gemeinschaftseinrichtungen befanden sich im „Ulmenhof" ein öffentlicher Kindergarten, ein Jugendhort an der Wienerbergstraße, eine öffentliche Arbeiterbücherei im „Birkenhof", zwei Zentralwäschereien an der Wienerbergstraße und eine Mutterberatungsstelle an der Triesterstraße, ebenso war an der Triesterstraße ein Gast- und Kaffeehaus mit vorgelagertem Garten untergebracht. Insgesamt befanden sich in der Anlage 42 Geschäftslokale. Durch diese Nebeneinrichtungen wurde die Wohnhausanlage zu einem selbständigen Organismus, der autark funktionierte.

Josef Hofbauer/Wilhelm Baumgarten: Komensky-Schulgebäude (1927–28) (zeitgenössische Aufnahme)

21 EX-KOMENSKÝ-SCHULE
(heute: BRG XII)   (1927–28)
Baumgarten/Hofbauer

XII., Erlgasse 32–34/ Spittelbreitengasse

Der Schulbau gehört zu den wenigen baulichen Überresten einer tschechischen Arbeiterkultur und Sprachkolonie in Wien (20). Er ist nicht nur ein Restdokument der inzwischen assimilierten bzw. vernichteten nationalen Vielschichtigkeit, sondern er gehört zu den wenigen Spitzenleistungen des modernen Schulbaus der Zwischenkriegszeit in Wien (21).

Auffallend ist zunächst die stilvolle und qualitätsvolle Handschrift der Architekten, die nicht unbedingt zu den modernsten Baukünstlern ihrer Zeit zählten. Die städtebauliche Integration des Objekts in das Häuserensemble der stark ansteigenden Erlgasse ist vorbildlich wie auch die Raumausnützung dieser sehr undankbaren Baulücken-Eckverbauung. Das stark ansteigende Terrain ließ in dem halben Flügel entlang der Erlgasse ein ganzes Geschoß mit wertvoller Nutzfläche gewinnen.

Der Bau gliedert sich in mehrstufige Etappen, asymmetrische Schichten, wobei das Dachgesims dem Terrain gemäß abgetreppt ist. Er hat einen massiven Unterbau mit Eingangsvestibül und einen aufstrebenden, aus dem Baukörper sich lösenden 29 m hohen Uhrturm. Dieser ist mit übereck geführten Fenstern sowie mit einem verglasten Dachkobel als Abschluß versehen. In mehreren Schichten steigen die Geschosse stufenförmig an, bis sie in dem dominanten Mittelpunkt ihren Akzent finden. Ein freiwilliges Zurücktreten hinter die Baulinie ermöglichte den benachbarten, einförmigen Straßenfluchten eine einprägsame Unterbrechung. An der Knickstelle des hakenförmigen Grundrisses befindet sich der sehr günstig angelegte Haupteingang der Schule. Durch zwei weitere Eingänge gelangt man einmal zur Direktionskanzlei bzw. zur Schulwartwohnung, das anderemal zu den Wirtschaftsräumen, einem Vortragssaal, einer Vereins-Schulbibliothek, Schulküche und Schüleraussppeisung etc. Auffallend ist die sehr klare Gliederung der Funktionen: der Verwaltungstrakt hebt sich schon durch die Verteilung normaler, zweiflügeliger Fenster von den Klassenzimmern ab, die durch große, mehrflügelige Fenster und schmale Zwischenpfeiler gekennzeichnet sind. Die einhufige Anordnung der Schülerzimmer ermöglicht eine gleichmäßige Belichtung. Ein breiter Wandelgang mit Garderoben bietet den Schülern/innen auch bei schlechtem Wetter die notwendige Erholung während der Pausen.

Andere bemerkenswerte Komenský-Schulbauten (von dem selben Architektenpaar Wilhelm Baumgarten und Josef Hofbauer): III., Sebastianplatz 3 (1933–35); XVI., Arltgasse 27 (1929–30) (zerstört); XX., Vorgartenstraße 95–97 (1927–28) (stark verändert).

22 SIMONY-HOF (1924–25)
Leopold Simony

XII., Koppreitergasse 8–10/ Erlgasse 47/ Rollingergasse 9

Benannt ist diese Anlage nach dem Nestor des österreichischen k&k-Arbeiter- und Sozialwohnbaus (vgl. „Jubiläumshäuser", Plan Nr. 9/Pos. Nr. 4). 164 Wohnungen sind hufeisenförmig um einen zur Straße hin geöffneten Gartenhof verbaut. Der Grundgedanke dieser Verbauung war die Schaffung eines möglichst großen Gartenraums, mit einer vielfältigen Gliederung, Auflockerung und Abstufung der Massen zum Hof, sodaß den meisten Bewohnern zwar der Straßenblick auf die Koppreitergasse ermöglicht wurde, aber ohne direkt an der Baulinie zu sein.

Die Bewegtheit in der Gestaltung der Baumassen, unterstützt durch die altertümliche Dachgestaltung aus „romantischen" Versatzstücken (Kamingruppen, Gauben, Froschmaulöffnungen etc.) erinnert noch ein wenig an den alten Typus der frühen Arbeiterwohnhäuser. Auf andere architektonische Schmuckformen wurde verzichtet, weshalb die geschlossenen Nebenstraßenfronten tektonisch reduzierter und wuchtiger wirken als die geöffnete Hauptfront. Der östliche Teil der Anlage schließt an private Grundstücke an und ist durch einen innenliegenden Quer-Riegeltrakt vollkommen von den benachbarten Hinterhöfen abgeschlossen.

In die Längsachse des Gartenhofes wurden ein Kindergarten, eine Wäscherei und eine Badeanstalt gestellt; diese Gemeinschaftseinrichtungen wurden schmucklos, aber funktionsgerecht gestaltet.

(23) SIEDLUNG „AM TIVOLI" (1927–29)
Wilhelm Peterle (Wiener Stadtbauamt)
XII., Grüner Berg/ Hohenbergstraße 3–23/ Hasenhutgasse 2/ Schwenkgasse 48–52/ Josefine Wessely-Weg/ Weißenthurngasse 1–9; 2–8/etc.

Die Siedlungsanlage „Am Tivoli" gehört zu den wenigen des Typs der englischen Gartenstadt und ist mit Sicherheit überhaupt die letzte im Roten Wien. In unmittelbarer Umgebung von Schönbrunn, auf dem ehemaligen „Gatterhölzl"-Gelände, erbaute die Gemeinde Wien in Zusammenarbeit mit dem Stadtbauamt eine villenartige Kolonie. Hier ging man vom rigorosen Reihenhaustyp bzw. vom kasernenhaften Wohnblock zum gemütlicheren Villentyp bürgerlicher Baukultur über. Die Gestaltung charakterisiert das Einschwenken auf kleinbürgerliche, vorindustrielle Wohnhausformen mit sehr lieblich aussehenden Vierfamilienhäusern und malerischen Straßenführungen.

Im ersten Bauabschnitt der insgesamt 404 Wohnungen umfassenen Anlage wurden 41 Häuser mit 172 Wohnungen gebaut. Sie wurden durchwegs unter Zugrundelegung fünf verschiedener „Vierlingshaus-Typen" (ein Haus mit vier Wohnungen) errichtet. Nach Typus a sind 6 Häuser mit 24 Wohnungen entstanden: Jedes dieser Häuser ist vertikal geteilt; jede Wohnung enthält im Parterre einen Wohnraum, eine Kochnische samt Nebenräumen und im ersten Stock ein Zimmer und ein Kabinett. Vom Typus c wurden 11 Häuser mit 44 Wohnungen gebaut: Jedes dieser Häuser ist horizontal geteilt und hat innenliegende Stiegenhäuser; jede Wohnung enthält eine Wohnküche, zwei Zimmer sowie die notwendigen Nebenräume. Vom Typus d wurden 18 Häuser mit insgesamt 72 Wohnungen errichtet: die Häuser sind wieder horizontal geteilt, besitzen aber zwei Stiegenhäuser; pro Stiege befinden sich eine Wohnung im Parterre und eine im ersten Stock; jede Wohnung enthält Küche, Zimmer, Kabinett, Nebenräume und einen Balkon. Abarten des Typus d wurden fortgesetzt, so wurden beispielsweise vier Häuser mit 16 Wohnungen vom Typus d1 und zwei Häuser mit je 8 Wohnungen vom Typpus d2 errichtet. In jedem dieser zwei Sondertypen sind vier Wohnungen mit Küche-Zimmer-Kabinett und Nebenräumen und vier Wohnungen mit Küche-Zimmer-2 Kabinette und Nebenräumen. Diese Typen ähneln dem Ur-Typus d, nur sind die Woh-

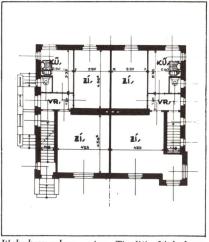

Wohnhausanlage „Am Tivoli"; Wohnhaus Type D, Grundriß

nungen kleiner und es fehlen die Balkone. Einen Typus b gab es in dieser Anlage nicht.

Im zweiten Bauabschnitt wurde die Anlage um 17 größere, zumeist gekoppelte „Vierlingshäuser" mit 232 Wohnungen erweitert. Eine Zentralwäscherei, ein herrschaftliches Kindergartengebäude, eine Gaststätte kamen hinzu. In der platzartig erweiterten Arnsburggasse kommt es durch die größeren Wohnhäuser und durch die Gemeinschaftseinrichtungen zu einer sehr vagen Platzschließung. Anders als bei früheren Anlagen gibt es keinen einzigen Mittelpunkt der Anlage mehr, sondern viele kleine architektonische, romantische Plätze. Die strenge Typisierung der Bauweisen und Wohnungsgrundrisse führte zu einer gewissen Gleichschaltung im Äußeren. Daß sich beim Typus c in Form von stromlinig abgerundeten Stiegenhäusern ein vager Symbolismus à la Erich Mendelsohn oder des (holländischen/italienischen) Plastizismus eingeschlichen haben, oder beim Typus b im Sockelbereich ein „folkloristischer" und nordischer Ziegel-Expressionismus, stört in Anbetracht des großzügigen Stil-Eklektizismus der Gemeindebauten wenig.

*Siedlung „Am Tivoli" (1927–29), Meixnerweg 2ff (zeitgenössische Aufnahme);
Wohnhausanlage „Am Tivoli"; unten: Wohnhaus Type c, Grundriß*

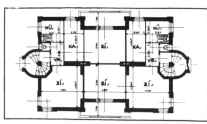

**㉔ WOHNHAUSANLAGE
AICHHOLZGASSE (1929–30)
Karl Dirnhuber/Camillo F. Discher**

XII., Aichholzgasse 52/ Hohenberg-
straße/ Egger Lienz-Straße/ Theer-
gasse/Schwenkgasse/ Ratschkygasse/
Rotenmühlgasse/ Spittelbreitengasse

Nur bedingt kann diese sehr aufgelockerte
Wohnhausanlage mit 735 Wohnungen zu
den Siedlerprojekten gezählt werden. Der
Gemeindebau stellt den Versuch einer Anpassung an die bürgerliche Baukultur des Bezirkes (Schönbrunn Nähe) dar und verbindet
die Stilelemente des Massenwohnbaus mit
denen einer Gartensiedlung. Die vielfach gegliederte, überraschend abwechslungsreiche,
aber letztlich uneinheitliche Gestaltung
widerspiegelt – besonders entlang der Aichholzgasse – den gespaltenen Charakter der
verschiedenen Auffassungen und das formale Ineinandergreifen von villenartiger Verbauung und „superblockhaften" Wohn-
trakten. Neben villenartig gestalteten Doppelhäusern und Reihenhäusern von Karl
Dirnhuber im Sinne einer Zeilenverbauung,
stehen geschlossene, kompakte Hofanlagen,
die von Camillo Discher stammten. Was
beweist, daß die Gemeinde an der Gartenstadtbewegung nicht interesselos vorübergegangen ist und bei dieser Anlage durchaus
eine verständnisvolle Haltung gegenüber dem
Flachbau und der Gartenkultur zeigt, ohne
jedoch ganz auf das Stockwerkhaus zu
verzichten.

Die im Volksmund „Indianerhof" bezeichnete Anlage – wohl in Anspielung ihrer
roten Außenfärbelung – wurde nach dem
Februar 1934 von den Austrofaschisten
nach dem Heimwehrführer und Vizekanzler
Major Fey in „Fey-Hof" umbenannt, als
zynisches Zeichen der Erniedrigung und
Besiegung der aufständischen Arbeiter.

Sog. „Indianer-Hof" (1929–30); .

**㉕ WOHNHAUSANLAGE
OSWALDGASSE (1929–30)**
Alfred Kraupa

XII., Oswaldgasse 14–22/ Johann
Hoffmann-Platz 18

Die Situierung der etwas langgestreckten
und verwinkelten Hofanlage entspricht den
beengten Bauplatzverhältnissen, da man den
Anschluß an die vorhandenen Miethäuser im
Ensemble berücksichtigen mußte. Bei dieser
breiten Baulückenschließung mit 159 Wohnungen wird für die Ausbildung eines ausgedehnten Vorgartens die Front mittig einge-
zogen. An den jeweiligen Enden dieser Einziehung sind bis zum vierten Geschoß ums
Eck gezogene Gitterbalkone angeordnet.

Die beiden Ecklösungen werden entsprechend ihrer Wichtigkeit mächtig erhöht, indem sie jeweils durch Stiegenhäuser und
eine vielfältig abgestufte Dachlandschaft besetzt werden. In ihrer Höhe von sechs
Wohngeschossen haben sie die zulässige Ver-
bauungsklasse überschritten. Das um zwei
Geschosse niedrigere Mitteltraktgebäude
wird mit einer klinkerverkleideten Portal-

öffnung und Sockelzone gestaltet. Der Hof
besitzt keine nennenswerten Gemeinschaftseinrichtungen.

**㉖ WOHNHAUSANLAGE
LIEBENSTRASSE (1929–30)**
Josef Beer

XII., Liebenstraße 48

Die achsial gestaltete Eckumschließung
rückt gassenseitig von den umschließenden
Baulinien ab, um die Bildung schmaler Vorgärten – insbesondere für die Parterrewoh-
nungen – zu erreichen. Diese Wohnhausanlage hat nur 32 Wohnungen und hängt mit
einer umfassenderen Anlage (vgl. Pos.
Nr. 25) zusammen. Die Hauptfront wirkt
mit der schmalen Eingangsöffnung geschlossen, blockhaft. Gegliedert wird dieser Block
mittels eingesenkter Balkone an den Enden
und zwei kastenförmigen Erkertürmen, die
das Hauptgesimse durchstoßen und einen
eigenen Dachaufbau bilden.

㉗ SIEDLUNGSANLAGE HOFFINGERGASSE (1921—24)
Josef Frank/Erich Faber

XII., Hoffingergasse/ Oswaldgasse/ Stegmayergasse/ Schneiderhangasse/ Sonnergasse/ Elsniggasse/ Frühwirtgasse (außerhalb des Lageplans)

Diese Siedlung, mit den geringsten finanziellen Mitteln beziehbar, ist in ihrer Konzeption für Wien einmalig. Die für die Genossenschaft „Altmannsdorf-Hetzendorf" erbaute Siedlung weist 284 Wohnungen in einer langen Zeilenverbauung auf. Die große Niveaudifferenz der Oswaldgasse ermöglichte eine zweigeschossige Verbauung mit Ausnützung des Kellerraumes für Werkstätten udgl. Die langen Gebäudefronten sind zudem, je nach Gelände, stufenweise abgetreppt.

Der Grundtypus der Siedlungshäuser ist einfach und nicht sonderlich einfallsreich: der Wohntrakt besteht aus quadratischem Wohnraum/Wohnküche (26,93 qm) als Kernstück, einem Spülraum (7,23 qm), einem Kleinstvorraum im Erdgeschoß, Schlafräumen im Obergeschoß (15,77 qm, 7,08 qm, 11,64 qm); gartenseitig angebaut sind eine Scheune, ein Stall und darüber ein Heuboden (insgesamt 18,2 qm), im Knick Abor-

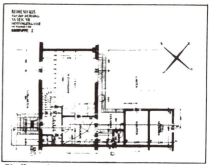

Siedlungshaus, Grundriß

te (1,20 qm) und eine offene Veranda im ersten Stock. Die Grundstücksgröße beträgt etwa 465 qm, inkl. Vorgarten; die verbaute Fläche des Hauses beträgt ohne Wirtschaftsräume (ca. 21 qm) etwa 45-50 qm. Die Eckbauten haben vorgebaute Dachterrassen und überhöhte Volumen.

Im seinem Streben nach Schlichtheit entschied sich Frank für das ihm ungewohnte steile Dach und schreckte vor einer einheitlichen Fassadenfront nicht zurück. Diese ist nur durch Bepflanzungsgerüste und flachliegende – je nach Nutzung verschiedenförmige, aber gleichmäßig verteilte – Fenster gegliedert.

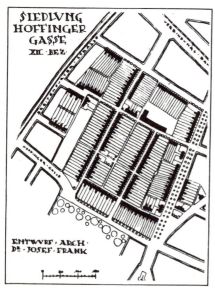

Lageplan Siedlungsgebiet

㉘ WOHNHAUSANLAGE WIENERBERGSTRASSE (1926)
Camillo F. Discher / Rudolf Fraß/ Rudolf Perco / Paul Gütl / Karl Dorfmeister

XII., Wienerbergstraße 16—20/ Pirkebnerstraße/ Untere Meidlinger-Straße

Die Verbauung dieser großen unregelmäßigen Anlage mit 769 Wohnungen wurde so gestaltet, daß sich mehrere Innenhöfe und einige zur Straße geöffnete Hofanlagen bildeten, die durch niedrige Zwischengliedbauteile und Rundbögen abgeschlossen wurden. Die an den Straßenhof grenzenden Wohnungen sind großteils mit Loggien, Balkonen oder Erkern mit Blumenbehältern versehen. Eine bewegte Dachlandschaft mit malerischen Schornsteinköpfen, Brandmauerabtreppungen und einem schwer überladenen Gesimse bestimmten den Bau an der Hauptfront. Ein monumentales Portal mit expressionistischen Fenster- und Torgittern kennzeichnet die straßenseitige Fassade.

RUNDGANG 2: FAVORITEN

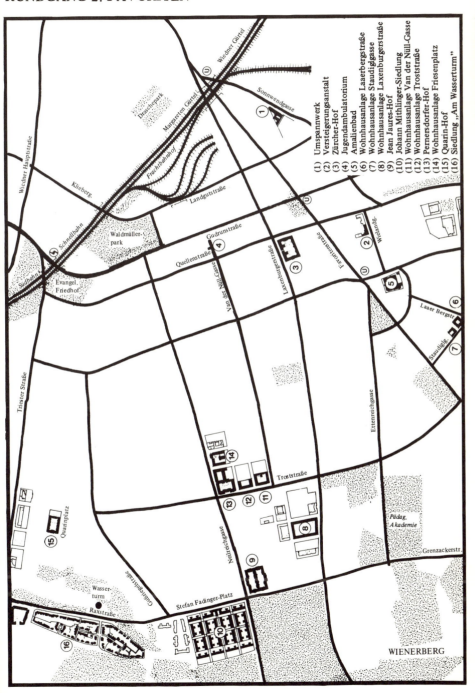

(1) Umspannwerk
(2) Versteigerungsanstalt
(3) Zürcher-Hof
(4) Jugendambulatorium
(5) Amalienbad
(6) Wohnhausanlage Laaerbergstraße
(7) Wohnhausanlage Staudiggasse
(8) Wohnhausanlage Laxenburgerstraße
(9) Jean Jaurès-Hof
(10) Johann Mithlinger-Siedlung
(11) Wohnhausanlage Van der Null-Gasse
(12) Wohnhausanlage Troststraße
(13) Pernersdorfer-Hof
(14) Wohnhausanlage Friesenplatz
(15) Quarin-Hof
(16) Siedlung „Am Wasserturm"

① UMSPANNWERK FAVORITEN (1929–31)
Eugen Kastner/Fritz Waage
X., Humboldtgasse 1–5/ Sonnwendgasse 10

Das markante Umspannwerk ist einer jener Grenzfälle, bei dem sich Ästhetik und Technik ergänzen. Für Wien stellt es jedenfalls ein sonderbares Unikum dar. Vielleicht ist dieses Gebäude überhaupt einer der interessantesten Industriebauten Wiens.

Dem Zweck völlig entsprechende Formen und autarke Volumina, in eine einheitliche Form gebracht, bestimmen die äußere Erscheinung, gleichzeitig geben sie dem Bau etwas Dynamisches und Widersprüchliches. Die einzelnen Räume sind durch eine zwangsläufige Reihung der Apparate in ihren Dimensionen vorgegeben, Flächen- und Raummaße folgen streng dem Raumprogramm. In den meisten Fällen wurden große, kastenförmige Räume benötigt. Diesem Bedürfnis stand andrerseits die dreieckig beschnittene Form der Parzelle erschwerend entgegen. Eine logische Aneinanderreihung der Raumgruppen war notwendig, um der Forderung nach organischer Apparatenanordnung, übersichtlicher Betriebsführung, kurzen Verbindungswegen und kurzer Leitungsführung zu entsprechen. Des weiteren war bei der Gestaltung des Bauwerks die Möglichkeit einer einfachen Montage und Wartung der Instrumente ausschlaggebend. Entlang der kürzesten Seite des Dreiecks wurde daher ein Verbindungsgang als primärer Einfahrts- und Ausfahrtsweg für die tonnenschweren und statischen Einrichtungen (Gleichrichter, Transformatoren) errichtet und, senkrecht dazu, sekundäre Verteilungswege für die transportablen Einrichtungen (Schalterboxen etc.) angeordnet.

Die zentrale Überwachungsstelle wurde in den ungefähren geometrischen Mittelpunkt der dreieckigen Anlage gesetzt, sodaß sie zu allen essenziellen Stellen gleich entfernt war. Die zellenartigen Unterteilungen, in denen die einzelnen Apparate untergebracht wurden, sind durch Deckendurchbrüche verbunden. Sie ziehen sich durch das ganze Gebäude und ergeben somit einheitliche Stützweiten der Trennwände, die für die räumliche Organisation und für die Gliederung der Schauseiten bestimmend wurden.

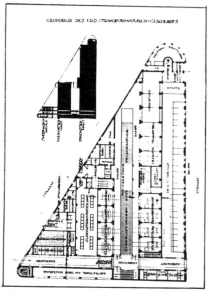

Umspannwerk Favoriten (1929–31); Grundriß des Erd-(Transformatoren-)Geschosses

Zur Erklärung dieses merkwürdigen Erscheinungsbildes drängt sich zwangsläufig ein anderer Gedanke auf: könnte nicht der „elektrische Strom" Leitbild („elektrisches Pathos") für die Gestaltung gewesen sein? Die Profilierung der „stromlinigen" Formen könnte von der Schnelligkeit des Blitzes und der Dynamik der Maschinen (Dynamos, Trafos, Turbinen etc.) direkt ausgegangen sein. Eine andere These wäre, so absurd-intellektuell sie auch klingen mag, der Wunsch der Planer, die Architektur dieses Baues dem „Image" des Ozeandampfers anzugleichen. Schon LeCorbusier formulierte die sozialpolitischen Implikationen des Schiffes in seiner Architektur, indem er scharf das Leitbild des technoiden „Rettungsschiffes" bei der „Cité du Refuge" (Asylheim) vor Augen führte.

Bei dem Umspannwerk ist freilich die Komponente der Utilitarität der Produktion ausschlaggebend. Bei einer „Fabrik" wird straffe Organisation, erstklassige Betriebsführung und klare ingenieurmäßige und technokratische Konzeption verlangt. Unter diesem Gesichtspunkt kann das „Image" durchaus „Bedeutung" bekommen: verspricht doch das „Image" eines Schiffes zugleich solide Betriebsführung und die Faszination der technischen Machbarkeit. Das Gebäude als Hülle ist nicht nur Ergebnis eines sachlichen, streng funktionalistischen Prozesses, wie oben verkürzt unter der Formel „Form folgt Funktion" dargestellt wurde, sondern hat durchaus auch bildhaftsymbolische Bedeutung. Festzustellen ist, daß sich hier die Bauteile von Verwaltungs- und Produktionstrakten nicht wesentlich unterscheiden; daß die inneren Funktionen nicht immer durch die Abstraktion des Äußeren ablesbar sind. Für die Erbauer des Roten Wien war die propagandistische Gesamtwirkung ebenso von Bedeutung wie die Funktionalität eines Gebäudes. Deshalb ist das formale Bild oft wie z.B. beim „Karl Marx-Hof" oder beim „Jakob Reumann-Hof" wichtiger als die Konsequenz eines rationalen und immer wirtschaftlichen Prinzips. Vielleicht besitzen die Bauten der sozialdemokratischen Arbeiterbewegung deswegen immer noch jene Würde, an der es den sachlichen kühlen Architekturen im Industriebau meist so mangelt? Vgl. auch Elektrizitätswerk III., Esteplatz 1 (1929-30)

Umspannwerk Favoriten

(2) VERSTEIGERUNGSANSTALT FAVORITEN (1928–29)
Michael Rosenauer
X., Wielandstraße 6-8/ Erlachgasse

Dieses Gebäude ist ein besonders schönes Zeugnis strengster Sachlichkeit, wie sie die Funktionalisten verstanden haben. Durch die feine Proportionierung der schmalen Fensterschlitze zu den Mauerflächen wirkt der Bau vorwiegend ruhig und ernst. Die Fassade ist Ergebnis der inneren (freien) Raumorganisation. Die auffallend schmalen und hohen Fensteröffnungen, in drei senkrechten Bändern zusammengefaßt, ergeben sich aus der Stahlbetonskelettbauweise; der horizontalen Gliederung entsprechen die nur 2,20 m hohen Duplexgeschosse dahinter. Die innere Raumgestaltung aller Magazingeschosse kommt außen durch feine horizontale Profilierungen charakteristisch zur Geltung. Dem Architekten war die äußere Erscheinung des Gebäudes wichtig, aber statt mit dem Detail vorzugsweise mit den Massen zu wirken, war neuartig, denn die Sparsamkeit an Ornamentik ist radikal und besonders im Kontext zu Adolf Loos beachtenswert. (vgl. Plan 8/Pos. Nr. 7)

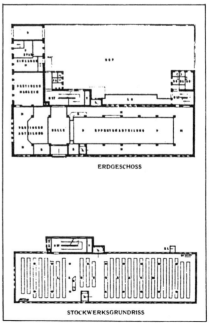

Dorotheum Favoriten; Grundrisse

217

③ ZÜRCHER-HOF (1928–1930)
Otto Schönthal/Emil Hoppe
X., Gudrunstraße 145–149/ Laxenburgerstraße/ Erlachgasse/ Columbusgasse

Durch eine konsequente, sechsgeschossige Randverbauung entlang der äußeren Umgrenzungsstraßen wurde ein großer Innenhof geschaffen, der durch einen Innenkörper in drei Teile gegliedert ist. Von elf exponierten Stiegenhauspylonen aus sind die Wohnungen zugänglich, jeweils vier Ein- bis Dreizimmer-Küche-Wohnungen pro Stockwerk. An Gemeinschaftseinrichtungen gab es unter anderem einen Kino- bzw. Vortragssaal, mehrere Geschäfte in einer eigenen Ladenstraße, die streng horizontal über alle vier Seiten der Erdgeschoßzone gezogen wurde. Die große blockhafte Anlage wird durch einen breit gelagerten, niedrigen Torbau mit monumentalem Portal und einem keramischen Relief, „Fries der Arbeit" (1930) von Siegfried Chatoux, in der Mitte von der Laxenburger Straße aus unterbrochen. Der flache eingeschobene Baukörper sollte ursprünglich von einem ca. 25 m hohen obeliskartigen Steindenkmal bekrönt werden. Die gesamte Architektur wäre somit auf dieses Zentrum hin ausgerichtet gewesen. Aber im Zuge der Ausfertigung wurden immer mehr Abstriche vom ursprünglichen Konzept gemacht.

Statt der ursprünglich additiv vorgesetzten Einzelbalkonordnungen wurden die Balkone in breitgezogenen horizontalen Bändern zusammengefaßt. Stark betonte, profilierte Simsbänder schließen die Dach- und Traufzone ab, und die über die Dachzone höher gezogenen Stiegenhaustürme geben der Anlage ein markantes Erscheinungsbild.

Kein „Pathos der Freiheit", sondern ein „Pathos der Arbeit" – „Fries der Arbeit" von Chatoux

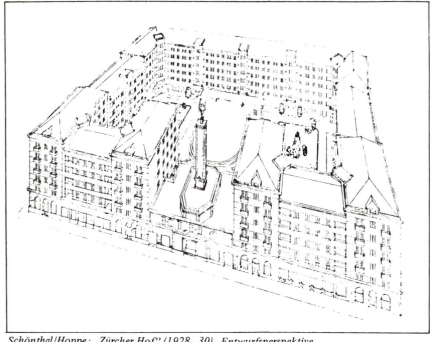

Schönthal/Hoppe: „Zürcher-Hof" (1928–30), Entwurfsperspektive

④ JUGENDAMBULATORIUM der WR. GEBIETSKRANKENKASSE
Jaksch/Theiß (1928)
X., Van der Nüll-Gasse 20

Heute ist der Bau so stark verändert, daß sowohl sein Äußeres als auch sein Inneres kaum noch zu erkennen sind. Die Abbildung zeigt deshalb den ursprünglichen Zustand.

⑤ AMALIENBAD (1923–26)
Karl Schmalhofer / Otto Nadel
(Wiener Stadtbauamt)
X., Reumannplatz 9/ Buchengasse/ Herndlgasse

Der kubisch verschachtelte, abgetreppte Block ist von außen kaum als Schwimmhalle zu erkennen. Viel eher tippt man auf ein nobles Zinshaus oder auf einen Gemeindebau.
Die Eingangspartie ist streng symmetrisch gegliedert und besitzt ein stilvolles Portal. Die Komposition ist stufenweise aufgebaut und gegen die Mitte effektvoll in die Höhe getrieben. Die Wirkung der unterbrochenen, abgetreppten Baumasse ist durchaus städtebaulich sowie politisch kalkuliert: Der Blickpunkt sollte vom freien Reumannplatz aus auf das Bad gelenkt werden und gesteigertes Selbstbewußtsein im Betrachter suggerieren. Diese Architektur ist Bedeutungsträger und Sender in einem und charakteristisch für die Geisteshaltung der zwischen Agitation und Restriktion hin- und herschwankenden Sozialdemokratie. Den einzigen Schmuck der Hauptfassaden bilden überlebensgroße, naturalistische (Frauen-)Figuren des Bildhauers Karl Stemolak, die zwischen den segmentförmigen Erkerböden aufgestellt sind.
Das Bad zählte mit seinem ca. 10000 kbm umbauten Raum und seinen Benützungsmöglichkeiten für 1300 Personen zu den größten Schwimmbädern Europas. Hinter der pathetisch-stereometrischen Schaufassade mit bekröntem Uhrturm steckt ein kompliziertes und umfangreiches Raumprogramm. Die Folge von Sporthallenbad (mit einem mächtigen beweglichen Glasdach), Medizinalbädern, Duschen, Friseurläden, Imbißstube, Restaurant, Wartesalon, Trockenräumen, Warteräumen und allen technischen Nebenräumen ist weitgehend verhüllt. Im Erdgeschoß befindet sich eine

Ambulatorium Favoriten (1928) von Siegfried Theiß und Hans Jaksch

schöne Vorhalle mit einem glasüberdeckten Vestibül und Wandmalereien. Die prächtige, basilikale Schwimmhalle besaß an den Längsseiten drei Tribünenstufen, einen 10 m-Sprungturm, eine zweigeschossige Galerie mit 553 Umkleidekästchen und 2 Toilettenanlagen, die in die 14 m hohe Halle hineinragten. Es gab folgende Badeunterteilungen: große Sportschwimmhalle mit Kinderbecken und sechsbahnige Wettbewerbsbecken; Dampf- und Heißluftbäder mit einem Fassungsraum für 224 Personen im ersten und im zweiten Stock, wobei der Bereich der Reinigungsduschen und der Warmbecken (heute: Sauna) mit farbigen Majolikaschmuck in „Art Déco"-Manier gestaltet ist; im ersten und dritten Stock Reinigungsbäder in Form von Wannen-und Brausebädern; auf den Flachdächern des hinteren Traktes waren Sonnen- und Freiluftbadeabteilungen angeordnet; überdies eine große Anzahl Dienstleistungsbetriebe.
Nach dem II. Weltkrieg wurde das Bad nach größeren Kriegsschäden stückweise neu adaptiert, 1979 in einer Generalsanierung weitgehend instandgesetzt und zu einer modernen Kur- und Badeanstalt erweitert.

Amalienbad (1923–26); Ansicht vom Reumannplatz

Für rund 150 Millionen Schilling wurde das Bad unter Leitung der Architekten Erich Schlöss und Erich Millbacher in Zusammenarbeit mit dem Denkmalamt und den zuständigen Magistratsbehörden vorbildlich restauriert. In den Badebereichen wurden die Dampfbäder mit Saunabädern erweitert, Wannen- und Brausebäder weitgehend aufgelassen; die Kuranstalt wird derzeit völlig neu gestaltet.

(6) **WOHNHAUSANLAGE LAAERBERG-STRASSE**
Oskar Wlach (1929–33)
X., Laaerberg Straße 22–24/ Kennergasse/ Bürgergasse/Gellertgasse

Frank-Mitarbeiter Wlach baute diese Großanlage mit 426 Wohnungen ausnahmsweise ohne die Mithilfe seines Kollegen. Sie entspricht schon dem Sparprogramm der späteren Gemeindewohnbauten mit relativ wenig Schmuck und den monotonen Fassaden. Schmale Simsbänder und die flache Dachneigung täuschen einen kubischen, flachgedeckten Block vor.

(7) **WOHNHAUSANLAGE (1924-25)**
Baumgarten/Hofbauer
X., Staudiglgasse 9/ Bürgergasse/ Kennergasse

Im Anschluß an einen gründerzeitlichen Block erfolgte diese Restblockverbauung, bei der die einzelnen Trakte um einen großen Innenhof gelegt sind. Ein Querbau, hinter dem sich ein kleinerer Hof bildet, schließt gegen die Nachbarhäuser ab. Der Haupteingang, ein mächtiges, triumphbogenartiges Portal an der Südfront mit (Fuhrwerks-)Einfahrt und zwei seitlichen Eingängen für Fußgänger, führt in den großen Innenhof, von dem alle sieben Stiegenhäuser zugänglich sind. Der gesamte baukünstlerische Schmuck konzentriert sich auf eine feine tektonische Klinkerverkleidung, die die gesamte Fassade umrahmt. Die Fassadengliederung erfolgte durch zum Teil in Ziegelrohbau belassene Flächenfelder und dünne Streifen. Der Sockel, das Portal, sämtliche Kanten, die bis zum Dach reichenden und hochgezogenen Lisenen und die etwas vertieften Klofensterstreifen sind mit Rohziegeln und in Halbklinker gemauert. Die glatten Mauerflächen dazwischen sind in

Edelputz ausgeführt, was dem Bau eine sehr lebhafte Gesamtwirkung verleiht. Über dem vergitterten Haupttor befindet sich ein großes Steinzeugrelief mit überlebensgroßen Figuren vom Bildhauer Otto Hofner. Die Konsolen, Fahnenmaste und die Hausinschrift in roten Lettern ergänzen den Dekor des Hauseingangs.

Gegenüber dem Haupteingang befindet sich ein großer Kindergarten/Kinderaufenthaltsraum mit vorgelagertem Spielplatz im Gartenhof. Das Haus enthält 166 Wohneinheiten in vier Wohntypen (durchschnittliche Größe: 50 qm), außerdem zwei Ateliers, mehrere Werkstätten, Verkaufslokale und ein Depot der städtischen Straßenreinigung.

(8) WOHNHAUSANLAGE LAXENBURGER STRASSE
Josef Hoffmann (1931–32)
X., Laxenburgerstraße 9a/ Reichenbachgasse/ Leebgasse/ Dieselgasse

Diesen späten Gemeindebau plante der einstige „Wunderknabe" der Secession ohne die für ihn übliche Sorgfalt und ohne jeden dekorativen Aufwand. Bei diesem Bau handelt es sich um einen der letzten Wohnhausanlagen überhaupt innerhalb des roten Gemeindebauprogramms. Die späteren Vorschläge gehen in Richtung einer gebundenen Flachverbauung, wie sie der Werkbund für seine Siedlungen vorgegeben hat (vgl. Plan Nr. 10/ Pos. Nr. 4). Hoffmann schließt den Block in sich selbst; der Hof hat nur einen einzigen Zugang und der ist schmal und schlank wie eine Tür. Der Eingang findet auf

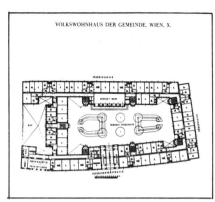

Wohnhausanlage Staudiglgasse (1924–25); Grundriß Erdgeschoß

diese Weise seine älteste Bedeutung, die einer „Schwelle", wieder. Die Zugänge zu den internen Sektoren (Stiegenhäusern, Kinderspielplatz etc.) erfolgen direkt vom Hof.

Der Bau hat eine fast grafisch wirkende Gliederung: rasterartige Fassadenlinien mit vorgesetzten Balkonen wechseln mit fein gezeichneten Fensterelementen. Das Äußere war ursprünglich weiß geschlackt, das Dach aus grauem Schiefer und die starken Schatten der schubladenartigen Balkonbrüstungen verleihen der Fassade eine gewisse metaphysische Spannung. Im ganzen wirkt der Bau ruhig und geschlossen und besitzt neben den 356 Wohnungen keine nennenswerten Sozialeinrichtungen. Die Größe der Wohnungen (48–50 qm) ist stark zusammengeschmolzen.

AM WIENERBERG

Am Höhenrücken des Wienerberges, zwischen der Triesterstraße und der Laxenburgerstraße, entstand in Fortsetzung der gründerzeitlichen Rasterblocks des alten Arbeiterviertels eine Reihe von Wohnhausanlagen (vgl. Pos. Nr. 9, 11–14) der ersten Phase des roten Gemeindewohnprogramms. Begrenzt wird dieses neue Wohnviertel von der Neilreichgasse, der Laxenburgerstraße, der Raxstraße und der Troststraße. Verkehrsmäßig wurde es mit einer verlängerten, um den gesamten Bauplatz kreisenden Straßenbahnlinie erschlossen.

Die äußere Erscheinung dieser Wohnhausanlagen ist je nach Handschrift der Architekten verschieden, doch wird der Hof schon als zentrale Aufschließungszone der zu den einzelnen Wohnungen führenden Stiegenhäuser verstanden. Das kasernenartige, aber „liebliche" Äußere ist gekennzeichnet durch die starke Betonung der Steildächer und die pittoreske Baumassengliederung. Durch ihre sehr reiche architektonische Fassadengestaltung unterscheiden sie sich oft kaum von den bestehenden Zinskasernen des X. Bezirks aus der Jahrhundertwende. Sie wirken aber generell monumentaler und sind bezüglich der sanitären Einrichtungen und des Wohnstandards wesentlich fortschrittlicher. Allein die konsequente Vermeidung von langen Flurgängen entspricht nicht mehr der Konzeption eines traditionellen Mietshauses. Das Formenvokabular setzt diese Tradition noch fort.

⑨ JEAN JAURÈS-HOF (1925–26)
Alfred Keller/Walter Brossmann

X., Neilreichgasse 105/ Raxstraße/ Migerkastraße

Der große, massive und randverbaute Block umschließt einen Innenhof, der, wie durch die Achsen eines Fadenkreuzes gereiht, in vier kleinere, gleich große Einzelteile zerfällt. Im Gebäude befinden sich insgesamt 433 Wohnungen; außerdem sind in der Anlage Geschäftslokale, Werkstätten, die Zentralwäscherei, ein Kindergarten mit vorgelagerten Garten- und Spielplatzanlagen und Plantschbecken untergebracht.

Die äußere, konservative Schale des Baublocks ist dagegen gar nicht so einfach architektonisch mit Durchfahrtserhöhungen, Giebelfronten, Risalitbildungen in einzelne Bauteile reich gegliedert. Besonders das schwere Dach ist plastisch durchgegliedert, abgestuft und vereinzelt mit Gauben und Froschmaulfenstern durchbrochen.

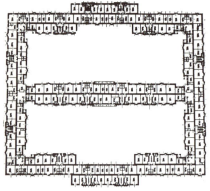

„Jean Jaurès-Hof" (1925–26); Grundriß Erdgeschoß

⑩ JOHANN MITHLINGER-SIEDLUNG (1929–31)
Karl Schmalhofer

X., Neilreichgasse 100–106/ Ernst Ludwig-Gasse/ August Forel-Gasse/ Fritz Pregl-Gasse

Gegen Ende des letzten Bauprogrammabschnittes der Gemeinde Wien lassen sich wieder Einflüsse einer aufgelockerten, siedlungsmäßigen Verbauung erkennen. Am ausgeprägtesten ist diese Tendenz bei dieser großzügigen Zeilenbauweise zu beobachten. Diese Siedlung, deren mehrgeschossige Wohnblocks in etwa 26 autonome (ohne Pergolen oder Torbauten) Blöcke mit insgesamt 1136 Wohneinheiten zerfällt, ist die größte Wiens in der nach-kommunalen Phase. Sie ist den bekannten Schöpfungen des Auslandes (Frankfurt, Berlin, Rotterdam) quantitativ durchaus ebenbürtig.

Die Freistellung der Blöcke durch weite, freie „Zwischengärten" und sportfeldartige Grünflächen geht mit der schrittweisen Öffnung der Binnenhöfe zur Straße einher. Die kubisch-blockhaften Mehrfamilienhäuser bekommen somit einen reihenhausähnlichen Charakter. Sie entsprechen nicht mehr ganz dem Siedlungshaustypus, aber auch nicht dem großstädtischen Typus. Entsprechend den Lichteinfallsbestimmungen der 1930 in Kraft getretenen neuen Wiener Bauordnung sind die Abstände zwischen den Häusern sehr weit. Die Anlage wird durch drei Stichgassen quer durchschnitten und von vier Zubringergassen längsseits durchzogen. Die zentralen Achsen werden mit Durchfahrtsportalen überbaut. Die grundrißliche Figuration ist mit einer rasterartigen Verbauung ohne Mittelpunkt vergleichbar, weist aber mehrere Kernbildungen auf. Die Randverbauung wird an den wichtigen verbindenden Eckstellen mit Durchfahrten ausgespart, wodurch zerstückelte Ränder übrigbleiben.

Erkerfenster, Eckloggien, Walmdächer und ornamentale Hauseingänge sind Zitate der älteren Gemeindebauten.

⑪ WOHNHAUSANLAGE (1925-26)
Ernst Egli

X., Van der Nüll-Gasse 82–86/ Troststraße/ Alxingergasse

Der einzige Gemeindebau Ernst Eglis, der schon 1929 in die Türkei auswanderte, zeigt durchaus moderne Züge. Die Fassaden sind streng versachlicht und nüchtern, auch der Grundriß ist auf Sonnenlage, Lärmschutz und schnelle Durchlüftung hin durchdacht. Trotz geschlossener (von der Ausschreibung vorgeschriebener) Randverbauung eines von drei Seiten begrenzten Grundstücks, entspricht die grundrißliche Anordnung der Wohnungen ebenfalls diesen neuen Kriterien: „Die Rücksichtnahme auf eine natürliche Belichtung ergab dabei von selbst die

Verlegung der kleinsten Wohnungstypen in die Bautrakte an den Seitengassen, während der an der Troststraße gelegene Mittelbau, an der Südfront gelegen, größere Typen erhielt, wodurch ungünstige Nordwohnungen vermieden werden konnten. An die nördlich gelegene Nachbargrenze wurden schmälere Zwischenflügel mit Südwohnungen gerückt." (22)

Die äußere Gestaltung des Baues mit 152 Wohnungen bringt die Masse des Mittelbaus in Kontrast zu den flankierenden Seitenflügeln. An der Troststraße sind im Regelgeschoß halbrunde Erkerausbildungen, an den Seitenstraßen geknickte Simsbänder zu sehen. Weiters stehen die verputzten Flächen der Wohngeschosse im Kontrast zu dem mächtigen, betonverputzten Sockelgeschoß. Das Erdgeschoß enthält im Mittelbau an der Troststraße ein Gast- und Kaffeehaus – eine für (kleine) Gemeindebauten eher seltene Anordnung. In den beiden Flügelbauten sind je zwei Geschäftslokale untergebracht; im Hof befindet sich ein Jugendhort und Räume für die städtische Straßenreinigung.

⑫ WOHNHAUSANLAGE
TROSTSTRASSE (1925–26)
Clemens Kattner/Alexander Graf
X., Troststraße 64–66/ Herzgasse/ Alxingergasse

Diese viergeschossige, U-förmige Hofverbauung mit 136 Wohnungen weist jenes eklektische Formenvokabular einer spätbürgerlichen Baukultur auf. Die Gliederung der Fassaden entspricht dem klassischen Modus der Drei-Zonen-Teilung (Sockel/Hauptgeschoß/Sims) des Spät-Historismus. Die Fassade ist mehrfarbig verputzt und weist geschwungene Giebelformen, birnstabförmige Gesimsprofile, Blattmotive, halbrunde Loggienbrüstungen (die sogar balkonartig erweitert sind), polygonale Eckerker, Dachgauben usw. auf, was zur vornehmen äußeren Erscheinung dieses Volkswohnhauses viel beiträgt. Hervorzuheben wäre noch das stilvolle Portal mit der plastischen Figur des Bildhauers Hans Müller oberhalb des Schlußsteins. Im Gemeindebau sind noch zwei Geschäftslokale und zwei Werkstätten enthalten; der Gartenhof weist eine sehr schmuckhafte, fast jugendstilhafte Ausstattung auf.

⑬ PERNERSDORFER-HOF (1926)
Camillo Fritz Discher/Paul Gütl
X., Troststraße 68–70/ Hardtmuthgasse 77–81/ Herzgasse 86–90/ Neilreichgasse

Der Bauplatz, an der Nordostecke durch zwei Zinshäuser verbaut, wurde durch eine blockhafte Randverbauung und durch einen T-förmigen Innenbaukörper der vollständigen Verbauung (53 %) zugeführt. Von den drei, noch einigermaßen lichten Gartenhöfen umschließt der größte – von der Troststraße durch einen imposanten Torbogen zugänglich – die halbkreisförmige, monumental angelegte Kinderspielterrasse. Die drei abgeschirmten Höfe sind mit Durchfahrten verbunden, ein zweiter Hofeingang befindet sich in der Hardtmuthgasse. An die vom Hof erschlossenen 26 Stiegenhäuser schließen sich 459 Wohnungen an; außerdem sind in der Anlage Geschäftslokale, Werkstätten, eine Zentralwäscherei, eine Badeanstalt und ein Kindergarten. Die Außenflächen sind reich durch polygonale Erkervorsprünge, große Spitzgiebel, Lauben, Balkone, sichtbare Rinnenläufe und eine Fülle expressionistischer und zum Teil nationalromantischer Detailformen (Klinkerverkleidungen, Rustika-Sockelmauerwerk, Sgraffito) gegliedert. Der Zierbrunnen „Zuflucht" bei der Kinderspielterrasse (eine Mutter mit Kind darstellend) stammt vom Bildhauer Joseph Josephu (eig. Florian Josephu-Drouot).

⑭ WOHNHAUSANLAGE
FRIESENPLATZ (1925–26)
Erwin Böck / Max Theuer / Friedrich Zotter
X., Friesenplatz 1–2/ Hardtmuthgasse/ Angeligasse

Diese vierstöckige Randverbauung umschließt einen sehr geräumigen Hof mit einem T-förmigen, freistehenden Innentrakteil. Der Hof ist vom Friesenplatz eine gewölbte, mit Stein verkleidete Einfahrt zugänglich und beinhaltet die neun Stiegenhäuser, die die 189 Wohnungen erschließen. Der Gesamtbaukörper setzt sich aus neun ziemlich gleichwertigen Teilen zusammen, was der Außenerscheinung ihre blockhafte Silhouette verleiht. Eine einfache Massen-

223

gliederung ist durch die von Walmdächern abgeschlossenen Risalite gegeben. Zwei Pergolen und der Innentrakt bilden den architektonischen Abschluß des Zierhofes gegen die (in ihrer tektonischen Gliederung und ihrem Aufbau ähnlichen) Hofansichten der um 1900 errichteten Nachbargebäude. Im freistehenden Hof-Wohnturm ist im Erdgeschoß ein Jugendhort eingerichtet, davor ein kleiner, zentraler Kinderspielplatz. Am Friesenplatz rückt ein großer Teil der Front hinter die Baulinie und bildet so einen kleinen, vorgartenartigen „Beserlpark". Ein etwas aus der Achse gegen den Friesenplatz verschobener Teil springt hingegen bis zur Baulinie vor. In dessen versenktem Tiefparterre sind zwei Keller-Werkstätten, im Erdgeschoß eine Gaststätte untergebracht. Längs der Neilreichgasse, ebenfalls im Erdgeschoß, befinden sich ein öffentlicher Kindergarten und bei der Durchfahrt die Hausmeisterwohnung.

Die gassenseitigen Fassaden entsprechen in ihrem Formenreichtum mit Walmdach, Steinkonsolen, dreieckigen Erkerfenstern, dreifärbigem Edelputz und Steinverkleidungen noch weitgehend der „romantischen" Auffassung früherer Arbeiterwohnhäuser und -siedlungen (vgl. „Jubiläumshäuser", Plan Nr. 4/Pos. Nr. 4)

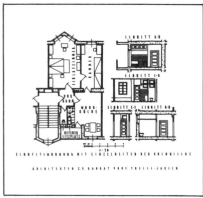

„Quarin-Hof" (1924-25); Wohnungstype

(15) QUARIN-HOF (1924–25)
Siegfried Theiß/Hans Jaksch
X., Quarinplatz 10–12/ Zur Spinnerin 43–49/ Braunspergengasse 30–36
Die Wohnhausanlage mit 131 Wohnungen hat ihre Hauptfront gegen den Quarinplatz

und vervollständigt die Randfigur eines gründerzeitlichen Baublocks. Die beiden parallelen Längsseiten des Baukörpers liegen in der Braunspergengasse und in der Gasse Zur Spinnerin. Die Rückseite des Komplexes wird durch eine Feuermauer mit frei eingeschlossenen Lichtschächten abgeschlossen. Zwei symmetrische und vertikal konzipierte Baublöcke, die durch einen niedrigen, portikusartigen Mittelteil miteinander verbunden sind, bilden die eigentliche Schauseite. Das Gebäude ist an der Eingangsseite in der Breite des Portikus einstöckig, die anschliessenden Teile sind dreistöckig. Die beiden Seitentrakte hingegen sind jeweils vier-, der hintere Teil sogar fünfgeschossig. Durch diese stufenförmige Verbauung wird ein großer, nach Süden geöffneter Gartenhof gebildet. Die Ansichtsflächen des Gebäudes sind bis zur Sohlbank des ersten Stockes und im Hof bis zur Sohlbank des Erdgeschosses mit braunvioletten Klinkerziegeln verkleidet. Die „Kunst-am-Bau" spielt bei dieser Anlage eine große Rolle: An der Hauptfront sind die Fensterpfeiler des Kindergartensaales mit Reliefplastiken aus gebranntem Ton (vom Bildhauer Theodor Oppitz) verziert. Am Springbrunnen sind Puttifiguren von Oskar Thiede; die Wandmalereien im Kindergarten sind von Franz Zerritsch. Die Eckfenster an der Hauptfront sind verziert und haben Klinkerumrahmungen und Füllungen aus Steinzeug mit figuralen Themen; der Binnenhof ist mit gemauerten Sitzbänken und mit einem Brunnen künstlerisch ausgestaltet. Kunstvolle Rahmengittertore schließen die Öffnungen nach außen ab.

Das Gebäude enthält acht größere, 88 mittlere und 35 kleinere Wohnungen (durchschnittliche Wohnungsgröße ca. 60 qm), 19 Läden, fünf Werkstätten, acht Kellerlagerräume, einen Kindergarten, eine Lehrwerkstätte, eine Zentralwäscherei mit mehreren Waschküchen, eine Bücherei und ein „Tröpferlbad". Zwölf Stiegenhäuser erschließen vom Hof aus je zwei bis drei Wohnungen pro Geschoß. Durch das Gefälle des Geländes vom Quarinplatz bis zu den anschließenden Nachbargründen gewinnt man ein zusätzliches Geschoß für Kellerlokale, Abstellplätze und Werkstätten, die expressionistisch mit Klinker verkleidet sind. Im Südosten wird die Fassade durch dreieckig vorspringende Erker und durch eine Höherziehung der Gesimse bestimmt.

(16) SIEDLUNGSANLAGE „AM WASSERTURM" (1923–1924)
Franz Schuster/Franz Schacherl

X., Raxstraße/ Thomas Münzer-Gasse/ Windtenstraße/ Weitmosergasse/ Altdorferstraße/ Sickingengasse/ Gaißmairgasse/ Weigandhof

Diese frühe Siedlungsanlage mit 188 Musterhäusern ist die erste, die nicht auf genossenschaftlicher Grundlage errichtet wurde. Zwar wurden die Einfamilienhäuser von der GESIBA als eine Art Heimbauhilfe-Programm errichtet, die Reihen- und Punkthäuser wurden aber einzeln am Kapitalmarkt verkauft (daher der etwas obskure und ungewöhnliche Name „Eigenheimkolonie") „Das Kapital für den Bau der Häuser wurde von der Gemeinde Wien zur *Behebung der Wohnungsnot* der genossenschaftlichen Siedlungs- und Baugenossenschaft (GESIBA) als Treuhänderin zur Verfügung gestellt." (24) Es ist nicht weiter verwunderlich, daß nur der einkommensstärkere Mittelstand bzw. die sozial aufgestiegenen Angestellten diese Häuser käuflich erwerben konnten, was sich baulich, ästhetisch und sozial auf die Gestalt der Siedlung auswirken mußte. Sie glich mehr dem individualistischen Bild einer Einfamilienhaus-Siedlung, oder, wie es Klaus Novy abwertend und nur bedingt treffend ausdrückt: „Eine bloß räumlich verbundene Ansammlung von Privathaushalten." (25)

Auf dem Grundstück, neben dem berühmten Wienerberger Wasserturm, einem pittoresken Wahrzeichen Favoritens, konnte schon 1923 zu bauen begonnen werden. Bei der Verbauung dieser Kleinhausanlage kamen acht verschiedene Typen zur Anwendung, die den verschiedenen Bedürfnissen einer gartenstadtmäßigen Bebauung Rechnung trugen. Diese acht Grundtypen (Wohnfläche von 35–64 qm) stellten eine entscheidende Verbesserung des Wiener Siedlungsbaus dar. Die Häuser sind alle zweigeschossig und haben zusätzlich ein ausbaufähiges Dach und die halbe Grundfläche unterkellert. Jedes Haus hat endlich Wasser-, Gas-, Strom- und Kanalanschluß. Die Grundstücksparzellen haben einschließlich der Hausfläche ein Ausmaß von 200 qm. Der Hausgrundriß wurde auf ein für eine Familie ausreichendes Mindestmaß reduziert, um Bau- und Erhaltungskosten zu sparen. Außerdem gab die GESIBA den Architekten die Möglichkeit, Musterhäuser mit raumsparenden Einbaumöbeln und „amerikanischen" Küchen aus-

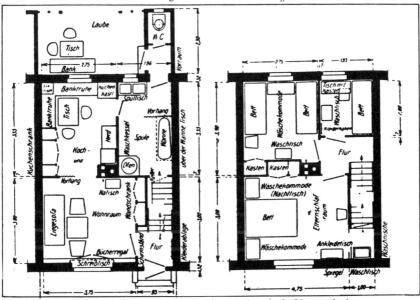

Siedlung „Am Wasserturm"; Wohnungsgrundrisse: Erdgeschoß, Obergeschoß

Siedlung „Am Wasserturm" (1923); perspektivische Zeichnung von Franz Schuster

zustatten – es ist allerdings ungewiß, inwieweit sich diese Rationalisierung des Grundrisses beispielgebend für den weiteren Siedlungsbau auswirkte. Denn ab 1924 wurde laut Gemeindebeschluß das Mindestmaß an verbauter Fläche auf allgemein 40 qm fixiert, während sie hier noch 35 qm aufwies. Die abgebildeten Grundrisse geben über deren Zusammenhang Aufschluß: Wohnküchen wurden mittels „Küchenschrank" (Vorläufer der „Frankfurter Küche") in Wohn- und Kochraum getrennt. Die Spülküche ist zugleich Bad und Waschküche. An der Rückseite des Hauses, gegen den Garten zu, liegt eine kleine Sitzlaube und ein kleiner Anbau mit Abstellkammer und WC. Im zweiten Stock befinden sich Flur, Schlaf- und Arbeitszimmer und ein „Gästezimmer".
Die Häuser wurden in Paaren oder in Gruppen bis zu sieben Häusern in einer lockeren, reihenhausartigen Randverbauung mit Kernbildungen um Sackgassenausmündungen zusammengefaßt und schufen so einen wohl gegliederten, verkehrsberuhigten Grünraum im Inneren der Anlage. Wie schon Wolfgang Förster herausstrich, „weist keines der Reihenhäuser eine reine Nordlage auf (wie noch bei der älteren Siedlungsanlage am Laaerberg, Anm. H.W.). Da die Gärten klein sind, kann die Blocktiefe nur durch eingeschobene ‚Wohnhöfe' genützt werden. Obwohl die Häuser eigentlich nur kleine Wohngärten aufweisen, ermöglicht ein System von Wirtschaftswegen den ungehinderten Zugang zu jedem Garten – ohne durch das Haus gehen zu müssen." Und er kommt zum Schluß: „Die Siedlung ist wahrscheinlich das beste Beispiel für Schusters architektonische Gesinnung: zugunsten des Gesamteindrucks tritt das Einzelhaus vollkommen zurück." (26)

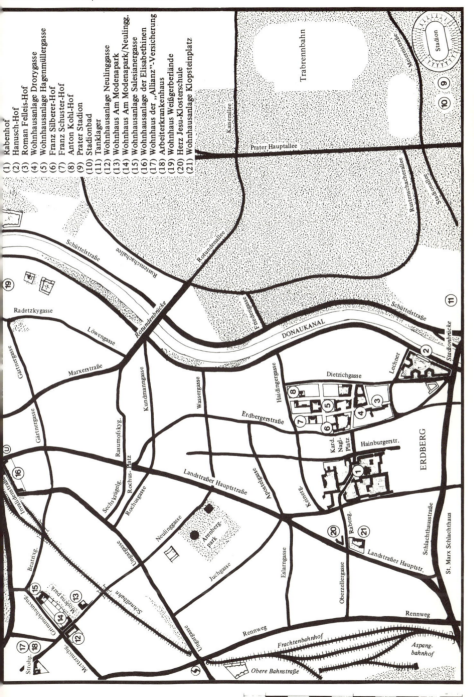

RUNDGANG 3/I: ERDBERG

(1) Kabenhof
(2) Hanusch-Hof
(3) Roman Felleis-Hof
(4) Wohnhausanlage Drorygasse
(5) Wohnhausanlage Hagenmüllergasse
(6) Franz Silberer-Hof
(7) Franz Schuster-Hof
(8) Anton Kohl-Hof
(9) Prater Stadion
(10) Stadionbad
(11) Tanklager
(12) Wohnhausanlage Neulinggasse
(13) Wohnhaus Am Modenapark
(14) Wohnhaus Am Modenapark/Neulingg.
(15) Wohnhausanlage Salesianergasse
(16) Wohnhausanlage der Elisabethinen
(17) Wohnhausanlage der „Allianz"-Versicherung
(18) Arbeiterkrankenhaus
(19) Wohnhaus Weißgerberlände
(20) Herz Jesu-Klosterschule
(21) Wohnhausanlage Klopsteinplatz

Auf einem Alt-Wiener Baugebiet zwischen Baumgasse, Hainburgerstraße und zum Teil bis hin zum Donaukanal reichend, entstand durch schrittweises Ankaufen von Baugrundstücken durch die Stadtverwaltung ein umfassendes, zusammenhängendes – aber doch zusammengeflickt wirkendes – Wohngebiet.

Um einen geeigneten Verbauungsplan für dieses Areal zu gewinnen, entschloß sich die Gemeinde, einen beschränkten Wettbewerb auszuschreiben, dessen Gewinner die später sehr gefragten Architekten Heinrich Schmid und Hermann Aichinger waren. Sie erhielten den Auftrag, die Verbauungspläne für das gesamte Gebiet zu verfassen. (27) Gleich zwei Hindernisse lagen den Planern von Beginn an im Weg: Einerseits konnte in der Bebauung nur bruchstückhaft vorgegangen werden, da nicht alle Objekte der Gemeinde Wien gehörten und somit nicht weggerissen werden konnten. Andererseits bedingte die „Höhenangleichung" der Baumassen an bereits vorhandene Gebäude und Straßenfluchten auch die Neuregelung des Verkehrs, was natürlich einige Probleme mit sich brachte.

Entgegen der vorherrschenden Meinung wurde von vornherein weder eine „malerische" Lösung angestrebt noch ein „Idealplan" gesucht, sondern: „Die vielen vorerwähnten Hindernisse, ferner die diagonal verlaufende Rabengasse und die notwendigen Anschlüsse an die zahlreichen Feuermauern von Objekten, welche bestehen bleiben müssen, schlossen eine *achsiale* städtebauliche Lösung von vorneherein aus. Es mußte vielmehr von den Architekten eine städtebauliche Wirkung durch geschickte Aneinanderreihung von verschieden großen Wohn- und Gartenhöfen und öffentlichen Plätzen gesucht werden. Das Rückgrat der Anlage bildet die Rabengasse mit einem erhöhten Platz, an welchem der Saal und Nebenräume für einen Kinderhort liegen, die Rabengasse führt sodann durch einen mächtigen Torbogen an der nordöstlichen Platzwand zur Hainburgerstraße. Jene ist der einzige öffentliche Verkehrsweg für Fuhrwerke (sic), welcher die Anlage durchschneidet. Alle übrigen im ursprünglichen Regulierungsplan vorgesehenen Straßenzüge wurden von den planverfassenden Architekten aufgelassen. Die Verlängerung der Petrusgasse ist nur als Fußweg erhalten geblieben, desgleichen die Verlängerung der Schrott- und der Rüdengasse. Letztere wurde nur für einen internen Wagenverkehr in die Lustgasse eingebunden." (28)

Durch konsequente Straßenüberbrückungen und differenzierte Angleichungen bzw. architektonische Übergänge zu den benachbarten Objekten entstand wenigstens nach außen hin eine sehr kompakte, geschlossen wirkende Anlage. Im Anschluß an den etwa 4.000 bis 5.000 Menschen fassenden „Rabenhof" (Pos. Nr. 1) entstanden in den Jahren 1922–1928 außer den in diesem Rundgang besprochenen acht Wohnhausanlagen noch neun größere städtische Volkswohnhäuser, die insgesamt 3.197 Wohnungen enthalten. Auf diese megalomane Weise verwandelte sich der ländlich-vorstädtische Bezirk Erdberg nicht nur in ein von „Roten Burgen" besetztes Gebiet mit großstädtischem Gepräge (Erdberg weist, gemessen an Einwohnern und Bebauungsfläche, den weitaus höchsten Prozentsatz an Gemeindewohnanlagen auf), sondern wurde allmählich in einen „roten" Bezirk *(Insel des Sozialismus)* umgewandelt.

Charakteristische Merkmale der Wiener Gemeindebauarchitektur, vorausgesetzt man kann ihn als „einheitlichen Stil" bezeichnen, finden logischerweise nicht nur bei den kommunalen Gemeinschaftseinrichtungen der Stadt Wien selbst ihren Niederschlag, sondern auch bei den Bauaufgaben von privatwirtschaftlicher Seite. Viele charakteristische Merkmale der kommunalen Wohnbauarchitektur tauchen sogar bei den bundesstaatlichen (christlich-sozialen) Einrichtungen („Österreichisches Verkehrsbüro") und bei klerikalen Bauaufgaben auf. Aber der größte Einfluß ist evident bei den privaten Wohnhäusern (Pos. Nr. 13, 14, 15, 17 und 19). Hier grenzt die Umwandlung schon ans Plagiat. So sind beispielsweise die wuchtigen und stark expressiven, kubistischen Turm- und Stufenpartien, Dreiecks-Erker, die spitzbögigen Arkaden- und Laubengänge, die plastischen Fassadenelemente und schließlich auch die pathetische „Kunst-am-Bau" nicht nur eine Fortwirkung des Historismus, sondern ein Reflex auf die ästhetische wie politische Semantik der Gemeindehausarchitektur. Die monumentalen – sicher noch vom Historismus überlieferten – differenzierten Baumassenaufbrechungen der Wiener Wohnhausarchitektur findet man auch bei Privat-, Büro- und Geschäftshäusern. Sobald man sich auf die Syntax der Gemeindehausarchitektur eingelassen hatte, verursachte dies einige Unsicherheiten und stiftete zunächst Verwirrung, denn die

vermeintlich sozialen Wohnprojekte der Konservativen unterscheiden sich äußerlich kaum
von den wirklichen Gemeindewohnbauten. Selbst für einen Fachmann lassen sie sich schwer
und nur durch die konkreten Hinweise an den Hausinschriften und Bautafeln unterscheiden.
(29)
Diese Usurpation setzte interessanterweise erst dann ein, als die konservative Kritik an den
einstigen „Arbeiterburgen und -bastionen" endgültig verstummt war, da sie letztendlich wir-
kungslos geblieben ist.
Auf unserem Rundgang wollen wir uns nur auf die wenigen um den Modenapark gelegenen
Konkurrenz-Beispiele zum städtischen Gemeindebau beschränken.

*Heinrich Schmid/Hermann Aichinger: „Raben-Hof" (1925); Blick von den Arkadenbögen
Rabengasse (zeitgenössische Aufnahme)*

① RABENHOF (1925–1928) (ehemals FRIEDRICH AUSTERLITZ-HOF)
Hermann Aichinger/Heinrich Schmid

III., Baumgasse 29–41 / Hainburgerstraße 68–70 / Rabengasse 1–9; 2–12 /
Lustgasse 5–15/ St. Nikolaus-Platz 1–7 / Kardinal-Nagl-Platz 5/ Rüdengasse 22

Die Großwohnanlage mit 1109 Wohnungen
wurde in mehreren Abschnitten und, dem
„Fleckerlteppich"-Prinzip entsprechend, unvollständig verbaut. Charakteristisch für die
Wohnhaustrakte sind ihre schlangenförmi-
gen Anordnungen; d. h., die Fassadenfron-
ten sind konkav und konvex geschwungen,
was „komplexe Raumfolgen" (30) und eine
starke Differenzierung der einzelnen Bauteile bewirkt. Dies war erstens durch die
architektonischen Übergangsbauten und
zweitens durch Erschließung der Trakte

mittels Stichstraßen bedingt. „Für die
Verbauungsidee war vor allem von grund-
legender Bedeutung, daß die Rabengasse als
diagonaler Verbindungsweg zwischen Erd-
berger- und Landstraßer Hauptstraße erhalten bleiben mußte, nur die ursprünglich
gedachte geradlinige Führung wurde in eine
Bogenstraße umgewandelt." (31) Diese
bogenförmige Durchzugsstraße bekommt an
einem Ende ein zeichenhaftes, spitzbögiges
Portal. Entlang des Straßenrandes wird sie
entweder begrünt oder mit einem erhöhten

Spielplatz höhenmäßig überwunden.
Ein markanter Teil der Anlage ist der von der Baumgasse zugängliche große Gartenhof mit einem Plantschbecken, Pergolen und geräumigen Spiel- und Erholungsanlagen. Ein terrassierter Platz befindet sich im zweiten Gartenhof, der von der Hainburgerstraße zugänglich ist und einen interessanten turmartigen freistehenden Baublock enthält. Der dritte Gartenhof am St. Nikolaus-Platz steht mit der höher gelegenen Rabengasse durch eine überbaute Freitreppe in Verbindung. Die volle Abschirmung nach außen besorgen die rings um den Platz errichteten Wohntrakte. Die nur mehr dem internen Verkehr dienende Rüdengasse ist ebenfalls überbaut worden, wodurch der wichtige Platz eine sehr geschlossene Wirkung erhielt. In diesem Teil befinden sich auch ein städtischer Kindergarten und ein Spielsaal mit einem erhöhten Spielplatz; an der Hainburgerstraße liegt eine Zahnbehandlungsklinik mit einem großen Operationsraum; an der Baumgasse eine Zahlstelle der Bezirkskrankenkasse und an der Rabengasse die Ambulatorien dieser Anstalt; desgleichen gibt es an der Rabengasse eine Volksbibliothek. Schließlich ist in einem langgestreckten, dreigeschossigen Trakt zwischen Baum- und Rabengasse die große Zentralwäscherei untergebracht. Die Anlage enthält an der Rabengasse 38 Geschäftslokale und ein SPÖ-Parteilokal.
„Neugotische" Ausschmückungen mit Spitzbögen, Klinkerverkleidungen, Runderkern etc. weisen zum nordländischen, „heimatlichen" Expressionismus (vgl. Hans Poelzig, Fritz Höger, „Amsterdamer-Schule").

② **HANUSCH-HOF** (1923–1925)
Robert Oerley

III., Erdberger Lände 50–54/ Dietrichgasse 59–63/ Ludwig Koeßler-Platz 2–4/ Lechnerstraße 1–5

Die grundrißliche Figuration des Bauplatzes war ein ungünstiges, rechtwinkeliges Dreieck am äußersten Rand des Geländes der ehemaligen „Krimsky-Kasernengründe". Die Fronten längs der Grundstücksgrenzen wurden ihrer Länge nach durch polygonale, räumlich differenzierte Straßenhofeinschnitte unterbrochen, wodurch – trotz der aufgelockerten Verbauung – eine halbwegs gute Ausnützung des Grundstücks gegeben war. Diese 4/6-Straßenhöfe geben der Anlage nicht nur ein außergewöhnliches Gepräge, sondern ermöglichen eine günstige Besonnung der mäanderförmigen Bauteile.
Durch diese geschickte Führung der Bauteile gliedert sich die Restfläche in einen halbkreisförmigen Innenhof mit Spielterrasse. Daran schließen intimere Nebenhöfe an. Während alle übrigen Gebäudeteile durchwegs Hochparterre und vier Stockwerke besitzen, hat der bewußt niedrig gehaltene Mittelteil entlang der Erdberger Lände zum Donaukanal nur zwei Stockwerke. Im Erdgeschoß dieses Trakts befinden sich die Badeanlagen und die Wäscherei; darüber sind eine Bücherei, ein Kindergarten und die Hausmeisterwohnung untergebracht. Im Dachgeschoß des niedrigen Mittelgebäudes sind die Trockenböden angeordnet. Durch das Niedrighalten des Mittelgebäudes ist Einblick in die Anlage sowie der „Grünblick" in den gegenüber liegenden Prater gegeben.

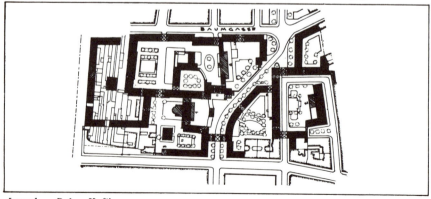

Lageplan „Raben-Hof"

„Raben-Hof"; Aufnahme des großen Innenhofes mit Pergolen und Spielplatz

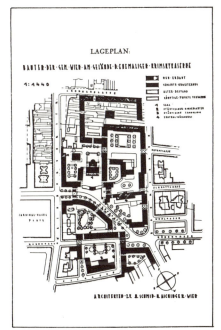

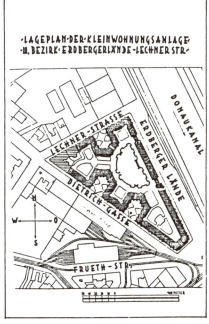

Bauphasen des „Raben-Hofes"   *Lageplan „Hanusch-Hof"*

231

Die äußere Erscheinung des Gebäudes wird bei den Straßentrakten durch Dreiecksvorsprünge und horizontale Profile, bei den Hoftrakten durch aufgerissene Loggien und eine unregelmäßige Gliederung bestimmt. Charakteristisch für (fast) alle Oerley-Bauten ist der omnipräsente Kieselrauhputz im Sockelbereich (Vorläufer des Waschbetons) und die dezente, lichtgraue Färbelung des Fassadenverputzes.

Die Anlage enthält insgesamt 434 Wohnungen unterschiedlichster Form und Größe, die von 28 Stiegenhäusern erschlossen sind. Überdies waren neun Geschäftslokale und 23 Werkstätten mit Nebenräumen untergebracht. Im Hof stand ursprünglich das Original-Denkmal vom Bildhauer Karl Gelles, das an Ferdinand Hanusch erinnern soll und 1934 zerstört wurde. Heute steht dort eine Kopie des Denkmals aus dem Jahre 1954 vom Bildhauer Schmidt.

③ ROMAN FELLEIS-HOF
Johann Rothmüller   (1927–28)
III., Hagenmüllergasse 32

Diese breite Baulückenschließung umfaßt 106 Wohnungen, vier Geschäftslokale, einen Jugendhort und ein Jugendheim. Durch das Zurücknehmen der Hauptfront um mehrere Meter von der Baulinie entsteht ein schmaler Vorplatz, der aber heute nur mehr als PKW-Abstellplatz benutzt wird. Die lange Front entlang der Hagenmüllergasse wird durch dreieckige Erkervorlagen nicht nur „gebrochen" aufgelockert, sondern auch vertikal gegliedert.

④ WOHNHAUSANLAGE
DRORYGASSE (1927–1928)
Hugo Mayer
III., Hagenmüllergasse 25/ Drorygasse 25–27

Obzwar eine Eckverbauung, hat diese Wohnhausanlage mit 73 Wohnungen eine breite, streng symmetrische, stark klassizistisch angehauchte Fassade. In der Mitte dieser Front befindet sich ein tempelartiges Portal mit beiderseitigen, sehr massiven, verglasten Verandagruppen auf schweren Rundbögen aus Stahlbeton. Ein Erker über der Hofeinfahrt (der bezeichnenderweise zur Wohnung des Hausbesorgers gehört) überwacht den Hauseingang.

⑤ WOHNHAUSANLAGE HAGENMÜLLERGASSE
Karl Dimhuber   (1927–1928)
III., Hagenmüllergasse 21–23

Der zur Straße geöffnete, U-förmige Block mit 131 Wohnungen umschließt einen Straßenhof. Die Anordnung von 106 Lauben und Eckbalkonen soll das fehlende Grün im dichtverbauten Gebiet ersetzen. Um Monumentalität zu vermeiden, sind – ähnlich wie bei Frank und Loos – Ecken und Mittelachsen mit transparenten Loggien und tiefen Stiegenhauseinschnitten aufgebrochen. Dadurch werden die Wohnungen im Grundriß vorteilhafter und wohnlicher. Horizontale Putzstreifen unterstreichen einerseits das Statische dieser fünfstöckigen Geschoßanordnung und drücken andererseits den Baukörper wesentlich in die Breite. Nur an der Ecke und an den Stiegenhäusern sind markante, senkrechte, über die ganze Höhe gehende Betonstützen, die das Gebäude entlang der Umrisse mit einem starken Abschluß betonen.

Grundriß Wohnhausanlage Hagenmüllergasse

⑥ FRANZ SILBERER-HOF
Georg Rupprecht   (1927–1928)
III., Kardinal Nagl-Platz 4/ Drorygasse 16–18 / Hagenmüllergasse 24–26

Dieser an drei Fronten verschieden breite Block schließt mehrere Baulücken und durchschneidet einen ganzen Rasterblock. Die lange Front entlang des Kardinal-Nagl-Platzes wird durch eine symmetrische Schaufassade mit expressionistischen, übereck spitzbögig aufgeschnittenen Balkongruppen gekennzeichnet. Die diagonal verlaufenden Gitterstäbe und Putzleisten an den jeweiligen Seitenrisaliten wirken fast exotisch. Sie geben der Fassade die geradezu texturhafte Struktur einer „geflochtenen" Architektur. Die Diagonalputzleisten zerstören auch jede logische Gliederung der Geschosse.

Im niedrigen Vorbau sind vier Geschäftslokale und eine schlichte Hofeinfahrt untergebracht. Die Hofansichten werden durch die zehn halbrunden Stiegenhaustürme geprägt. Die Wohnhausanlage hat insgesamt 152 Wohnungen, die sich über mehrere Trakte verteilen.

⑦ FRANZ SCHUSTER-HOF
Alfred Kraupa   (1927–1928)
III., Hagenmüllergasse 14–16

Diese Anlage ist eine sehr differenzierte, doch symmetrische Lückenschließung mit einem stark plastisch ausgebildeten Baukörper mit zurückversetztem Mittelteil und mehrfach abgestuften Fassadenteilen. Auffallend ist die fast programmatische Befolgung von historischen Lehr- und Leitsätzen und die Anwendung der Rundbogenloggien. Vier Geschäftslokale befanden sich im Parterre unterhalb der Seitenrisalite. Das Wohnhaus hat nur 52 Wohnungen.

⑧ ANTON KOHL-HOF (1927–28)
Camillo Fritz Discher/Paul Gütl

III., Rüdengasse 8–10/ Hagenmüllergasse/ Göllnergasse

Der Bauplatz, bereits von mehreren bestehenden Wohnhäusern begrenzt, wurde durch eine dreiviertel Randverbauung um einen Innenhof, der sich zur Rüdengasse hin öffnet, und durch einen zweiten, U-förmigen (aber weniger tiefen) Flügel entlang der Göllnergasse der vollständigen Verbauung zugeführt. Dadurch entstanden zwei Straßenhöfe mit insgesamt 2.325qm, wobei der größere der von der Rüdengasse zugängliche Hof das monumentale Rundbogentor besitzt. Untereinander stehen die Höfe mit Durchfahrten und Passagen in Verbindung. Die 175 Wohnungen sind über zehn Stiegenhäuser vom Hof aus erschlossen. Die Fassaden erscheinen durch polygonale Erker, Balkone, Laubengänge und sichtbare Rinnenläufe reich gegliedert und kontrastieren mit kubischen und vieleckigen Elementen. Auffallend sind im Gartenhof zur Rüdengasse die pylonenartigen Stiegenhäuser und die niedrigen Flankenbauten beim Eingangstorbogen, die auch als Dachterrassen dienen. Ansonsten haben die übrigen Teile der Anlage steile Dächer.

„Anton Kohl-Hof" (1927–28); Haupteingangstor in der Rüdengasse

233

Stadionbad (1929–31); (zeitgenössische Aufnahme)

⑨ PRATER STADION (1929–1931; Erweiterung: 1956–1959)
Otto Erich Schweitzer (Erweiterung: Theodor Schöll)
II., Prater/Meiereistraße

Anläßlich der im Juli 1931 in Wien abgehaltenen Arbeiterolympiade ist von der Gemeinde Wien das „Prater-Stadion" gebaut worden. In der Folge wurde die Wiener Arena immer wieder für große Massenspiele und Spektakel benutzt, wobei man das Bauwerk nicht nur als rahmende Kulisse, sondern auch ganz bewußt und stolz als „Gesamtkunstwerk" einsetzte. Das Stadion ist in seiner monumentalen Formkühnheit (ovales Rund in einer sichtbaren Stahlbetonkonstruktion mit Freitreppen und Zwischenebenen) wie geschaffen für parteidienliche Zwecke.
Der Tübinger Ingenieur Otto Erich Schweitzer trat in den zwanziger Jahren mit den schalreinen Stadionbauten von Nürnberg (1929) und Wien bahnbrechend auf dem Gebiet der Sportarchitektur auf. Die ovale Stahlbeton-Arena hat eine rationale Skelettstruktur und sauber konstruierte Durchgestaltung. Anfänglich hatte das Stadion einen Fassungsraum von ca. 60.000 Personen.

Nach einer Erweiterung – vor allem durch Anbringen zusätzlicher Stehplatzreihen – hatten gar 92.708 Personen darin Platz. 1965 wurde der Fassungsraum wieder auf 72.110 Personen reduziert.
Das Stadion galt zu seiner Zeit als eine der modernsten und größten Anlagen seiner Art in Europa. Es war beispielhaft sowohl in organisatorischer Hinsicht (Entleerungszeit nur sieben bis acht Minuten) als auch bezüglich seiner konstruktiven Durchgestaltung. Durch die gleichmäßige Aufteilung der Ausgänge auf 44 Stiegenanlagen konnte der Verkehr radial vom Stadion abgeleitet werden.
Schweitzers Absicht war, den Ovalbau landschaftlich in die Praterauen einzubinden. Deshalb versuchte man die großen Wiesen, Lager- und Sportfelder bzw. das Schwimmbad in Verbindung mit dem Stadion zu setzen und alles in einem Gesamtkonzept unterzubringen.
Generalsanierung 1985 begonnen.

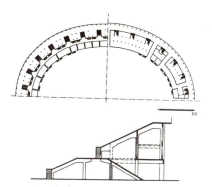

Schematischer Schnitt und Grundriß

⑩ STADIONBAD (1929–1931)
Otto Erich Schweitzer
II., Prater

Wie bei einem antiken Freilufttheater öffnet sich die Zuschauertribüne in die Landschaft und geht über eine Wasserfläche hinweg. Die Café-Gaststätte beim Schwimmbad ist ein leichter Pavillon-Gerippebau, der als Teil der Landschaftsgestaltung gedacht war. Wie bei allen hervorragenden Sportbauten des Tübingers Schweitzer ist seine Skelettarchitektur höchst organisch-rational und nicht nur für damals beispielgebend.

⑪ TANKANLAGEN DER „STEAUA ROMANA" (1933) PUMPEN- UND MOTORENHÄUSER (z.T. zerstört) Philipp Diamandstein
II., Winterhafen (außerhalb des Lageplans)

Zwar nicht unbedingt zum Programm des Roten Wien gehörig, bieten diese Industrieanlagen dennoch einen interessanten Vergleich zur gattungsgleichen Architektur und zeigt wesentliche Denkunterschiede in der Bauaufgabe auf.

Die Tankanlagen des Wiener Architekten gehören zu den schönsten Anlagen dieser Gattung. Der Architekt hat seine baukünstlerische Aufgabe so gründlich „sachlich" erfaßt, indem er die Bauobjekte durch variable Größenordnungen harmonisch aneinanderreihte und damit ein günstiges Gesamtbild mit starker Kohärenz erzielte, sodaß sie heute „zeitlos" wirken.

⑫ WOHNHAUSANLAGE NEULINGGASSE (1930–31) Armand Weiser
III., Neulinggasse 39/Grimmelshausengasse/Salesianergasse

Die U-förmige Verbauung vervollständigt die Randfigur eines bereits bestehenden Baublocks. Der eher kühle Block bekommt durch die beidseitigen Erhöhungen der Eckpartien um ein Dach(wasch-)geschoß mit stark aufgelösten Glaswänden und durch die dynamisch vorstoßenden, abgerundeten Eckbalkonköpfe eine sehr starke Vertikalbetonung. Die kräftige Zitronengelb-Färbelung der Hauptgeschoßzone kontrastiert mit der weinroten Erdgeschoßzone. Das eher kleine Wohnhaus enthält nur 54 Wohnungen und beherbergte im Parterregeschoß einst eine Bibliothek. Vier Stiegenhäuser versorgen je zwei bzw. vier Wohnungen pro Geschoß. Über dem schlichten, klinkerverkleideten Haupteingang befinden sich mittig gelagerte Gitterbalkongruppen und im 1. Stock eine verglaste Veranda.

Grundriß der Wohnhausanlage Neulingg. 39

⑬ WOHNHAUS AM MODENAPARK (1930–31) Rudolf Fraß (Adolf Zwerina)
III., Neulinggasse 48/ Am Modenapark

Eines der besten privaten Wiener Wohnhäuser der Zwischenkriegszeit ist jenes des Otto Wagner-Schülers Rudolf Fraß. Für das Eckgrundstück Modenapark/Neulinggasse entwarf der Architekt eigentlich zwei fast gleich aussehende Häuser. Beide Fassaden unterschieden sich nur durch die unterschiedliche Höhe und durch die Anordnung von je zwei überlebensgroßen Keramikplastiken von seinem Bruder, dem Bildhauer Wilhelm Fraß. Bemerkenswert ist auch die Gestaltung der Dachzone mit den in die Fassade noch halb eingelassenen, halb herausragenden Dachfenstern.

Fraß fand für das überaus schwer zu gestaltende Hauseck eine ungewöhnliche und elegante Lösung: er hob es durch verglaste

Veranden und Balkone mit filigran wirkenden Eisengeländern hervor. Die Eckwohnungen verfügen über vorgelagerte Balkone, die anderen sind mit durchgehenden „französischen Fenstern" mit kleinen Gitterbrüstungen ausgestattet.

Neulinggasse 52, Stiegenhaus und Aufzug

(14) WOHNHAUSANLAGE AM MODENAPLATZ (1931)
Siegfried C. Drach (A.Osterberger)
III., Neulinggasse 50/Am Modenapark

Etwas vom Geiste Loos', zu dem sich Drach hingezogen fühlte, aber dies nicht explizit bekannte, ist in diesem Laubenganghaus mit sparsamer räumlicher Aufteilung erkennbar. Durch einen mit Stahlblechtafeln ausgekleideten Vorraum erreicht man einen „Laubengang", der mit einer Glaswand gegen den Hof abgeschlossen ist.
Der etwas spätere Zubau (1936) in der Neulinggasse 52 zeigt in seiner tektonischen Gesamtheit wieder Anklänge an Adolf Loos: jede Wohnung hat eine Terrasse oder einen Balkon, die durch die Nähe des Modenaparks besonderen Reiz erhalten. Hervorzuheben ist die gute architektonische Gliederung und Straffung der Massen, die jetzt – gegenüber dem früheren Teil – in gutem Maßverhältnis und in mehr (farbigen) Flächenverteilungen zutage tritt.

(15) WOHNHAUSANLAGE SALESIANERGASSE (1930?)
Leo Kammel
III., Salesianergasse 1b

Die Anlage weist Motive und Merkmale der Wiener kommunalen Wohnbauten auf, wie die kantigen Loggienbrüstungen, über die Fassade verlaufenden Querbänder und die abgerundeten Balkone, „gefälteten" Fassadenpartien, Zackenmotive etc., die für die Wiener Zwischenkriegsarchitektur als typisch gelten können.

(16) WOHNHAUSANLAGE DER ELISABETHINEN
Karl Koblischek
III., Invalidenstraße 13-15/Ungargasse

Die nunmehr schon über 50 Jahre alte Anlage ist inzwischen baukünstlerisch nicht mehr von Interesse, spiegelt aber durch die erstaunliche, fast biedermeierlich anmutende, geometrisch-ornamentlose Behandlung der Strukturformen eine gewisse Aura des Monumentalen wider. Das sachlich pathetische Image, wie es noch in den Gemeindebauten der Spätphase zu bemerken ist, wurde für den behaglichen Wohnhausbau ohne moralische und ideologische Ansprüche der Sozialmoderne transkribiert. Die markante Front mit abgerundeter Eckausbildung und Dachpergolen ist durch die schlichte Behandlung der Balkone mit zarten, filigranen Gitterstäben ruhig gegliedert. Sie wirkt nicht unfreundlich, aber doch abweisend. Die verhältnismäßig einfache Rhythmisierung der an sich schwer zu bewältigenden Eckmasse ist durch Klarheit und Übersichtlichkeit gekennzeichnet. Der Eingangssockel ist mit schwarzen Kacheln verkleidet und die ebenso dunkel gehaltenen Läden in etwas vorgebauten Erdgeschoß wirken geradezu nobel. Ein charakteristisches Beispiel für das solide Wiener Großstadthaus, wie wir es seit der Gründerzeit kennen.

(17) VERSICHERUNGSHAUS (1933) „ALLIANZ- U. GISELAVEREIN"
Ernst Epstein
III., Traungasse 7/Zaunergasse

In dem sehr schlichten Bau mit fünfgeschossigem Unterteil und zurückspringendem, dreigeschossigem Turmaufsatz befinden sich 28 komfortable Etagenwohnungen für die Versicherungsangestellten.

⑱ ARBEITER-GEBIETS-KRANKENKASSE (1932)
Fritz Judtmann/Egon Riss
III., Strohgasse 28/Traungasse 9

Das Amtsgebäude der Arbeiterkrankenkasse des Gremiums der Wiener Kaufmannschaft ist ein eindrucksvolles Dokument einer architektonisch wie politisch kämpferischen Zeit: der Ära des technischen Fortschrittsmythos und der sozialsanitären Utopie.

Die großen horizontalen, dynamisch gekurvten Linien waren Symbole der Bewegung, der Geschwindigkeit, aber auch der Weltaufgeschlossenheit. Das Gebäude mußte in sich die Vorzüge eines utilitären Bürohauses mit den hygienischen Anforderungen modernst ausgestalteter Ambulatorien vereinen.

Der Eisenbetonpfeiler-Bau ermöglichte einen klaren, auf Kreuzachsen aufgebauten Grundriß mit lichten, rechtwinkeligen Räumen in größtmöglicher Ökonomie und Raumharmonie. Die Notwendigkeit einer übersichtlichen Abwicklung des Parteienverkehrs verlangte ein zentral gelegenes Stiegenhaus, von dem aus die großen Warteräume des 1. und 2. Stockes direkt zugänglich sind. Die sanitäre Abteilung ist im Erdgeschoß und im 1. Stock, die gesamte administrative Abteilung in den zwei oberen Geschossen untergebracht. Diese räumliche Trennung ermöglichte die Absperrung der administrativen Abteilung nach Büroschluß ohne Störung des ambulatorischen (Nacht-)Betriebes. Beide Abteilungen erforderten zentrale Warteräume mit umliegenden Büros bzw. weiteren Ambulatorien. Dieses Bedürfnis ergab eine symmetrische, orthogonale Anlage. Unter Umgehung der spitzwinkeligen Ecke Strohgasse/Traungasse entstand ein halb-

kreisförmiger Rundbau. In diesem Vorbau wurden – mit Rücksicht auf besonders gut belichtete Arbeitsplätze – das Laboratorium, die Zahnbehandlungsklinik, die Kartothek der Liquidatur, der Sitzungssaal usw. untergebracht. Der zentrale Warteraum des 2. Stockes ist mit einem bemerkenswerten Glasdach überdeckt, das großzügige Offenheit zuläßt. Die sorgfältige Durcharbeitung des Grundrisses und die materialgerechte Behandlung der Baustoffe und deren Formkühnheit machen den Bau nicht nur ansprechend, sondern verleihen ihm stilvolle Eleganz. Er gehört zu den schönsten Zeitdokumenten großstädtischer Zwischenkriegsarchitektur in Wien.

⑲ WOHNBAU WEISSGERBER LÄNDE (1937–38)
Ernst Frommer (F. S. Lam)
III., Weißgerber Lände 6

Zum Teil mit Beihilfe des Wiener Assanierungsfonds der Gemeinde Wien, teils durch private Mittel und teils auch durch ausländisches Kapital errichtet, sind diese Wohnbauten „milde" Spekulationsbauten. Architekt Frommer ist einer der wenigen Wiener Architekten seiner Generation, der einigermaßen annehmbare und größere Privatbauten ohne öffentliche Unterstützung errichtet hat, was sich auch in der Ausführung dieser Häuser bemerkbar macht: es sind Wohnbauten für den gehobenen Mittelstand.

⑳ HERZ JESU-KLOSTERSCHULE SCHWESTERNHEIM (1930–31)
Felix Angelo-Pollak
III., Landstraßer Hauptstraße 137 / Rabengasse

Auch von kirchlicher Seite stieg ab 1930 die öffentliche Bautätigkeit. Stand der Klerus um Ignaz Seipel dem Austromarxismus in scharfer Opposition gegenüber, so war dies in der – zwar sehr zaghaften – Übernahme architektonischer Motive auf dem Gebiet des Wohnbaus zu spüren. Im katholischen Kirchenbau kam es Mitte der dreißiger Jahre zu einer Hochblüte durch Clemens Holzmeister, Robert Kramreiter und Karl Holey. Im katholischen Wohnbau hingegen gibt es nur geringe und meist mittelmäßige Bautätigkeit, die sich in sehr provinziell-heimattümelnder Manier äußerte. Mehrere

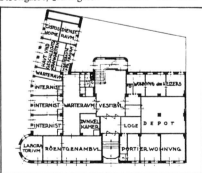

Arbeiterkrankenkasse Strohgasse Grundriß

Felix Angelo-Pollak: „Herz-Jesu" Schule und Heim (1930—31)

bescheidene Siedlungen sowie diese Kloster-schule bilden die wenigen Ausnahmen. Das hängt sicher auch mit der sehr heiklen und spezifischen Situation in Wien zusammen, wo die Kirche innerhalb der Arbeiterschaft wenig Einfluß hatte und ihre Tätigkeit auf diesem Gebiet daher vorsichtig-dezent war.

Umso bedeutender ist daher der Versuch Angelo-Pollaks, einen neuen, radikalen Weg zu beschreiten, der sicher außerhalb der katholischen Grundsatzdiskussion stand und eine merkwürdige Synthese zwischen expressionistisch-symbolischen und sachlich-rationalen Elementen anstrebte. Dieser Baustil blieb aber vorerst ohne Nachwirkung.

Dieses dynamisch zur Ecke gestaffelte Gebäude mit einem dominierenden Turm-Stiegenhausteil beinhaltet Kindergarten, Fortbildungsschule, Haushaltsschule und Internat der Herz-Jesu-Schwestern. Den Kern der Anlage bildet ein großer, dreieckiger Vortragssaal (heute ein Kinosaal), der außen durch seine Steinverkleidung im Erdgeschoß hervorgehoben wird. Die zentrale Stellung dieses Theater- und Mehrzwecksaales erklärt auch das ganz in Glas aufgelöste Stiegenhaus, welches durch die Anordnung des Bühnenraumes zwangsläufig nach außen an die

Ecke gedrängt wurde. Das übereck liegende Stiegenhaus, das wie das Erdgeschoß betont ist, wurde so zum architektonischen und städtebaulichen Merkmal. Das Untergeschoß beinhaltet den Turnsaal, die Kochschule, die technischen Nebenräume und die Aborte. Über dem flachgedeckten Theatersaal im Hof ist ein erhöhter Spielplatz für Kindergarten und Hort, die sich im Hochparterre befinden. Das zurückspringende Obergeschoß beinhaltet Privatwohnungen.

(21) WOHNHAUSANLAGE KLOPSTEINPLATZ (1927—28)
Walter Sobotka
III., Klopsteinplatz 6/ Schrottgasse 10—12/ Weinlechnergasse

Der heute noch sehr modern anmutende Gemeindebau wirkt vor allem durch seine senkrechte Massengliederung mit tief eingeschnittenen Loggien und die prägnante Sockelzone mit großen Fensteröffnungen. Die gesamte U-förmige Anlage hat 66 Wohnungen, einen Kindergarten und einen gärtnerisch gestalteten Innenhof mit schlichten Betonpergolen.

RUNDGANG 3/II: SIMMERING

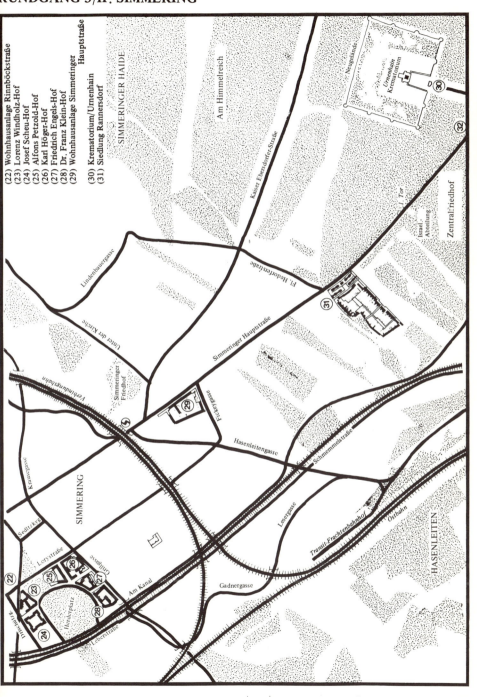

(22) Wohnhausanlage Rinnböckstraße
(23) Lorenz Windholz-Hof
(24) Josef Scheu-Hof
(25) Alfons Petzold-Hof
(26) Karl Höger-Hof
(27) Friedrich Engels-Hof
(28) Dr. Franz Klein-Hof
(29) Wohnhausanlage Simmeringer Hauptstraße

(30) Krematorium/Urnenhain
(31) Siedlung Rannersdorf

0   100   500   1000m

22 WOHNHAUSANLAGE RINNBÖCKSTRASSE (1928–29)
Alexander Popp
XI., Rinnböckstraße 21/ Schneidergasse (außerhalb des Lageplans)

Dieser Gemeindebau stammt von einem der prominentesten Schüler und langjährigen Mitarbeiter Peter Behrens'. Für die Gemeinde konnte Popp einige Bauten realisieren, die in Behrens'scher Grammatik alle ein gewisses „Pathos der Sachlichkeit" feiern.

Gerade aber bei dieser kleinen Eckverbauung mit 29 Wohneinheiten zeigt sich, wenn er die wuchtige Ecke des Blocks mit tiefen Balkonöffnungen und senkrechten Gitterstäben entmaterialisiert, Popps gutes Gefühl für Maßstäblichkeit. In Widerspruch dazu steht die schwere Klinkerverkleidung bis zum Obergeschoß, die Popps Neigung zu einer „nationalromantischen" Richtung verrät, der sich Popp dann auch später in der NS-Zeit verpflichtet und verbunden fühlte. Geübt in der Durchgestaltung großer Baumassen, zeigt sich aber sein Talent in der interessanten Durchdringung horizontaler (Klinker-)Streifen und vertikaler Volumina. Sie sind keinem formal-ästhetischen Selbstzweck entsprungen, sondern dienen zur besseren wirtschaftlichen Ausnützung der Grundrißanordnungen und zur optimalen Besonnung der Wohnungen.

23 LORENZ WINDHOLZ-HOF
Engelbert Mang (1925–1926)
XI., Geiselbergstraße 60–64 / Lorystraße 22 / Herderplatz 9 / Greifgasse 4/ Ehamgasse 3

Durch diese sehr unregelmäßige Schließung eines dreieckigen Grundstücks mit mehreren benachbarten Objekten entstanden mehrere kleinere Höfe und eine exedraartige Front zur Geiselbergstraße. Die vielgegliederte Anlage enthält 210 Wohnungen in geschwungenen, mäanderförmigen Trakten, wobei Akzente beim Eingangsportal und an den Ecken der Gebäudetrakte gesetzt wurden. In der Mitte der Anlage steht ein Brunnen von Alfred Hoffmann.

24 JOSEF SCHEU-HOF (1925–1926)
Franz Wiesmann
XI., Drischützgasse 5 / Ehamgasse 4 / Herbortgasse 7 / Zehetbauergasse 2 / Greifgasse

Ein vierkantiger, regelmäßiger Bau in Randverbauung umschließt einen fast quadratischen Binnenhof. Das Grundstück ermöglichte eine fast ideale Verbauung. Durch das Zurücktreten der Mittelteile aller vier Hauptfassaden um eine halbe Trakttiefe erhielt die Straßenfassade einerseits eine räumliche,

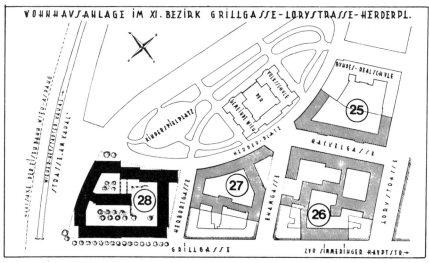

Übersichtsplan der Wohnhausanlagen am Herderplatz

240

rhythmische Gliederung, andererseits ergab sich dadurch in jeder Ecke des inneren Platzes ein kleiner, 120qm großer Wirtschaftshof. Den Gartenhof beherrscht in der Mitte eine Pergola mit Wasserbecken und ein „Nixchen"-Brunnen von Anton Endstorfer. In diesem Block befinden sich 212 Wohnungen, auf 12 Häuser verteilt, zwei Werkstätten, eine Apotheke samt Nebenräumen und eine Waschküche.

„Josef Scheu-Hof"; Grundriß, Regelgeschoß

(25) ALFONS PETZOLD-HOF (1923-24)
Adolf Stöckl/Wr. Stadtbauamt
XI., Lorygasse 36–38/ Hakelgasse 14–18/ Herderplatz 3–4

Im Zwickel des Herderplatzes und der Hakelgasse und im Anschluß an die Bundesrealschule wurde der Bau als eines der ersten Volkswohnhäuser von der Gemeinde Wien errichtet. Das Gebäude hat zumeist drei Stockwerke und enthält nur gegen die benachbarte Schule hin einen zusätzlichen Stock. Auch die Frontausbildung des perspektivisch wichtigen Ecktraktes ist mit einem Eckrisalit stark ausgeprägt. Die Fassade ist abwechslungsreich gegliedert, besitzt kräftige Stiegenhausrisalite mit noch straßenseitig erschlossenen Stiegenhauseingängen, kleinere polygonale Erker, eine romantisch bewegte Dachlandschaft und ein architektonisch stark betontes Gesims- und Dachgeschoß. Ein entsprechend belebter Fassadenedelverputz mit kontrastierenden Farben und eine feine Fensterumrahmung wurden bei einer neuzeitlichen Renovierung wenig berücksichtigt. Interessant sind beim Ecktrakt die schmalen, vertikalen Fenstereinteilungen. 111 Wohnungen, ein Kinderaufenthaltsraum, eine Badeanlage, eine Zahnarztordination mit Wohnung und sechs Werkstätten sind in dem Gemeindebau enthalten.

(26) KARL HÖGER-HOF (1925–26)
Franz Kaym/Alfons Hetmanek
XI., Lorystraße 40–42/ Grillgasse 26–30/ Ehamgasse 5 / Hakelgasse 15

Der erste Teil einer zweiteiligen Verbauung um den Herderplatz war diese unregelmäßige, aufgelockerte Randverbauung mit zwei Innenhöfen und einem Straßenhof. Die bemerkenswerte Differenzierung der Straßenräume durch eine sehr feine Massengliederung und durch offene und geschlossene Hofräume schafft interessante Perspektiven. Eigenwillige Fassadendekorationen und Fensterflächen bilden den einzigen Schmuck der glatten, ruhigen Fassaden. Dieser Teil enthält 260 Wohnungen und weist mehrere Inneneinrichtungen auf.

(27) FRIEDRICH ENGELS-HOF
Kaym/Hetmanek (1925–27)
XI., Herderplatz 5 / Ehamgasse 5 / Herbortgasse 11

Der zweite Teil dieser Randblockschließung des ovalen Herderplatzes weist an der Hauptfront eine geschwungene Fassade auf. Wieder sind die gleichen Elemente der eigenwilligen Klinker- und Putzornamente zu sehen, aber der Bau hat schon eine entwickeltere, reichere kubische Massengliederung aufzuweisen. Woraus sich leicht schliessen läßt, daß dieser Block mit 179 Wohnungen der spätere der beiden sein muß.

(28) DR. FRANZ KLEIN-HOF
Karl Krist (1924–1925)
XI., Herderplatz 6 / Grillgasse 40 / Herbortgasse 22–24 / Am Kanal 71

Der letzte Bau dieser verdichteten Verbauung um den Herderplatz ist ein mächtiger, drei- bis vierstöckiger, in sich kompakter Komplex mit vier massiven und abwehrenden Fronten. Er stellt eine extreme Randverbauung dar und besitzt einen zungenförmigen Innentrakt samt anschließendem Verbindungsgang. 219 Wohnungen, fünf Geschäftslokale, acht Lagerräume, vier Werkstätten, eine Arbeitergebietskrankenkasse, ein Kinderhort und fünf Ateliers sind in dieser Anlage untergebracht.
Absicht des Architekten war, die äußere Erscheinung nicht durch eine filigrane Gliederung, sondern durch ihre ganze Masse wir-

ken zu lassen. Deshalb die blockhafte Gestaltung mit großen Vor- und Rücksprüngen der Außenfronten, großen Spitzgiebeln an allen Rändern, dem schweren Sockel mit zum Teil aufgelösten Spitzbogenarkaden, kräftigen und hohen Simsbändern und Dachgauben. Im gärtnerisch gestalteten Hof ist ebenfalls eine reiche Architektur mit spitzbögigen Pergolen, schmiedeeisernen Gittern bei Fenstern, Türen und Toren und starke Farbkontraste im Fassadenputz festzustellen. Der figurale, plastische Schmuck an der Vorderfront des Kinderhorts stammt vom Bildhauer Siegfried Bauer. Obzwar dieser Bau eindeutig zur frühen, „romantischen" Phase zählt, wirkt er streng und ernst.

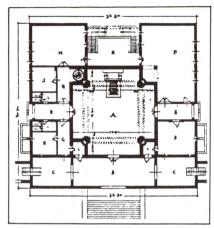

„Wiener Krematorium"; Grundriß

㉙ WOHNHAUSANLAGE SIMMERINGER HAUPTSTRASSE

Josef Frank/Oskar Wlach (1931-33)
XI., Simmeringer Hauptstraße 142–150 / Fickeystraße 8 / Pleischlgasse / Strachegasse

Franks allerletzter Gemeindebau mit 254 Wohneinheiten ist eine Enttäuschung: weder sind die langen Fronten gut gegliedert, noch sind die Grundrisse als gelungen zu bezeichnen. Die vorgesetzten, zum Teil verglasten Veranden können in ihrem monotonen Rhythmus die langen Fassaden nicht durchbrechen. Durch die Reduktion besitzen sie allerdings eine neue, erstaunlich „biedermeierlich-klassizistische" Qualität. Trotz seiner Gegnerschaft zum „Volkswohnpalast" kann Frank mit keinem mehrgeschossigen Gegenbeispiel aufwarten. Durch eine 1939– 1940 durchgeführte Aufstockung ist die ursprüngliche Form entstellt.

㉚ KREMATORIUM (1921–1923)
Clemens Holzmeister
XI., Simmeringer Hauptstraße 337

Dem Auftrag für die Feuerbestattungshalle gegenüber dem Zentralfriedhof, den Holzmeister vom Stadtbaudirektor Fiebinger erhalten hatte, ging ein siegloser Wettbewerb voraus, bei dem Holzmeister nur den 3. Platz belegte. Dennoch bekam er den Auftrag für die Ausführung. Die Zusage erfolgte mit der Auflage der Nutzung bereits vorhandener Bausubstanz wie die auf Maximilian II. zurückgehende Schloßanlage mit Menagerie (1552). Daß die neue Verbren-

nungshalle ins alte „Neugebäude" (32) hineingestellt wurde, verleitete den Architekten zu festungsähnlichen Bauformen (Zinnen der Mauer). Nicht nur, daß sich der Entwurf formal an dieses Renaissance-Schloß anlehnte, er übertraf es sogar mit frei erfundenen, phantastischen Formen, die aber durch den Sinn des Gebäudes gerechtfertigt waren. Diese Architektur fand aber nicht nur Zustimmung. So liest man in Anspielung auf diesen „Kulturschwindel" in zeitkritischen und mit moralisierendem Ton vorgebrachten Kommentaren: „Die Mehrzahl der ‚Gebildeten' findet diesen Schwindel (...) sicher sehr schön. (...) Man kämpft gegen eine Ideenwelt einer Kirche an und leiht sich dann verschämt ihre Formen aus, es werden allerlei alte und verbrauchte Reminiszenzen zusammengebraut und in scheinbar neuem Kleid dem getäuschten Beschauer vorgeführt: Das Krematorium ist etwas *indisch*, denn Indien ist für den gebildeten Europäer ausgesprochen das Land der Leichenverbrennung – es muß aber auch etwas *gotisch* sein, denn die Gotik hat sehr viel Geistliches." (33)
Daß die große Feuerhalle im Hof der Anlage gegen die Simmeringer Hauptstraße so orientalisch ausfiel, ist bestimmt kein Zufall. Paradoxerweise war das Krematorium ein gewichtiges Symbol des Roten Wien. Die Feuerbestattung galt als Ausdruck eines proletarischen Lebensgefühls und Kulturkampfes gegen die Tradition und die (katholische) Religion, quasi eine symbolhafte Befreiung des Körpers aus der ewigen Macht der Kir-

242

Clemens Holzmeister: „Wiener Krematorium"; nach einer Originallithographie

che. „Die Flamme", ein Arbeiterbestattungsverein, warb mit folgender Maxime: „Proletarisch gelebt, proletarisch gestorben und dem Kulturfortschritt entsprechend eingeäschert!"

„Die Freunde der Feuerbestattung", wie der Verein gelegentlich sich selbst nannte, avancierten einen „sowohl hygienischen als auch ästhetischen Einäscherungsvorgang", losgelöst von der Autorität der römisch-katholischen Kirche. Der Entwurf Holzmeisters entsprach wortlos und auf merkwürdig synkretistische Weise der an sich atheistischen Weltanschaung der Austromarxisten. Sowohl außereuropäische (indisch-hinduistische, sufische, buddhistische) Motive als auch Anklänge an barbarische Kultstätten sind vorhanden. Auch die ungewöhnliche Gegenüberstellung zu den alten Bauteilen (Pulverturm, Hofburg, Einfriedungsmauer) ist geglückt und harmonisch, man kann sogar von einem frühen Beispiel für das Bauen im Kontext sprechen.

Holzmeisters Romantik (für das Kultische) ist nicht an irgendwelche historischen Leitbilder gebunden, sondern eher an ein anderes Ideal: „(Holzmeisters) Verhältnis zur Geschichte ist unmittelbar, kulinarisch, unhistorisch, nicht auf das Zeitliche, sondern auf das Zeitlose bezogen." (34)

Im Zentrum des Friedhofs mit seinem expressionistisch spitzbögigen Arkadenrundgang und seinem wie Zähne einer Säge geformten Begrenzungswänden steht die Feuerhalle, die von einem weiten, leeren Platz umgeben ist. Der seitlich anschließende Urnenhain ist gärtnerisch ausgestaltet. In der Mitte des mit Zinnen bekrönten Unterteils ragt ein tief ins Bauwerk eingesenkter, dreistufiger Würfel auf, und aus diesem erhebt sich turmartig der die Hallendecke umschließende Baukörper. Die vier prismatischen, als Eckpfeiler verkleideten Schornsteine binden das mit jeweils drei Lichtschneisen aufgeschlitzte 2. Geschoß, in dem sich das Dach nach der Mitte senkt. Darüber wird noch eine Pyramide, als letzter Abschluß, sichtbar. Beiderseits streben spitzbögige Arkaden diesem Hauptgebäude zu. Bemerkenswert ist das Innere des Zentralbaus, einer gekuppelten Aufbahrungshalle mit seitlichen Kapellen. In der Halle erfährt mit einem gekonnten und gelenkten Lichtspiel diese Betongotik ihre höchste Erfüllung. Man fühlt sich im Inneren einer Flamme, deren steile Zungen im obersten Punkt zusammenschlagen. Von allen Seiten der drei schmalen Spitzbogenöffnungen strahlt ein mystisches Licht herein, das mit der indirekten Anstrahlung von unten einen etwas unheimlichen Raumeindruck hinterläßt. Der innerste Sinn ist damit unmittelbar in Raum umgesetzt. Die Wandmalereien an der Altarwand stammen von Anton Kolig.

Kaym/Hetmanek: Siedlung Weissenböckstraße

Clemens Holzmeister: ,,Wiener Krematorium'' (1921–1923)

244

(31) SIEDLUNG WEISSENBÖCKSTRASSE (1922–23; 1928)
Franz Kaym/Alfons Hetmanek
XI., Simmeringeringer Hauptstraße 192–198/ Weißenböckstraße/ Wilhelm Kreß-Platz

Die erste Siedlungsanlage des Siedlungsamtes der Stadt Wien entstand bereits 1922 (I. Bauteil: 71 Häuser) und hat somit noch den Charakter einer Notsiedlung. Erst der II. Bauabschnitt (1928) zeigt den schrittweisen Übergang zu einer geordneten und aufwendigeren Gemeindesiedlung nach kommunalem Muster mit stärkerem Anklang an den „Gemeindebaustil" der zwanziger Jahre. Beim ersten Bauteil wurden einfache Reihenhäuser im kleinstädtisch-ländlich-dörflichen Stil aufgestellt; die spätere Architektur weist schon eine pittoreske, villenartige und reichere Detailgestaltung und Gliederung auf, wobei die Tendenz zum geschlossenen Wohnhof ging. Die Verbauung entlang der Hauptstraße ist an den Ecken bis zu drei Stockwerken überhöht; zweistöckige Wohngebäude an der zur Hauptstraße parallel verlaufenden „Wohnstraße" leiten zu den niedrigen Siedlungshäusern des ersten Abschnittes über.

Die Siedlung umfaßt 128 Einzelwohnungen mit einer durchschnittlichen Wohnungsgrundfläche von 50 qm und mit einem Gartenstück von ca. 32 qm. Die Haustypen haben – bei zwei verschiedenen Parzellenbreiten (6 m/9 m) – Sonnenlage; die wichtigsten Schlaf- und Wohnräume liegen stets südlich, die Wirtschaftsräume nord-nord-

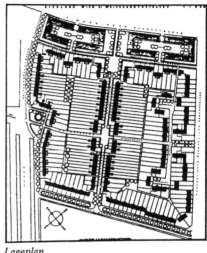

Lageplan

westlich zum Garten. Die Parzellen des zweiten Bauabschnittes sind zwar wesentlich kleiner, aber dafür sind die Wohnungen etwas größer und bequemer. Die Erschließung erfolgte von der Hauptstraße mittels einer parallel gelegenen „Wohnstraße"; der hintere Teil der Siedlung wird durch Stichfußwege und und Wirtschaftswege erschlossen.

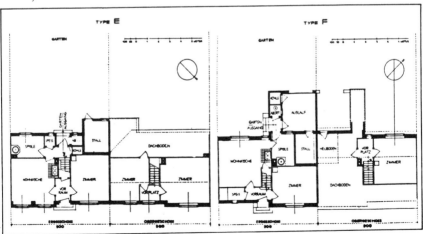

Franz Kaym/Alfons Hetmanek: Siedlung Weissenböckstraße; Haustypen, Grundrisse

Rannersdorf (1921–24); Zeichnung von Heinrich Tessenow

(32) SIEDLUNG RANNERSDORF (1921–24)
Heinrich Tessenow (von Hugo Mayer u. Engelbert Mang beendet) Schwechat-Rannersdorf, Stankagasse 8 –18; (außerhalb des Lageplans)

Nur die sechs stark reduktionistischen Zeilenhäuser dieser Siedlung für Beamte der städtischen Bierbrauerei „Schwechat" stammen von Heinrich Tessenow; die traditionelleren Doppel- und Reihenhäuser entlang der Brauhausstraße und der Schulgasse hingegen sind von Engelbert Mang (Wiener Stadtbauamt).

Schon die ersten Entwurfskizzen für diese Siedlung, die nebenbei Tessenows einzige Siedlungsanlage in Wien ist, verraten das für Tessenow charakteristische Streben nach knapper Gestalt und Typisierung. Einfache „archetypische" Formenelemente bestimmen das karge Erscheinungsbild dieser

Architektur: Dreiecksgiebelfronten, glatte Putzflächen, kristallin geschnittene Grundhausformen, additive Baukörpergliederung und typisierte (nicht normierte) Einzelteile wie Fenster, Türen und (Holz-)Stiegen. In seinem Bemühen um Einfachheit und Sachlichkeit schreckte er selbst vor einem strengen Linearismus seiner Fassaden und letztlich vor einer gewissen Monotonie nicht zurück. Die würfelförmigen Häuser besaßen eine Schauseite mit verputztem Giebel und eine dreiseitige Holzverschalung mit seitlichen Eingängen ohne Vorgärten, aber desto größerem Hinterhof. Größere Gebäudeabstände in der Wohnstraße bedingten die Bildung von Gemeinschaftsgärten. Die Aufteilung der restlichen 30 Wohnhäuser ist einer einfachen, gekrümmten Straßenführung angepaßt. Heute ist die Kastanienallee in der Stankagasse abgeholzt, auch die Architektur litt unter starken Veränderungen einer traurigen „Ortsverschandelung" anstatt „Ortsverbesserung".

RUNDGANG 4/I: TRANSDANUBIUM

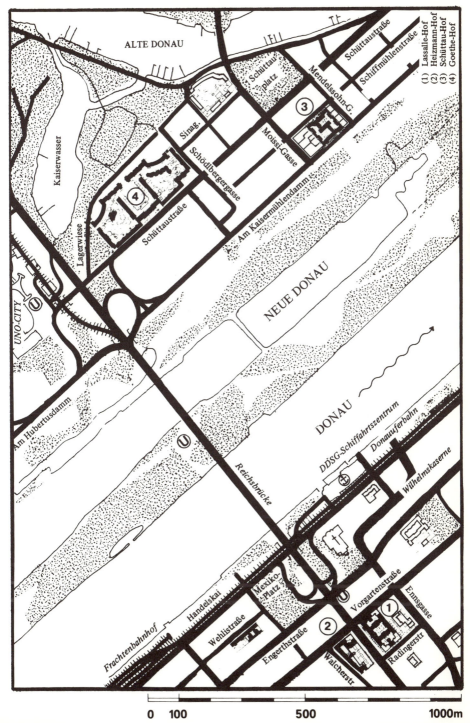

ALTE DONAU

Kaiserwasser

Schüttau-platz

Schüttaustraße

Schiffmühlenstraße

Mendelssohn-G.

Sinag.

Moissi-Gasse

Schödlbergergasse

(3)

(4)

Schüttaustraße

Am Kaisermühlendamm

Lagerwiese

UNO-CITY

NEUE DONAU

Am Hubertusdamm

DONAU

Reichsbrücke

DDSG-Schiffahrtszentrum

Donauuferbahn

Wilhelmskaserne

Mexiko-Platz

Vorgartenstraße

Emsgasse

Frachtenbahnhof

Handelskai

Wehlistraße

Engerthstraße

Walcherstr.

Radingerstr.

(2)

(1)

(1) Lassalle-Hof
(2) Heizmann-Hof
(3) Schüttau-Hof
(4) Goethe-Hof

0   100   500   1000m

„Lassalle-Hof", dominanter Ecktrakt am Schnittpunkt Lassalle-/Vorgartenstraße

① FERDINAND LASSALLE-HOF (1925–1926)
Hubert Gessner (mit Hans Paar/Fritz Waage/Friedrich Schloßberg)
II., Lassallestraße 40–44/ Vorgartenstraße 146–148/ Ybbsstraße 39–45/ Radingerstraße 15

Der unmittelbare Anlaß für den Neubau war die Neuregulierung des Handelskais (35). Als Teil einer zweiteiligen Straßenverbauung neben der alten „Reichsbrücke" gelegen, kam der Wohnhausanlage durch die bestimmende Lage an den verkehrsreichen Straßen in städtebaulicher Hinsicht eine besondere Bedeutung zu. Der architektonische Aufbau sollte wie ein „Brückenlager" zur späteren eleganten Hängebrücke (1976 eingestürzt) wirken.

Die Gesamtordnung der Blöcke zeigt Gessners Hang zum Monumentalen. Streng stereometrisch gliedert er die Baumassen um einen sehr großen, architektonisch gestalteten Innenhof und um zwei kleinere Höfe in den Seitenarmen, die mit den Nachbarhöfen entweder vereint oder begrenzt werden. Die Anzahl der Regelgeschosse beträgt durchwegs fünf; nur gegen die städtebaulich so wichtigen Ecken an der Kreuzung Lassallestraße/Vorgartenstraße wächst, mit einer kräftigen Abtreppung der Massen zum Eckgeschoß hin, ein imposanter achtstöckiger monolithartiger Turmbau auf. Die architektonisch wichtigen Partien werden mit Erkern, Loggien, Blendarkaden, Rundbögen, Bay-Windows, Balkonen akzentuiert. Aber im wesentlichen beschränkt sich Gessner beim „Lassalle-Hof" auf die Ausschmückung und Betonung des Portals mit dem daran anschließenden Vestibül und auf die vorgesetzte Ladenzone im sockelartigen Erdgeschoß.
Der vorerwähnte Turm bekommt am Dach ein durchlaufendes Fensterband für ein Fotoatelier der „Wiener Naturfreunde"; darunter befindet sich eine sehr monumental wirkende Blendarkade. Fensterband und Blendarkade sind von einem dreieckig hervorspringenden Erker flankiert: Diese Gliederungselemente sollen den Turm nach oben auflösen, ihn entmaterialisieren, sind aber keine „reinen" Schmuckelemente mehr wie z.B. beim etwas früher entstandenen „Reu-

248

mann-Hof" (vgl. Plan Nr. 1/Pos. Nr. 5). Der von der Lassallestraße zurückweichende Teil ist in rhythmischer Abfolge von leicht hervorspringenden Risaliten und dreikantigen Erkerpartien vertikal gegliedert. Die abgeschrägte Dachzone weist Dreiecks-Giebel und Attikamauern auf. In dem in Rundbögen aufgelösten Erdgeschoß befand sich eine Ladenstraße mit 14 Geschäftslokalen. Ein tempelartiger Eingangsblock mit aufgesetzter Pergola bildet den großen Hauseingang in der Lassallestraße.

In dieser Anlage mit 294 Wohnungen sind in der Hauptachse zweckentsprechende zwei- (36 qm) und dreiräumige (50-75 qm) Wohnungen untergebracht, jeweils mit Vorzimmer, WC, Klopf- bzw. Wirtschaftsbalkon und Loggia versehen. Von der Ybbsstraße zugänglich ist ein öffentlicher Kindergarten. An anderen Wohlfahrtseinrichtungen waren eine Mutterberatungsstelle im Nebenhof, eine Volksbibliothek im ersten Geschoß des abgetreppten Eckteils und ein Unterrichtsheim mit Fotoatelier eines Touristenvereins im Turmdachgeschoß untergebracht.

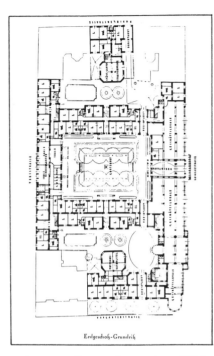

Erdgeschoß-Grundriß

„Lassalle-Hof", Grundriß, Erdgeschoß

② OTTO HEIZMANN-HOF
Hubert Gessner   (1925–1926)
II., Vorgartenstraße 142/ Radingerstraße 9/ Ofnergasse/ Lassallestraße

Diese Wohnhausanlage gegenüber dem „Lassalle-Hof" (Pos. Nr. 1) stellt eine Verbauung von Restparzellen des Baublocks dar, der von der Vorgarten-, Lassalle-, Radingerstraße und Ofnergasse begrenzt wird. Zur Lassallestraße mündet der Bauplatz in einer schmalen, nur 20 m breiten Baulücke. Der übrige Teil der Gesamtfront ist mit Privatwohnhäusern besetzt, was dem Verbauungsplan für die Wohnhausanlage vielfache Gestaltungsschwierigkeiten bereitete. Die beengten Raumverhältnisse am Bauplatz ausnützend, wählte Gessner eine randmäßige Verbauung. Die Randfigur des bestehenden Blocks wurde übers Eck vervollständigt, was, in städtebaulicher Hinsicht, eine einfache Anpassung an die bestehenden Verhältnisse und Gebäudehöhen war. Der Trakt weist zwei langgestreckte Binnenhöfe auf, die zum Teil an die Nachbarhöfe anschließen und die voneinander durch einen elliptischen Saalbau getrennt wurden. Bei den zwei Innen-

höfen nutzte Gessner die unverbaute Fläche des Nachbargebäudes aus. Den Hof wählte er – entgegen seinen Prinzipien – bewußt polygonal, um die Etagen besser ausnützen zu können und in ihnen regelmäßigere Räumlichkeiten zu schaffen. Die ellipsenförmige Gestalt des Mehrzwecksaales erforderte einen würdigen Zugang, und Gessner erreichte dies mit einem in das Erdgeschoß integrierten Vestibül mit zweischenkeligen Hofeingängen.

Der Haupteingang wird durch ein eigenes, aus der „anonymen", volkstümlichen (böhmisch-mährischen) Architektur übernommenes „Häuschen" betont. Auffallend hierbei ist die strenge Symmetrie der doppelrundbögigen Einfahrt, mit drei halbkreisförmigen Giebelsegmenten und einem schmückenden Balkon. Die gassenseitigen Fassaden werden durch sehr flache Erker und die rotweiße Färbelung gegliedert. Die abgerundete Mansardendachlösung mit Dachluken, die wie Reminiszenzen an eine großbürgerliche Boulevard-Architektur wirken, ist ungewöhnlich. Die Verbauung ist durchwegs vierstöckig; insgesamt sind 213 Wohnungen in der Anlage untergebracht, weiters ein Atelier, ein Kindergarten und ein Zentralbad. Der Teil zur Lassallestraße beinhaltet im Erdgeschoß und im 1. Stock eine Feuerwache samt den erforderlichen Personal-, Verwaltungs- und Geräteräumen. Im 1. Stock befinden sich weiters eine Mannschaftsküche und zwei Schlafsäle mit Bade- und Waschgelegenheiten. Besonders diese Schauseite ist durch ihre klare Funktionstrennung von Feuerwehrstation und Wohngeschoß interessant gegliedert und widerspiegelt Wagners „Texturwechsel"-Theorie.

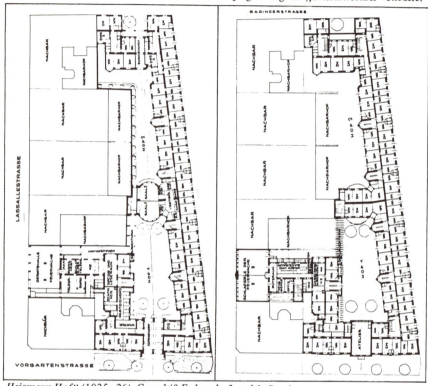

„Heizmann-Hof" (1925–26), Grundriß Erdgeschoß und 1. Stock

FLORIDSDORFER SPITZ – BRUCKHAUFEN – MÜHLSCHÜTTEL

Der „Goethe-Hof" (Pos. Nr. 4), der „Paul Speiser-Hof" (Pos. Nr. 5), der „Karl Seitz-Hof" (Pos. Nr. 6), der „Schlinger-Hof" (Pos. Nr. 10) und der „Bieler-Hof" (Pos. Nr. 15) sind jene repräsentativen Superblocks am nördlichen Ufer der Donau, die durch eine „romantische" Baugesinnung gekennzeichnet sind. Im Gegensatz zu den blockhaften und reduktionistischen Wohnhöfen in den alten Arbeitervierteln in der dichtverbauten Stadt, liegen sie alle im Bereich der nördlichen Peripherie Wiens inmitten der Industriegebiete. Sie besitzen schon die Atmosphäre einer Kleinstadt im Grünen. Ausschlaggebend dafür sind erstens die bastionsartige Randverbauung mit großen Innenhöfen und allen notwendigen Versorgungs- und Nebeneinrichtungen, und zweitens das politische und ästhetische Anliegen einer verständlichen Architektursprache, trotz des enormen Stilpluralismus.

Obwohl jeder Bau für sich ein Unikat darstellt und die Gestaltungsmerkmale sämtlicher im damaligen Wien auftretenden Strömungen verkörpert, haben alle etwas Gemeinsames: die Einheit der architektonischen Großform und die Geschlossenheit des Entwurfs trotz der unterschiedlichen Eigenarten und Modi der beteiligten Architekten.

③ SCHÜTTAU-HOF (1924–1926)
Alfred Rodler/Alfred Stutterheim/
Ludwig Tremmel
XXII., Am Kaisermühlendamm 55-61/
Schiffmühlenstraße 58–64

Diese Wohnhausanlage ist im Anschluß einer
breiten Lückenverbauung errichtet worden;
dadurch ist die Straßenfront an jenen Teilen
geschlossen. Die beiden Gassenfassaden werden durch ein starkes Zurückspringen in den
Mittelpartien, durch die charakteristischen
3/6-Erker und durch verschieden hohe
Dachflächen belebt. Bezüge zum „böhmischen Kubismus" sind besonders durch die
Rund- und Spitzbögen, Dreiecksfenster und
durch die Brechung der Balkonbrüstungen in
selbständige, plastische Gebilde gegeben.
Der Verputz ist farbig gehalten und im Hof
durch ein Rustikamotiv am Sockel expressiv
gestaltet. Durch das häufige Vor- und Rück-
springen und durch die achsenverschobene
Hofverbauung entstehen viele kleine, sehr
unregelmäßige Grünflächen.
Die Anlage enthält 310 größtenteils Kleinwohnungen (durchschnittliche Wohnungsgröße: 35 qm), aber auch mittlere Wohnungen (40-50 qm). Im Bau befinden sich
Geschäftslokale, eine Badeanlage, ein öffentlicher Kindergarten, eine Mutterberatungsstelle, eine Bibliothek und Räume für die
Straßensäuberung.

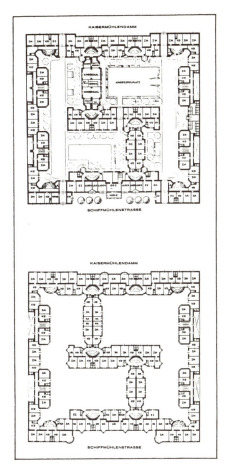

*„Schüttau-Hof" (1924), Grundrisse Erdge-
schoß, Regelgeschoß*

④ GOETHE-HOF (1928–1930)
Rudolf Fraß/ Hugo Mayer/ Viktor Mittag/ Heinrich Schopper/ Alfred Cha-
lusch/ Johann Rothmüller (ARGE und Stadtbauamt)
XXII., Schüttaustraße 1–39/Schödelbergstraße

Quasi als gegenteiliger „Brückenkopf" der
„Reichsbrücke", nahe der heutigen UNO-
City, in unmittelbarer Umgebung des Über-
schwemmungsgebiets auf einer „zur Rekre-
ation reservierten Donauinsel" (36) wurde
diese monumentale Wohnhofanlage mit 727
Wohnungen errichtet.
Die Außenhülle des Großwohnblocks ist auf
eine rundherum gerichtete Fernwirkung
konzipiert. Deshalb der Wechsel von Ansichten in symmetrischen und auch asymmetrischen Lösungen. Je nach Perspektive bietet

der Hof immer mächtige Schaufassaden.
Die von einem „Schloßbau" übernommene
Verbauungsart weist aber sonderbare abrupte Unterbrechungen der Randzonen auf.
So wird beispielsweise ein innerer Ehrenhof
mit platzumschließenden Seitentrakten gebildet, in dessen Zentrum eine große Son-
nenuhr steht (Anspielung auf Goethes
Kosmologie?). Auch die Formensprache ist
weitgehend „absolutistisch", weist aber Abweichungen von den akademischen Regeln
auf: der Synkretismus von kubisch-dekora-

251

tiven Elementen mit amorph-auflösenden Formen steht z.B. im Widerspruch zum Dogmatismus einer gelehrten Architektursprache. So führt eine geschwungene, der Randverbauung angepaßte „innere" Promenadenstraße durch die drei Hofanlagen, die sowohl in ihrer Größe als auch in ihrer Gestaltung sehr unterschiedlich sind. Von entscheidender Bedeutung für den Bebauungsplan war die Abriegelung des Gartenhofes von der Straße und die Öffnung zum Landschaftsschutzgebiet „Kaiserwasser". Diese Voraussetzungen führten zu einer annähernd achsialen Lösung mit einer zentralen Gartenanlage und zwei ebenso großen Seitenhöfen. Von der gestaffelten Front entlang der Schüttauaustraße verlaufen nach Norden zwei Quertrakte, welche den oberen Teil des Geländes in drei annähernd gleich große Binnenhöfe unterteilen. Diese sind nach hinten offen und bilden mit dem großen Gartenhof eine einheitliche architektonische Komposition.
Die Ausmündung des rückwärtigen Portals zur Alten Donau ist stark expressiv erhöht und weist zwei eigentümliche Eckpylonen auf (mit ähnlichen Balkonanordnungen wie beim „Karl Marx-Hof", vgl. Plan 5/

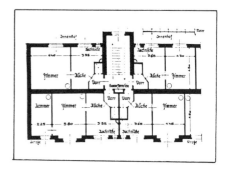

Pos. Nr. 1). Die Zurückversetzung von der Baulinie an der Front zur Schüttaustraße markiert eine durchgehende Symmetrieachse.

In den Februartagen von 1934 wurde der „Goethe-Hof" stark umkämpft; er war die letzte Bastion der Schutzbündler und konnte erst am 18. Februar eingenommen werden. Dabei wurde er erheblich zerstört: das Café im „Goethe-Hof" wurde durch ein Kanonengeschoß in Brand gesetzt und völlig zerstört: etliche gassenseitige Wohnungen durch Sperrfeuer der Bundesheerpatrouillen in ein Trümmerfeld verwandelt.

„Goethe-Hof" (1928–30), Luftaufnahme (zeitgenössische Aufnahme)

RUNDGANG 4/II: FLORIDSDORF

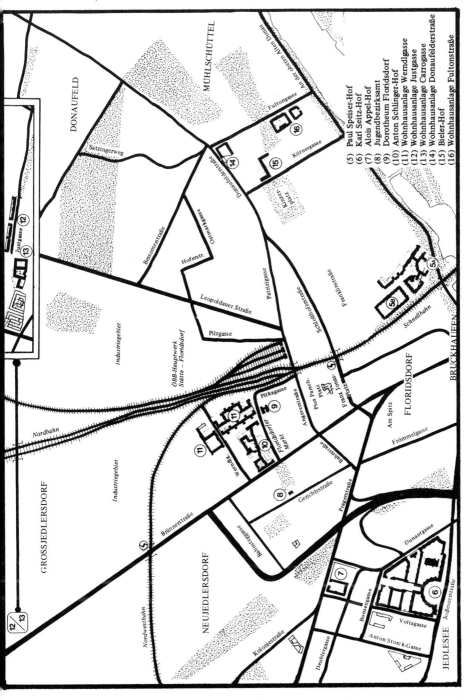

(5) Paul Speiser-Hof
(6) Karl Seitz-Hof
(7) Alois Appel-Hof
(8) Jugendbezirksamt
(9) Dorotheum Floridsdorf
(10) Anton Schlinger-Hof
(11) Wohnhausanlage Werndlgasse
(12) Wohnhausanlage Justgasse
(13) Wohnhausanlage Carrogasse
(14) Wohnhausanlage Donaufelderstraße
(15) Bieler-Hof
(16) Wohnhausanlage Fultonstraße

0   100   500   1000m

5A PAUL SPEISER-HOF (1929–32)
Hans Glaser/Karl Scheffel (I. Bauteil)
5B Ernst Lichtblau (II. Bauteil)
Leopold Bauer (III. Bauteil)
XXI., Franklinstraße 20/ Freytaggasse/ Bodenstedtgasse/ Wedekindgasse/ Broßmannplatz/ Bierbaumgasse

Die aus drei zeitlich voneinander getrennten Bauteilen bestehende Großwohnanlage enthält 765 Wohnungen. Die mit der Planung beauftragten Architekten arbeiteten nicht in einer Arbeitsgemeinschaft, sondern je an einem Bauteil, woraus sich Unterschiede in Stil und Verbauungsweise ergaben. Die etwas aufgelockerte Form des südlichen Bauabschnittes kontrastiert stark zur mehr geschlossenen Form des nördlichen Bauteils. Sind die von Hans Glaser und Karl Scheffel gestalteten Bauteile (1929–30) stellenweise unausgewogen, allzu detailreich und mit divergierenden expressionistischen Zutaten bestückt, so erscheint die von Lichtblau gestaltete Fassade (1930 –1931) einfach und schmucklos. Einziger Schmuck sind hier die verglasten Veranden, die fast erkerartig aus der Fassade heraustreten und die integrierten Hauseingänge und Geschäftslokale im Erdgeschoß. Immerhin gelang es Lichtblau bei der Gestaltung seines Bauteils, den Ideen des „Internationalen Stiles" am nächsten zu kommen, weshalb er als „eines der gelungensten Beispiele der ‚sachlichen' Architektur in Wien bezeichnet werden kann." (37)
Ein Teil des südlichen Bauabschnitts weist sowohl eine kubische, straßenartige Verbauung als auch eine Randverbauung um einen Hauptplatz auf. Der nördliche Teil hingegen ist ein klar monolithischer Vierkanthof um einen sehr langgestreckten Innenhof. Die Baugestaltung des älteren Teils greift mit ihrer differenzierten Gliederung der Gebäudeecken, mit polygonalen Erkerbildungen, Risaliten, Giebeln, Profilleisten, Rundbogeneinfahrten usw. auf das Formenrepertoire des gutbürgerlichen Zinshauses zurück. Radikal anders wirkt die moderne Fassaden- und Baumassengestaltung im II. und III. Teil. Die Verglasung der Veranden ist funktionell gerechtfertigt, da durch die örtlichen Windverhältnisse offene Loggien und Balkone unbrauchbar wären. Diese eigentlich traditionelle Wiener Bauform (Biedermeier-Pawlatschen) stieß aber bei den zuständigen Baubehörden auf heftige Ablehnung.

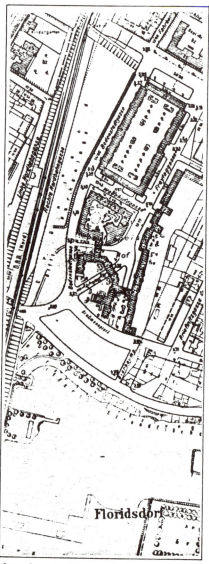

Lageplan „Paul Speiser-Hof" (1929–32)

254

Hans Glaser/Karl Scheffel: „Paul Speiser-Hof", Bauteil I (1929–30)

Ernst Lichtblau: „Paul Speiser-Hof", Bauteil II (1930–31)

255

⑥ KARL SEITZ-HOF (1926–1931)
Hubert Gessner
XXI., Jedleseer Straße 66–94 / Voltagasse/ Bunsengasse/ Edisonstraße/ Dunantgasse

Die frühere, etwas irreführende Bezeichnung „Gartenstadt Jedlesee" trifft nicht ganz zu, denn der „Karl Seitz-Hof" – wie er erst seit 1945 heißt – ist geradezu idealtypisch für jenen großen Volkswohnpalasttypus Gessner'scher Ausprägung. Dieser Gemeindebau stellt den eigentlichen Höhepunkt der ersten Phase des Wohnbauprogrammes und dessen Paradigma, den geschlossenen Superblock, in unverfälschter Weise dar. (38)
Nahm bereits der „Reumann-Hof" (1924) (vgl. Plan Nr. 1/Pos. Nr. 5) jenes Vokabular und jene Prinzipien des Volkswohnpalastes vorweg, so findet hier seine übersteigerte Fortsetzung, vielleicht sogar seine profane Apotheose statt. Teils bedingt durch die größeren und nicht vom dichtverbauten Stadtgebiet beengten Raumverhältnisse, vielleicht auch durch das starke Erwachen und gelegentliche Pathos der Arbeiterkultur und schließlich noch durch das bedeutend größere Bauvolumen (der „Karl Seitz-Hof" besitzt etwa 600 Wohnungen mehr als der „Reumann-Hof"!) ist der monumentale Wohnblock so etwas wie ein Denkmal der zur Macht gelangten Partei und der Arbeiterklasse schlechthin geworden.
Allein schon aus der polygonalen Grundstücksfläche und -konfiguration konnte die Anlage nicht streng symmetrisch aufgebaut werden. Doch Gessner legte geschickt die gesamte Organisation des Komplexes auf eine zur inneren Hauptstraße angelegten, imaginären Achse an, die von einer Querstraße durchkreuzt wird. Die halbrunde Hauptfront ist ebenfalls auf diese dominierende Zentralachse gerichtet. Beim Schnittpunkt des Halbrunds mit der Längsachse ist ein stark gestaffelter, aufgetürmter Baublock, in dessen Mittelpunkt sich ein Uhrturm (symbolisch an einen Dorfplatz erinnernd) und ein Rundbogenportal mit einem darüberliegenden Thronsaal (*Festsaal der Arbeiter)* befinden. Dies sind allesamt nachträgliche Maßnahmen, die dem unregelmäßigen Grundstück das Ideal einer achsialen Ordnung geben sollen. Nicht nur das: nach dem Willen des Architekten sollte sogar der große halbrunde Ehrenplatz repräsentativ mit

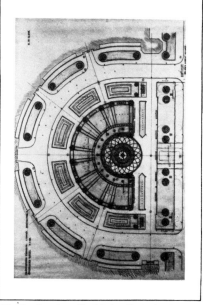

Die Exedra des „Karl Seitz-Hofes" sollte ursprünglich repräsentativ mit einem Obelisken im Zentrum ausgestattet werden.

einem Säulendenkmal geschmückt, die Exedra sollte – statt der heutigen parkähnlichen Landschaft – hart bepflastert (als Steinwüste) sein. Von diesem architektonisch und ideologisch ausgerichteten Zentrum gingen dann strahlenförmig alle Bezugsachsen der Exedra – einem Kompaß ähnlich – aus.
Zur Jedleseer Straße ragt der gestaffelte, vielfach gegliederte, neungeschossige Turm auf, der mit einem uhrengeschmückten Kampanile bekrönt ist und der die Anlage städtebaulich mit einem Gegengewicht zur Exedra im Norden abschließt. Am gegenseitigen Ende der Anlage, im Schnittpunkt der Jedleseer Straße mit der Dunantgasse, sollte ein kreisrundes Theatergebäude entstehen. Vorkehrungen hierfür wurden bereits getroffen, wie die stark zurückgeschwungenen Gebäudeteile und die konkave Fassade zeigen; aus Geldmangel wurde das Projekt aber nicht durchgeführt.
Überhaupt macht sich bei diesem völlig unhomogenen Bauteil Gessners Vorliebe für das Theatralische bemerkbar, wie auch beim

riesigen Uhrturm seine Neigung zum Hochhaus, obwohl die Architektur dieser Anlage mit ihren starken horizontalen Betonungen generell in die Breite geht.

Die vom Schloßbau übernommene Struktur der mittleren Überhöhung und die Höherziehung einzelner markanter Bauteile an den Rand- und Mittelpunkten findet ihren Niederschlag in den turmartig modellierten Details der Dachzone. Die zur Straße gerichteten und von vier Seiten geöffneten Vorbauten des unteren Blocks wirken dabei belebend.

Die lange, geschwungene und glatte Front wird durch hervorstehende, wuchtige Rundbogenpartien gegliedert, begleitet von Fußgängerdurchlässen, Balkonstreifen über dem Sockel und von horizontalen Fensterbändern in den Vorlagenpartien. Ein interessantes Triumphbogenmotiv befindet sich im Mittelpunkt der Hauptfront: mit einem Balkon und drei rundbögigen Öffnungen über dem Portal. In der Dachzone der erhöhten Teile sind Rundbögenpaare und Blendarkaden mit Blindfenstern; Bullaugen- und Rundfenster befinden sich in den Seitenflügeln, in den Mittelteilpartien und im nördlichen Uhrturmteil.

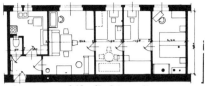

Wohnungsgrundriß „Karl Seitz-Hof"

So geschlossen monumental sich die Hauptfassade präsentiert, so kleinteilig und verschachtelt wirken die Rück- und Hofseiten. In den späteren Bauteilen ist eine Tendenz zur Glättung der Mauerfläche und eine Reduktion der Form zu bemerken. Auffallend ist auch eine stärkere waagrechte Gliederung (Fenster und Gesimse werden in einzelnen Streifenmustern zusammengefaßt), eine stärkere statische Betonung der Mauer (klinkerverkleidete Sohlbank- und Sockelstreifen) und ein gewisser Hang zur Asymmetrie (schiffsartige Fenster- und Mauerabrundungen). Insofern ist der letzte Gemeindebau Gessners ein Beweis für die fortschreitende künstlerische Entwicklung der Gemeindebauarchitektur im allgemeinen, und die bemerkenswerte künstlerische Wandlung des ehemaligen Wagner-Schülers im besonderen.

Hubert Gessner: sog. „Gartenstadt Jedlesee" (ht.: „Karl Seitz-Hof"); Exedra mit Uhrturm

257

⑦ ALOIS APPEL-HOF (1931–32)
Erich Leischner

XXI., Prager Straße / Morsegasse 3 / Deublergasse / Voltagasse

In unmittelbarer Umgebung vom „Karl Seitz-Hof" (vgl. Pos. Nr. 6) ist diese zur Straße geöffnete Wohnhausanlage. Die Blockanlage gehört mit ihren langen, fast ungegliederten, flachen Fassaden zu den Beispielen einer mehr sachlichen und sparsameren ·Richtung in der Spätzeit des kommunalen Wohnbaus im Roten Wien.

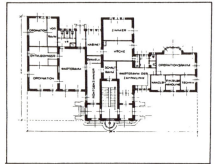

Bezirksjugendamt, Grundriß 1. Stock

⑧ BEZIRKSJUGENDAMT (1923-24)
Wilhelm Peterle (mit Friedrich Jäckel, Wr. Stadtbauamt)

XXI., Gerichtsgasse 10

Auf dem Gelände des aufgelassenen Floridsdorfer Friedhofes baute die Gemeindeverwaltung das erste Bezirksjugendamt Wiens. An Stelle des alten Friedhofs entstand eine wohlgepflegte Gartenanlage mit einem freien und einem gedeckten Kinderspielplatz. In der Anlage befinden sich ebenfalls ein Plantschbecken mit Brunnen und das villenartige Verwaltungsgebäude.

Das Gebäude diente verschiedenen Zweigen der Wohlfahrtsinstitutionen: die Tuberkulosenfürsorgestelle im Erdgeschoß war räumlich von den anderen Abteilungen getrennt und besaß einen eigenen Eingang in der Gerichtsgasse. Weiters befanden sich im Erdgeschoß eine Schulzahnklinik, ein Röntgenzimmer und die zentral gelegene Hausmeisterwohnung. Das ganze erste Stockwerk wurde von der Mutterberatungsstelle eingenommen. Im zweiten Stock waren die Verwaltungs- und Büroräume der Fürsorgeleitung, der Berufsvormundschaft und die Zahlstelle untergebracht.

Eugen Kastner/Fritz Waage: Hauptfront des Dorotheums in Floridsdorf (1933)

⑨ DOROTHEUM
FLORIDSDORF (1931–1933)
Eugen Kastner / Fritz Waage
XXI., Pitkagasse 4

Entsprechend den Erfordernissen eines modernen Pfandinstituts zeigt diese Zweiganstalt in ihrer Raumanordnung jene architektonische Lösung, die sich bei früheren Bauten dieser Art besonders bewährt hat und sich in die drei Hauptabteilungen – Belehnung, Versteigerung, Sparverkehr – gliedern lassen. Die Belehnung, die den größten Parteienverkehr aufweist, ist in einer großen, mit Oberlicht versehenen Schalterhalle im Erdgeschoß untergebracht. Ein überhöhter, heller Auktionssaal befindet sich im ersten Stock; darüber erheben sich vier weitere Geschosse, die als Pfändermagazine und Lagerräume dienen. Mit Rücksicht auf den Lichteinfallswinkel für die benachbarten Gemeindebauten und analog der damals neuen Wiener Bauordnung (1930)springen die obersten Geschosse zurück. Die charakteristische Klein-Fensterteilung der Hof- und Straßenfassaden ist noch halbwegs gut erhalten, nur das Erdgeschoß ist inzwischen völlig zugemauert. Bemerkenswert ist die horizontale Fenstergliederung mittels waagrechter Gitterroste und die ausdrucksstarke Behandlung des Erdgeschosses durch kräftige und profilierte Bänder aus Stahlrohr-T-Profilen. Sie verleihen dem Bau jenes technisch-industrielle Image, das der Gestik der Moderne und der Neuen Sachlichkeit völlig entspricht.

⑩ ANTON SCHLINGER-HOF
H. Glaser/K. Scheffel (1925–26)
XXI., Brünner Straße 34–38/Floridsdorfer Markt 1–8/Lottgasse 1–3

Die mit 478 Wohnungen versehene Wohnhausanlage wurde auf den Gründen des ehemaligen alten Gaswerkes errichtet und ersetzte den früheren Marktplatz „Am Spitz" mit einer neuen Detailmarktanlage. Die in der Ausschreibung verlangte Verlegung des alten Marktplatzes in Zusammenhang mit einer Wohnhausanlage bildete den Ausgangspunkt des Entwurfs.

Der Platz ist von drei Straßenfronten begrenzt; seine größte Ausdehnung ist südöstlich gerichtet. Durch das mittige Zurückschieben der Hauptfront und durch die Ausbildung der beiden Seitenflügel (in der Brünner Straße und in der Lottgasse) entstand ein ansehnlicher und geschützter Platz. Den „Floridsdorfer Markt" zangenartig umschließend, besitzt die Anlage eine sehr unregelmäßige Verbauung mit mehreren zusammenhängenden Platz- und Hofbildungen. Lediglich die Hauptfront, die dem Markt zugewandte, repräsentative Schauseite, ist einigermaßen symmetrisch ausgewogen. Die hintere Hofschließung dagegen ist völlig unregelmäßig und verwinkelt, was andererseits zu angenehmen, intimen Hofbildungen führte, sich aber für die Besonnung und Belüftung ungünstig auswirkte. Hier zeigt sich im übrigen ganz deutlich die morphologische Entwicklung der Superblocks von geschlossener zu aufgelöster Bebauung.

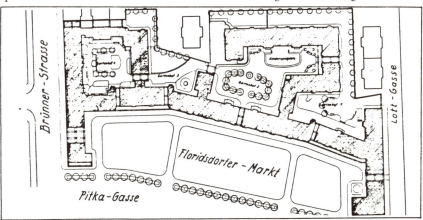

Lageplan „Schlinger-Hof" (1925–26)

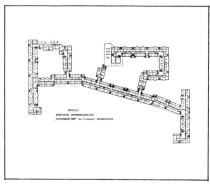

„Schlinger-Hof"; Grundriß Regelgeschoß

Der erhöhte Mittelteil der beinahe biedermeierlichen Fassade ist von einem lieblichen Uhrturm mit Kupferblechdeckung bekrönt. Dachaufbauten, Polygonalerker und Spitzgiebel und vor allem die langen Bogenreihen mit Geschäftseinbauten tragen ebenso zur malerisch-künstlerischen Gesamterscheinung bei.

Diese ordnende Symmetrie, die durch das romantische Uhrturmmotiv markiert ist, macht den Betrachter nicht nur auf traditionelle und herrschaftliche Motive aufmerksam, sondern sie verrät auch die Kontinuität in der Bauaufgabe. Der Anlage kommt die Bedeutung eines alten, historisch gewachsenen Marktplatzes zu, was zur schnelleren Identifikation außerordentlich wichtig ist. Wie wichtig diese Identifikation gerade bei diesem Hof war, bezeugen die vom 12. bis 14. Februar andauernden Kämpfe der Schutzbündler in dieser Anlage. Nicht zufällig spielte der „Schlinger-Hof" eine wesentlich wichtigere Rolle bei der Verteidigung der Sozialdemokratie als andere Arbeiterquartiere.

11 WOHNHAUSANLAGE WERNDLGASSE (1931–1932)
Aichinger/Schmid
XXI., Werndlgasse 14–18; 11–19 / Lottgasse/Pitkagasse

Diese mit 749 Wohnungen in zwei Trakten errichtete Anlage weist eine blockhafte Verbauung zweier langgestreckter, rautenförmiger Bauteile auf. Diese stehen parallel zueinander, sind in der Höhe gestaffelt und bilden eine schmale Hofanlage. Der zu beiden Erschließungsstraßen hin geöffnete Hof vermittelt eher den Eindruck einer „Durchgangspromenade" als den eines räumlich erfaßbaren Hofes.

Diesem Komplex gegenüber befindet sich der dazugehörige zweite Bauteil, ein massiver Vierkantblock mit eingeschlossenem Innenhof, der aber in keinerlei Beziehung mit dem ersteren steht. Typisch für die letzte Bauphase der Gemeindebauten des Roten Wien ist die reduzierte Tektonik (einziges Chiffre ist oftmals nur die Hausaufschrift!) der stereometrischen Baumassen und die Vereinfachung der Formen. Etwas unerwartet stellt sich diese Stilberuhigung auch bei den ehemals so expressionistischen Architekten Heinrich Schmid und Hermann Aichinger ein. Sparsam und nur ansatzweise werden expressive Details (klinkerverkleidete Eingangs- und Sockelpartien) und dynamisierende Gestaltungsmittel (kubische Eckverzahnungen, Turmbauten, abgestufte Gesimsfriese, hakenförmige Balkone etc.) eingesetzt. Im Streben nach Einfachheit und unbedingter Klarheit wirkt der Bau aber letztlich etwas kalt und abweisend.

Die beiden Wohnhausanlagen Justgasse (Pos. Nr. 12) und Carrogasse (Pos. Nr. 13) liegen an der nördlichen Peripherie der Stadt und sind – entsprechend dem noch ländlich wirkenden Teil von Groß-Jedlersdorf – sehr einfach gehalten. Die aus mehreren Häusergruppen bestehenden Wohnhausanlagen mit insgesamt 308 Wohnungen gehören zu den ersten von der Gemeinde Wien im Rahmen des großen ersten Wohnbauprogramms ausgeführten Wohnungsbauten, deshalb der noch siedlungsmäßige Charakter der Anlagen.

In den Jahren 1925–26 wurden sie um zwei weitere mehrstöckige Gemeindebauten für die Bediensteten des Gaswerks Leopoldau um insgesamt 263 Wohnungen erweitert. Dieselben Architekten übernahmen dabei die wesentlichen Gestaltungskriterien der benachbarten Bauten der ersten Bauphase. Insgesamt umfaßt das Konglomerat aus vier Wohnhausanlagen 571 Wohnungen.

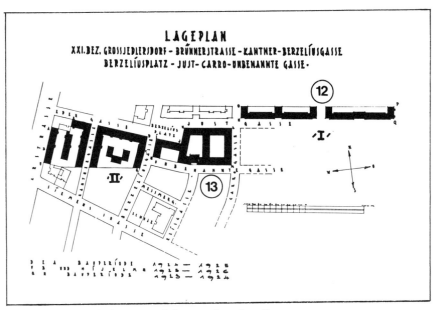

LAGEPLAN

XXI. BEZ. GROSSJEDLERSDORF - BRÜNNERSTRASSE - KANTHER-BERZELIUSGASSE
BERZELIUSPLATZ - JUST-CARRO-UNBENANNTE GASSE.

Lageplan des Grätzels Justgasse – Brünnerstraße – Berzeliusgasse

---

(12) WOHNHAUSANLAGE JUSTGASSE (1923–1924)
Konstantin Peller / Adolf Stöckl / Julius Stoik (Wr. Stadtbauamt)
XXI., Justgasse 9-27/ Carrogasse/ Skraupstraße/Wegscheidergasse

Diese Wohnhausanlage mit 115 Wohnungen besteht aus zwei Blöcken mit je fünf Häusern, die durch Querstraßen unterbrochen sind und wie ein „Straßendorf" erschlossen wurden. Die langgestreckten Baukörper weisen eine sehr kleinteilige Architektur auf: Rundbogenloggien, Spitzgiebel, Pilasterbildungen, Sgraffito, überdachte Hauseingänge, Zierrinnen und Edelputz in Weiß-Gelb geben dem Bau eine volkstümlich-ländliche Note. Bei diesem frühen Gemeindebau sind die Hauseingänge noch straßenseitig und mit kleinen Vordächern und hervorspringenden Stiegenhäusern versehen.

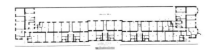

Wohnhausanlage Justgasse, Grundriß

(13) WOHNHAUSANLAGE CARROGASSE (1925–1926)
Julius Stoik/ Konstantin Peller/ Adolf Stöckl (Wr. Stadtbauamt)
XXI., Carrogasse 13–17/ Osergasse/ Berzeliusgasse/ Justgasse

Die Architekturelemente geben den Gebäuden dieser Wohnhausanlage bewußt einen ländlichen Charakter. Die Fertigstellung der Anlage (insgesamt 193 Wohnungen) erfolgte in mehreren Bauabschnitten, weil erst benachbarte Grundstücke erworben werden mußten, was zu einer uneinheitlichen Verbauung führte. Die Wohnhausanlage besteht aus drei größeren Bauteilen, die durch Stichstraßen voneinander getrennt sind. Sie alle weisen eine Randverbauung mit gärtnerisch ausgestalteten Straßen- und Gartenhöfen auf.
So reduziert die Baugrundkörper sind, so reich sind die Fassaden gegliedert: Dachaufbauten, Loggien, Erker, Rundbögen, Zierrinnen geben der Anlage einen kleinstädtschen Charakter. Der Kindergarten, von Konstantin Peller entworfen, bildet den Kernpunkt der Anlage und fügt sich treffend ins Gesamtbild ein.

RUNDGANG 4/II

261

RUNDGANG 4/III

(17) Siedlung Baumanngasse
(18) Hauptschule Leopoldau
(19) Nordrandsiedlung Leopoldau I
(20) Wohnhausanlage Wagramerstraße
(21) Wohnhausanlage Meissnergasse
(22) Siedlung Freihof
(23) Schule Freihofsiedlung
(24) Siedlung Plankenäcker
(25) Wohnhausanlage Siebenbürgerstraße
(26) Wohnhausanlage Konstanziagasse
(27) Siedlung Neustraßäcker
(28) Volks- und Hauptschule Aspern
(29) Kriegerheimstätte Hirschstetten
(30) Stadtrandsiedlung Aspern
(31) Stadtrandsiedlung Breitenlee
(32) Stadtrandsiedlung Hirschstetten
(33) Stadtrandsiedlung Neustraßäcker
(34) Nordrandsiedlung Leopoldau II

0   100   500   1000m

(14) WOHNHAUSANLAGE DONAUFELDERSTRASSE

Walter Sobotka (1930–1931)

XXI., Donaufelderstraße 44/Fulton-straße/ Ferdinand Pölz-Gasse

Diese Wohnhausanlage mit 107 Wohnungen zeigt bereits viele Elemente von Sobotkas Berührung mit der Moderne im Gewand der „Neuen Sachlichkeit" und ihre bastardhafte Umsetzung für den kommunalen Großwohnungsbau: das anti-monumentale Aufbrechen der Ecken und Mittelachsen durch transparente Loggien, die flach eingeschnittenen Normfenster und eine minimale Gliederung des Baukörpers entlang dessen Kanten sind charakteristisch für diese Tendenz.

(15) BIELER-HOF (1926–1927)

Adolf Stöckl (Wr. Stadtbauamt)

XXI., Kinzerplatz 10–12/ Freiligrath-platz/Nordmanngasse

Die hakenförmige, „romantische" Anlage mit nur 110 Wohnungen erstreckt sich sehr geschlossen innerhalb einer bereits bestehenden Wohnhausanlage gegenüber der St. Leopold-Kirche. Durch die davor liegenden Freiflächen wird die volle Aufmerksamkeit auf den Bau gerichtet. Der rückwärtige Bauteil und die Hofansichten sind etwas unruhiger und inhomogener gestaltet und auch anspruchsloser gehalten. Die hinteren Hofansichten sind mit ebenen versetzten Stiegenhausfenstern dynamisch aufgelöst. Vorne wird der geschlossene Block mit polygonalen Erkern, hohen Spitzgiebeln, tief in den Baukörper eingeschnittenen Loggien aufgelockert. Im Erdgeschoß umschließt eine lange Arkadenbogenreihe mit Geschäften den Block.

(16) WOHNHAUSANLAGE FULTONSTRASSE (1930)

Adolf und Hans Paar

XXI., Fultonstraße 5–11 /Floridus-gasse/Rautenkranzgasse

Diese aus zwei autonomen Höfen gebildete Anlage mit 158 Wohnungen weist eine blockartige Verbauung mit mehreren – sogar zur Straße hin aufgelösten – Stiegenhäusern auf. Einfache, stellenweise zu größeren Einheiten zusammengefaßte

Gitterbalkone und erhöhte Dachwohnungen rhythmisieren die Straßenfronten in regelmäßigen Abschnitten. Die Verwendung von zum Teil genormten Bauteilen und die additive Zusammenfassung der Fenster entspricht dem Trend zur Vereinheitlichung in der späten Phase des kommunalen Wohnbaus. Im Hof sind einige Gemeinschaftseinrichtungen, u. a. ein erstklassiger Kindergarten. Das Kindergartengebäude enthält Spielzimmer, einen großen Aufenthaltsraum samt den erforderlichen Nebenräumen, Duschen und sanitäre Anlagen im Inneren und eine über eine geschwungene Doppeltreppe erreichbare Spielanlage im Freien.

(17) SIEDLUNGSANLAGE BAUMANNGASSE (1923)

Karl Krist

XXI., Baumanngasse/ Gespergasse/ Eybelweg

Beiderseits des schmalen Stichwegs wurde diese kleine, genossenschaftliche Siedlungsanlage mit nur 58 Wohnungen in geschlossener Reihenverbauung errichtet. Die Enden der sackgassenartigen Anlage werden durch Baukörper geschlossen. Der im Süden gelegene spätere Bauteil (1929) übernimmt mit seiner unregelmäßigen und niedrigen Blockverbauung um einen Innenhof bereits das Vokabular der großen Hofanlagen. Auch in der Übernahme der expressiven Detailgestaltung zeigt sich ein zunehmender Einfluß der Gemeindebauarchitektur auf die Siedlungsbewegung.

(18) HAUPTSCHULE LEOPOLDAU (1937)

Wiener Stadtbauamt

XXII., Aderklaaer Straße 2

Erst nach dem Sturz der sozialdemokratischen Gemeindeverwaltung und nach Bezug der Nordrandsiedlung wurde dieses Schulgebäude mit klarer, zweckentsprechender Formgebung errichtet. Die Art der Aufgabe und die vorbildhafte Durchführung kann zweifelsohne als Fortsetzung jener erfolgreichen und symbolträchtigen Prestigebauten des Roten Wien gesehen werden. Wegen der geschickten Gliederung kann das Gebäude mit einem hervorragenden Bauwerk aus der Periode des Roten Wien verwechselt werden.

⑲ ERWERBSLOSENSIEDLUNG LEOPOLDAU (1932/1933–34)
Richard Bauer (GESIBA)
XXI., Triestinggasse/ Schererstraße/ Egon Friedell-Gasse/ Oswald Redlich-Gasse/ Dopschstraße/ Koschakergasse

Diese Nebenerwerbssiedlung für „Ausgesteuerte" wurde von dem technischen Bauleiter der GESIBA in zwei Etappen errichtet. (1932: 80 Siedlungshäuser; 1933: 345 Siedlungshäuser) (39). Sie bringt in einer sehr aufgelockerten, dezentralen Streusiedlung am äußersten Stadtrand, der Nordbahn, entlang eine überraschende Wiedergeburt der zwar zweckmäßigen, aber letztlich wegen ihres unkontrolliert wachsenden Erscheinungsbildes unvorteilhaften „Kernhäuser". Sie ist die erste und einzige Nebenerwerbssiedlung, die vom Roten Wien verwirklicht wurde. (40)

Die Grundstücke in der Form 100x25 m wurden in fünf „Schläge" zerteilt, deren Bepflanzung und Aufschließung von den Siedlern besorgt wurde. Von einem arbeitslosen Siedler wurden 2000 Arbeitsstunden erwartet. Die Siedlung entstand somit als ein Überwindungsversuch der Wirtschaftskrise. Schon auf der Wiener Frühjahrsmesse 1932 wurden von der GESIBA alternierende Siedlungshäuser des Typs des „Kernhauses" ausgestellt. Für diese Siedlung wählte man einen ähnlich erweiterungsfähigen Doppelhaustypus statt des einfachen Einfamilienhauses. Solche Häuser konnten von einem wenig bauerfahrenen Siedler und Kleingärtner nach Bedarf und Geldbeutel in vier Bauabschnitten errichtet werden: das eigentliche „Kernhaus" bestand in der Regel aus einem etwa 3,30x3,05 m großen Einzelraum (Wohnküche und Wohnzimmer in einem) und einem geräumigen Dachboden (Schlafraum); der Anbau eines zusätzlichen Schlafraumes (Bauabschnitt II), weiterer Nebenräumen und eines Stalles (Bauabschnitt III) ermöglichte schließlich die Fertigstellung des ausgewachsenen Typus (Bauabschnitt IV) mit Dachbodenausbau zu zwei Schlafräumen, Dachterrasse und voller Unterkellerung.

Wegen des chronischen Geldmangels der Gemeinde und der Baugenossenschaften bzw. auch wegen der schwachen Einkommenslage der Siedler fehlten die notwendigen Gemeinschafts- und Serviceeinrichtungen völlig. Erst nachträglich wurden Gemeinschaftseinrichtungen wie Schulen, Einkaufsläden etc. eingerichtet. Einzig ein stilvolles Genossenschaftshaus von Max Fellerer wurde – aber erst 1935 – von der Gemeinde gebaut. Nach dem II. Weltkrieg verbesserte sich die Infrastruktur durch die Einleitung des Stromes, des Gases und durch die Kanalisation. Die Eröffnung der Schnellbahn in den sechziger Jahren brachte zusammen mit der Führung der Straßenbahnlinien und Autobusse eine wesentliche Verbesserung der Verkehrserschließung.

Durch das Anwachsen der Parzellengröße auf ca. 2500 qm, wegen der akut gewordenen Lebensmittelsituation und durch die Inflation veränderten sich Siedlungskonzept und Lageplan der Erwerbslosensiedlung gegenüber den früheren Gemeindesiedlungen: hier kommt es zu einer Siedlungsstruktur mit einem bewußt binnenkolonisationsartigen Charakter, wobei die locker in die Landschaft gestellten 425 Siedlungshäuser einer offenen „Einfamilienhausbebauung" gleichen, wie Klaus Novy (41) polemisch bemerkte.

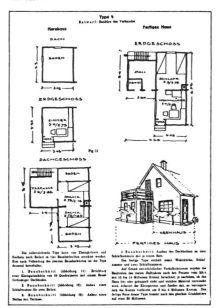

Wachsendes „Kernhaus" der GESIBA mit Ausbaustufen (Prospekt)

Die Siedlungshäuser von Richard Bauer folgen zumeist zwei Typen: Typus 51 folgt einer in die Tiefe des Grundstücks gehenden längsgerichteten Fahnenbebauung. Die Räume sind additiv aneinander gereiht: ebenerdig sind Wohnraum mit Kochstelle (12,96 qm), der Kinderschlafraum (5,25 qm) und die Wirtschaftsräume (ca. 7 qm); darüber liegen Schlafräume (ca. 16 qm) und der Heuboden (ca. 10 qm). Die andere Art der Bebauung (Typus Nr. 4) ist eine nach allen Seiten hin offene, kreuzförmige oder hakenförmige Anlegung von etwa gleich großen Wohn- und Wirtschaftsräumen. Sie bestehen aus zumeist ähnlichen und fast quadratischen Raumelementen im Grundraster von 3,30x3,05 m. Zur Zusammenlegung einzelner Wohnräume ist dieser Typus besser geeignet, der Nachteil ist allerdings, daß er erst nach Vollendung des zweiten Bauabschnitts dauernd bewohnbar ist.

⑳ WOHNHAUSANLAGE WAGRAMERSTRASSE
Rudolf Krauß (1924–1925)
XXI., Wagramer Straße/ Lenkgasse/ Steigenteschgasse

Die straßenseitige Verbauung der Wohnhausanlage direkt an der Wagramer Straße umfaßt 387 Wohnungen. Ursprünglich war sie für Straßenbahnbedienstete gedacht gewesen und ist dann doch als Wohnhausanlage durchgeführt worden. Das 100x100 m große Baugelände ist dreiseitig von Straßen umgeben, während die vierte Seite an den Hof der bereits bestehenden „Straßenbahnhäuser" angrenzt. Bei der Verbauung des Komplexes war für den Architekten Krauß maßgebend, auf eine Randverbauung zu verzichten und an allen Fronten offene Straßenhöfe anzuordnen. Dadurch ergaben sich kleinere, villenähnliche Wohneinheiten, die von der Straße aus interessante Einblicke in die gärtnerisch ausgestalteten Höfe bieten. Das Charakteristikum bei dieser Architektur ist die Verarbeitung einer bürgerlich-repräsentativen Baukultur für den Volkswohnbau. Zum Teil finden sich groteske Nachahmungen von behäbig wirkenden Details des Historismus und der bürgerlichen Villenarchitektur.
In der Anlage befinden sich vier Geschäftslokale, ein öffentlicher Kindergarten, eine Mutterberatungsstelle, eine Zentralwäscherei mit Badeanlage, eine Volksbücherei und vier Werkstätten/Magazine.

㉑ WOHNHAUSANLAGE MEISSNERGASSE (1925–1926)
Karl Felsenstein/Hans Seitl
XXI., Meißnergasse/ Andreas Huber-Gasse

Der an die Wohnhausanlage Meißnerstraße angrenzende Bau nimmt bei seiner Randblockschließung zum Teil widersprüchliche Stiltendenzen auf und gliedert die breite, vierstöckige Front in der Meißnergasse mit Pilaster- und Lisenenordnungen. Nicht zu Unrecht sprachen Kritiker (42) bei diesem Typus abwertend von einem „sozialistischen Zinspalast". In der Festschrift berichtet man allerdings stolz, daß die repräsentative Außengestaltung und die edle Formensprache den „entsprechenden *kulturellen* und *ästhetischen* Ansprüchen (der Bewohner) angepaßt ist und daß aus diesem Grunde den in der Mitte der Langfront des Hauses befindlichen Einfahrtsöffnungen ein plastischer Schmuck in Form von vier Putti – die vier Jahreszeiten darstellend (sic) – von der Hand des Bildhauers Prof. Josef Breitner (nicht mit Hugo Breitner verwandt!) verliehen wurde." (43) Durch diese Ausführungen werden die Absichten in doppelter Hinsicht verraten: einerseits orientierte sich die Architektur immer noch an den Kreationen des Historismus bzw. des Jugendstils, andrerseits versuchte man die Arbeiter über ihre Wohn- und Lebenszusammenhänge zu verbürgerlichen.
Allein schon die vorstädtische und industrielle Gegend, in der man dieses Haus errichtet hat, steht in gewissem Gegensatz zu diesem Bau. Das vierstöckige Wohnhaus mit insgesamt 115 Kleinwohnungen und drei Geschäftslokalen ist das Schlußstück einer schäbigen, niedrigen Häusergruppe, die von drei Seitenstraßen rechtwinkelig begrenzt wird. Daß die Umgebung ohne architektonische „Highlights" ist, die Höfe der Nachbarhäuser teilweise schon als Gärten ausgestaltet waren, beeinflußte sowohl die Gebäudehöhe als auch die Art der Verbauung und die vornehme Ausgestaltung der Straßenfassade.

266

㉒ SIEDLUNG „FREIHOF" (1923–1927)
Karl Schartelmüller (Siedlungsamt)

XXII., Am Freihof/ Polletgasse/ Kraygasse/ Mergenthalerplatz/ Meissauergasse/ Afritschgasse/ Komzakgasse/ Steigenteschgasse/ Maurichgasse/ Lenkgasse/ Portnergasse/ Stefan Koblinger-Gasse/ Natorpgasse/ Straßmayergasse/ Marangasse/ Riemenschneidergasse/ Siebenbürger Straße/ Malnitzkygasse etc.

Ein besonderes Beispiel einer gartenstadtmäßigen Verbauung eines ganzen Stadtviertels ist diese Gemeindesiedlung in Kagran. Ursprünglich als Kleinhaussiedlung mit 99 Wohnhäusern für die Gemeindebediensteten des Elektrizitätswerkes, des Gaswerkes und der Straßenbahn in eigener Regie errichtet, wurde sie ab 1924 mehrfach erweitert und im Konzept verändert.

Bedingt durch einen Kompromiß der Gemeinde mit den Siedlungsgenossenschaften „Mein Heim", „Aus eigener Kraft" und der Gruppe „Am Freihof", die als Bauträger agierten, entstanden in der Folgezeit insgesamt 1014 Wohnungen in 687 Einzelobjekten. Somit ist die „Freihof-Siedlung" die weitaus größte Siedlung Wiens und ist durchaus international vergleichbar. Eine dritte Ausweitung auf 2200 Häuser mit einer Bevölkerung von 9000 bis 10000 Einwohnern (44) war zwar noch vor 1928 vorgesehen, kam jedoch nicht zur Ausführung.

Ausschlaggebend für den Verbauungsplan des rund 51 ha großen Areals war die Überlegung, daß diese Fläche bei vollständigem Ausbau ca. 1400 Häusern mit je ca. 350 qm Platz bieten würde. Doch der Verbauungsplan mußte einige Male geändert werden, nachdem die ursprüngliche Parzellengröße von 430 qm nach einem Gemeinderatsbeschluß im Jahre 1924 auf 350 qm verändert und im Jahre 1926 weiter auf 200 qm verringert wurde. Dadurch ergaben sich gewisse Schwierigkeiten in der Ver- und Entsorgung, und so wurde eine niedrige Blockverbauung mit kurzen und direkten Verbindungswegen zum geplanten Zentrum der Siedlung bevorzugt. Der Architekt dokumentiert seinen großen zusammenhängenden Lageplan wie folgt: „Maßgebend für die Linienführung des Lageplans waren zwei Hauptverkehrsstraßen, die Steigenteschgasse als West-Ostverbindung und als zweiter Hauptweg die Kraygasse in nord-südlicher Richtung, in den künftigen Kagraner Anger einmündend. Dieser soll in einer Breite von ca. 100 m für eine geplante Schnellbahnlinie und den Donau-March-Kanal (sic) Raum bieten. Die Kreuzung der beiden Hauptstraßen bildet den Hauptplatz, das natürliche Zentrum der Gartenstadt. (Hier entstanden die größeren Gemeinschaftsbauten und niedrigen Wohnblöcke. A.d.V.) Eine breite Grünfläche, für zukünftige Sportplätze in Aussicht genommen, beginnt am Kagraner Anger und erstreckt sich gegen Norden bis zur Steigenteschgasse. (An dieser Stelle befindet sich die Schule, siehe Pos. Nr. 23, Anm. H.W.) Die Fortsetzung bildet ein 38 m breiter Grünstreifen mit zwei Fahrbahnen, der bogenförmig nach Osten abschwenkt und am Rande der Siedlung in eine Parkanlage endigt, die den Anschluß an die breite Rugierstraße herstellt. (...) Die teilweise gekrümmte Linienführung einzelner Straßen und Wohnwege bezweckt den senkrechten Abschluß der Hauptwege und gibt Abwechslung in der Eintönigkeit der geradlinigen Verbauung." (45)

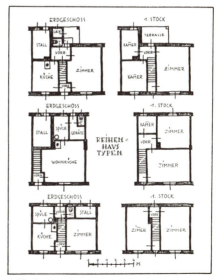

„Freihofsiedlung" (1923–27); Reihenhaustypen – Erdgeschoß/1. Stock

267

FREIHOFSIEDLUNG / KAGRAN

LEGENDE:
━━━━ PROJEKTIERTE
      SCHNELLBAHN
─ ─ ─ STRASSENBAHN-
      LINIEN
1 SCHULE
2 GENOSSENSCHAFTS-
  HAUS
3 GESCHÄFTSHAUS
4 KONSUMVEREIN
5 JUGENDHORT

Lageplan „Freihofsiedlung"

Zum erstenmal in einer Wiener Siedlung wurde die vom mehrgeschossigen Wohnbau übernommene Wohnhofverbauung ausprobiert. Daraus ergaben sich billigere Erschließungskosten und die Vorteile der Ruhe und Abgeschlossenheit der Binnenhofbewohner. Sackgassen und geradlinige Verkehrsstraßen wurden einer besonderen architektonischen Endigung in Kernverbauung (46) mit Durchfahrtsbögen udgl. zugeführt. Die gekrümmten Straßenführungen mußten, um lange Hausfronten zu vermeiden, tektonisch vielfältig gegliedert werden. Die Fassaden selbst sind jedoch einfach gehalten, aber durch eine interessante Massengliederung werden unverwechselbare Straßenbilder erzielt. Expressionistische Vorbauten wie Ecktürme, Erker und Windfänge dienen zur rhythmischen Aufteilung der langen Straßenfronten.

Der Hauptteil der Siedlung besteht aus gekrümmten und geradlinigen Reihenhausfronten, die zu mehr als der Hälfte aus Mehrfamilienhäusern bestehen und einen streng symmetrischen Straßenraum bilden (z.B. Polletgasse). Architektonisch formulierte Hausdurchfahrten mit mächtigen Pforten lassen Analogien zu den „Roten Burg-

bauten" zu. Ist der erste Teil der Gemeindewohnungen noch mit Ersatzbaustoffen und teilweise mit Betonhohlsteinen errichtet, so wurden die nach 1924 erbauten Siedlerwohnungen nur mehr aus vollwertigen Ziegeln ausgeführt.

Die verbaute Fläche beträgt 40 qm inkl. Stall; durch Obergeschoßausnützung wird die reine Wohnfläche auf 62 qm erhöht. Kleine Vorgärten wurden durch Bepflanzung einheitlich gestaltet. Ein Jugendhort, Jugendheime, eine Schule, Geschäfte, eine Sportanlage und andere wichtige infrastrukturelle Einrichtungen sind in der Anlage vorhanden. Die architektonische Qualität dieser Siedlung liegt jedoch weniger im Entwurf der einzelnen Elemente als in ihrer Gesamtwirkung.

Zum Siedlungsgebiet gehörten noch die früheren Siedlungsversuche der Bau- und Siedlergenossenschaft „Aus eigener Kraft": Schwarzlackenau und Baumanngasse; (vlg. Pos. Nr. 17) und die der Genossenschaft „Mein Heim": Siedlung Plankenäcker (vgl. Pos. Nr. 24). Unter Einbeziehung aller dieser Siedlungsanlagen würde der ganze Gartenvorstadtring etwa 1331 Wohnungen umfassen.

,,Freihofsiedlung" (1923–27), (zeitgenössische Aufnahme)

Schule ,,Freihofsiedlung" (1930–33), (zeitgenössische Aufnahme)

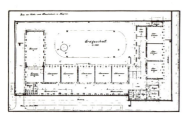

Schule „Freihofsiedlung"; Grundriß

(23) SCHULE
FREIHOFSIEDLUNG (1930–33)
Wiener Stadtbauamt
XXII., Paul Natorp-Gasse 1/ Anton
Sickinger-Gasse

Der Schulreform widmete die Stadt Wien in der Zwischenkriegszeit ihre besondere Aufmerksamkeit. Sie sah ihre Ideale eines sozialistischen Schulwesens im sachlichen und werkgerechten Schulbau verwirklicht. Die „Schulkaserne" und der großbürgerliche Prachtbau gehörten der Vergangenheit an. Für den Arbeiter bzw. Siedler sollte die Schule Bildungsmittelpunkt und eine gesunde „Arbeitsstätte" der Jugend sein.
In diesem Sinne wurde auch der Neubau einer Volks- und Hauptschule inmitten dieses neuen Siedlungsgebietes gestaltet. Insgesamt wurden vier Klassen Volks- und elf Klassen Hauptschule in hellen, quer durchlüftbaren und modernst eingerichteten Klassenzimmern untergebracht. Das Raumprogramm umfaßt einen Verwaltungstrakt mit der Kanzlei des Direktors, Lehrerzimmer und Ärztezimmer; 15 Klassenzimmer, Physik-, Chemie- und Zeichensäle, eine Turnhalle, ein Schwimmbad, eine Schulküche und verschiedene Lehrwerkstätten; selbstverständlich waren sämtliche Nebenräume und Aborte für Mädchen und Knaben in der Schule untergebracht. Dem Schulgebäude mit 1600 qm bebauter Grundfläche sind gassenseitig Sport- und Spielplätze vorgelagert, sowie Grünflächen und eine Dachterrasse (Freiluftzeichnen).
Das Gebäude weist außen eine klare Gliederung auf. Das Verwaltungsgebäude hebt sich durch die rote Färbelung und durch die Verteilung kleinerer, zweiflügeliger Fenster als dreigeschossiger Mittelbau von den Klassenzimmern ab. Diese fallen einerseits durch stufenartige Abtreppungen auf zwei- und dann auf eingeschossige Flügel ab, andererseits deuten sie durch ihre großen, dreiflüge-

ligen Fensterflächen und auch durch die graue Farbe die eigentlichen Heim- und Arbeitsräume der Schule an. Die einhufige Anlage des Gebäudes ermöglichte alle Klassenzimmer – von wenigen Ausnahmen abgesehen – der Sonnenseite zuzuwenden. Breite Wandelgänge sind für den Aufenthalt der Schüler/innen während der Schulpausen gedacht. Die Größe der Schulzimmer (67,80 qm) und ihre Einrichtung mit verstellbaren Möbeln entsprachen den modernsten Forderungen neuzeitlicher Hygiene und experimenteller Pädagogik (hufeneisenförmige Anordnung der Tische und Stühle).

(24) SIEDLUNG
PLANKENÄCKER (1922)
K. Schartelmüller (Stadtbauamt)
XXII., Magdeburgerstraße/ Kornfeldweg

Im Anschluß an die beeindruckende „Freihof-Siedlung" (vgl. Pos. Nr. 22) entstand diese geschlossene Reihenhaussiedlung mit 122 Wohneinheiten. Geplant war sie als eines der ersten kommunalen Siedlungsprojekte unter weitgehender Selbstorganisation. Deshalb sind auch keine Folgeeinrichtungen vorhanden.

(25) WOHNHAUSANLAGE
SIEBENBÜRGERSTRASSE
Georg Karau (1927–28)
XXII., Erzherzog Karl-Straße 65–79/ Siebenbürger Straße/ Gumplowiczstraße

Das Gebäude weist eine konsequente Blockverbauung mit 214 Wohneinheiten um ein dreieckiges Grundstück auf. Die Baumasse an den Ecken ist in Form von prismatischen Stiegenhäusern mit vertikalen Glasstreifen bemerkenswert aufgelöst. Heraustretende Loggiengruppen und eine bewegte Dachlandschaft zerteilen den Baublock in einzelne „Wohnhäuser": der von der Baulinie zurückversetzte Mittelblock mit dem Giebelfeld über dem Haupttor an der Erzherzog Karl-Straße widerspricht der „Sachlichkeit" der Restfassaden. Gerade dieses ambivalente Verhältnis von Tradition und Erneuerung kennzeichnet die gesamte Wiener Situation um 1930.
Im Vorbau befinden sich Geschäfte und im Hof eine achsial angelegte Grünanlage, ferner einige „Wohlfahrtseinrichtungen".

㉖ WOHNHAUSANLAGE KONSTANZIAGASSE (1924–25)
Peter Behrens
XXII., Konstanziagasse 44/ Wurmbrandgasse/ Hans Steger-Gasse

Der sehr geschlossene, ruhige Baublock mit den relativ sehr langen und niedrigen Fronten befindet sich in einem auch heute noch verhältnismäßig wenig erschlossenen Stadtrandgebiet. Die klare, ehemals reinweiße (im Hof lichtgraue) Fassade zielt daher auf Fernsicht. Das Wohnhaus ist nur an den hervortretenden Eckblöcken und in den vertikal betonten, in Glas aufgelösten Stiegenhäusern gegliedert; die additive Reihung der Fenster ist nur von ebenen versetzten Stiegenhausfenstern unterbrochen. Die Absicht des Architekten war, auf jeden äußeren Dekor zu verzichten, um die Baukosten niedrig zu halten. Wegen dieser freiwilligen Zurückhaltung hatte der Bau eine gewisse Eleganz, die aber jetzt – im etwas vergammelten Zustand – kaum noch zu entdecken ist.

Ursprünglich war dieses Wohnhaus in viel größerem Umfang geplant. Es mußte aber – unter anderem auch wegen der Grundstücksverhältnisse – in allem kleiner gehalten werden. Es besteht aus zwei, durch einen Querbau abgeriegelten Innenhöfen, zwei Wohnhaustrakten und einem verlängerten Arm zur Wurmbrandgasse. Die Gesamtgrundrißform ähnelt einem „H", wobei ein 3/4 umschlossener Resthof gegen die Feuermauer des Nachbargrundstücks frei bleibt. Der Bau enthält 110 Wohnungen, ein Kindergartengebäude, Räume für die Straßenreinigung, die Feuerwache Stadlau, eine Mutterberatungsstelle, eine Bibliothek, einige (Lehr-)Werkstätten sowie einen schönen Vortragssaal mit Podium und 400 Sitzplätzen. Gerade bei diesem Vortragssaal ist der Einfluß des Jugendstils spürbar.

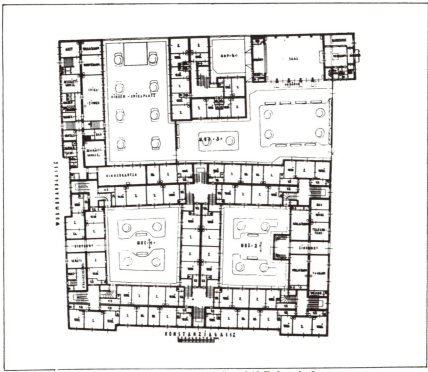

Wohnhausanlage Konstanziagasse (1924–25); Grundriß Erdgeschoß

㉗ SIEDLUNGSANLAGE NEUSTRASSÄCKER (1924–26)

Franz Schuster/Franz Schacherl

XXII., Straßäckergasse/ Reclamgasse/ Zschokkegasse/ Hartlebengasse/ Langobardenstraße/ Hermann Greulich-Platz/etc.

Diese genossenschaftliche Stadtrandsiedlung der Baugenossenschaft „Aus eigener Kraft'', die in strenger Zeilenbauweise mit Rand und innerer Kernbildung gebaut worden ist, umfaßt etwa 160 zweigeschossige Reihenhäuser mit insgesamt 332 Wohnungen. Mehrfamilienhäuser und kleine Ladenbauten verdichten die intimen Plätze und Straßenhöfe innerhalb der Anlage. In dieser ausgesprochenen Vorstadtlage erhielten die Reihenhäuser Kleintierställe und Gemüsegärten. An den geschwungenen Straßenfronten (z.B. Straßäckerstraße) und an den Ehrenpforten (Eingänge zum Hermann Greulich-Platz) fällt eine stärkere Anlehnung an den expressionistischen und monumentalen Gemeindebaustil auf, insbesondere was die Detailgestaltung betrifft. Die Verschmelzung einer „autarken'' Kleinstadt und einem urbanistischen „Superblock'' wird von der Kombination beider Gestaltungselemente, wie z.B. Portalbögen und Erkerbildungen, noch unterstützt.

㉘ HAUPTSCHULE DER STADT WIEN–ASPERN (1934)

Adolf Stöckl (Wr. Stadtbauamt)

XXII., Langobardenstraße 56/ Oberndorferstraße

Eine Nebenerscheinung der Stadtverwaltung der Regierung Dollfuß, unter dem christlichsozialen Bürgermeister Richard Schmitz, brachte es mit sich, daß – wenn auch sehr verspätet – eine Infrastruktur in das neue Siedlungsgebiet gebracht wurde.

Die stärkere Besiedlung der Umgebung Asperns und die Errichtung mehrerer Stadtrandsiedlungen für Erwerbslose brachte in diesem Gebiet in den Jahren nach 1934 einen starken Zuwachs an schulpflichtigen Kindern mit sich, sodaß die zur Verfügung stehenden Schulhäuser bald zu klein wurden. Dieses Schulgebäude paßte sich der dörflichen Umgebung auch an.

㉙ KRIEGERHEIMSTÄTTE HIRSCHSTETTEN (1921)

Adolf Loos (vollendet durch Franz Schuster, Franz Schacherl, Georg Karau)

XXII., Murraygasse/ Quadenstraße/ Schrebergasse/Gladiolenweg/Markweg

Diese ursprünglich von Hugo Mayer in Aspern geplante Siedlung konnte wegen baulicher und finanzieller Schwierigkeiten nicht verwirklicht werden. Doch der Entwurf von Hugo Mayer ließ schon Zukünftiges ahnen und hatte Vorbildcharakter bei seiner „Siedlung Schmelz'' (vgl. Plan Nr. 8, Pos. Nr. 3), wo die Prinzipien des Asperner Modells angewendet wurden. Adolf Loos knüpfte bei seinem Entwurf für den Bebauungsplan an Hugo Mayers Vorschlägen an, was sich im direkten Vergleich beider Bebauungspläne zeigt.

Während seiner Tätigkeit als ehrenamtlicher Chefarchitekt des Wiener Siedlungsamtes entwarf Adolf Loos im Auftrag der Genossenschaft „Kriegerheimstättenfond'' – besser bekannt unter dem Namen „Kriegerheimstätte'', ein Vorläufer der späteren städtischen Gemeindesiedlungsgenossenschaften – eine der ersten offiziellen Wiener „Selbsthilfe''-Siedlungsanlagen. Was man unter den noch vorstaatlich organisierten „Kriegerheimstätten'' genau verstand, erläutert Renate Schweitzer (-Banik), wenn sie den Stadtratsbeschluß vom 4.November 1915 zitiert: „Unter ‚Kriegerheimstätten' werden Siedlungen verstanden, welche den vom Feldzug heimgekehrten Soldaten und deren Familien, insbesondere aber den Kriegsinvaliden und Kriegswitwen vorbehalten sind und diesen gegen möglichst geringes Entgelt mindestens eine gesicherte und hygienisch einwandfreie Wohnstätte, womöglich mit Nutzgärten (Wohnheimstätten) oder gar gärtnerische und landwirtschaftliche Anwesen von geeigneter Größe (Wirtschaftsheimstätten) gewährt.'' (47)

Das wirtschaftlich konzipierte Wohnprojekt ist bewußt einfach gestaltet: mit Satteldach statt dem üblichen Flachdach, Normfenstern und -türen, Pfannendeckung etc. Die Wohnungsgrundrisse sind weniger ausgeklügelt als bei Loos' Anlage „Am Heuberg'', die etwa zeitgleich und unter ähnlichen Bedingungen entstand. Loos' Plan „stellte die Weiterentwicklung der gleichen, für die Lainzer

272

Siedlung entworfenen Typen dar.
Infolge des in Hirschstetten ebenen Terrains waren einige wesentliche Änderungen vorzunehmen. Der Ausgang in den Garten liegt nun direkt im Gang des Parterres, das Haus ist nur mehr zur Hälfte unterkellert. Ein Zwischengeschoß ist jeweils zwischen Keller und Parterre und zwischen Parterre und 1. Stock eingeschoben (nur das Obergeschoß verfügt über eine durchgehende Geschoßdecke). Dadurch wird ein Raumgewinn eines Viertels der Geschoßfläche erzielt. Im übrigen hält sich die Raumaufteilung im wesentlichen an die Konzeption der Lainzer Häuser, ebenso wie die Konstruktion der Wandstärken (Feuermauern: 30 cm, Trennwände: 9 cm), Dachausbildung (straßenseitige Gauben) usw. ident sind. Es ist also möglich, daß der vorhandene Plan jene für Lainz entwickelten Typen darstellt, die dort für ebenes Terrain vorgesehen waren, sodaß er

unverändert für Hirschstetten eingereicht werden konnte." (48)
Die Siedlung besteht aus zweigeschossigen Reihenhauszeilen (insgesamt 192 Wohnungen). Stichgassen und Wege umschließen in einer Art extremster Straßenrandverbauung lange, schmale und individuell bewirtschaftete Nutzgärten. Fuß- und Wirtschaftswege durchschneiden die grünen Binnenhof-Flächen. Unvermeidlich bei einer genossenschaftlichen Siedlung der unteren Armutsgrenze sind die Tierställe und Scheunen in den agrarisch genutzten Hinterhofgärten. Daraus resultieren das heute uneinheitliche Erscheinungsbild und die unzweckmäßig erscheinende Kleinparzellierung der Grünflächen durch hinderliche Umzäunungen. Architektonisch leidet das Gesamtbild durch die stetigen, generationsbedingten Veränderungen und Anbauten der Hobbybastler im individual-anarchistischen Sinne.

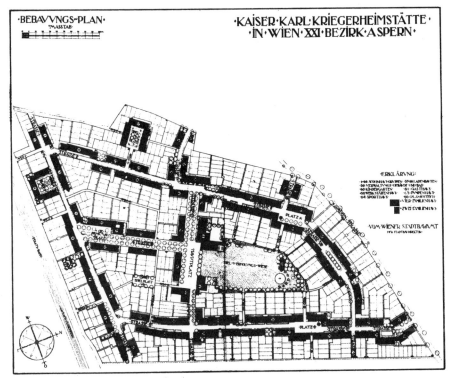

Der von Hugo Mayer entworfene, aber nicht ausgeführte Plan für die Kriegerheimstätte Aspern (1916)

273

STADTRANDSIEDLUNGEN

Mit der Gemeinderatsitzung vom 15. Juli 1932 beschloß die Stadt Wien die Errichtung der ersten Stadtrandsiedlung „Leopoldau" (vgl. Pos. Nr. 19). Die Gemeinde Wien hat zusammen mit der „Gemeinnützigen Siedlungs- und Baustoffanstalt" (GESIBA), die mit der Bauführung beauftragt war, den Siedlern ein Gelände im nördlichen Teil des XXI. Bezirks, unweit der Wagramer- und der Seyringerstraße im Ausmaß von ca. 230 000 qm sowie einen Kapitalzuschuß zur Verfügung gestellt. Die ersten 80 Siedlerparzellen – von 2500 qm Größe – wurden unter Berücksichtigung der Bedürftigkeit im strengen Ausleseverfahren und unter Heranziehung der freiwilligen Siedlerarbeit im Jahre 1932 ausgebaut. In der Folge wurden in mehreren Teilabschnitten insgesamt 425 Siedlereinheiten gebaut, von denen nur die am Rand der „Großfeldsiedlung" (1965–1975) gelegenen Kleinhäuser übrig geblieben sind. (Z.B. Egon Friedell-Gasse, Riegelgasse, Oswald-Redlich-Gasse, Schererstraße und die zum II. Abschnitt gehörigen Bauten jenseits der Nordbahn, Pos. Nr. 34.) Wie der Bebauungsplan zeigt, sind die Parzellen so gelegen, daß sie von einer einzigen Durchzugsstraße erschlossen werden können. An der Nord-Süd verlaufenden Straße liegen hinter Vorgärten die Wohngebäude, meist Doppelhäuser, die durch einen offenen Arbeitsplatz mit einem Kleintierstall verbunden sind. Durch die Anordnung eines Schlagbrunnens bei jedem Haus und einer gemeinsamen Bewässerungsanlage waren die Möglichkeiten intensiver agrarer Bewirtschaftung gegeben.

Im Anschluß an die bereits ausgebauten Gemeindesiedlungen „Neustraßäcker" (vgl. Pos. Nr. 27) und die frühere Genossenschaftssiedlung „Kriegerheimstätten" (vgl. Pos. Nr. 29) in Hirschstetten beschloß die schon christlich-soziale Gemeindeverwaltung unter Bürgermeister Schmitz in einer Entschließung im Juni 1934 die Grundsteinlegung einer größeren Randsiedlung für Erwerbslose. Die Grundlage für die neue Stadtrandsiedlung war das von der Gemeinde zur Verfügung gestellte Areal und der nur mit 2% verzinste Kapitalzuschuß von öS 3.000,– pro Siedlerstelle, der auch durch die Heranziehung der freiwilligen Siedlerarbeit bei der Erschließung des Wohnhauses beglichen werden konnte. So entstanden vorerst 485 neue Siedlerstellen zu je 1300 bis 1500 qm Bodenfläche im Ausmaß von insgesamt 820 000 qm in vier Siedlungsabschnitten nächst den Ortschaften Aspern, Breitenlee, Hirschstetten und Stadlau (vgl. Pos. Nr. 30, 31, 32, 33, 34). Die Möglichkeit der Selbstversorgung mit billigen, aber dennoch guten Nahrungsmitteln aus dem eigenen Garten wurde forciert und eine Halb-Autarkie weitgehend berücksichtigt. Die städtebauliche Lageanordnung und die Aufschließung der Grundstücke wurde im Einvernehmen mit den zuständigen Amtsstellen der Stadt Wien vorgenommen; zur Planung der vier Haustypen wurden erstmals freischaffende Architekten herangezogen, deren gestalterische Freizügigkeit aber durch die Zusammenarbeit mit der GESIBA unterbunden war.

Gebaut wurden prinzipiell die bewährten und von der GESIBA bereits erstellten „Kernhäuser", wobei ein Haus nach Bedarf in vier Bauabschnitten errichtet werden konnte: 1. Errichtung eines ebenerdigen Hauses mit trennender Mittelmauer für zwei Familien; 2. Ausbau des Dachgeschosses mit jeweils zwei Schlafkammern; 3. Errichtung des Stallanbaues und schließlich 4. Errichtung eines vergrößerten Siedlungshauses durch Abriß der Mittelmauer bzw. Zusammenlegung beider Wohnräume. Durch Umbauten konnte beispielsweise im Erdgeschoß eines der Zimmer in ein getrenntes Bad oder einen Küchenraum verwandelt werden, oder einer der Vorräume in Spüle, WC bzw. Speisekammer („Wachsendes Haus"). Da die GESIBA Baumaterialien und genormte Bauteile wie Fenster, Türen, Holzstiegen etc. in Eigenproduktion herstellte, sanken die Baukosten gegenüber einer vergleichbaren Wohnung im städtischen Großbau um ein Drittel oder gar bis zur Hälfte (49). In Anbetracht solcher Ersparnisse ist das Interesse der Bauwirtschaft an dem Siedlungsbau im Rahmen des freiwilligen, selbstausbeuterischen Arbeitsdienstes, neben der systemstabilisierenden Bedeutung dieser konservativen Beschwichtigungspolitik, nicht ganz uninteressant. (50)

㉚ STADTRANDSIEDLUNG ASPERN (I. Bauteil: 1934)
Richard Bauer (mit Johann Würzl)
XXII., Mittleres Hausfeld/ Aurikelweg/ Enzianweg/ Pilotengasse/ An den alten Schanzen (außerhalb des Lageplans)

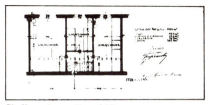

Siedlungshaus; Grundriß

Für diese Siedlung wurden zwei Haustypen gewählt: an den Nord-Süd verlaufenden Straßen liegen hinter Vorgärten die „Doppelhäuser". Sie wurden nach einem Entwurf des ehemaligen Wagner-Schülers Hanns Würzl errichtet. Es handelte sich um Doppel-Einfamilienhäuser in Mischbauweise, deren First des einfachen Satteldaches senkrecht zur Erschliessungsstraße verlief. Der Wohnraum war etwas größer als der der ersten Stadtrandsiedlungshäuser in Leopoldau (vgl. Pos. Nr. 19), aber kleiner als der Wohnraum der vier späteren Typen: Wohnküche und Schlafraum verteilten sich auf 33,45 qm bzw. mit dem zusätzlich eingerichteten Dachgeschoß auf 56,15 qm. Der Wirtschaftsteil bestand aus dem Stall (8,85 qm) und dem Wirtschaftsraum (8,30 qm) mit außenliegenden Abortanlagen (1,0 qm) und einer Gesamtfläche von 18,15 bzw. 25,75 qm (insgesamt 59,25 qm verbaute Grundfläche). Eine Teilunterkellerung umfaßt einen Lagerraum von 10,5 qm.

Die im zweiten Bauabschnitt errichteten Siedlungshäuser entstanden nach dem Entwurf des Architekten Richard Bauer in kombinierter Holz-Hohlziegel-Bauweise. Gebaut wurden wieder die von der GESIBA erstellten „Kernhäuser" mit Erweiterungsmöglichkeiten. Die Umfassungswände bestanden aus 32 cm starkem Hohlziegelmauerwerk auf Betonfundament; die Decke war aus Holz; der einfache „Kehlbalkendachstuhl" war mit einfachen Strangfalzziegeln gedeckt. Der Stallanbau wurde in Riegelwandkonstruktion ausgeführt, die beiderseits mit Holzlatten verschalt wurde. Türen, Fenster und Treppen wurden als Fertigware geliefert, alle anderen beim Hausbau und bei der Aufschließung anfallenden Arbeiten mußten von den Siedlern in Eigenregie geleistet werden.

Richard Bauer: Stadtrandsiedlung Aspern (1933): Siedler bei der Arbeit

(31) STADTRANDSIEDLUNG BREITENLEE (II. Bauteil: 1934)
Hermann Stiegholzer/ Herbert Kastinger

XXII., Ziegelhofstraße/ Spargelfeldstraße/ Rautenweg/Breitenleerstraße

Diese mit einer etwas anderen grundrißlichen Anordnung gebauten Siedlungshäuser besaßen von vornherein kein ausgebautes Dachgeschoß (Futter- und Abstellboden). Schlafraum, Wohnraum und Küche waren im Erdgeschoß miteinander verbunden, durch das Weglassen der Innentreppe konnte kostbarer Raum an Wohnfläche gewonnen werden. Die Wohnfläche betrug dennoch nur 33,5 qm und die etwas gesonderten Wirtschaftstrakte 29,10 qm. Eine seitliche Erweiterung war vorgesehen gewesen, ebenso konnte das Dach bei Bedarf nachträglich mit einem zusätzlichen (Kinder-)Schlafraum ausgebaut werden.

Josef Proksch: 3. Randsiedlung (1934). Anlage III

(32) STADTRANDSIEDLUNG HIRSCHSTETTEN
J. Proksch (III. Bauteil: 1934-35)
XXII., Plankenmaisstraße/ Rittersporngasse/ Hyazinthengasse

Durch freiwillige Um-, Zu- und Ausbauten der Bewohner sind die meisten dieser einfach konzipierten Holzhäuser heute so weit entstellt, daß eine Beurteilung der formalen Architektur nur aus dem Vorhandenen schwer fällt und sich eigentlich erübrigt. Nicht nur ist der Gesamteindruck durch die viele „Bastlerarbeit" zerstört, auch das ur-

sprünglich einheitlichere Einzelbild der Architektur ist zu stark verändert. Diese Siedlungshäuser haben gleichfalls Wohnküche, Dachkammer und Wirtschaftsräume in einer hakenförmigen Anordnung mit ca. 36,80 qm Wohnfläche und 18,30 qm Wirtschaftsfläche (insgesamt 55,10 qm bebaute Fläche).

(33) STADTRANDSIEDLUNG NEU-STRASSÄCKER (IV: 1934)
Fritz Sammer/Hans Richter
XXII., Salbeigasse/ Zschokkegasse/ Rittersporngasse

Diese einfach zusammengesetzten, elementar wirkenden Doppelhäuser mit Wohnküche, ausgebautem Dachgeschoß, Wirtschaftsräumen und Keller umfaßten nur 32,50 qm Wohnfläche und ca. 20 qm Wirtschaftsraumfläche (insgesamt 52,60 qm verbaute Fläche). Für unsere heutigen Verhältnisse scheint das viel zu klein, trotzdem sind sie nach wie vor wirtschaftlich.

(34) NORDRANDSIEDLUNG II
J. Heinzle/A. Übl (1934–1935)
XXI., Lavantgasse/ Thayagasse/Trisannagasse/ Iselgasse/ Aistgasse/ Lafnitzgasse/ Möllplatz (außerhalb d. Lageplans)

Für diese kleine Siedlung wurden für insgesamt 324 Siedlerstellen zwei Haustypen gewählt: 72 Häuser wurden nach Entwurf des Architekten Josef Heinzle aus Holz, 129 aus Ziegeln gebaut. Die restlichen 123 einfachst ausgestatteten Häuser entstanden nach Entwurf des Architekten Anton Übl in kombinierter Holz-Hohlziegel-Bauweise. Hierbei handelte es sich um einfache, zur Straße parallel angelegte Doppelhäuser mit ungleichen Satteldächern. Der Wohnraum war etwas größer bemessen, trotzdem relativ bescheiden: Wohnküche und Schlafraum verteilten sich auf 25,98 qm bzw. 27,38 qm. Zusätzlich richtete man das Dachgeschoß so ein, daß es ausbaufähig war. Der Wirtschaftsteil bestand aus Kleintierstall und Wirtschaftsraum und umfaßte eine Gesamtfläche von 14,35 qm bzw. 18,89 qm. Ein von der Wiener Siedlungsgesellschaft errichtetes Gemeinschaftszentrum wurde ebenfalls ganz in Holz ausgeführt und ist am Möllplatz heute noch in einem relativ unveränderten Zustand zu besichtigen.

276

RUNDGANG 5: BRIGITTENAU – HEILIGENSTADT

(1) Karl Marx-Hof
(2) Engelsplatz-Hof
(3) Leopold Winarsky-Hof
(4) Otto Haas-Hof
(5) Gerl-Hof
(6) Entbindungsheim Brigitta-Spital
(7) Beer-Hof
(8) Janecek-Hof
(9) Johann Plotzek-Hof
(10) Kristall Eisfabrik
(11) Szidzina-Hof
(12) Robert Blum-Hof

0   100   500   1000m

(1A) KARL MARX-HOF (1927-1930)
Karl Ehn
XIX., Heiligenstädterstraße 82-92/ Grinzinger Straße/ Gunoldstraße/ Boschstraße/ Halteraugasse/ Geistingergasse

Der „Karl Marx-Hof" ist zwar nicht die größte, aber die bedeutendste und eindrucksvollste Wohnhausanlage der Zwischenkriegszeit (51) in Wien. Sein kantigblockhafter und langgestreckter Baukörper ist einerseits zu einem touristischen Markenartikel („Ein Kilometer Art Déco") (52), andererseits zu einem markanten Wahrzeichen der Stadt geworden.

Die relativ schmale „Hagenwiese", zwischen der Heiligenstädterstraße und den Gleisanlagen der Franz Josephs-Bahn gelegen, sollte mit Wohnungen überbaut werden. Der Gemeinderat beschloß, das zuvor gärtnerische Gebiet weitgehend zu erhalten und – im Gegensatz zu einer siedlungsmäßigen Flächenverbauung, die anfangs auch überlegt wurde (53) – den Bau als geschlossene Wohnhofanlage mit 1325 Wohnungen durchzuführen und mit riesigen Gartenhöfen auszustatten. Die Verbauung erfolgte in einer sehr niedrigen Verbauungsziffer (18,4 %), die durchaus den Ausdruck „gartenstadtmäßig" zuläßt. Die Wohnhausanlage nimmt die Randkonturen der fast ein Kilometer langen „Hagenwiese" auf, woraus sich das Problem der Baumassenbehandlung und -gliederung ergab. In der Festschrift zur Eröffnung des „Karl-Marx-Hofes" wird dieses städtebaulich-architektonische Problem folgendermaßen beschrieben: „. . . es war nötig, an die Gestaltung des Bauwerks mit besonderer Überlegung heranzugehen, da bei einer so langen Front nur durch eine wirklich gute Gliederung der Baumassen bei einer *einfachen* und *klaren* Durchbildung im *vertikalen* und *horizontalen* Sinn der *gewünschte Anblick* erreicht werden konnte." (54) (Heraushebungen H.W.) Diese Frage wurde durch eine weitgehend einheitliche und markante Staffelung des Volumens *„nach künstlerischen Erwägungen"* gelöst. Dies führte im Mittelteil mit seinem großen Vorplatz zu der Ausformungsidee der „triumphierenden Geste" (55) und des „Pathos" (56)

In der Mitte der „superblockhaften" Anlage wurde eine platzartige Erweiterung geschaffen und der Baukörper zurückversetzt, was die einzige Unterbrechung der einen Kilometer langen Front bildet. Dieser Platz wird an der Rückfront durch den höchsten Teil der Anlage, mit sechs monumentalen Türmen und einer fünfstöckigen Überbauung, begrenzt. Dieser Bauteil enthält auch die riesigen, viaduktartigen Durchfahrten und fällt seitlich erst in vier- und dann in dreistöckige Flankenteile ab. Dieser bekrönte Mittelteil, durch das Rot intensiviert und durch Turmaufbauten und Fahnenstangen dramatisch überhöht, verbindet brückenartig die zwei Hofanlagen beiderseits des Ehrenplatzes, was auch die „ausgeformte Zeilenverbauung unterstreicht" (57)

Die Gliederung der Außenmassen ist nur ästhetisch begründet: zuweilen wird die formale Fassadenästhetik zu ungunsten des Grundrisses durchgehalten. Z. B. werden drei kleine, windmühlartig versetzte Wohnungen an ein Treppenhaus angeschlossen,

Frontispiz der Festschrift (1930)

278

Luftbild „Karl Marx-Hof'' (Gesamtanlage); Sicht mit Hohe Warte-Stadion gegen die Donau

Ansicht vom Ehrenhof (historische Aufnahme)

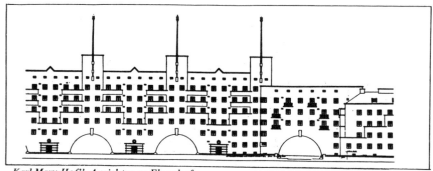

,,Karl Marx-Hof'', Ansicht vom Ehrenhof

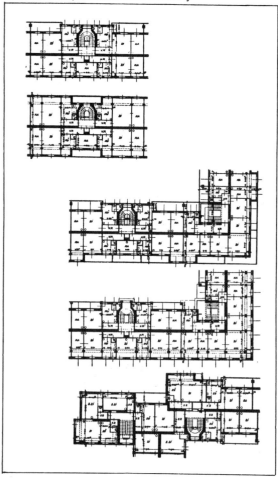

Turmteil und Hofteil, Wohnungsgrundrisse

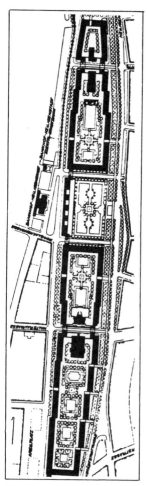

Lageplan

um ein interessantes Eckmotiv zu bekommen; oder die im Mittelteil herausspringenden Türme enthalten schmale und tiefe Kabinette, die ungünstig belichtet sind. Die ästhetische Überbetonung der Ecktürme und der Bogenreihen war anscheinend wichtiger als die zweckmäßige Ausnutzung der Wohnungen und dienten letztlich nur der Propaganda. Ein Beispiel für die propagandistische Bedeutung der Architektur am „Karl Marx-Hof": die Torbögen berücksichtigen die große Achse vom Heiligenstädter Bahnhof zum Hohe Warte-Stadion, wo jeden Sonntag an die 40.000 Fußballanhänger sich durch die Triumphbögen des „Karl Marx-Hofes" hindurch zwängten. (58) Ebenso bieten die geradezu monumental ausgeführten Ecken und die Frontstellung gegen die Stadt eine dem Kolossalbau entsprechende Wirkung. Nicht zufällig sprach man von einer „Rotfront" der Arbeiter in einem schwarz-bürgerlichen Bezirk.

Unter diesem ideologischen Aspekt, in Hinsicht auf „sprechende" Architektur, haben die zu einem gewissen Eigenleben verselbständigten Balkonanordnungen des Mitteltrakts größte symbolische Bedeutung. Noch einigermaßen zurückhaltend sprach man in der Festschrift von einem „Ausgleich" der emporstrebenden Turmbauten mit den horizontalen Balkonanordnungen. Aber der formale Aufwand der Fassaden stand in einem grotesken Mißverhältnis zur Größe der Wohnungen.

Interessant ist der zweischichtige Fassadenaufbau: einerseits die Balkon-, Loggien- und Erkergruppen mit dem mächtigen unteren Geschoßsockel in Rot, andererseits der eigentliche Grundkörper in Gelb. Beide sind voneinander tektonisch völlig getrennt und farbig konträr akzentuiert. Das mäanderförmige Band aus Balkonen/Loggien stellt das einzig wirkliche Gliederungselement des Blockes dar, der vielzitierte Begriff „expressionistisch" ist daher kaum entsprechend. Viel eher ist der Bau den Gedanken des funktionalistischen Bauens näher und in beschränktem Maß der „Neuen Sachlichkeit" verwandt.

Ein Indiz für den Trend zur Versachlichung und Utilisierung der Architektur liefert die andersartige Gestaltung und funktionsgerechtere Anordnung der an die Baulinie grenzenden Balkone: in dieser letzten Bauphase – entlang der Boschstraße und der Geistingergasse – sind sie durchgehender

angeordnet, sodaß fast jede Wohnung einen entsprechenden Loggien- bzw. Balkonraum zugeordnet bekommt. In den Höfen aber ist diese Wandlung am stärksten ausgeprägt. (59) Die Loggien sind bereits in jedem Geschoß durchgehend in breiten Bändern zusammengefaßt, was den Hofansichten eine stärkere horizontale und ruhigere Gliederung verleiht. Eingänge werden durch bemerkenswerte, gitterartige Beton-Portale betont, und die in den Ecken eingelassenen Stiegenhäuser bekommen eine sachliche Fassadenlösung mit Schächten aus Glas und Stahl.

An künstlerischem Schmuck besitzt der Bau sehr wenig: lediglich vier expressive Vollplastiken aus gebranntem Ton auf den symbolträchtigen und vergrößerten Schlußsteinkonsolen über den vier Hauptrundbögen und zwei Blumenvasen sind angebracht. Die Figuren stellen beziehungsvoll „Freiheit, Aufklärung, Fürsorge und Körperkultur" dar und stammen von Josef Riedl (1930). In der Mitte des Ehrenplatzes ist die Bronzeplastik „Sämann" von dem Bildhauer Otto Hofner.

Der „Karl Marx-Hof" verfügt über 1382 Wohnungen, in denen rund 5.000 bis 6.000 Menschen wohnten. Die Gesamtfläche des Areals beträgt ca. 156.000qm, davon sind aber nur ca. 23 % tatsächlich verbaut. Die Verbauung erfolgte bewußt mit der größtmöglichen Auflockerung durch Grünhofanlagen. Der Ausdruck „Stadt in der Stadt" ist in diesem Fall zulässig, denn der Bau enthält u.a. Bäder, einer Mutterberatungsstelle, ein Jugendheim, eine Tuberkulosenfürsorgestelle, eine Zahnklinik, mehrere Ordinationsräume, eine Apotheke, eine Bücherei, ein Postamt, Gastlokale und 25 Geschäftslokale. In den Innenhöfen befinden sich die sehr interessant kubisch und funktionsgerecht gestalteten Anlagen wie Kindergarten, Wäschereien und die Gebietskrankenkasse. Aber für 5.000 bis 6.000 Menschen muß dies allerdings als Minimum angesehen werden. Das Verhältnis Bewohner/Geschäftslokale beträgt 250:1, noch viel schlimmer ist das Verhältnis Mieter/Wäschestand mit 96:1 oder gar Mieter/Badegelegenheit mit 200:1 bei Duschen und nur 300:1 bei Wannen! Die Preisgesänge auf die hygienischen Erneuerungen, wie sie besonders in den vielen Selbstdarstellungen der Gemeinde Wien nachzulesen sind, bedürfen jedenfalls einer grundlegenden Korrektur.

Trotzdem gilt der „Karl Marx-Hof" in der Sachliteratur weiterhin als das „konsequenteste Projekt eines sozialen Wohnbaus" (60), oder wie es in einer noch nicht allzu weit zurückliegenden Stellungnahme des ehemaligen Vizebürgermeisters der Stadt Wien heißt; „...als zweifellos der markanteste Ausdruck einer humanen Idee" (61). Aber nicht als besondere Leistung, sondern als Selbstverständlichkeit müssen die Wohnfolgeeinrichtungen betrachtet werden.

Der „Karl Marx-Hof" wurde in drei Abschnitten erbaut: die Teile 1 und 2 wurden bereits in den Jahren 1926–1930, der letzte Bauteil erst im August 1933 fertiggestellt. Gewissermaßen als Appendix dieser Anlage stellt sich der „Svoboda-Hof" (Pos. Nr. 1b) des selben Architekten dar. Als geschlossene Eckverbauung vervollständigt er die Randfigur eines bereits vorhandenen Baublocks und sucht mit dem Motiv des abgetreppten Balkons nicht nur den Dialog mit dem benachbarten Hof, sondern betont auch diese Verbundenheit.

Im Zuge der kämpferischen Auseinandersetzung vom 12. bis 15. Februar 1934 wurde der „Karl Marx-Hof", in den sich Arbeiter und Schutzbündler zur Verteidigung zurückgezogen hatten, durch Artilleriebeschuß des Militärs und der Heimwehr schwer beschädigt. Um dieses Symbol des Roten Wien entbrannten besonders heftige Kämpfe, in dessen Verlauf mehrere Arbeiter ihr Leben ließen. Mit der zweiseitigen Beschießung des sogenannten „Blauen Bogens" fiel dann auch die letzte „Rote Festung" am 15. Februar. (Erinnerungsplakette an der Rückfront des „Blauen Bogens".)

② ENGELSPLATZ-HOF (1930-1931) Rudolf Perco

XX., Engelsplatz/ Forsthausgasse/ Aignerstraße/ Leystraße/ Kapaunplatz/ Wehlistraße

Die nur zum Teil fertiggestellte Wohnhausanlage zählt mit ihren 1467 Wohnungen zu den größten Wiens. Der „Engelsplatz-Hof" könnte mit seiner rigorosen Randverbauung zweier Großwohnblöcke – und sogar mit seiner monumentalen Kernverbauung – als Antithese zum „aufgelockerten" Superblock gelten. Monumentalität und Kreuz-Achsialität prägen genauso das Erscheinungsbild dieser Anlage des ehemaligen Wagner-Schülers wie des Lehrmeisters *Idealplan zur Stadterweiterung des XXII. Bezirkes* oder Wagners frühes Studienprojekt *Artibus*.

Die Symmetrie wird einerseits durch das „portici"-Motiv (zu beiden Seiten des Torbaus ausgeformte Wohntürme mit konstruktivistischen, vorgesetzten Balkongruppen und riesigen Fahnenstangen) betont, andrerseits im monumentalen Zentrum der Anlage um den Kapaunplatz durch zwei sich kreuzende Achsen sichtbar gemacht. (62) Diese orthogonalen Achsen geben der Anlage auf dem unregelmäßigen Grundstück eine gewisse Ordnung und Regelmäßigkeit.

Gelegentlich findet man in der (älteren) Literatur Hinweise auf strategische Festungsanlagen und es wird – aus naheliegenden Gründen – von einem „Brückenkopf" an der Donau gesprochen. Immerhin grenzt die

Wohnhausanlage Engelsplatz; Wäscherei

Anlage mit einer Front an den Handelskai und ist auf weite Distanz von der Floridsdorfer Brücke sichtbar. Weniger als die fortifikatorische (Über-)Bedeutung scheint – den dominierenden Bauplatz nutzend – gerade diese Fernwirkung ausschlaggebend gewesen zu sein und auf die Formgebung Einfluß genommen zu haben. Denn neben der monumental konzipierten Platzeinfahrt ist auch die Vereinfachung der tektonischen Elemente zugunsten der Großform und die spärliche Gliederung auffällig. Die Addierung der einzelnen, schon gleichartigen Elemente (wie die aufgesetzten Balkone und die aneinander gereihten Fenster) ist an den sachlichen Wohnhoffassadentrakten bemerkbar und deutet eine Entwicklung an, die sich nach dem II. Weltkrieg sowohl im „kapita-

282

listischen Westen" als auch im „realsoziali-
istischen Osten" verheerend durchgesetzt
hat.

Von der Blockverbauung des Wohnhofes
stechen die niedrigen, aber ebenso monumental wirkenden Innenbauten ab. Auffallend bei ihnen ist ihr expliziter Expressionismus der technischen Funktion, was eine
Ausnahmeerscheinung in der österreichischen Architekturszenerie der dreißiger Jahre war (63). Gegen die formal-akademische
Symmetrie der Hofanlage kontrastiert die
Wäscherei und das Badegebäude, in „welchem die inneren Funktionen die Ausformung der Baumasse diktieren" (64). Verhältnismäßig variantenreich treibt Perco
ein stilvolles Spiel mit kubischen und dynamischen Formen (vgl. Skizze, S. 282). Am
prägnantesten, sowohl im Maßstab als auch
in der Zeichenhaftigkeit, ist der Baukörper
des Uhrturms, der auf die Proportionen des
Gartenhofes keinerlei Rücksicht nimmt.
Seinen ohnehin hohen Symbolwert unterstreicht Perco mit einer expressiven Klinkerverkleidung und einer asymmetrischen Eck-
ausformung. Die Anlehnung an archetypische Architekturformen ist bezeichnend für
Perco. „Modern", wie etwa LeCorbusier
oder Mies van der Rohe und andere Alters-

genossen, war er nicht: denn die Verschachtelung einzelner Volumina und die kräftige
Gliederung der Baukörper ist nicht – wie es
einige Kritiker gerne sehen möchten – im
Stil der „Neuen Sachlichkeit" (65), sondern
durchaus traditionsbewußt im Gestaltungs-
geist Wagners.

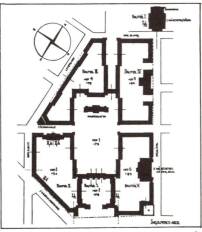

*Lageplan „Engelsplatz-Hof"; 1. Bauab-
schnitt (1930–31)*

Ansicht vom Portal mit Ehrenhof

③ LEOPOLD WINARSKY-HOF (1924–1926)
Peter Behrens/Josef Hoffmann/Josef Frank/Oskar Strnad/Oskar Wlach
XX., Stromstraße 74–76/ Winarskystraße 17–19/ Vorgartenstraße 44/ Pasetti-
straße 44/ Leystraße

Die in mehreren Abschnitten und in verschiedenen Phasen und Stilen errichtete Doppelhofanlage mit insgesamt 807 Wohnungen entstand als eines der größten städtebaulich zusammenhängenden Projekte der Stadt Wien. Die Vielzahl der Architekten, die an diesem Bau beteiligt war, – keine Arbeitsgemeinschaft im üblichen Sinn, denn jeder arbeitete getrennt – bietet direkte Vergleichsmöglichkeiten (66).

Der Bauplatz – in einem bisher architektonisch vernachlässigten Arbeiterbezirk – wird von der Leystraße und der Kaiserwasserstraße (heute Winarskystraße) in drei fast gleiche Teile zerschnitten. Der „Winarsky-Hof" selbst ist Teil einer dreifachen Hofverbauung, die aus mehreren straßenartigen Einzelhöfen besteht und die durch eine weite, achsiale Durchfahrtsstraße, der Leystraße, durchschnitten wird. Somit ergibt sich eine aus mehreren Einzelteilen bestehende, aber innen durch Höfe verbundene Anlage. Diese geographische Trennung war (un)bewußt für die gestalterische Zäsur verantwortlich: denn jeder beteiligte Architekt bekam „sein" Revier zugeteilt, was sich für die Gestalt der gesamten Anlage letztlich als Nachteil erwies. So besteht beispielsweise die – keineswegs „ineinanderklingende" (67) – Wand der Winarskystraße aus drei verschiedenen Fassaden!

Während Behrens sich bei seinem Teil in der Durchgestaltung auf das Wesentliche beschränkte, indem er die dicke Mauer mit Zeichen und Codes einer sehr allgemeinverständlichen Ikonographie behandelte, wählte der verspieltere Hoffmann die schon ironisch anmutende Mundart des Heimatstils in neo-traditionellen Formen: grauer Verputz, weiß geschlämmtes Ziegelmauerwerk, Sokkel in Rohzement, Giebelfelder, Simsbänder. Frank hingegen lieferte den zeitgemäßesten Bau mit ruhigen, gleichartigen Fassaden, schubladenartigen Gitterbalkonen, weißen Fensterfaschen und Geschoßbändern.

Das in der Mittelachse liegende „klassizistisch" angehauchte Straßenportal schließt die Anlage nach außen ab. Die Hofeinfahrt bildet die äußerste Grenze zum inneren Hof, der sich dahinter labyrinthartig fortsetzt

(„Hof im Hof") und den nächsten inneren Kern umschließt. Der 200m langen Außenfront entlang der Winarskystraße entspricht an der Innenhofseite ein fast ebenso langer Hof von straßenartiger Wirkung. Zwei mächtige Portale führen zu einem weiteren Innenhof, dem „Zentralhof". Dieser ist an drei Seiten von Wohnhauswänden und nördlich durch die Gebäude des Mehrzwecksaales und der Bibliothek abgeschlossen. Die Schließung des äußeren Rechtecks entlang der Grundstücksgrenze besorgt im Nordosten eine städtische Schule, im Nordwesten das Brigitta-Spital (vgl. Pos. Nr. 6). Die platzartige Erweiterung an der Nordseite wird durch den „Gelben Turm" abgeschlossen. Eine Durchfahrt führt vom schlauchförmigen Innenhof zum dritten, parkartigen Spitalsgartenhof, der in seiner Gestaltung ein Gegenstück des ersten Hofes ist.

Der „Winarsky-Hof" selbst enthält 534 Wohnungen, einen Kindergarten, eine Bibliothek, einen Saalbau, Geschäftslokale, Ateliers und Werkstätten und eine zentrale Badeanstalt.

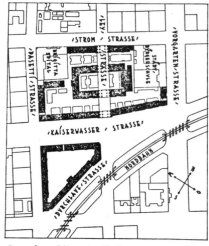

Lageplan „Winarsky-Hof"

284

VOLKSWOHNHAUSBAU DER GEMEINDE WIEN IM 20. BEZIRK
- BAU STROMSTRASSE - BAULOS 3 - ANSICHT KAISERWASSERSTRASSE

④ OTTO HAAS-HOF (1924–1926)
Adolf Loos/ Grete Schütte-Lihotzky/ Karl Dirnhuber/ Franz Schuster
XX., Pasettistraße 47–61/ Leystraße/ Durchlaufstraße/ Winarskystraße

Die Architekten, die an diesem Bau beteiligt waren (68), „wollten mit dem Wohnbau den Beweis erbringen, daß in der kubischen Wirkung der Baumassen, im Verzicht auf schräge Dachflächen, in der ruhigen horizontalen Lagerung, in der räumlichen Größe der Trakte und Höfe, in der vollkommenen Weglassung aller dekorativen Zutaten an Mauerflächen und Dachabschlüssen" (69), ein durchaus zeit- und inhaltsgerechter „moderner" Baukörper zu erzielen sei.
In Anbetracht der Nüchternheit der langen, ungebrochenen Fassaden, der sehr dürftig bewältigten Baumassen und vor allem der Konventionalität der Wohnungsgrundrisse ist der Bau insgesamt als gescheiterter Versuch einer freilich zaghaften Modernisierung zu werten. Der Denkeinsatz der Architekten erschöpfte sich real an der Volumen- und Fassadengestaltung. Wohnexperimente – wie Adolf Loos sie vorschlug – kamen bei der Gemeinde aus verschiedensten Gründen nicht gut an.
Einen Teil dieser Anlage bildete ein geschlossener Block mit 273 Wohnungen auf einem dreieckigen Grundstück. In dessen Hof befindet sich eine runde, den Spielplatz umsäumende Pergola und ein Plantschbecken.

⑤ GERL-HOF (1930–1931)
Heinrich Ried
XX., Stromstraße 39–45/ Leystraße/ Vorgartenstraße

Diese Anlage ist eine fast symmetrische, zweitraktige Verbauung mit 402 Wohnungen, angeschlossen an einen gründerzeitlichen Baublock. Durch niedrige Innenbaukörper und Querbauten wird eine interessante Bildung von intimen, aber kommunizierenden Binnenhöfen erreicht. Diese in mehreren Etappen errichtete Wohnhausanlage gehört zum selben Planquadrat wie der „Winarsky-" und der „Otto Haas-Hof" (vgl. Pos. Nr. 3, 4). Trotz vorgegebener Blockraster der Spätgründerzeit weisen alle drei Wohnhausanlagen einen relativ niedrigen Exploitierungsgrad vom verbauten Grundstück gegenüber ihren Nachbarn, den klassischen Bassenawohnungen, auf.

Die Fassaden sind zumeist glatt und ruhig, wenn nicht sogar ein wenig monoton. Interessante „Kunst-am-Bau"-Dekorationen finden sich an den Stiegenhausschächten in der Leystraße. Dort sind die leeren Flächen zwischen den ebenen, verschobenen Stiegenhausfenstern mit beinahe an Kitsch grenzenden Motiven aus der verklärten Arbeitswelt in grünem Majolikaschmuck ausgefüllt. Diese Seitenpartien sind reichlicher durch spitz hervortretende Erker in der spätexpressionistischen Manier der frühen Gemeindebauten gegliedert. Die Grundrißlösungen entsprechen oftmals den formalen Eck- und Traktausformungen.

⑥ (UMBAU DES) ENTBINDUNGSHEIM(S) „BRIGITTA-SPITAL" (1925-26)
Josef Joachim Mayer
XX., Stromstraße 34/Pasettistraße

Im Anschluß an den Gemeindebau „Winarsky-Hof" (vgl. Pos. Nr. 3) erbaute das Stadtbauamt im Auftrag der Gemeinde Wien ein modernes, nach den damaligen sanitären Einrichtungen sogar vorbildlich ausgestattetes Entbindungsheim mit einer gynäkologischen und einer geburtshilflichen Abteilung. Ursprünglich von einem Privatverein gestiftet, der einen Spitalsbau schon im Oktober 1914 errichtet hatte, wurde das „Brigitta-Spital" am 1. Juni 1924 der Gemeinde Wien einverleibt. Schon ein Jahr später mußte die Gemeinde sich um eine bauliche Vergrößerung kümmern. Das alte, auf „Privatkasse" funktionierende Spital bestand aus einem zweistöckigen, relativ stillosen Gebäude mit einem ausgebauten Mansardengeschoß für die Personalräume. Es hatte eine Belegkapazität von nur 37 Betten, die durch die Aufstockung eines dritten Stockwerkes sowie durch den Anbau je eines Seitenflügels auf 123 Betten erhöht wurde. Gemeinsam mit dem kostspieligen Spitalsumbau wurde ein Ambulatorium und für die benachbarten Höfe eine Mutterberatungsstelle errichtet. Das Ambulatorium ist vom Entbindungsheim baulich getrennt und besitzt in der Stromstraße einen gesonderten Eingang.

Der Haupteingang des Spitals befindet sich in einem durch einen kleinen Vorgarten gebildeten Straßenraum ebenfalls in der Stromstraße. Im Erdgeschoß waren alle notwendigen medizinisch-technischen Versorgungsräume sowie Verwaltungs- und Diensträume untergebracht. Im ersten Stock befanden sich verschieden große Krankenzimmer, drei Verpflegsklassen entsprechend (70). Außerdem gab es vor den Krankenzimmern große, helle Tag-, Aufenthalts- und Personalräume. Im zweiten Stock befanden sich ein viertelrunder Operationssaal, ein Laboratorium, Röntgenräume, eine Intensivstation und Sterilisationsanlagen. Besonders präfiguriert an der Fassade war der fast viertelkreisförmige „Aseptische Operationssaal" mit der schönen, abgerundeten Eckfensterscheibe. Im Stromstraßentrakt befanden sich Wohnzimmer für fünf Ärzte sowie ein Speisesaal. Im dritten Stock waren vorwiegend Säuglingssäle, Dienst- bzw. Nebenräume und eine geräumige Spitalsbücherei. An die Bücherei schloß sich eine offene Terrasse. Das vierte Geschoß – nur entlang der Pasettistraße – war als Wohngeschoß für die Bediensteten, Pflegerinnen, das Küchen- und Hauspersonal ausgebaut, mit eigenen Badegelegenheiten,

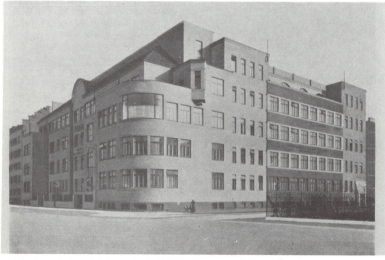

Entbindungsheim „Brigittaspital" (1925); Frontansicht Stromstraße – Pasettistraße

286

getrenntem Hauseingang und einer kleinen, offenen Sonnenterrasse. Im Keller untergebracht waren eine Großküche und haustechnische Räume.

Die Fassadenlösung ist unkonventionell, aber funktionsgerecht. Die Gliederung außen entspricht den funktionellen Zusammenhängen innen. Die einfache Architektonik ist dem strengen Utilitaritätsprinzip einer zweckmäßigen Anstaltsführung unterworfen: die hierarchische, klare Gliederung und die Auflösung der Baumassen in einzelne, von aussen gut ablesbare Funktionen folgen der rational-objektiven Sachlichkeit im seinerzeitigen „modernen" Spitals- und Sanatoriumsbau.

Die völlige Asymmetrie des Bauwerks ergibt sich aus der höhenmäßig gestaffelten Eckverbauung der unterschiedlichen Gebäudehöhen beider Straßenverbauungen. Vor- und Rücksprünge in dem über drei Geschosse geschwungenen Eckrund verleihen dem Baukörper etwas Dynamisch-Apparathaftes. Durch grobschlächtige Veränderungen ist der Bau heute furchtbar entstellt und uninteressant.

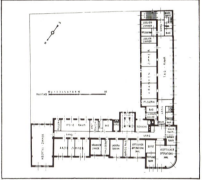

„Brigittaspital"; Grundriß 2. Stock

⑦ BEER-HOF (1925–26)
Karl Schmalhofer (Stadtbauamt)
XX., Wehlistraße 72–86/ Engerthstraße 83–97/ Donaueschingenstraße

Diese rigorose Blockverbauung mit einer Aneinanderkettung von mehreren, sehr dichten und grundstücksexploitierenden Innenhöfen weist 476 Wohneinheiten auf und zahlreiche Gemeinschaftseinrichtungen, die sich funktionalitisch auch von den Querriegel- und Randblöcken abheben.

⑧ JANECEK-HOF (1925–1926)
Wilhelm Peterle (Stadtbauamt)
XX., Wehlistraße 88–98/ Traisengasse/ Engerthstraße/ Donaueschingenstraße

Die randblockmäßige Verbauung gegen die beiden parallel laufenden Durchzugsstraßen, Engerthstraße und Vorgartenstraße, ist in ihrer Art noch stark an der Gründerzeit orientiert. Dieser Großwohnblock hat 841 Wohnungen und fünf kleine, wenig attraktive Innenhöfe, die durch ihre Größe kaum mehr als die Funktion des schon überwundenen geglaubten Lichtschachtes besitzen. Die Wohnhausanlage partizipiert an den Folgeeinrichtungen des benachbarten „Beer-Hofes".

⑨ PLOTZEK-HOF (1925–1926)
Adolf und Hans Paar/Paul May
XX., Karl Czerny-Gasse 11/ Denisgasse

Der „Johann Plotzek-Hof" mit seinen 139 Wohnungen liegt in der Nähe des Franz Joseph-Bahnhofes, mit der Hauptfront und dem Eingangsportal gegen die Denisgasse. In der Spaungasse und der Karl Czerny-Gasse schließt die Anlage in Hufeisenform an einen bestehenden Baublock von ähnlicher Größe und Form an.

Durch die Reduzierung auf eine expressiv-rhythmische Wiederkehr von belebenden Fassadenvorsprüngen des risalitartigen Mittelteils und durch übereck springende Erkergruppen erreichte man straßenseitig eine strenge Blockgeschlossenheit der Baumassen. Der Mitteltrakt ist erhöht und wird durch ein zackiges Zinnenmotiv – ähnlich einer Giebelreihe – bekrönt. Ein kräftiges, vorladendes Hauptgesims schließt den Block mit einer schattengebenden Dunkelzone nach oben ab. Die farbige Fassadenteilung läßt den Bau noch wuchtiger erscheinen: vom Trottoir hinauf bis zur Sohlbankhöhe des 1. Stockwerkes ist die Fassade in rohem Betongrau gehalten, von hier hinauf bis zum Hauptgesims in weißem Edelputz.

Neben den 111 Wohnungen des Typus zu 25qm, 16 Wohnungen des Typus zu 45 qm und 12 Einzelzimmerwohnungen für Ledige zu je 20qm, wurden im Erdgeschoß Räume für die städtische Straßenpflege untergebracht. Der Gartenhof enthält einen Rasen-Kinderspielplatz, eine etwas erhöhte Betonpergola mit Sitzgelegenheiten und einem Wandbrunnen. Ein Springbrunnen befindet sich im Mittelpunkt des Gartens.

⑩ KRISTALL-EISFABRIK (1925–1926); (teilweise verändert)
Silvio Mohr/Ferdinand Fuchsik
XX., Pasettistraße 71–75/ Donaueschingenstraße/Ospelgasse

Der Industriebau der zwanziger Jahre muß in unmittelbarem Zusammenhang mit dem Aufstieg der Arbeiterkultur gesehen werden. Viele denkmalgeschützte und schutzwürdige Fabrikshallen und Lagerhäuser, wie eben die Kunsteisfabrik der „Vereinigten Eisfabriken der Approvisioniergewerbe Wiens", prägen immer noch das Erscheinungsbild dieser Stadt.

Der Anbau Donaueschingenstraße/Ospelgasse ans Werk erfolgte 1925/26, wobei das rechteckige Grundstück auf drei Seiten von der Donaueschingenstraße, der Ospelgasse und der Zubringerstraße Pasettistraße umschlossen ist. In der Pasettistraße befindet sich auch die Zufahrt zum Innenhof, den eingeschossige Werkstrakte U-förmig umschließen. Mauerpfeiler, eine hohe Attika mit Giebelreihen und kubisch-gezackte Fensterstürze mit symbolhaften Schlußsteinmotiven in Form des Eiskristalls bestimmen die Fassade des Zubaus entlang der Ospelgasse. Die klare geometrische Auffassung von Raum und Baukörper, eine darauf abgestimmte feinstrukturierte Ornamentik (Ab-

flußrohre) und die, den Rohziegelfassaden vorgelegten, bildhauerischen Motive machen die Besonderheit dieser schönen und interessanten Fabriksarchitektur aus. Die eleganten Mauerpfeiler rhythmisieren den gesamten Bau und verleihen der Fassade durch ihre kubische Gesetzmäßigkeit eine unerhört plastische Qualität. Die besonders ausgearbeiteten Fensterstürze, Mauerpfeiler und sichtbaren Rinnen, an denen feine kristalline Schmuckstücke angebracht sind, verschmelzen durch ihre (böhmisch-)kubistische, stark expressive Gestaltung zu einer Einheit.

In der Wertanalyse Manfred Wehdorns zählt „die Kristalleisfabrik zu den bedeutendsten (Industrie-)Architekturbeispielen der Zwischenkriegszeit in Wien: Die Fassadendetails, die symbolhaft die Form des Eiskristalls zeigen, greifen die ‚Art-Déco'-Motive der zwanziger Jahre auf." (71) Allerdings ist der Bau mit seiner formalen Fassadenlösung dem strengen und analytischen Kubismus aus der Tschechoslowakei viel näher als dem zeitlich verschobenen – bislang dekorativen – „Art-Déco" der dreißiger Jahre.

Eisfabrik (1925–26); Fassade

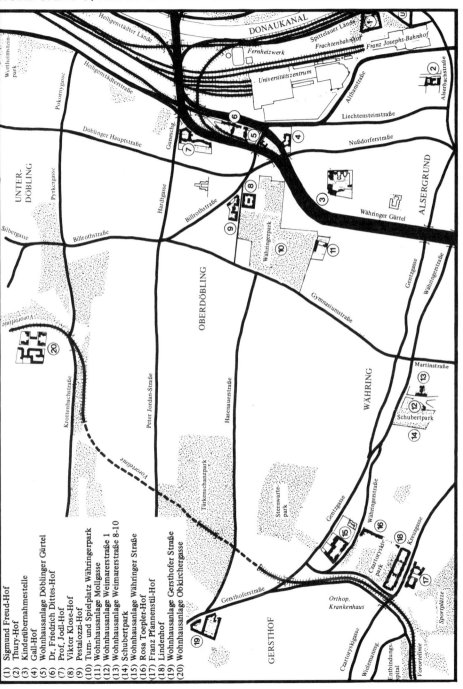

(1) Sigmund Freud-Hof
(2) Thury-Hof
(3) Kinderübernahmestelle
(4) Gall-Hof
(5) Wohnhausanlage Döblinger Gürtel
(6) Dr. Friedrich Dittes-Hof
(7) Prof. Jodl-Hof
(8) Viktor Klose-Hof
(9) Pestalozzi-Hof
(10) Turn- und Spielplatz Währingerpark
(11) Wohnhausanlage Mollgasse
(12) Wohnhausanlage Weimarerstraße 1
(13) Wohnhausanlage Weimarerstraße 8-10
(14) Schubertpark
(15) Wohnhausanlage Währinger Straße
(16) Rosa Toepler-Hof
(17) Franz Pfannenstil-Hof
(18) Lindenhof
(19) Wohnhausanlage Gersthofer Straße
(20) Wohnhausanlage Obkirchergasse

0   100   500   1000m

In unmittelbarer Umgebung des Franz-Joseph-Bahnhofs, entlang der Gleisanlagen der Vororte-linie und in nächster Nähe zum Donaukanal entstanden mehrere Wohnhausanlagen, die als Fortsetzung der gründerzeitlichen Straßenbebauung angesehen werden können: der „Sigmund Freud-Hof" (Pos. Nr. 1), der „Thury-Hof" (pos. Nr. 2), der „Gall-Hof" (Pos. Nr. 4) und der „Dittes-Hof" (Pos. Nr. 6). In extremen Randverbauungen dienen sie als Zwischenglieder, um getrennte Trakte und oftmals ganze Wohnblöcke zusammenzubinden, oder als schirmender Wall wie beim „Professor Jodl-Hof", (Pos. Nr. 7) der sich durch seine topographische Lage am Hang bestens dazu eignet.

① **SIGMUND FREUD-HOF (1924)**
Franz v. Krauß/Josef Tölk

IX., Gussenbauergasse 5–7/ Tepsern-gasse/ Nordbergstraße/ Wasserburger-gasse

Die blockartige Bebauung des trapezförmigen Grundstücks erfolgte durch einen zungenartigen und durch drei an der Straße geführte Hoftrakte. Die Anlage enthält neun Häusergruppen mit insgesamt 175 Wohnungen verschiedenster Typen, die alle vom Hof aus erschlossen sind. Der Innenhof ist durch zwei spitz vorgebaute Eingangsportale von der Gussenbauergasse aus erreichbar. Auffallend an der Schauseite sind die spitzen Vorbauten der Loggien und die blockhafte Stereometrie der Baumassen Gessner'scher Ausprägung. Im Anschluß an das Eckhaus Wasserburgergasse wurde die Hauptgesimshöhe eingehalten und eine sechsgeschossige Bebauung ausgeführt. Sie mündet in einen turmartigen Aufbau mit verglasten Atelierwohnungen und sinkt dann auf eine fünfgeschossige Verbauung ab. An der exponierten Eckstelle Gussenbauergasse/Tepsernngasse wiederholt sich der Vorgang. Die frei exponierte Fassade gegen den Donaukanal erscheint aber wesentlich reicher und interessanter durchgestaltet. Im Hoftrakt ist mit Rücksicht auf die große Breite des Hofes das Dachgeschoß größtenteils ausgebaut worden, sodaß sich auch hier sechs Geschosse übereinander aufbauen. Bemerkenswert war hier die Farbgebung des Verputzes: Die glatten Wandflächen waren in hellgrauer Farbe, Erdgeschoß, Fensterumrahmungen und Gesimse in gelber, die spitz hervortretenden Stiegenhäuser und Hofeingänge in grell-roter Farbe gehalten. Dies blieb bei den Renovierungsarbeiten unberücksichtigt. Zur Ausstattung gehören drei Geschäftslokale, eine Volksbibliothek, ein Zahnambulatorium, ein Kindergarten, drei Künstlerateliers mit Nebenräumen, eine zentrale Bade- und Waschanstalt sowie in jedem Dachgeschoß eine Waschküche.

„Sigmund Freud-Hof", Grundriß Erdgeschoß

② **THURY-HOF (1925)**
Viktor Mittag/Karl Hauschka

IX., Marktgasse 3–7/ Thurygasse 11/ Salzergasse 2–4/ Fechtergasse

Im Zuge der Sanierung eines der ältesten Teile des Bezirks Alsergrund, dem „Lichtenthal", wurde auf dem Grund der ehemaligen Ziegelei des Hofbediensteten Johann Thury diese Anlage errichtet. Auf die alte, wenig erhaltenswerte Bausubstanz brauchte keine Rücksicht genommen werden: die minderwertigen Barockhäuser, Werkstätten und Hütten wurden rigoros abgerissen, wobei eine größere Freifläche zwischen der Wiesen- und der Salzergasse entstand (heute: Lichtentalerplatz). Zwischen gründerzeitlichen Häusern entstand so eine sehr lange, trapezförmige Baulücke, die mit einer organisch angepaßten und effizienten, grundstücksexploitierenden Verbauung gefüllt werden mußte.

Die gestalterische Freizügigkeit der Architekten wurde einerseits durch die Uneinheitlichkeit des Bauplatzes und durch eine Reihe von Niveauunterschieden bei den benachbarten Objekten begünstigt. Andrerseits mußte die Führung der Baumassen sowohl dem alten Restbaubestand angeglichen werden als auch in ihren Stilmitteln und ihrer Formenwahl der „bodenständigen" Architektur des Viertels angepaßt sein. Somit war in städtebaulicher und architektonischer Beziehung eine behutsam-idyllische, kleinstädtische Lösung von Vorteil. Den baukünstlerischen Hindernissen und wirtschaftlichen Prämissen wurde voll Rechnung getragen: „Die Gruppierung und Gliederung der Baumassen ist keine *willkürliche*, sondern ergibt sich durch die verschiedenartigen Anschlüsse an die Nachbarbauten, welche beispielsweise in der Marktgasse einstöckig sind, während in der Thury-, Salzer-, bzw. Fechtergasse an fünfgeschossige Nachbarhäuser Anschluß zu suchen war. Ein an der Nordwestseite liegendes isoliertes Parzellenfragment nötigte zur Überbauung der Fechtergasse, um diese sonst unbrauchbare Parzelle dem Baublock anzuschließen, wodurch die zur Verbauung vorhandene Fläche wesentlich vergrößert wurde. Dieser Umstand hatte neben der Vermehrung der Wohnungsanzahl den Vorteil, daß die häßlichen Feuermauern der Nachbarhäuser durch die angebauten Trakte verbaut wurden. Durch diese Verbauungs-Bedingung ergab sich die Anlage der Trakt- und Hofgestaltung. Der durch die Überbauung der Fechtergasse entstandene Straßenhof dient gleichzeitig als öffentlicher Durchgang und ermöglicht den Verkehr an Stelle der aufgelassenen Straße." (72)

Mannigfaltige und kleinteilige Architekturen wie Anordnungen von Arkaden, runde und eckige Erker, unmotivierte Fassadenrück- und -vorsprünge, Laubengänge, Rundbogenloggien, Spitzgiebel, geschwungene Giebel, gekröpfte Simsbänder, Frieszonen, Eckloggien, ungewöhnliche Rauchfangköpfe, Dachgauben, schwere Gitter und Eisentore ergeben ein (bewußt) uneinheitliches Bild. Der zur Straße geöffnete Gartenhof wird durch einen erdgeschossigen Kindergarten und durch einen Laubengang abgeschlossen. Dieser Laubengang findet seine Fortsetzung in einer geböschten Arkadenreihe unterhalb des Ecktraktes vor einem sockelartig erhöhten Unterbau, der als kleine Platzterrasse dient. Die insgesamt 107 Wohnungen der Anlage wurden in drei Wohnungstypen zu 25, 38 qm und 45 qm verbaut. Acht Treppenhäuser, von welchen in jedem Stockwerkspodest drei bis vier Wohnungen zugänglich sind, trennen die einzelnen Trakte voneinander. Ferner besitzt der Hof einen öffentlichen Kindergarten und zwei Geschäftslokale (in einem ist heute ein SPÖ-Parteilokal untergebracht).

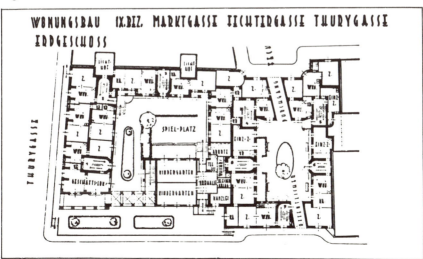

„Thury-Hof" (1925); Grundriß Erdgeschoß

③ KINDERÜBERNAHMESTELLE (1923–1925)
Adolf Stöckl (Wiener Stadtbauamt)
IX.. Lustkandlgasse 50/ Ayrenhoffgasse/ Sobieskigasse/ Pulverturmgasse

In den Rahmen des großen Wohlfahrtsprogramms der Gemeinde Wien gehörte auch die Pflege und Fürsorge von Findelkindern. Die Gemeinde übernahm das bereits bestehende „Karolinen-Kinderspital" und errichtete daneben die neue Kinderübernahmestelle (heute: Kinderpsychologische Station).

Die Neuanlage umfaßt fünf voneinander getrennte Objekte: die Kinderübernahmestelle an der Ecke Lustkandlgasse/Ayrenhoffgasse; den Erweiterungsbau des bestehenden Kinderspitals der Karolinerinnen mit Ambulatorium an der Ecke Ayrenhoffgasse/Sobieskigasse; das im Garten befindliche Wohngebäude für einen Teil des Pflege- und Ärztepersonals; die Schulzahnklinik in der Ayrenhoffgasse; und die Prosektur an der Pulverturmgasse. Das vielfältige Raumprogramm der Kinderübernahmestelle macht sich bei dieser wohnhausähnlichen Anlage von außen kaum bemerkbar. Es umfaßt neben den erforderlichen Amtsräumen im Erdgeschoß und dem an der Ecke dominierenden Zentralstiegenhaus, in den drei Stockwerken eine Vielzahl von Untersuchungszimmern, Desinfektionsräumen, Tag- und Schlafräumen. Ein Kinderheim mit 228 Betten verteilt sich über drei Etagen wobei die Säuglinge im 3. Stock, die Kleinkinder im 2. Stock und die Großkinder in einem Teil des 2. Stocks und im ganzen 1. Stock untergebracht sind. Außerdem befinden sich im 2. Stock zwei, durch jeweils drei Rundbogenarkaden abgeschlossene Liegeterrassen. Die gesamte Hofseite des ersten, zweiten und dritten Stocks ist durch eine mit Loggien eingefaßte Liegehalle aufgelöst. Die Schlaf- und Liegehallen sind bei den Kleinkindern in Gruppen von 14–18 Kindern unterteilt; bei den Großkindern für Gruppen von sechs Kindern und bei den Säuglingsboxen für fünf Babies und einer Amme.

Der Grundriß ist V-förmig angelegt, wobei Verwaltungs- und Aufnahmeflügel im Erdgeschoß durch ein gelenkartiges Stiegenhaus mit einem im Knick liegenden Vestibül getrennt werden. Durch die Trennung des Stiegenhauses in einen „reinen" und einen „unreinen" Flügel wird Infektionsgefahren vorgebeugt. Diese Isolierung ist grundrißlich auch in den oberen Stockwerken bemerkbar. Für jede dieser streng voneinander isolierten Abteilungen waren eigene Wirtschafts- und Laborräume notwendig. Ebenso bekam jeder Flügelteil einen eigenen Aufgang, sodaß die Trennung der einzelnen Abteilungen streng und vollkommen durchgeführt werden konnte.

Die Zentrale Schulzahnklinik ist vollständig von der Kinderübernahmestelle getrennt und steht in keinerlei Zusammenhang mit ihr. Das Ambulatoriumsgebäude hingegen steht mittels einer Ganganlage in Verbindung zum alten Spitalsgebäude und enthält ebenfalls eine Abteilung für Infektionskranke. Dieses Gebäude, reich gegliedert durch hervortretende und gedeckte Liegehallen und Fassadenzonen, macht eher den Eindruck einer noblen Jugendstilvilla als den eines städtischen Sanatoriums. Für einen Teil der Angestellten der Kinderübernahmestelle wurde ein dreigeschossiges Wohngebäude im Garten errichtet. Das Personalheim enthält im Erdgeschoß die Hauswartwohnung und 16 Einzelwohnräume für das Hauspersonal. Im 1. Stock befindet sich die Direktionswohnung und in den beiden oberen Geschossen sind Wohnräume für das Pflegepersonal eingerichtet. Zur Vervollständigung der Betriebsanlagen des Kinderspitals wurde die vorhandene Prosektur mit Leichenkühlkammer, Aufbewahrungsraum und Seziersaal ausgebaut. Durch eine konsequente Einfriedung wurde das gesamte Areal baulich geschlossen. Das Zentrum der Gartenanlage bildete eine von Anton Hanak entworfene Monumentalbrunnenfigur „Fürsorgende Mutter" (!), die sich heute im Stadtpark von Mauer bei Wien befindet.

Grundriß Erdgeschoß

292

④ GALL-HOF (1924–1925)
Schopper/Chalusch
IX., Heiligenstädter Straße/ Latschkagasse 3-5

Die beiden Otto Wagner-Schüler, Schopper und Chalusch, nehmen mit dieser breiten Schließung zweier Baulücken einiges von den klassizistisch inspirierten Gemeindewohnbauten eines Hoffmann oder Behrens vorweg. Lisenen- und Pilastergliederungen, Profilleisten, Giebelfronten, Kanneluren kontrastieren mit den expressionistischen Formen wie Runderker, spitzgiebeligen Dachfenstern, Fensterverkröpfungen, Halbrundfenstern, zylinderförmigen Stiegenhäusern etc. Das Haus enthält 137 Wohnungen, einen Kindergarten und eine sehr schmale Hofanlage mit bemerkenswerten Runderkergruppen im Hof.

Wohnhausanlage Döblinger Gürtel

⑤ WOHNHAUSANLAGE DÖBLINGER GÜRTEL (1928)
Leo Kammel
XIX., Glatzgasse 5/Döblinger Gürtel

Diese Wohnhausanlage ist eine dramatische Eckverbauung mit vorgeschobenen und vorladenden Bauteilen wie Spitzerker, Eckbalkonen und ein Turmteil. In den breiten Spitzbögen im rustikalen Sockelbereich befinden sich Geschäftsläden. Diese nur 36 Wohnungen beinhaltende Anlage ist entsprechend ihren Blickfangqualitäten von der Stadtbahn aus in ihrer Proportion und Gesamtwirkung stark überhöht.

⑥ DR. FRIEDRICH DITTES-HOF
Arnold Karplus (1928-29; 1935)
XIX., Heiligenstädter Straße 11–15/ Devrientgasse 1–3/ Döblinger Gürtel 14

Der Grundriß dieser ansehnlichen Anlage mit 179 Wohnungen mußte der langgestreckten, sich stark verjüngenden Baustelle Rechnung tragen. Daraus ergaben sich die lange, leicht gekrümmte Front zum Stadtbahnviadukt des Döblinger Gürtels (am besten von der Stadtbahn aus zu sehen) und die durchbrochene Hauptfront gegen die Heiligenstädterstraße, die mit den beiden kürzeren Endpunkten an die Devrientgasse und einen benachbarten Privatwohnblock anschließt. Der Gemeindebau wurde nach 1935 von Arnold Karplus erweitert und in seiner Fassadengestaltung vereinfacht. Zwischen turmhafte Blockbauten schieben sich kleinere kubische Bauelemente, die die Fassaden in ihrer Wirkung stark bestimmen. Diese feinfühlige Gliederung wurde bei der Erweiterung weggelassen.
Die turmartig hervorspringenden Erkerpartien wurden mit den Loggien verbunden und durchbrechen die Hauptgesimsoberkante, um eigene Dachaufbauten zu bilden. Zwischen die abgeflachten, das Portal flankierenden Wohntürme schiebt sich ein niedriger Torbau, der den Straßenhof zur Heiligenstädter Straße abschließt. Die Höherziehung der Attikazone bei den Turmbauten täuscht ein Flachdach vor. Im Hof setzt sich diese kubische Gestaltung fort, wobei die Balkon- und Erkergruppen dem Bau als selbständige Einheiten vorgesetzt werden. Ein Quertrakt teilt die ausgebaute Anlage in zwei Hofanlagen. Die unterschiedliche Gestaltung der herausspringenden Stiegenhäuser – einmal als halbzylindrische Schächte, dann als rechteckige Gebilde – läßt auf eine durchgeführte Erweiterung schließen. Der erste, von der Straße erschlossene Gartenhof ist mit einem Jugendhort, einem Festsaal, einem SPÖ-Parteilokal und einer Badeanstalt ausgerüstet. Der Bau enthält entlang der Heiligenstädter Straße Magazine, Werkstätten, Kellerlokale und, gleich neben dem Portikus, mehrere Geschäfte.

⑦ PROF. JODL-HOF (1925–1926)
Rudolf Perco/ Rudolf Fraß/ Karl Dorfmeister
XIX., Döblinger Gürtel 21–23/ Guneschgasse 10–12/ Sommergasse

Das Grundstück, auf welchem dieser Wohnhausbau mit 271 Wohnungen errichtet ist, liegt nahe der Vorortelinie, folgt der Krümmung der Gürtelstraße und wird zum Teil von der Sommer- und der Guneschgasse begrenzt. Die vierte Seite grenzt mit einer Feuermauer an die benachbarten Bauten in der Pantzergasse. Die Verbauung gegen diese Häuser wurde so gestaltet, daß ein einziger, etwas ausgefranster Hof entstand. Außerdem wurde ein Straßenhof mit wuchtigen Durchfahrtsportalen geschaffen.

Der eigenwillige „Professor-Hof" ist fünfgeschossig, nur gegen die Nachbarn in der Sommer- und der Guneschgasse sechsgeschossig. Die großen Terrainunterschiede einerseits, städtebauliche Momente andererseits ließen sowohl an der Ecke des Gürtels und der Guneschgasse als auch im Strassenhof terrassierte Gartenanlagen entstehen, die sich dem ganzen Bauwerk organisch einfügen. Der Hof ist stark gegliedert und wirkt in seiner äußeren Erscheinung imposant. Einen Hauptschmuck der Fassade bilden die expressiven Details, z.B. das dominierende, kräftig ausladende Hauptgesims, die kantigen „Falten" und Einbuchtungen der Fassade, der stilvolle Torbau, die überladenen Hauseingänge und der leider zerstörte Lichtkandelaber aus Kupferblech mit Betonsockel.

Wegen der Enge des Bauplatzes hat der Hof keine nennenswerten Wohnfolgeeinrichtungen: in der Arkadenreihe befanden sich nur zehn Geschäfte, eine Werkstätte und ein Kiosk.

Kupferkandelaber am Straßenschnittpunkt Gürtel – Erschließungsstraße

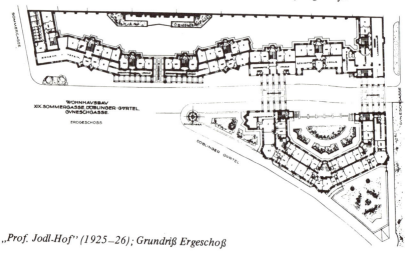

„Prof. Jodl-Hof" (1925–26); Grundriß Ergeschoß

⑧ VIKTOR KLOSE-HOF (1924–25)
Josef Hoffmann
XIX., Philippovichgasse 1/ Werkmanngasse/ Fickertgasse/ Peezgasse

Josef Hoffmanns erster Gemeindebau ist ein homogen geschlossener und ruhiger Block. Von zehn hofseitigen Stiegenhäusern wurden über vier Geschosse insgesamt 140 Wohnungen (von 50 qm bis 60 qm) zugänglich gemacht. Ein sehr schlanker, mit Pilastern und plastischem Schmuck von Anton Hanak versehener Durchgang führt in den durch die extreme Randverbauung relativ klein geratenen Innenhof, in dessen Mitte sich ein großer, in die Höhe entwickelter „Wohnturm" befindet.

Die ruhigen, biedermeierlichen Fassaden werden lediglich durch eine einfache, additive Reihung wenig hervorspringender, dreiflügeliger Quadratfensterflächen rhythmisiert und von den leicht in die Fassaden vertieften Stiegenhausfenstern unterbrochen. Noch heute wirkt der durch seine ruhige Stereometrie einheitliche Block wie ein Fremdkörper im gewohnten Stadtbild. Sein abwehrender Gestus – verursacht durch die monotone Massigkeit, durch die in Dunkelgrau gehaltenen Fassadenflächen und die tiefen, dunklen Einschnitte der Loggien – bietet den Anblick tiefer Traurigkeit wie auch überspielter Unfreundlichkeit. Man kann, wie Giuliano Gresleri, diesen Bau als paranoide Selbstschutzäußerung der (klassizistischen) Kunst gegen ihre Vulgarisierung im kommunalen Wohnbau interpretieren oder darin eine von der Avantgarde zutiefst enttäuschte, ihr abgeneigte Formenwelt sehen, die sich gegen sie feindlich gesinnte Kräfte schützt (73). Doch der „Klose-Hof" ist kein schöngeistiges Dokument, sondern ein monumentaler Massenwohnbau mit durchaus ernsten Absichten. Hoffmann beschränkte seine Virtuosität und reduzierte die Form auf ihre wesentlichen Inhalte und schuf so einen geschlossenen, unterkühlten Block mit wenig Zierat – im Unterschied zu seinen expressionsfreudigeren Kollegen. Umso überraschender ist es, daß gerade er einer der erbittertsten Gegenspieler von Adolf Loos war.

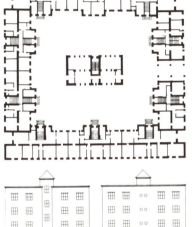

Wohnhausanlage Philippovichgasse: Grundriß und Straßen- und Hoffassadenabwicklung

⑨ PESTALOZZI-HOF (1925–26)
Ella Briggs
XIX., Philippovichgasse 2–4/ Billrothstraße 5/ Lißbauergasse 2

„Mit seiner langen Front gegen die Philippovichgasse, mit seinen beiden kürzeren Fronten gegen die Lißbauergasse und Billrothstraße gelegen, mußte der Grundriß der langgestreckten Baustelle Rechnung tragen.
Außerdem war ein günstiger Anschluß an
das viel niedrigere Nachbargebäude, eine
Unterstation der Wiener Städtischen Elektrizitätswerke, zu finden."(74) Der Hof präsentiert sich als ein aufgelockerter, zur Hauptfront geöffneter, drei- bis viergeschossiger
Block mit 119 Wohnungen und mehreren
Höfen. Die straßenseitige Bebauung springt
in der Mitte zurück, um einem schmalen
Ehrenplatz mit einem niedrigen Vorbau
(Kindergartengebäude) Platz zu machen. Bemerkenswert ist die architektonische Eckbetonung gegen die Billrothstraße, wo ein
dominierender Block einen guten städtebaulichen Abschluß bildet.
Später konnte ein angrenzender Baugrund
erworben werden, der einen größeren Zubau
erlaubte: das „Ledigenheim" für 27 Wohnungen zu je einem Zimmer. Im Erdgeschoß
waren Gemeinschaftsräume wie Aufenthaltsraum, Rauchsalon, Teeküchen sowie Putz-
und Waschräume untergebracht. Im Ehrenhof befindet sich ein Pestalozzi-Denkmal
vom Bildhauer Max Krejča.

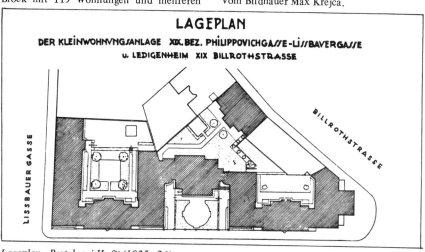

LAGEPLAN

DER KLEINWOHNUNGSANLAGE XIX. BEZ. PHILIPPOVICHGASSE-LISSBAVERGASSE
u. LEDIGENHEIM XIX BILLROTHSTRASSE

Lageplan „Pestalozzi-Hof" (1925–26)

⑩ TURN- UND SPIELPLATZ
„WÄHRINGERPARK" (1923-24)
Wr. Stadtbau- und Gartenamt
XVIII., Philippovichgasse/ Mollgasse/
Sempergasse/ Gymnasiumstraße

Es mag vielleicht befremden, daß Gärten
und Parkanlagen in einem Architekturführer
dargestellt werden. Aber Gartenarchitektu-
ren gehören ebenso zu den baulichen Leistungen des Roten Wien wie die Wohnhausanlagen. An diesem Beispiel dokumentierte
die Stadtverwaltung, was sie im Rahmen
einer Neuregulierung von Friedhofsflächen
und bei der Gestaltung von Erholungsflächen zu leisten vermochte.
Teile des alten „Währinger Friedhofs" wurden für die Errichtung einer Gartenanlage
aufgelassen. Neben einem englischen Garten
wurde die Anlage mit zwei großen Spiel-
und Sportwiesen von einem Flächenausmaß
von 6500 qm, mit Umkleidekabinen, Duschanlagen und Aborten versehen. Benachbarte
Kinderspielplätze, ein Turnplatz und Spiel-
wiesen machen diesen Park zu einem der
schönsten Gartenanlagen Wiens. Am bemerkenswerten Hauptportal an der Gymnasiumstraße ist die Architektursemantik des
Roten Wien, die bis hin zu den kleinsten
Elementen der Gartenumfriedung durchgehalten wird, deutlich ablesbar.

Ella Briggs: ,,Pestalozzi-Hof" (1925–26); erhöhte Eckpartie Billrothstraße

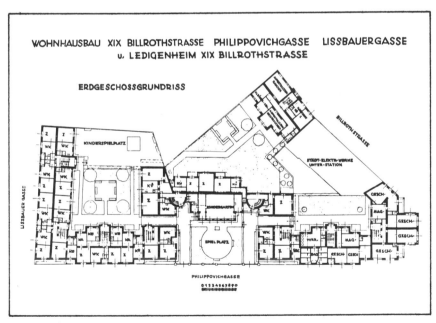

WOHNHAUSBAU XIX BILLROTHSTRASSE PHILIPPOVICHGASSE LISSBAUERGASSE
u. LEDIGENHEIM XIX BILLROTHSTRASSE

ERDGESCHOSSGRUNDRISS

,,Pestalozzi-Hof"; Grundriß Erdgeschoß

297

⑪ WOHNHAUSANLAGE MOLLGASSE (1928–29)
Franz Wiesmann
XVIII., Mollgasse 3–5/ Anastasius Grün-Gasse 8

Diese zweifache Baulückenschließung bietet eine abwechslungsreiche und sehr lebendige Außenfront. Die drei in Glas gehaltenen Stiegenhausschächte und die plastisch ausgebildeten Doppelloggien – beide dreieckig von der flachen Fassade hervorspringend – geben der Fassade entlang der Mollgasse eine angenehme lotrechte Rhythmisierung. Das Motiv der dreieckig vorspringenden Doppelloggien findet sich, höhenversetzt, an der anderen Fassadenseite wieder, wo es aber durch die Enge des Bauplatzes einen weniger guten Eindruck hinterläßt. Das Haus hat 53 Wohnungen und im Erdgeschoß ein SPÖ-Parteilokal.

Lageplan Wohnhaus Weimarerstraße

⑫ WOHNHAUSANLAGE WEIMARERSTRASSE (1924-25)
Karl Dirnhuber
XVIII., Weimarer Straße 1

Bemerkenswert ist die stark plastische Gestaltung dieses mit lediglich 23 Wohnungen belegten Wohnhauses. Die V-förmige Eckverbauung und die divergierende Höhenstaffelung löst der Architekt geschickt, indem er die Gesimshöhe und Dachform der zur Weimarer Straße anschließenden Bauteile aufnimmt. Hingegen wird der Teil zum höher gelegenen „Schubertpark" – ebenfalls von Dirnhuber umgebaut – durch ein ganzes, aus dem Block herausgelöstes Geschoß höhergezogen. Diese heterogene Form verschmilzt er mit stark stromlinienförmigen Eckloggien, die wie geschwungene Bänder beide Teile des Blocks zusammenbinden. Horizontale Klinkerstreifen und Fensterleibungen, ebenfalls in Klinkerstein ausgeführt, bilden den einzigen Schmuck. Die grundrißliche Organisation ist weniger gut gelungen. Die vorne an der spitz angeschnittenen Ecke der Weimarer Straße gelegenen Wohnungen können nicht quer durchlüftet werden und die Anordnung von fünf Wohnungen pro Geschoß kann als übertriebene Sparsamkeit angesehen werden.

⑬ WOHNHAUSANLAGE WEIMARERSTRASSE (1928-29)
Konstantin Peller
XVIII., Weimarer Straße 8–10

Herausstechendes Merkmal dieser sehr breiten, repräsentativen Baulückenschließung mit 59 Wohnungen ist die sehr expressive Klinkerverkleidung der unteren Basimento-Zone, die wegen des abfallenden Geländes über zwei Geschosse geht. Obwohl mit Beginn der industriellen Revolution die Rohziegelbauweise (die exemplarisch der Forderung nach „Materialehrlichkeit" entsprach) ab 1880 auch in Österreich auftauchte, wurde sie hier doch eher selten bei Wohnbauten angewandt. Der aus dem Norden kommende Stil fand erst Mitte der zwanziger Jahre bei einigen Gemeindebauarchitekturen wieder Anklang. Klinkermauerwerk für expressive Übersteigerung der Eingangszone, für Fundamentsockel und Gesimse könnten durchaus ihre Vorbilder in Michel de Klerks Siedlung „Eigen Haard" (1915–16) in Amsterdam oder in der englischen Backsteintradition gehabt haben.
Angesichts der mächtigen Rundbogenloggien, die mittig über dem wuchtigen Eingangsportal liegen, ist der Vergleich mit der Herrschaftsarchitektur des „fin de siècle" naheliegend. Im Kontrast zur bürgerlichen Schaufront ist die Hoffassade mit den sehr kühnen halbkreisförmigen Balkonen, die von nautischen Formen beeinflußt sind.

Brunnenplastik im Schubertpark

(14) UMGESTALTUNG „SCHUBERTPARK" (1924–25) Karl Dirnhuber

XVIII., Schubertpark/ Währinger Straße/ Schulgasse

Mit der Auflassung des alten Währinger Ortsfriedhofes wurde plötzlich ein relativ großes Areal frei, das in eine öffentliche Parkanlage inmitten eines dichtverbauten Wohngebiets umgestaltet wurde. Das Problem der neuen Nutzung vor Augen, gliederte Dirnhuber den Park in zwei Hauptteile: in die öffentliche Gartenanlage und in den versperrten Denkmalpark, der hinter den beiden alten, klassizistischen Friedhofshäuschen und dem schönen Portal liegt. Im rückwärtigen Teil mußten besondere denkmalpflegerische und kulturhistorische Rücksichten auf die Grab- und Gedenkstätten Beethovens und Schuberts genommen werden.

Bei der Ausgestaltung des Parkrandes widmete sich Dirnhuber mit besonderer Sorgfalt der Wegführung. Von großem Vorteil erwies sich die Absperrung der stark ansteigenden Weimarer Straße, die man als Sackgasse beließ und auf eine länger vorgesehene Durchbrechung in die Schulgasse verzichtete. Stattdessen beschloß man, eine architektonisch gegliederte Rampenanlage zu errichten. Der große Höhenunterschied des Parkgeländes zwischen Währinger Straße und Schulgasse ist mit einer architektonisch

formulierten Böschungsmauer verbunden. Am oberen Ende ist ein niedriger Betonsockel mit bemerkenswerten, konstruktivistisch anmutenden Beleuchtungsmasten; im unteren Bereich befindet sich eine massive Betonstützmauer mit kubischen Motiven. Der ungefähr in der Mitte liegende Brunnen mit Becken ist der eigentliche Blickpunkt der Anlage. Der aus vertikalen und horizontalen kubischen Formen zusammengeschachtelte Brunnensarg weist hohes gestalterisches Können auf, ähnlich einer „DeStijl"-Skulptur. In der Architektur dieser Anlage ist ein gewisser abstrakter Kubismus mit deutlichen Anlehnungen an Holland und die UdSSR zu bemerken. Sie steht damit im Gegensatz zur phantasievollen „Wiener Schule des Expressionismus", die eine Formgebung mit „heimatlichen" Motiven bevorzugte.

Das Gelände mit den verstreuten Denkmälern und den zur Plastik ausgeformten Sitzbänken bietet fesselnde Blickpunkte, die baukünstlerisch und gärtnerisch betont werden. Für Wien haben diese einzigartigen Kleinarchitekturen im Geiste des Konstruktivismus Seltensheitswert.

(15) WOHNHAUSANLAGE WÄHRINGER STRASSE

Michael Rosenauer (1926–27)

XVIII., Währingerstraße 188–190/ Weinhausergasse/ Gentzgasse/ Innocenz Lang-Gasse

Was uns heute noch an den alten Gemeindebauten fasziniert, ist – trotz der außen sichtbaren Dokumentation von Macht – der Wille zu einem sehr faßbaren, sehr menschlichen Maßstab im Wohnbau. Wenn die Außenmauern dieses Blocks ihre starke Isolierung von der Umgebung betonen, so ist das Image des Inneren des Wohnhofes das einer menschenfreundlichen, aufgelockerten „Stadt in der Stadt". Die expressiven, schmiedeeisernen Gittertore zur Gentzgasse werden zwar wie Stadttore versperrt, aber die Straßenhoföffnung zur Währingerstraße wirkt wiederum einladend. Die Stiegenhäuser zu den 258 Wohnungen kann man nur über einen gärtnerisch gestalteten und höhenmäßig abgestuften Innenhof betreten. Durch die höhenmäßige Abtreppung und Auflockerung wird Monumentalität vermieden.

(16) ROSA TOEPLER HOF (1927-28)
Konstantin Peller

XVIII., Währingerstraße 169–171/
Paulinengasse

Zu ihrer Zeit mußten die Bauten des Roten
Wien – verglichen mit der „Neuen Sachlichkeit" – geradezu bürgerlich wirken. Es muß
den Rathausbürokraten aber hoch angerech-
net werden, daß sie weder den Fantasie-
reichtum – bei vorgebenen Kosten – behin-
derten, noch die Künstler der Wiener Werkstätten bei der Ausschmückung der Gemeindebauten ausschlossen. Die aus der kunstgewerblichen Tradition Wiens entwachsenen
Künstler wurden beim „Kunst-am-Bau" beschäftigt. Der Kristalluster und das Stuck-
dekor beim „noblen" Eingang dieses Gemeindebaus mit 69 Wohnungen bedeuteten
zwar keinen revolutionären Fortschritt für
das Proletariat, doch vermittelten sie architekturpsychologische Erwartungshaltungen
an Lebensformen und Geschmack des
Kleinbürgertums. Im Hof sind interessante
expressionistische Kandelaber und stilvolle
Stiegenhauseingänge.

(17) FRANZ PFANNENSTIL-HOF
Erich Leischner (1924–25)

XVIII., Kreuzgasse 87–89/ Händel-
gasse/ Antonigasse

Infolge der durch Verkehrsauflagen am
Bauplatz beengten Verhältnisse entstand
diese hufeisenförmige Hofanlage mit 178

Monumentale Durchfahrt, Kreuzgasse

Wohnungen auf zwei voneinander abge-
schnittenen Teilen, wobei die Nord- und
die Westränder geschlossen sind.

Die vorgesehene, aber niemals verwirklichte Verlängerung der Rösensteingasse zur
Kreuzgasse wurde mit einem monumentalen Torportal überbrückt, während der
Durchbruch an der Antonigasse zwar eng,
aber doch offen blieb. Damit ist eine interessante Verbindung von dieser Anlage zum
gegenüberliegenden „Lindenhof" (vgl. Pos.
Nr. 18) gegeben. Gegen Osten riegelt ein
Querbau den so entstandenen Gartenhof
ab und bildet mit den Nachbarhöfen einen
zweiten, kleineren Hinterhof.

Das Bauwerk selbst wird von zwei annähernd symmetrischen, keilförmigen, an
der Überbauung Kreuzgasse zusammenstoßenden Gebäudeteilen gebildet. Die Stiegen sind derart angeordnet, daß sie keine
Beschattung verursachen und vom kostbaren
Hofraum möglichst wenig wegnehmen. Um
besonnte Hofwohnungen zu schaffen, wurden sie an den Rand gegen die Kreuzgasse
gedrängt oder in die Hofecken der Front-
innenwand plaziert. So entstand förmlich
von selbst ein Massengrundriß, der gegen
Süd-Südosten Wohnungen unterschiedlichster Größe und Zusammenstellung beinhaltet und allseitige Besonnung zuläßt. Infolge
des stark ansteigenden Geländes weist der
Wohnbau verschiedene Geschoßzahlen auf:
am oberen Ende ist der Bau viergeschossig,
am unteren fünfgeschossig. Trotzdem wurde
eine einheitliche, ruhige Baumasse mit
durchlaufendem Hauptgesimse erzielt und
der Anschluß an die Nachbarhäuser in der
Paulinengasse gewahrt. Der Mittelbau wurde
durch das mächtige, burgtorähnliche Portal
betont und durch die beiden flankierenden
Stiegenhäuser noch mehr hervorgehoben.
Vier in Glasstreifen aufgelöste Stiegenhaus-
schlitze gliedern die Hauptfront vertikal. Bei
den seitlichen und rückwärtigen Fassaden
treten flach-plastische Spitzerkergruppen als
Gliederungselement hervor, die aber entsprechend den nach außen ansteigenden Gebäudeecken verschieden lang sind. Als einziger Schmuck wurde über der Durchfahrt ein
in Kupfer getriebener dreiteiliger Fries von
der Bildhauerin Angela Stadtherr angebracht. Das Untergeschoß und das Erdgeschoß enthalten neun Läden und eine
Mutterberatungsstelle. Im Hof steht ein
außergewöhnlicher, kubisch-verschachtelter
Brunnen von Erich Leischner (75).

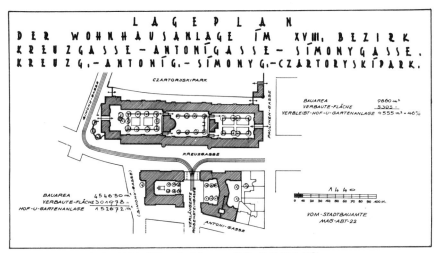

Lageplan „Lindenhof" (1924–25) und „Pfannenstil-Hof" (1924–25)

⑱ LINDEN-HOF (1924–25)
Karl Ehn
XVIII., Kreuzgasse 78–80/ Simony-gasse 2a/ Paulinengasse 9–11

Als man an die teilweise Wohnhausverbau-ung des „Czartoryskiparkes" heranging, integrierte man den alten Baumbestand in diese Wohnhausanlage mit 320 Wohnungen. Im Hof befindet sich ein unter Naturschutz stehender Lindenbaum, nach dem der Hof benannt wurde.
Der Baublock wird einerseits von der Kreuz-, der Paulinen- und der Simonygasse, anderer-seits von der Parkanlage begrenzt. Innerhalb der Verbauung ergaben sich dadurch Konse-quenzen: die parkähnliche Anlage wurde, dem ansteigenden Gelände entsprechend, durch breite Gartenterrassen geebnet und der Wohnhausverbauung stufenweise ange-paßt. Die Terrassen sind durch breite Stiegenanlagen miteinander verbunden und teilweise mit Pergolen geschmückt. An die Terrassenabsätze ist, in Verbindung mit den Stiegenanlagen, je ein Knabenhort und ein Kindergarten architektonisch angegliedert. Die Böschungsmauern und der Aufenthalts-pavillon des Kindergartenaufsehers (das „Weinstöckel") außerhalb der Hofanlage sind erwähnenswerte kubistisch formulierte Kleinarchitekturen.
Wegen des Geländes ist der Baublock in drei, sich jeweils um ein Geschoß nach aufwärts

verschiebende, Baumassen gegliedert. Die Außenfassade weist dementsprechend stär-kere Zäsuren auf. Ebenso sind die drei Hof-anlagen aneinandergereiht und in der Achse leicht verschoben. Die Fassaden sind in einfachen, kubischen Formen gestaltet: durch die Anordnung von straßenseitigen Loggien, Simsbändern und durch eine expressive Detailgestaltung erhalten sie einen angenehm belebenden und diffe-renzierten Rhythmus. Eine interessante halbrunde Erkerausbuchtung ist bei den Dehnfugen zu sehen.
Karl Ehn, der Erbauer des „Karl Marx-Hofes" (vgl. Plan Nr. 5, Pos. Nr. 1). brachte die kubische, betonende Form in die Wiener Gemeindebauarchitektur. Im „Lindenhof" werden aber die „reinen" Formen noch im Expressionismus verhüllt: die Eckpfeiler bei den Loggienfenstern erhielten als deko-rativen Schmuck keramische Reliefplatten von Josef Riedl. Über den beiden großen Haus-einfahrten in der Paulinen- und Simonygasse sind überlebensgroße Steinplastiken, gleich-falls von Riedl, angeordnet. Die reichhaltige künstlerische Ausstattung wird durch Mosaike von Carry Hauser und einen Zier-brunnen im Hof mit Putto von Fritz Zer-ritsch ergänzt. Den Innenraum des z.T. verglasten Kindergartenpavillons zieren Put-ten von Josef Riedl. Außer den 320 Woh-nungen enthält der Bau noch sechs Ge-schäftslokale und vier Werkstätten.

301

⑲ WOHNHAUSANLAGE GERSTHOFER STRASSE

Karl u. Friedrich Schön (1929-30)

XVIII., Gersthofer Straße 75–77/ Höhengasse/ Alseggerstraße/ Hockegasse

Die imposante, sehr großstädtisch wirkende Anlage mit 286 Wohnungen überbrückt die schmale Hockegasse im hinteren Straßenbereich, was zu einer schluchtartigen Straßenverbauung führte. An der städtebaulich wichtigen Ecke zur Gersthofer Straße befindet sich ein geknickter, höhergeführter Wohnturm mit ausladenden Balkonen und Ateliereinrichtungen, die mit sehr großen Fenstern ausgestattet sind. Zur Hockegasse umschließt das Gebäude einen dreieckigen Straßenhof; ein weiterer völlig umschlossener Binnenhof entstand durch die Schliessung des Grundstücks zu den Nachbarbauten. Die differenzierte Materialsprache an den Fassaden ist für 1930 eher ungewöhnlich. Die zentrumunterstreichende, turmartige Eckausbildung, welche von Symbolgehalt und nicht von der technischen Funktion getragen wird, zeugt vom spätromantischen Einfluß auf die Gestaltung.

⑳ WOHNHAUSANLAGE OBKIRCHERGASSE

Wilhelm Peterle (1924—25)

XIX., Obkirchergasse 16/ Sonnenberggasse/Leidesdorfgasse

In dieser großen, aber durch mehrere Innen- und Straßenhöfe zerteilten Anlage sind 270 Wohnungen untergebracht. Der gesamte Bauplatz erstreckt sich von der Obkirchergasse bis zur Vorortelinie und wird durch die Leidesdorfgasse in zwei ungefähr gleich große Teile geteilt. Durch eine asymmetrische Einziehung des Blocks wird gegenüber dem Sonnenbergplatz eine platzartige Erweiterung geschaffen, die das bestehende Privathaus Obkirchergasse Nr. 22 mit in die Komposition einbezog. Der Bauplatz zwischen den beiden Durchzugsstraßen ist geschlossen zweistöckig verbaut, während die Überbrückung der Verbindungsstraße durch eine stadttorartige Durchfahrt dreistöckig hervorgehoben ist. Pylonenartig wirkende Polygonalerker betonen noch die Mächtigkeit des „Serliana"-Motivs bei der Durchfahrt. Östlich der Leidesdorfgasse ist die Verbauung offen: drei freistehende Objekte sind so weit voneinander gruppiert, daß zwischen ihnen Straßenhöfe entstehen; zwei weitere Objekte umschließen teilweise einen Kinderspielplatz. In der ganzen Anlage sind ein Jugendhort, eine Badeanstalt, ein Geschäftslokal und vier Werkstätten enthalten.

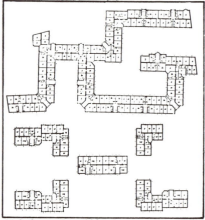

Wohnhausanlage Obkirchergasse; Grundriß

302

RUNDGANG 7: HERNALS – OTTAKRING

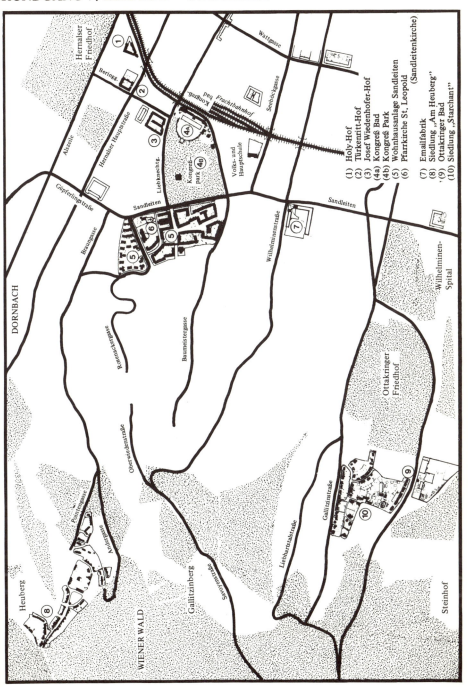

(1) Holy-Hof
(2) Türkenritt-Hof
(3) Josef Wiedenhofer-Hof
(4a) Kongreß Bad
(4b) Kongreß Park
(5) Wohnhausanlage Sandleiten
(6) Pfarrkirche St. Leopold
      (Sandleitenkirche)

(7) Emailfabrik
(8) Siedlung „Am Heuberg"
(9) Ottakringer Bad
(10) Siedlung „Starchant"

0 100   500   1000m

① HOLY-HOF (1928–29)
Rudolf Perco
XVII., Heigerleinstraße 104 / Halirsch-gasse / Gräffergasse

Das „Pathos der Roten Festungen" erreichte bei diesem Bau einen einstweiligen Höhe-punkt, vermittelt aber gleichzeitig den hilf-losen Versuch eines Bürgerlichen, den sym-bolischen „Klassenkampf" in der Wohnhaus-architektur darzustellen.

Die betont blockhafte, massive Wirkung der Anlage mit 108 Wohnungen, die Mili-tanz der Formensprache in Ableitung einer frühbürgerlich-monumentalen Revolutions-architektur und die Dialektik zwischen Horizontalem und Vertikalem bei dem dominierenden und aus dem Block her-vortretenden Ecktrakt bringt zwar formal-ästhetische Bezugspunkte, kann aber schließlich nicht den Inhalt einer proletari-schen Solidarität und Kampfstärke vermit-teln.

Die Schließung des dreieckigen Baublocks durch eine V-förmige Eckverbauung und einen heraustretenden, stark gegliederten Turm ist straff und horizontal gefaßt. Der viergeschossige Bau schließt gegen die angrenzenden Wohnhäuser höhenmäßig ab, nur an der Ecke der zusammenstoßenden Bauteile ist eine Höhenstreckung von einem Geschoß bemerkbar. Interessante Blech-buchstaben bei der Hausinschrift, die Fahnenstangen mit Quastelringen aus Metall und die eigenwilligen Gitterformen bei den Balkonen sind einige der bemerkenswerten Detailformen bei diesem Bau.

„Holy-Hof" (1928–29); Balkondetail

② TÜRKENRITT-HOF (1927)
Emil Hoppe
XVII., Hernalser Hauptstraße 190–192/ Beringgasse 16 / Josef Resch-Platz 5–6

Eine jener malerischen Lösungen im kom-munalen Wohnbau der Zwischenkriegszeit ist diese 90 Wohnungen umfassende Wohn-hausanlage. Der – ausnahmsweise im Allein-gang arbeitende – Otto Schönthal-Architek-turzwilling und Ex-Wagner-Schüler hat sich hier für eine U-förmige Bebauung mit Öff-nung des Hofes zur Straße hin entschlossen.

Eingangsportal „Türkenritt-Hof" (1927)

Zwar wird die Anlage räumlich mit einem niedrigen Tortrakt und einer Torbogen-plastik – „Türkenritt" von Karl Scholz – abgeschlossen, aber städtebaulich wirken die zwei parallel zueinander liegenden Außen-trakte nach wie vor dominant und raumbe-herrschend. Gediegene handwerkliche De-tails und eine interessante Polychromie geben dem Bau eine noble Note.

Rudolf Perco: ,,Holy-Hof''; Ansicht von der Heigerleinstraße

③ JOSEF WIEDENHOFER-HOF (1924–1925)
Josef Frank
XVII., Zeillergasse 63/Liebknechtgasse 10–12/Beringgasse 15/Pretschkogasse 5

Nicht nur wegen ihrer glatten, ruhigen und sparsam gegliederten Fassaden, sondern vor allem wegen ihrer Teilung in autonome Einzelbaukörper und wegen der angenehmen Auflockerung des Kerns mit Loggien und transparenten Stiegenhäusern wirken Franks Bauten überraschend modern. Auch im Grundriß ist eine optimale Ausrichtung zur Sonne festzustellen: die Anordnung der (vielen) Stiegenhäuser ermöglichte bei der Blockrandverbauung ein Mindestmaß an besonnten Wohnungen. Die Anlage weist zwar eine konsequente Blockrandverbauung auf, doch ein zungenartiger Innenbaukörper riegelt den großen Innenhof so ab, daß zwei kleine Höfe entstehen. Diese beiden Höfe, in denen sich sämtliche Hauseingänge befinden, sind wegen der verschiedenen Höhenlagen durch eine breite Treppenanlage miteinander verbunden. Diese große Niveaudifferenz auf dem Bauplatz ermöglichte auch eine exploitierende Höhenverbauung.

Das Haus besaß 246 Wohnungen, fünf Werkstätten, zwei Kinderspielplätze, eine Badeanstalt und eine Verkaufsstelle der Konsumgenossenschaft. Die Haupttypen der Wohnungen, deren Grundfläche im Durchschnitt etwa 50qm betragen, besteht aus Vorraum mit WC, Küche, einem größeren Wohnzimmer und zwei kleineren Schlafräumen. Andere Wohnungstypen bestehen aus Küche und zwei Zimmern, andere aus Wohnküche und zwei Schlafräumen; auch einzelne Ledigenzimmer sind vorhanden.

Wie alle Bauten Franks hatte die Anlage eine ungewöhnliche und kräftige Färbelung. Auf Grund der ursprünglichen orangeroten Farbe mit den weißen Fensterfaschen und Eckumrahmungen nannte man diesen Hof scherzhalber „Paprikahof".

Die 1953 durchgeführte Aufstockung und die späteren Stiegenfensterumbauten und Aufzugseinrichtungen zerstörten die ausgewogenen Proportionsverhältnisse.

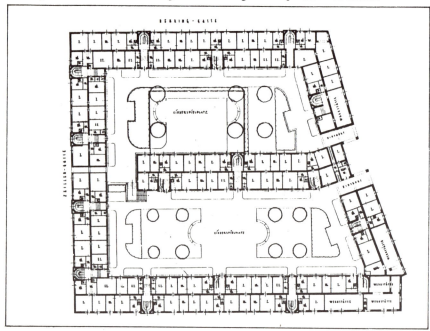

Josef Frank: „Wiedenhofer-Hof" (1924–25); Grundriß Erdgeschoß

(4A) KONGRESSBAD (1928)
Erich Leischner (Wr. Stadtbauamt)
XVI., Kongreßplatz/ Julius Meindl-
Gasse 7a

Das noch original erhaltene Kongreß-Bad
mit seiner leicht gebogenen Eingangsfront
gegenüber der Vorortelinie zählt zu den
interessantesten „Sommer-, Schwimm-,
Luft- und Sonnenbädern" Wiens. Wie alle
Bäder aus Wiens reicher Bäderarchitektur
entspricht es allen Forderungen des Sport-
und Massenbetriebes. Es ist jedoch weniger
monumental und pathetisch als die allgemein verbindlichen Gestaltungsmittel der
Gemeindearchitektur und wirkt deshalb
geradezu volkstümlich. Charakteristikum
dieser flach betonten und langgestreckten
„Buden- und Praterarchitektur" ist die
rot-weiß-rote (die Farben der Gemeinde)
Holzverschalung und das etwas erhöhte
Torportal mit den sehr markanten, schmük-
kenden Fahnenstangen und dem Sitzrund
vor dem Eingang.

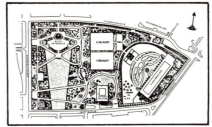

Lageplan Kongreßpark mit Bad

(4B) PARKANLAGE
KONGRESSPLATZ (ca. 1928–29)

Der in östlicher Richtung gelegene Park ergänzt die Wohnhausanlage „Sandleiten-Hof"
(vgl. Pos. Nr. 5) infrastrukturell. Neben
größeren Spiel- und Sportplätzen, die in der
Anlage nicht mehr untergebracht werden
konnten, bietet aer Park noch ein Freiluft-
Schwimmbad mit Kinderfreibad und eine
Milchtrinkhalle. Dies rundet das Bild von
einer autarken Stadt völlig ab.

Kongreßbad (1928); Eingangsportal mit „neoplastischen" Fahnenstangen

(5) SANDLEITEN (1924–1928)
ARGE Hoppe/Schönthal/Matouschek/Theiß/Krauß/Tölk

XVI., Sandleitengasse 43–51 / Rosenackergasse 7–9; 2–22 / Gomperzgasse 1–7; 4–8 / Luxemburggasse 1–9; 2–8 / Liebknechtgasse 1–3; 30–36 / Matteottiplatz 1–6 / Einslegasse 2–4 / Nietzscheplatz 1–2

Diese mit 1587 Wohnungen größte Wohnhausanlage Wiens, die im Rahmen des Wohnbauprogramms der Zwischenkriegszeit erbaut wurde, liegt auf einem nach Nordwesten hin stark ansteigenden Gelände. Im wesentlichen folgt sie der planerischen Konzeption Camillo Sittes, zumindest was den unteren Teil der bandelartigen Platzumschließung betrifft.

Um einen geeigneten Verbauungsplan zu gewinnen, entschloß sich die Gemeinde, einen Wettbewerb für sieben Architekturgemeinschaften auszuschreiben. (76) Die Ausführung der Anlage wurde schließlich den Architekturgemeinschaften Emil Hoppe/ Otto Schönthal/ Franz Matouschek bzw. Siegfried Theiß/ Hans Jaksch und Franz von Krauß/Josef Tölk übertragen. Die Planungen des Projekts waren also geteilt und jede Gemeinschaft konnte ihre eigenen Form- und Funktionsvorstellungen einbringen. Auf Vorschlag der Jury sollten die Pläne für das Projekt südlich der „Höhenstraße" (Rosenackergasse) von Hoppe/Schönthal/Matouschek, und die Pläne für die offene Verbauung nördlich der Rosenackergasse von Theiß/Jaksch und Krauß/ Tölk, unter der Oberbauleitung des Stadtbauamtes, verfaßt werden.

Die Architekten vermieden von vornherein jede achsiale Lösung und wählten eine möglichst aufgelockerte Verbauungsform mit malerischen und pittoresken Auflösungen. Einerseits bevorzugten sie jene kleinstädtische Verbauung, entsprechend den Lehren und dem Einfluß der Sitte'schen Städtebaukunst aus den achtziger Jahren des 19. Jahrhunderts. Dabei kam es ihnen – im Gegensatz zu ihrem Lehrmeister Otto Wagner – mehr auf die künstlerische, räumliche Artikulation des Straßenraumes an: mit intimen Platzbildungen, Vermeidung langer Durchblicke, mit nahen Blickpunkten. Andererseits wurde die achsiale Anlage aus städtebaulichen Gründen aufgegeben, weil sie oft den negativen Charakter einer anonymen Rasterstadt annahm, bzw. um vom „Schreckgespenst einer Kaserne" – wie des öfteren von Kritikern am „Superblock" zu hören war – wegzukommen. Weiters bestand die Gefahr, daß sich eine spätere Verbauung dem bestehenden Weichbild der Vororte nicht einfügen würde, wie dies aber beim „Sandleiten-Hof" gefordert wurde. Im Auslauf der Stadt gelegen, mußte es sich genauso dem anschließenden ländlichen Terrain, dem Wald- und Wiesengürtel des Wiener Waldes, anpassen. Analog den Naturmetaphern der Gartenstadtbewegung sollte die Anlage dem Charakteristikum der Trabantenstadt im Grünen entsprechen, ohne aber an deren infrastrukturellen, wirtschaftlichen und baurationalistischen Nachteilen zu leiden. So präsentiert sich der „Sandleiten-Hof" wie eine organisch gewachsene „Stadt in der Stadt": neben den vollständigen infrastrukturellen Einrichtungen gab es ein dichtes Netz von Wohnstraßen, Platzbildungen und eine Reihe von geschwungenen Straßen mit Lauben und großen Grünanlagen. Gebogene, polygonale und dreieckige Platzbildungen (durch Einschwenken der Baulinie zustandegekommen), gekurvte oder gestaffelte Hausfronten, höher geführte Bauteile, Straßenüberbrückungen etc. schaffen städtebauliche Wirkungen von außerordentlichem Abwechslungsreichtum.

Die einzelnen Gebäude der Anlage sind – das siebenstöckige „Hochhaus" ausgenommen – zwei- bis fünfgeschossig und von Gartenhöfen umringt. Die Front gegen die Sandleitengasse wurde aus der Straßenflucht geschwenkt, um die Eintönigkeit einer langen Häuserzeile zu vermeiden. Die so erweiterte Straße gibt den Blick auf den „Wolkenkratzer" (so die Formulierung der christlichsozialen Opposition) frei, der gegen die Sandleitengasse und gegen den Freiraum des Kongreßparks einen interessanten, wenn auch heute nicht mehr besonders auffallenden Orientierungspunkt bildet. Diesem „Hochhaus" ist eine kleine Gartenanlage vorgelagert.

Die etwa die Mitte der Anlage durchschneidende Liebknechtgasse führt in einen großen Hauptplatz (Matteottiplatz), die Schlüsselstelle der Anlage, in der sich die imaginären Hauptachsen treffen. Dieser große Freiplatz ist auch das ideologische Zentrum der An-

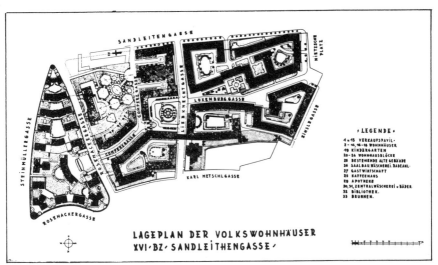

LAGEPLAN DER VOLKSWOHNHÄUSER
XVI·BZ· SANDLEITHENGASSE·

Lageplan „Sandleiten"

lage, das sowohl als Sammlungsort für politische Aufmärsche am 1. Mai als auch für feierliche Festveranstaltungen und Theatervorführungen geeignet war. Am Fuße einer großen Platzterrasse befinden sich ein Steinrelief der Gemeinde Wien mit der Jahreszahl der Errichtung der Anlage und eine monumentale Stiegenanlage mit einem Steinbrunnen. Aufschlußreich ist das dekorative Bodenmosaik am Platzpflaster in Form eines achteckigen Sterns, welches stark an einen „palace royal" erinnert (77). In der Liebknechtgasse befanden sich auch ein großer Kino- und Vortragssaal (heute „Konsum"-Supermarkt) mit über 600 Sitzplätzen, ein Kaffeehaus (heute Parteilokal der SPÖ), und nach dem viaduktartigen Torbogen ein kurzer und schmaler Laubengang mit Geschäften.

Vom Matteottiplatz führt in südlicher Richtung die als Wohnstraße konzipierte Rosa Luxemburg-Gasse, die sich zu einem kleinen Gartenplatz mit Volksbibliothek (heute Städtische Bücherei) erweitert. Von hier aus führten tonnenüberdeckte Durchgänge zur Sandleitengasse und zum westlichen Zipfel der Anlage. Oberhalb der Terrainstufe des Matteottiplatzes ist die gekrümmte Gomperzgasse, wo sich die – später hinzu gekommene – Kirche (vgl. Pos. Nr. 6) und ein Kindergartengebäude mit Spiel- und Sportanlagen befinden. Die Gomperzgasse führt am oberen Ende in die

Rosenackerstraße, wo der letzte Bauabschnitt mit seinen 236 Häusern liegt. In seiner offenen Bauweise, mit zum Teil gelenkartigen Y-Flügelbauten, erinnert er stark an bürgerliche Villenformen. In der Mündung beider Straßen verstärkt das vorgelagerte Brunnenrund und der konkave Baukörper mit beidseitigen Flügelbauten den repräsentativen Charakter dieser Architektur und weckt sogar Anspielungen an imperiale Bauaufgaben (Schloß, Forum). Das dreieckige Paßgrundstück – umschlossen von der Rosenackergasse und der Steinmüllergasse – beinhaltet eine Reihe von einfallsreich versetzten Punkthäusern (78). Dieser Abschnitt wirkt von den unteren Teilen besonders abgeschlossen und besitzt ebenfalls Selbstversorgereinrichtungen (zwei Verkaufspavillons, Ladenstraße).

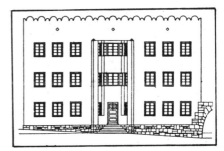

Ansicht Wohnhaus Rosenackergasse

Schönthal/Hoppe/Theiß etc.: Wohnhausanlage Sandleiten: Blick von der Rosenackergasse

Luftbild „Sandleiten", „Kongreßbad" und „Wiedenhofer-Hof" (ca. 1928)

Die Zeichenhaftigkeit einzelner Bauformen und die differenzierte Behandlung der Außenräume (Laubengänge, Kollonaden, Pergolen, Terrassen, Freitreppen, Brunnen, Sitzbänke, Stiegen-, Stütz- und Böschungsmauern), zumeist aus einheitlichem Konglomeratstein, ist bestechend. Allzuviele gewollt malerische Auflösungen verleihen der Anlage allerdings nicht nur ein märchenhaftromantisches Aussehen, sondern geben ihr ebenso etwas Rückschrittliches und Mutloses. Die eklektische Vielfalt fällt besonders an den Fassaden auf: da mischt sich Barockes (kleinteilige Rundbogenfenster der Volksbibliothek) mit Expressionistischem (Zacken-Zinnenmotiv, spannungsgeladene Simsbänder und Giebelformen); Jugendstilartiges (Simsgitter) mit Neuer Sachlichkeit (ebene, verschobene Stiegenhausfenster, schiffsähnliche Eingangsportale) und Kubistischem (Hang zu würfelartigen, asymmetrischen Baukörpern bei den technischen Bauten der Anlage-Wäscherei).

Die ganze Anlage enthielt außer den 1576 Wohnungen verschiedenster Typen 75 Geschäftslokale (!), ein Gasthaus, ein Kaffeehaus, drei groß angelegte Bade- und Wäschereibetriebe, 58 Werkstätten, drei Ate-

Wohnhaus Gomperzgasse

liers, 71 Lagerräume, drei Kinderhorte, ein Postamt, eine Bücherei, eine Apotheke, einen Kino- und Theatersaal.

Einen Stützpunkt der gesamten Anlage bildet das schachtelartige Kindergartengebäude und die davorgelagerten Kinderspielplätze und Plantschbecken in Hektagonformen. Der Entwurf stammt höchstwahrscheinlich von Josef Bittner, dem Leiter des Wiener Stadtbauamts. Die baukünstlerische Ausstattung stammte u.a. von prominenten Künstlern der „Wiener Werkstätte"; die Beziehungen der Inneneinrichtungen des Cafés und der Volksbibliothek zum gehobenen Stil der „Wiener Werkstätte" sind klar zu erkennen. Überhaupt lassen sich einige Elemente, die man hier anwandte und die man *in situ* sieht, ohne die Leistung der von Josef Hoffmann geführten „Wiener Werkstätte" nicht vorstellen.

Kindergartengebäude Sandleiten mit Spielterrasse

6 PFARRKIRCHE ST. LEOPOLD SANDLEITENKIRCHE (1936)
Josef Vytiska

XVI., Sandleitengasse 51/ Gomperzgasse

Dem Stil der Anlage angepaßt, kam diese Kirche – ein Anliegen der christlich-sozialen Gemeinderegierung – nachträglich hinzu. Es war – gelinde gesagt – eine Provokation für die Arbeiterklasse, die in „ihrem" Gemeindebau nach dem verlorenen Kampf von 1934 ein Monument des klerikalen Bürgertums bekommen hat. Dieser Bau in „sachlicher" Manier schließt an die eigentümliche wienerische Art des Kirchenbaues eines Holzmeister, Kramreiter und Karl Holey an. Die Halb-Basilikaanlage weist einen hohen, schlanken Turm auf, der durch schmale, dreigeteilte Fensterschlitze gegliedert ist. Die Saalanlage mit ihren hohen, ebenfalls dreigeteilten Glasfenstern schließt sich nahtlos an den Turm an. Die karge Stirnwand, die nur durch das kreisrunde Christogramm-Fenster geschmückt ist, wird ein wenig durch die plastischen Stiegenaufgänge und einen vorgelagerten Portalbau belebt. Das flache Vordach auf dem terrassenförmigen, von beiden Seiten durch Stiegenaufgänge belebten Unterbau aus Rustikasteinmauerwerk ruht auf zwei Säulen. Das Innere der Kirche besteht aus einem longitudinalen Hauptschiff und einem zur linken gelegenen Nebenschiff; Altar und Mensa sind erhöht und von allen Seiten frei sichtbar. Das gewaltige Freskogemälde in volkstümlicher Liturgie stammt von Hans André; die schönen Glasfenster und das Christophorus-Mosaik am Turm sind von der Tiroler Glasmalerei- und Mosaikwerkstätte.

7 EMAILFABRIK (1925–26) (Ex-Warchalowski, Eissler & Co.)
XVI., Wilhelminengasse/Sandleiten 37

In der Stilauffassung ist diese Fabriksanlage der jetzigen „Austria Email" den Wiener Gemeindebauten jener Zeit nicht nur tektonisch und stilistisch ähnlich, sondern den Leistungen der großen Höfe durchaus ebenbürtig. Wie der Kunsthistoriker Géza Hajós hervorhob, ist diese Fabrik ein „gutes Beispiel dafür, daß Produktionsstätte und künstlerische Repräsentanz in der Zwischenkriegszeit noch durchaus gleichwertige architektonische Zielsetzungen *verwirklichen* konnte." (79) Es ist durchaus nicht neu, daß sogenannte „niedrigere" Bauaufgaben mit „Hoheitsmotiven" aus der Herrschaftsarchitektur veredelt wurden, auch das Rote Wien knüpfte affirmativ an bereits bestehende Traditionen an.

Diese Fabrikationsstätte folgt in der Konzeption der Typologie des herrschaftlichen Schlosses bzw., in abgewandelter Form, der spätgründerzeitlichen Villa. Die Einfahrt mit dem doppelbögigen Triumphportal, die repräsentative Ecklösung mit Zwillingspylonen, Risaliten und der mächtig vorgelagerte Platz verstärken diesen Eindruck. Dem Bauwerk kommen aber durchaus nicht nur repräsentative Aufgaben zu, sondern es sollte zugleich dem Arbeiterbezirk und dem einzelnen Arbeiter und Bewohner des Areals jene verlorene Großstadtidentität zurückbringen, die der hochindustrialisierte Kapitalismus weggenommen hatte (Regression zum Leitbild der kleinhäuslichen Manufaktur auf der anderen Seite). Das Erscheinungsbild der „vorkapitalistischen" Volkswirtschaft, Fabrikskultur, domestizierte Industriekultur und humanistische Ideale decken sich hier. Mit konventionellen Mitteln (wie baukünstlerischem Schmuck, kleingeteilten Fenstern, Erkern, Dachaufbauten etc.), die eine handwerkliche Basis der Produktion beschwören, und durch die präfigurative Motivwahl der Prachtvilla des ausklingenden 19. Jahrhunderts wurde hier versucht, das Selbstverständnis des Bauherren vom kollektiven Unternehmergeist umzusetzen.

Eine Revitalisierung – und nicht, wie geplant, die Abtragung – dieses für die Zwischenkriegsarchitektur so wichtigen Industriebaus Wiens wäre erstrebenswert!

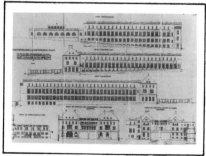

Emailfabrik (1925–26); Einreichplan

8 HEUBERG-SIEDLUNG(1921-24)
Adolf Loos/Hugo Mayer
XVII., Röntgengasse 138/ Plachygasse 1–13/Schrammelgasse/Pointengasse

In seiner Funktion als Chefarchitekt des Wiener Siedlungsamtes entwarf Adolf Loos für diese Reihen-Modellsiedlung mit insgesamt 129 Wohnbauten sein berühmtes „Haus mit einer Mauer". Das Neue an diesem System war, daß benachbarte Wohneinheiten durch eine gemeinsame, tragende Wand, die in Billig- und Fertigteilbauweise ausgeführt war, getrennt wurden. Diese Trennmauern, die aus fundamentlosen Hohlwänden bestehen, wurden in den Abständen der handelsüblichen Balkenlängen (5,5m) in einer rasterähnlichen „Primärstruktur" aufgestellt und mit genagelten Brettern oder Holzlatten verschalt. Diese nicht nur Material, sondern auch Arbeitszeit sparende Baumethode erlaubte auch die Aufstellung durch ungelernte Kräfte. In der Wiener Bauordnung wurden diese technischen Neuerungen berücksichtigt, um eine breitere Anwendung bei den kommunalen Siedlungsprojekten zu ermöglichen.

Adolf Loos: Präsentationsblatt Eckhaus einer Reihenhaussiedlung (Entwurf ca. 1921)

Nach diesem Loos-Patent (dat. 11.2.1921) wurde nur eine Reihe von insgesamt acht (!) Häusern ausgeführt, die beinahe spiegelbildlich zueinander liegen. Die beiden Eckhäuser sind überhöhter als die innen liegenden und bilden somit einen architektonischen Abschluß. Die sparsamen Grundrisse der vier verschiedenen Grundtypen sind wesentlich komplizierter als bei anderen Siedlungen, weil sich der Grundriß zwischen den beiden Hohlwänden frei entwickeln kann. Nach Loos' Vorschlag konnten die herabhängenden Fassadenwände mit Holzelementen, Wellblech, Eternit, Asbestplatten, gepreßten wasser- und feuersicheren Papierplatten usw. ausgefüllt werden! Zum Garten gerichtet sind Speisekammern, Stall und Kleintierhaltungsgehege. Den damaligen wirtschaftlichen Umständen entsprechend, war für jedes Haus eine eigene landwirtschaftlich nutzbare Gartenfläche vorgesehen. Zur leichteren Erschließung waren die Gärten paarweise symmetrisch angelegt und jeweils zu Kleinkulturen gekoppelt. Ebenso sind die glasgedeckten Veranden an der Straßenfassade zu Zwillingen zusammengebunden. Durch einschneidende Veränderungen der Fassaden durch eigene Baugestaltung der Bewohner ist das Gesicht dieser Siedlung entstellt.

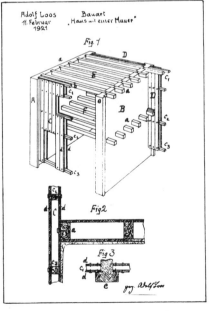

Adolf Loos: Patentschrift des Prototyps „Haus mit einer Mauer" für die Siedlung Heuberg (1921)

Hugo Mayer: Siedlung Heuberg (1921–24)

Adolf Loos: Bautrakt Plachygasse (1921)

314

Ursprüngliches Eingangsportal Ottakringer Freiluftbad (1926)

⑨ OTTAKRINGER BAD (1926)
Wiener Stadtbauamt
XVI., Johann Staud-Straße 11

Gleich vorweg: heute ist dieser Bau durch einschneidende Um- und Überbauten derart entstellt, daß er straßenseitig kaum mehr wiederzuerkennen ist. Man kann seine ursprüngliche Qualität kaum mehr erahnen, die Abbildungen zeigen daher den Bau in seinem damaligen Zustand.

Mit Fernblick nach Süden auf die Stadt und Nahblick auf die Steinhofkirche von Otto Wagner, liegt dieses Sommerfreiluftbad an einem schönen, luftigen Wiesengrundstück nahe dem Wald- und Wiesengürtel des Wienerwaldes. Das anmutige, zaghaft erhöhte, weiße Hauptgebäude ist mit einem fast grafischen „Serlianamotiv"-Portal und einem zackenmustrigen Sims versehen. Es enthält eine geräumige Eingangshalle mit Kasse, anschließender Schlüssel- und Wäscheausgabe, Kiosk und Friseurladen, Aufseherwohnung, Portierräume und Verwaltungsbüros. Beiderseits des Hauptgebäudes schließen Holzflügeltrakte in vertikaler, dunkelroter Holzschalung an, in denen sich die nach Geschlechtern getrennten Umklei-

dekabinen und Kästchengruppen befinden. Weiters ist die Anlage mit einem Warm- und Kaltbecken, mit Duschanlagen und Sonnenbädern ausgestattet. Für damalige Verhältnisse war sie mit technischen Einrichtungen wie elektrischen Vorwärme-, Filtrierungs- und Sterilisierungsanlagen modernst eingerichtet. Die Heißwasserbereitung und Zentralheizung erfolgte in umweltfreundlichen Elektrokesseln und -speichern (statt der sonst üblichen Koks- und Kohlenfeuerung). Den größten Teil der Anlage nehmen das Luftbad mit seiner Rasenfläche von mehr als 10.000qm und ein Turnplatz ein.

Vedute Ottakringer Bad (Faksimile)

⑩ SIEDLUNGSANLAGE „STARCHANT" (1922)
Silvio Mohr

XVI., Gallitzinstraße 15−73/ Johann Staud-Straße/ Eichertweg/ Theodor Storm-Gasse/ Mörikeweg/ Pönningerweg/ etc.

Diese von der christlich-sozialen Genossenschaft „Heim" errichtete Siedlungsanlage gehört zum bürgerlich-schwarzen Wohnungsprogramm für Beamte und deren Familien und zählt insofern nicht zu den Leistungen des Roten Wien. Trotzdem ist es wert, anzusehen, was das konservative Lager jener Zeit als Gegenprogramm zu bieten hatte. Der Wohnungsbau im autoritären Ständestaat nach 1934 unter dem christlich-sozialen Bürgermeister Schmitz zeichnete sich durch private Finanzierung bei gleichzeitiger staatlicher Steuerung aus. Auch vor der Dollfuß-Diktatur betrieb man eine ähnliche Politik und förderte einen „allgemeinen" Wohnungsbau, jedoch immer das Glück der eigenen Klasse vor Augen. Architektonisches Leitbild war das Eigenheim (80), und man forderte bodenständige Bauweisen, heimische Baumaterialien und traditionelle Formen.

Die rasche Abfolge von verschiedenen Dachformen, unterbrochen von zur Straße weisenden Giebeln, verleiht der Siedlung ein etwas unruhiges, bewußt individualistisches Gesicht. Diese Uneinheitlichkeit kann auch von den mehrfachen Erweiterungen der letzten Jahre resultieren, wobei „die Tendenz in Richtung größerer Wohnblocks ging." (81) Allerdings betont die Architektur auch ohne die späteren Zufügungen den ambivalenten Charakter einer Bastardisierung der „Roten" Gemeindebauten: „Kunst-am-Bau" überm Eingangsportal Johann Staud-Straße, Rundbögen und Pilaster über den Hauseingängen etc. sind von der Arbeiterkultur/Architektur übernommene Zitate. Ein Unterschied ist trotzdem zu bemerken: den Mittelpunkt der Anlage bildet eine Kirche!

Kirchen, Pfarren und Seelsorgeanstalten fehlten ja gänzlich in den Gemeindesiedlungen, um eine fast perfekte Infrastruktur zu vervollständigen. Nach dem Verbot der Sozialistischen Partei begannen Dollfuß und seine klerikalen Hintermänner mit viel Genugtuung und Zynismus mit der Errichtung von „Notkirchen" in Gemeindeanlagen (bzw. in deren unmittelbarer Nähe, da sie Proteste seitens der Arbeiterschaft fürchten mußten, wenn in den Höfen direkt Gotteshäuser errichtet wurden!).

Haupttor, Siedlung Starchant, Johann Staud-Straße

RUNDGANG 8: SCHMELZ – NEUBAU

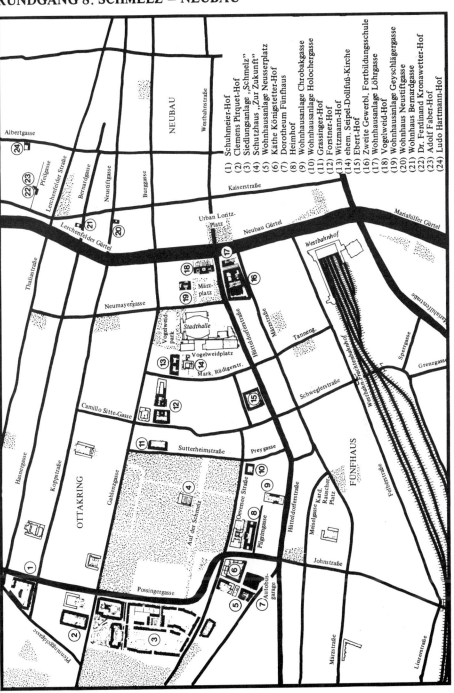

(1) Schuhmeier-Hof
(2) Clemens Pirquet-Hof
(3) Siedlungsanlage „Schmelz"
(4) Schutzhaus „Zur Zukunft"
(5) Wohnhausanlage Neusserplatz
(6) Käthe Königstetter-Hof
(7) Dorotheum Fünfhaus
(8) Heimhof
(9) Wohnhausanlage Chrobakgasse
(10) Wohnhausanlage Holochergasse
(11) Grassinger-Hof
(12) Forstner-Hof
(13) Witzmann-Hof
(14) ehem. Seipel-Dollfuß-Kirche
(15) Ebert-Hof
(16) Zweite Gewerbl. Fortbildungsschule
(17) Wohnhausanlage Löhrgasse
(18) Vogelweid-Hof
(19) Wohnhausanlage Geyschlägergasse
(20) Wohnhaus Neustiftgasse
(21) Wohnhaus Bernardgasse
(22) Dr. Ferdinand Kronawetter-Hof
(23) Adolf Faber-Hof
(24) Ludo Hartmann-Hof

0   100   500   1000m

(1) SCHUMEIER-HOF (1923;1926~27)
Karl Schmalhofer/Gottlieb Michal
XVI., Pfenniggeldgasse 8–12/ Possingergasse 63–65/ Koppstraße 100

Diese Anlage mit mehreren Innenhöfen wurde in zwei Etappen gebaut. Der von Karl Schmalhofer neu hinzukommende Zubau erstreckt sich nach drei Straßenfronten und überragt den alten Stammbau völlig. Die dreigeschossige Randverbauung um das trapezförmige Grundstück ist durch Loggien, Runderker und Halbloggien an den Ecken aufgebrochen und durch Dachaufbauten und Klinkerverkleidungen im Erdgeschoß belebt. Die Fassade sticht mit ihrem gelben Edelputz stark von der dunkelbraunen Sockelzone und der roten Dachzone ab. Der dem Terrain folgende Gartenhof ist terrassiert, und eine mehrfache Höhenstaffelung unterteilt den Bau in einzelne Wohnhausteile. Im Innenhof befindet sich ein groß angelegtes Kindergartengebäude mit offenen und gedeckten Spielplätzen, Pergolen und Plantschbecken. Das Haus enthält 238 Wohnungen, eine Wäschereianlage, eine Badeanlage, eine Schulzahnklinik und ein Ambulatorium der Wiener Gebietskrankenkasse. Im Gartenteil der Hofanlage sind drei Putti-Plastiken von Hans Vohburger und ein Denkmal für Franz Schumeier von Siegfried Bauer (1934 entfernt; 1948 erneut aufgestellt).

(2) CLEMENS PIRQUET-HOF (1929)
Josef Hofbauer/Wilh. Baumgarten
XVI., Herbststraße 101/ Gablenzgasse 106 –110/ Zagorskigasse 2–12/ Dehmelgasse 1

Um einen abwechslungsreich gestalteten Innenhof formiert sich eine blockhaft wirkende, geschlossene Hofanlage mit 247 Wohnungen in extremster Randverbauung. Die beiden Hauptportale zum großen Binnenhof sind expressionistisch gestaltet, mit breiter Einfahrt und zwei seitlichen Eingängen für Fußgänger versehen. Alle sechzehn Stiegenhäuser sind von diesem Hof aus zugänglich. Auffallend einheitlich sind die schweren Konsolen und Überlagermotive der in Vierergruppen zusammengefaßten Loggien an der sonst glatten Straßenfassade. Im Gartenhof befinden sich ein großer Jugendhort, Werkstätten und ein Kindergarten mit vorgelegtem Spielplatz. Durch das starke Abfallen des Geländes gewann man ein zusätzliches Geschoß auf der Seite der Herbststraße.

Architektenzeichnung vom Innenhof; oben: Modellfoto „Pirquet-Hof" (1929)

③ SIEDLUNGSANLAGE SCHMELZ (1919–1924)
Hugo Mayer

XV., Possingergasse 1–37/ Mareschgasse 1-19; 2-32/ Mareschplatz 77/ Minciostraße 10-34/ Schraufgasse/ Wickhoffgasse 1-19/ Schnellerweg/ Gablenzgasse 101-107

Diese Kleinwohnsiedlung stellt den ersten Versuch des kommunalen Wohnbaus im Roten Wien dar. Bereits 1919 begonnen, also vier Jahre vor dem eigentlichen Anlaufen des großen Wohnbauprogramms, erinnert die Anlage viel mehr an die Siedlungsbewegung der unmittelbaren Nachkriegszeit als an die späteren Hofanlagen. Die Obst- und Gemüsegärten zwischen den Häuserzeilen waren eigeninitiativierische Maßnahmen der Arbeiterschaft gegen die häufig nach dem Krieg auftretenden Hungersnöte.

Die Wohnsiedlung wurde in sechs Bauteilen errichtet; bei den Bauteilen I bis IV überwiegt deutlich sichtbar der Grundgedanke der Flachbauweise. In diesem älteren Siedlungsteil finden wir vorwiegend zweigeschossige Familienhäuser zu je 6–8 Wohnungen. Nur die straßenseitigen Außenmauern und Feuermauern wurden aus keramischen Ziegeln hergestellt. Die hofseitigen Außenmauern und alle nichttragenden Zwischenwände wurden mit Schlacken-Betonhohlziegeln oder gänzlich aus Schlackenstein mit Gips- oder Zementbindung ausgeführt. Selbst der anfallende Bauschutt wurde hier wiederverarbeitet.

Die Anlage wurde zwar gänzlich von der Gemeinde Wien errichtet, aber die Bewohner hatten die Möglichkeit, sich an landschaftlicher/gärtnerischer Gestaltung und am Ausbau der Wohnungen zu beteiligen. Gärten und Kinderspielplätze, Kleinviehunterbringungen, Anbau von Ställen und Ausbau des Dachbodens wurden zum Teil in gemeinsamer Arbeit und in Nachbarschaftshilfe ausgeführt. Dies führte zu einer gewissen sozialen Bindung zwischen den Mietern, ähnlich vielleicht dem Pioniergeist amerikanischer West-Siedler. Unter anderem besorgten die Mitglieder des „Vereins der Mieter und Hausgärtner der Siedlung Schmelz" – anstelle des sonst üblichen Hausbesorgers – die Gebäudereinigung selbst, um Betriebskosten zu sparen. Ebenfalls an die Anfänge der Siedlerbewegung erinnert die architektonische Beschwörung kleinmaßstäblicher, dörflicher Bau- und Wohnformen, wie z.B. die wie Bauernhäuser wirkenden Doppelhäuser, der „Dorfplatz" mit dem Brunnen in der Mitte usw.

Wenige Jahre später wurden dann in den Bauteilen V und VI in einer verbesserten Bauweise dreißig vier- bzw. fünfgeschossige Wohnhäuser mit jeweils acht bis zwölf Wohnungseinheiten fertiggestellt. Bei diesen Häusern zeichnete sich schon der Typus des kommunalen Wohnhofes ab. Die gesamte Wohnhausanlage umfaßt 85 Wohnhäuser mit 832 Wohnungen und acht Geschäftslokalen. Auch das erste Kinderfreibad Wiens befand sich hier, im Park entlang der Gablenzgasse. Bemerkenswert an dieser Siedlung sind die Kleingärten im Hof. Durch den Kauf des ehemaligen Truppenübungsgeländes der Kaserne Schmelz wurden dort illegal ansässige Kleingärtner in die Anlage integriert. Die seinerzeitigen Gemüse- oder Obstgärten sind heute vielfach durch Ziergärten verdrängt. Die Wohnungen konnten aber nicht wie bei anderen Siedlungen nach Bedarf erweitert werden, da sie zu unflexibel gebaut waren, deshalb ist das Gesamtbild – trotz umfassender Renovierung – weitgehend erhalten und einheitlicher geblieben als bei vergleichbaren Siedlungen.

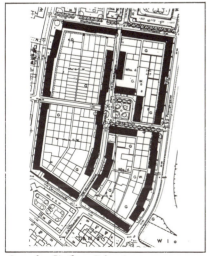

Lageplan Siedlung Schmelz

④ SCHUTZHAUS „ZUR ZUKUNFT"

Auf einen Rest von proletarischem Pathos und Lebensgefühl stößt man im Zentrum des Kleingartenvereins "Auf der Schmelz": Schutzhaus „Zur Zukunft" nennt sich das heutige Gasthaus mit schattigem Garten, zugleich das Vereinslokal der Schrebergärtner und Ziel der lufthungrigen und weindurstigen Bewohner der umliegenden Viertel.

⑤ WOHNHAUSANLAGE NEUSSERPLATZ (1926–27)
Michael Rosenauer
XV., Neusserplatz 1

Die Fassaden dieser U-förmigen Anlage sind vertikal zweigeteilt. „Über einer geschlossenen Sockelzone werden Balkongruppen und Erker angeordnet. Insbesondere an den unsymmetrischen Seitenfronten ergibt das ein sehr bewegtes Bild." (82)

⑥ KÄTHE KÖNIGSTETTER-HOF
Friedrich Pindt   (1932–33)
XV., Tautenhayngasse 2–8/ Johnstraße

Die langgestreckten Fronten dieses Blocks mit 143 Wohnungen sind nur durch isolierte Balkongruppen und Fensterfaschen gegliedert. Dieser Bau entspricht den Tendenzen der späten Phase zum schmucklosen Baukörper.

Dorfähnlicher Hauptplatz der Siedlungsanlage „Schmelz"
unten: Dorotheum Fünfhaus, Schnitt

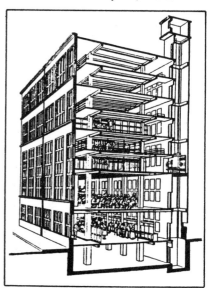

⑦ DOROTHEUM FÜNFHAUS
Michael Rosenauer   (1928–29)
XV., Schanzstraße 14/ Koberweingasse

Schalreiner Betonkubus mit Duplexgeschossen und sachlicher Gestaltung.

8 „HEIMHOF" (EINKÜCHENHAUS) (1922; 1925–1926)
Otto Pollak-Hellwig/Carl Witzmann

XV., Pilgerimgasse 22-24/Oeverseestraße 25-29/Johnstraße 52/Wurmsergasse 45

Die architektonisch wenig interessante Wohnanlage ist Wiens einziges sog. „Einküchenhaus". Zunächst von der Sozialbaugenossenschaft „Heim" (-Hof) 1922 begonnen, wurde es 1924 von der Gemeinde Wien übernommen und 1926 fertiggestellt. Die Art der Versorgung der 352 Kleinstwohnungen mit einer Zentralküche blieb ein Unikum im Roten Wien.

Allgemein wurde die Gemeinschaft durch soziale Einrichtungen wie Bäder, Kindergärten, Arbeiterklubs, Sport- und Versammlungsräume etc. gefördert. Neben diesen selbstverständlichen Service- und Infrastruktureinrichtungen gab es hier sogar eine gemeinschaftliche Küche und einen Speisesaal. Als Einzelexperiment nicht gefördert, war es ab 1934 schließlich mit dem Einzug der Essensmarken zum Scheitern verurteilt. Eine Ausnahmeerscheinung war die Großküche an sich nicht (vgl. WÖK), nur die Gewichtsverlagerung der Haushaltsführung zu kollektiven Einrichtungen war inhaltlich neu.

In den etwa 270 Ein-Zimmer-Wohnungen fanden vor allem berufstätige und kinderlose Ehepaare und Lebensgemeinschaften Aufnahme. Die Mahlzeiten wurden in der Gemeinschaftsküche hergestellt und im Speisesaal, der sich ebenfalls im Keller befand, eingenommen. Man konnte aber auch „Room-Service" verlangen, und die Speisen wurden mittels Aufzug direkt in die Wohnungen transportiert. Der Speiseplan bestand täglich aus vier Menüs (es gab auch eine vegetarische Küche!), die von den Bediensteten der Gemeinde zusammengestellt wurden. Die Säuberung der Wohnungen wurde durch dafür angestelltes Hauspersonal und durch Gemeindebedienstete besorgt. Die Zentralwäscherei übernahm zum Selbstkostenpreis die Besorgung der Wäsche. Gemeinsame Lesestuben, Warmwasserbäder und Sonnenterrassen am Flachdach des Mittelbaus sollten die Freizeitkontakte der Bewohner fördern. Umfragen unter den Bewohnern des Heimhofes ergaben, daß der Speisesaal über die bloße Essenseinnahme hinaus ein kommunikativer Raum gewesen war (83).

Primäres Anliegen war aber nicht die Organisation der Haus- und Wohnungseinrichtung (wie. z. B. bei der „Frankfurter Küche" von Grete Schütte-Lihotzky), sondern die Selbstverwaltung des Hauses als unmittelbar notwendige politische Ergänzung. Dem aber

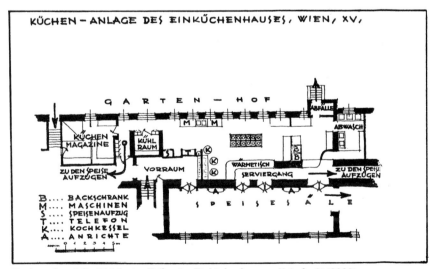

Speisesaal und Großküche im Keller des Einküchenhauses „Heimhof" (1922)

stand die reale Situation der berufstätigen und politisch z.T. uninteressierten Bewohner entgegen, die eher aus Mangel an Auswahl hier einzogen. Verwaltung und Führung des Heimhofes unterlagen letztlich der Gemeinde, aber es gab eine Art Mieter-Mitbestimmung. Alljährlich wurden Hausbewohner mit politischen Ambitionen gewählt, die für die Verwaltung und für die Organisation der Zentraleinrichtungen verantwortlich waren. Sie riefen regelmäßig Hausversammlungen ein, um Anregungen und Kritik der Mieter entgegenzunehmen.
Nach der Machtübernahme durch die Nationalsozialisten wurden Speisesaal und Zentralküche endgültig gesperrt und die Gemeinschaftseinrichtungen in private Kellerabstellplätze unterteilt. Im Lauf der Jahre wurden von den Mietern nach und nach Kochnischen in den Wohnungen eingebaut. Gelegentlich wurden auch zwei Kleinwohnungen zusammengelegt.
Der Heimhof umfaßt 352 Ein- bis Drei-Zimmerwohnungen mit Wirtschaftsnische (Gaskocher/Wasseranschluß), WC und Vorraum (!) Die Grundfläche einer durchschnittlichen Wohnung betrug 28–30 qm. Im erweiterten Teil befinden sich kleine Loggien und Müllschlucker.

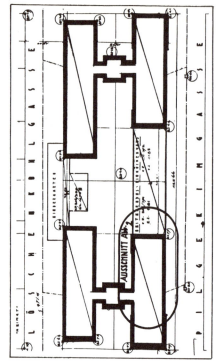

Lageplan „Heimhof"

⑨ WOHNHAUSANLAGE
CHROBAKGASSE (1925)
Arnold Hatscheck
XV., Chrobakgasse 3–5/ Wurmsergasse 40

Diese interessante Baulückenverbauung bedient sich bürgerlicher Architekturformen und klassizistischer Komposition: die dreiteilige Vertikalordnung wurde durch Pilaster und Giebelfelder unterstrichen, wobei auch die Rahmenfelder mit Putzleisten und Profilierungen geschmückt sind. Im Erdgeschoß und im ersten Stock ist ein massiver Sockelbereich, streng horizontal gegliedert mit genuteten Putzfeldern, ähnlich einem „Rustika-Unterbau". Die Pilaster rhythmisieren deutlich die Regelgeschosse in der Vertikalen, wobei sechs etwas vorspringenden Balkone den Ausgleich mit dem Horizontalen suchen. Bizarr hingegen sind die dreieckigen Giebelfelder der Seitenrisalite mit Okkuli.
Der Trakt zur Chrobakgasse ist der größere

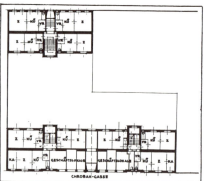

Wohnhausanlage Chrobakgasse, Grundriß EG

und enthält sechs Geschäftslokale, deren Eingänge links und rechts um die Hauseinfahrt symmetrisch gruppiert sind; der Trakt zur Wurmsergasse ist ähnlich wie in der Chrobakgasse, nur einfacher und ohne Geschäftseingänge. Die Färbelung war beim Portal ursprünglich rotbraun, in den übrigen Teilen der Fassade gelb.

322

⑩ WOHNHAUSANLAGE HOLOCHERGASSE (1931–32)
Oskar Strnad
XV., Holochergasse 40/ Loeschenkohlgasse 30–32

Mit dieser Anlage wurde durch eine U-förmige Verbauung um einen Straßenhof ein zur Straße hin offener Hof geschaffen. Details zeigen eine moderne Lösung: schmuckloser, kastenförmiger Baukörper, einfache Durchbildung der Formen, vertikale Betonung der Stiegenhäuser, Gitterbalkone und die nicht normgemäßen (quadratischen) Fenster. Bemerkenswert an dieser Anlage waren die – heute nicht mehr erhaltenen – Inneneinrichtungen und eingebauten Wandschränke. Gemeinsam mit seinen Kollegen Josef Frank und Oskar Wlach entwarf der Kunstgewerbeschule-Professor Möbel und Innenräume nach dem neuesten Geschmack, in denen schon die Grundsätze dessen feststanden, was später als der „Wiener Wohnungsstil" ein internationaler Begriff wurde.

Heute ist dieser Bau entstellt durch das Fehlen der ursprünglichen Färbelung, die stark mit den einzelnen Bauteilen kontrastierte. Ebenso fehlen die farbigen Fensterfaschen und die dunklen Stirnflächen der Randverbauung.

⑪ GRASSINGER-HOF (1932–33)
Josef & Arthur Berger / Martin Ziegler
XV., Brünhildengasse 3/ Walkürengasse 12/Sutterheimstraße 20/Rosamplatz 4

Diese 124 Wohnungen umfassende Anlage ist ein Beispiel für den „aufgelockerten Superblock" um einen breiten Straßenhof. Die Schaffung eines zur Straße hin offenen Hofes resultiert aus sozialen und ideologischen Gründen. Es wurde versucht, eine engere Kontaktaufnahme der Hausbewohner mit der Stadt „draußen" zu erreichen, nie umgekehrt. Die U-förmige Verbauung zeigt eine einfache und nüchterne Durchbildung der Architekturformen, die eine Haltung im Stil der „Neuen Sachlichkeit" verraten. An den Seitenblocks sind interessante gitterartige Balkonvorbauten aus Stahlbeton, die die Gebäudeecken akzentuieren und gliedern, während die langen Front- und Rückseiten völlig ungegliedert sind.

⑫ FORSTNER-HOF (1924)
Gottlieb Michal
XV., Alliogasse 27–33/ Walkürengasse/ Camillo Sitte-Gasse

Bezeichnend bei diesem „romantischen" Gemeindebau ist die totale Abgeschlossenheit gegenüber der Straße. Polygonalerker, spitze Giebelformen, Dachaufbauten und verschiedene Ornamentfelder unterm Parapet erinnern an eine „Meistersänger Renaissance" altdeutscher Städte. Folgen von langgestreckten Innenhöfen mit kleineren Durchfahrten sind durch verschieden hohe Baublöcke von der Straße abgeschirmt. Eine geschlossene Überbauung des Erdgeschosses und die Überwölbung der Zu- und Durchfahrtsstraßen und Wege schaffen eine intime, nach innen gerichtete Anlage. Der Geländeunterschied wird durch Freitreppen und Terrassen im Hof überwunden. Im Hof ist ein Zierbrunnen und ein Kinderspielplatz. Überhaupt wirkt die Anlage kleinstädtisch, obwohl sie zur Straße hin blockhaft erscheint.

⑬ WITZMANN-HOF (1926-27)
Rudolf Krauß
XV., Reuenthalgasse 2–4/ Markgraf Rüdiger-Straße/ Vogelweidplatz 9

Entsprechend den Nobelzinshäusern der Gegend ist diese Anlage nach dem Boule-

„Witzmann-Hof" (1926-27); Entwurfszeichnung von Rudolf Krauß

vardprinzip des 19. Jahrhunderts aufgebaut: die reichgegliederte Dachlandschaft und die kantigen Loggieneinbauten/Erker erinnern an die bürgerlichen Villen der Vorstadt, allerdings in groteskem Maßstab. Diese Wohnhausanlage nimmt mit ihrer klassisch inspirierten Formensprache einiges von den späteren Assanierungsbauten an der Peripherie des Wiener Waldes und Grinzings vorweg.

⑭ SEIPEL-DOLLFUSS-KIRCHE (heute: Christus-König-Kirche) Clemens Holzmeister
XV., Vogelweidplatz 7/ Krimhildplatz

In Holzmeisters Werk steht vorrangig der Kirchen- und Sakralbau (vgl. Krematorium, Plan 3/Pos. Nr. 30). Die „Kanzlergedächtniskirche" (bis 1938 befanden sich hier die Sarkophage der beiden Bundeskanzler Dollfuß und Seipel) wurde ursprünglich nach einem kathedralartigen ersten Entwurf als turmlose „Seelsorgeanstalt" mit ausgesprochen karitativer Ausrichtung erbaut. Anstatt eines konventionellen Längsschiff-Querschiff-Konzepts zeigt die Kirche – erstmalig für Wien – eine Ineinanderführung von zwei Räumen, „die entgegen der herkömmlichen Langhausentwicklung eher als ‚Breiten Anlage' zu bezeichnen ist" (84), wobei die Kirche stark verbreitert wird und sich der Quadrat-Vierkant-Form angleicht. Auf Initiative von Dr. Hildegard Burjan, der Gründerin der „Caritas socialis", entstanden die der Kirche ange-

schlossenen, um einen Hof gruppierten und in der Höhe differenzierten Räume des sozialen Dienstes.
Wie richtig diese Entscheidung war, zeigt sich in der städtebaulichen Gesamterscheinung. Der Vergleich mit der rund 20 Jahre älteren Kirche „Hl. Geist" auf der Schmelz (1910) von Josef Plečnik (XVI., Herbststraße 82) drängt sich sowohl außen als auch innen auf.
Clemens Holzmeister schreibt dazu selbst: „Ein Wettbewerb brachte das überraschende Ergebnis: Mein Entwurf ohne Turm zugunsten einer weiträumigen Kirche und eines ausgedehnten Fürsorgehauses drang durch. Auf dem neuen Bauplatz, rings umschlossen von hohen Häuserfronten, konnte ein mit mäßigen Mitteln aufgerichteter Turm nicht mehr standhalten. So entstand eine Gottessiedlung, in sich gekehrt, durch einen Grüngürtel in Hinkunft von den unschönen Häuserfronten getrennt (...) Das einfach gehaltene Fürsorgehaus, das mit der Kirche (...) einen Hof umschließt, verbindet sich mit dem Gotteshaus durch eine Vorhalle." (85)
Im Inneren des Querhauses ist eine merklich düstere Altarwand mit Chor von Max Fellerer. Mosaikarbeiten stammen von Karl Sterrer und unter dem Hauptaltar befindet sich in sichtbar gelassenem Beton die Krypta. Die bemerkenswerte Lichtführung durch Lichtschneisen trägt zur mythologisch inspirierten Raumwirkung wesentlich bei. Die Stuckdecke ist nach Entwürfen von Lotte Baudisch gestaltet.

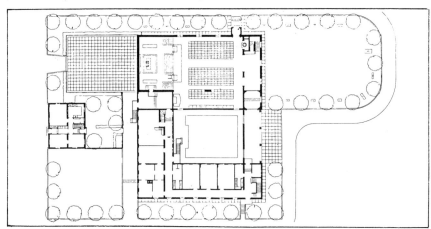

Clemens Holzmeister: Kanzlergedächtniskirche Grundriß

⑮ EBERT-HOF (1925−26)
Viktor Mittag/Karl Hauschka
XV., Hütteldorferstraße 16−22/ Löschenkohlgasse 13/ Pouthongasse 23/ Costagasse 2

Die U-förmige Verbauung des „Ebert-Hofes" um einen Straßenhof bildet, bedingt auch durch vorwiegende Randverbauung und durch den Wechsel der Gebäudehöhen, einen unregelmäßigen, räumlich differenzierten Hof. Die drei Fronten haben in architektonischer Hinsicht manches Interessante zu bieten: Vor- und Rücksprünge in bezug auf die Baulinie, runde und polygonale Erker, Rundbogenarkaden, Loggien, Terrassen, gemauerte Sockel, reichgegliederte Dachformen, farbige Felder und ausgespreizte Wandpfeiler. Ein besonderes Charakteristikum bildet die merkwürdige Ecklösung des Seitenflügels in der Costagasse, mit dem architektonischen Abschluß gegen die Seitengasse und der Fußgängerüberwölbung in der Hütteldorferstraße. Die Hauptfassade ist im Erdgeschoß durch Dreieckserker und Arkadenüberbauungen gegliedert und ist straßenseitig in einem „Durchhaus" mit Läden versehen. Sie stellen bereits eine Ausformung jenes Prinzips der geschützten Ladenstraße im Gemeindebau dar. Ein Augenmerk bildet die Mittelpartie der Fassade in der Löschenkohlgasse mit den großen spitzbögigen Eingängen. Der „Ebert-Hof" besitzt zwei „Wohlfahrtseinrichtungen": einen Kindergarten und einen Jugendhort. Heute befinden sich dort der „Lernklub der Kinderfreunde" und ein Parteilokal der SPÖ. In dem öffentlich zugänglichen Hof befindet sich der „Frühlingsbrunnen" von Anton Endsdorfer (vgl. Faksimile).

Frontispiz der Eröffnungsschrift (1926) mit dem „Frühlingsbrunnen" (Faksimile)

⑯ ZWEITE GEWERBLICHE FORTBILDUNGSSCHULE (1926)
Josef Hofbauer/Wilhelm Baumgarten
XV., Hütteldorferstraße 7−17/ Märzstraße

Infolge der außerordentlich raschen Entwicklung des gewerblichen Fortbildungs- und Schulwesens und der Arbeiterbildung unter den Sozialdemokraten, erwies sich kurze Zeit nach Errichtung des ersten Zentralgebäudes die Gewerbeschule in der Mollardgasse als viel zu klein. Der Wiener Fortbildungsschulrat erbaute daher ein zweites, modernes Gebäude.

Der Baublock an sich ist massiv (Stahlbetonbau), trotzdem haben die Architekten in einem wirtschaftlichen Raumprogramm ein vielfältiges und vielgegliedertes Gebäude geschaffen, das eine interessante, aufgelockerte Anordnung von Innenhöfen, herausgestreckten Gebäudeteilen (Werkstätten) und Serviceeinrichtungen aufweist. Der gesamte Baugrund hat ein Flächenausmaß von rund 13000 qm, die verbaute Fläche beträgt rund 9000 qm.

Die Hauptschwierigkeit des Bauprogramms bestand in der Aufgabe, die Räume des theoretischen Unterrichts von dem störenden Lehrwerkstättenbetrieb vollkommen zu trennen. Die Durchführung ergab den Haupteingang in der Hütteldorferstraße und

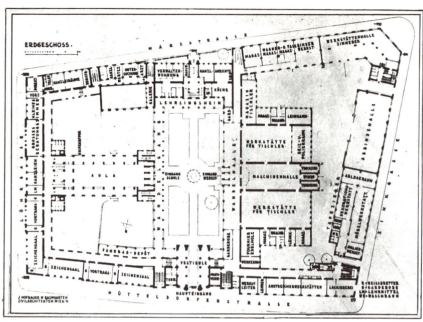

Zweite Gewerbliche Fortbildungsschule; Grundriß Erdgeschoß

Hofansicht mit Brunnenplastik von Otto Hofner

die Seitentrakte an der Löhrgasse und der Märzstraße. Der Trakt an der Zinckgasse blieb ausschließlich den großen Lehrwerkstätten vorbehalten. Der Zugang zu den Lehrräumen erfolgt durch Passieren eines imposanten Vestibüls und eines Arkadenhofs durch einen in der Querachse dieses Hofes gelegenen Trakt, der die Aula, die Hauptstiege und den Festsaal enthält. Die Architekten haben das Hauptgewicht auf eine vorbildliche handwerkliche Durchbildung aller Arbeiten am Bau gelegt; dies umsomehr, als das Gebäude selbst Anschauungsmaterial für die im Hause unterrichteten Lehrlinge sein sollte. Konstruktive Details der Stahlbetonkonstruktion sind sichtbar und gut durchgearbeitet. Auffallend ist ihre klassische Form.

Der Schultrakt birgt die für den theoretischen Unterricht notwendigen Räume: 13 Vortragssäle, 20 Zeichensäle mit eigenen Garderoben, Waschgelegenheiten und Reißbrettdepots; sowie sechs Kanzleien, sechs Lehrerzimmer, eine große Bücherei, Konferenz-und Sitzungszimmer usw. Über dem Vestibül liegt gegen Süden zu der große Physiksaal mit Garderobe und Sammlungsraum; im 2. Stock nach Norden gerichtet der Chemiesaal mit den Laboratorien. Der Festsaal hat einen Fassungsraum von 350 Personen und besitzt eine kleine Bühne für Aufführungen. Darüber befindet sich ein großer Ausstellungsraum für Schülerarbeiten. Die vorbildlich ausgestatteten Lehrwerkstätten enthalten eine große Maschinenhalle, Tischlerwerkstätten, Trockenräume für die künstliche Trocknung von Holzmaterial, Beiz-und Polierräume, Lagerräume, eine Holzfertigteilhalle von insgesamt 400 qm, Ateliers und Laboratorien.

Das angeschlossene Lehrlingsheim weist alle Errungenschaften komfortabler, zeitgemäßer Wohnkultur auf, mit Bedachtnahme auf hygienische Reinlichkeit und Zweckmäßigkeit. Ein intimer Arkadenhof ist mit einem Brunnen und Plastiken von Otto Hofner ausgestattet. Assoziationen zu einem mittelalterlichen „hortus conclusus" drängen sich hierbei auf. Auch im eleganten Eingangsbereich, im Vestibül, war das für das Rote Wien charakteristische bürgerliche Formenrepertoire und das programmatische „Kunst-am-Bau"-Idiom vorhanden, so beispielsweise der keramische Majolikaschmuck vom Wiener Werkstätten-Künstler Robert Obsieger über den gerauteten Eingangstoren und die bemerkenswerte Bautafel im Vestibül.

(17) WOHNHAUSANLAGE LÖHRGASSE (1925–1926)
Karl Dirnhuber
XV., Löhrgasse/ Hütteldorferstraße 3–5

Dieser Gemeindebau zählt zu den sachlichsten Leistungen im Roten Wien. Dirnhuber

Grundriß Erdgeschoß

gehörte der fortschrittlichen Gruppe um Vetter an und entwickelte diesen imposanten Baublock aus der neuzeitlichen Technik des vereinfachten Gebrauchsstils, der „Neuen Sachlichkeit". Mit Rücksicht auf die von der Gemeinde Wien verlangten Auflagen hat Dirnhuber hier mit wenigen architektonischen Mitteln eine straffe und strenge Massenquartierarchitektur geschaffen. Die Massengliederung, Zurückdrängung der Einzelform und Schattenwirkungen bringen die Symbolik der Volkswohnhäuser adäquat zum Ausdruck. Bemerkenswert ist die Durchdringung kubischer Baumassen und die Erhöhung an der Ecke. Durch die Ecklage des Hauses wird die Einzelausbildung der Ansichtsflächen gegen die Ecke bewegter und monumentaler; die farbig betonten Teile schließen nahtlos an die angrenzenden älteren Zinshäuser an. Diese Architektur ist durchaus auf Fernwirkung aus, war ja der Blickpunkt von einem größeren Platz als heute vorgesehen. (86)

Die Wohnhausanlage umfaßt 75 Wohnungen, zwei Geschäftslokale, Ateliers und Kanzleiräume, die von vier Treppenanlagen aus zugänglich und hakenförmig an der Eckbaustelle angeordnet sind.

(18) VOGELWEID-HOF (1926–27)
Leopold Bauer
XV., Hütteldorferstraße 2a/ Würzbachgasse 2/ Sorbaitgasse 3

Diese Hofanlage stellt durch ihre Repräsentationsausstattung exemplarisch den Widerspruch zwischen „Volkswohnung" und „Sozialpalast" dar. Auffallend ist hier, wie die Arbeit durch mythologische und dekorative Motive romantisiert wird. Gleich in der Eingangshalle sind vier Wandfresken und mehrere Deckenfresken zu bewundern, die an die sozialen Leistungen des Roten Wien in peinlich allegorischer Form erinnern wolen: an Wohnbau, Schulwesen, Sport und gesundheitliche Versorgung. Themen aus dem Bereich der wirklichen Arbeitswelt aber fehlen oder finden – wie bei den Deckenmalereien von Franz Wačik und Rudolf Jettmar in den Arkaden – im Bereich der vorindustriellen Produktion und Handarbeit ihren Ausdruck.

Wegen dieser malerischen Ausschmückung und Realitätsferne nannte man diese Wohnhausanlage auch „Märchenhof". Aber nicht allein wegen der verspielten Dekorationen

Laden in der Wohnhausanlage Löhrgasse

ist dieser Bau romantisch: die kannelierten Rundbogenreihen und das reliefgeschmückte Gesims des Hauptblocks geben der Architektur einen gewissen eklektischen Charakter. Beiderseits des mächtigen Mittelteilkubus befinden sich dreiviertel geschlossene Innenhöfe, die mit Pergolen abgeschlossen sind, und in denen sich drei schöne keramische Zierbrunnen von Robert Obsieger und Sitzbänke befinden.

⑲ WOHNHAUSANLAGE GEYSCHLÄGERGASSE

Max Fellerer   (1928–29)

XV., Geyschlägergasse 10–12/ Vogelweidplatz

Dieser Block mit 60 Wohnungen stellt eine geschlossene Verbauung hin zum Vogelweidplatz dar. Gliederungselemente sind eigentlich nur die kubischen Balkone, die einen modernen Baukörper schaffen. Zur Geyschlägergasse hin bildet die Anlage einen geöffneten Hof, der den ansonsten stereotypen, einfachen Baukörper etwas auflöst.

⑳ WOHNHAUSANLAGE NEUSTIFTGASSE (1925–26)

Georg Rupprecht

VII., Neustiftgasse 143

Diese Baulückenschließung besteht aus einem Gassentrakt, einem Hoflängs- und einem Hofquertrakt. Das Wohnhaus besitzt über dem Parterre durchgehend fünf Stockwerke, wobei ein breites Überlager zu den benachbarten Häusern abgesenkt ist und den Dachboden mit Satteldachattika von den Wohngeschossen trennt. Vier große Rundbögen und expressionistische, diamantartige Wandpfeiler im Erdgeschoß heben den Bau stark aus der Straßenflucht heraus. Die Fenster in den übrigen Geschossen werden durch horizontale Bänder zusammengefaßt; ornamentierte Blumenvasen und Medaillons schmücken die Straßenfassade. Die Fassaden zum gärtnerisch gestalteten Innenhof sind ruhiger und flacher, an dieser Seite gibt es keinen Dachboden. Im Hoflängstrakt befinden sich ein eigener Aufgang zu einer separierten Hofwohnung und gegen die Feuermauer des Nachbarobjekts eine Trillage mit Kletterpflanzen zur Verkleidung.

Das Haus enthält 45 Wohnungen, ein Geschäftslokal, ein Magazin und zwei Waschküchen. Ein bürgerliches Vestibül erschließt den Gassentrakt, das andere (Hof-)Stiegenhaus wird vom Gartenhof aus betreten.

㉑ WOHNHAUSANLAGE BERNARDGASSE (1925–26)

Leo Kammel

VII., Bernardgasse 38

Die Baulückenschließung steht auf einer schmalen, in die Tiefe gehenden Mittelbaustelle und enthält einen vierstöckigen Gassentrakt, einen fünf Stock hohen Hofquertrakt und als Abschluß, gegen die rückwärtige Grundstücksgrenze zu, einen ebenerdigen Hoflängstrakt. Die Gassenseite ist sehr wirkungsvoll mit spät-secessionistischen Elementen gestaltet: breitgelagerte Pilasterordnung, „Bay-windows", Mauerknöpfe, Lisenen, Kannelüren etc. Die vier Kinderkopfplastiken aus grauem Kalkstein vom Bildhauer Heinrich Krippel heben sich stark vom rötlichen Untergrund des Edelputzes ab.

Das Haus enthält außer den im Erdgeschoß des Hoftrakts befindlichen Räumen der Straßensäuberung insgesamt 30 Wohnungen, ein Magazin, ein Depot und zwei Waschküchen. Es ist durch zwei Einfahrten und zwei Stiegenhäuser begehbar.

㉒ DR. FERDINAND KRONAWETTER-HOF

M. O. Kuntschik   (1925–26)

VIII., Pfeilgasse 47–48

Auffallend bei dieser breiten Schließung einer Mittelbaustelle ist die statisch horizontale Gliederung. Der Bau besteht aus einem langgestreckten Gassenhaupttrakt, aus zwei Hoflängstrakten und einem ebenerdigen Hofquertrakt. Der Gassentrakt weist außer dem Erdgeschoß und einem Zwischengeschoß in einer sockelartigen Abteilung noch vier weitere Stockwerke und einen Dachboden auf. Ein sehr markantes, breites Hauptgesims schließt den Bau nach oben ab und verbindet höhenmäßig die Gesimskanten der Nachbargebäude. Die bandartige Zusammenfassung der Regelgeschoßfenster mittels Sohl-und Sturzstreifen betont die Waagrechte des Gebäudes. Feine plastische Schmuckelemente und eine flache Giebeldekoration über dem Eingang füllen die Leerstellen der Mauer.

Das Haus ist von der Einfahrt durch vier Stiegenanlagen zugänglich, enthält 72 Wohnungen, ein Magazin, Hofräume für die Straßenreinigung, Bäder, Waschküchen und Aufenthaltsräume für die Bediensteten der Straßensäuberung.

23 ADOLF FABER-HOF (1927–28)
Wilhelm Peterlc (Wr.Stadtbauamt)
VIII., Pfeilgasse 42

Diese aus mehreren schachtelartigen Baukörpern zusammengesetzte Eckverbauung umfaßt 17 Wohnungen mit Loggien/Balkonen und im Mezzanin einen Turnsaal des Arbeiterturnvereins. Dem unterschiedlichen Zweck des Hauses entsprechend, ist das Erdgeschoß mit Rohziegel- bzw. Klinkerverkleidung, Gitterfenstern, Wandpfeilern etc. gekennzeichnet, wobei der Turnsaal mit markanten Rundbögen hervorgehoben ist. Durch diese unterschiedliche Behandlung fallen die Fassaden auseinander, was aber eine dynamische Eckakzentuierung erlaubt: Breite Konsolen mit kubisch ausgeschnittenen Balkonöffnungen korrespondieren mit herausspringenden Eckbauteilen mit tiefersetzten Loggien. Im Hof befindet sich ein Schmuckbrunnen von Edmund Klotz.

24 LUDO HARTMANN-HOF
Cäsar Poppovits   (1924–25)
VIII., Albertgasse 13–17

Bei dieser U-förmigen Baulückenschließung bildet ein zurückversetzter, straßenhofartiger Ehrenhof mit vorgestellter Arkade, der direkt vom Bürgersteig zu erreichen ist und gleichzeitig einen gedecken Zugang zu den beiden Haupteingängen bietet, den eigentlichen Blickpunkt. Die Säulen dieses ungewöhnlichen Pfeilergangs sind mit keramischen, kelchartigen Blattmotiven (Palmstämme) verkleidet. Im Erdgeschoß wurden

straßenseitig und unterhalb der Arkaden Geschäftslokale eingerichtet; die Wohnungen sind hofseitig angelegt.
Die 70 Wohnungen des Hauses – zum Teil Zwei- bis Vier-Zimmer-Wohnungen mit Dienstmädchenzimmern (!) – waren für höhere Rathausbeamte vorgesehen. Die äußere Gestaltung ist dem bürgerlichen Wohnhauscharakter des VIII. Bezirkes angeglichen und aus gutem Baumaterial ausgeführt. Hinter dem Trakt des Straßenhofes wurde ein zentraler Mittelhof angelegt. An dessen beiden Seiten befinden sich Längshöfe, wobei der linke eigentlich eine Erweiterung der Hofanlagen der benachbarten, früher gebauten Eckhäuser darstellt. Vom Hof aus erschließen drei Stiegenhäuser zwei Wohnungen je Stockwerk.

„Hartmann-Hof" (1924–25); Keramisch verkleidete Säulen zitieren das Motiv von Palmenstämmen

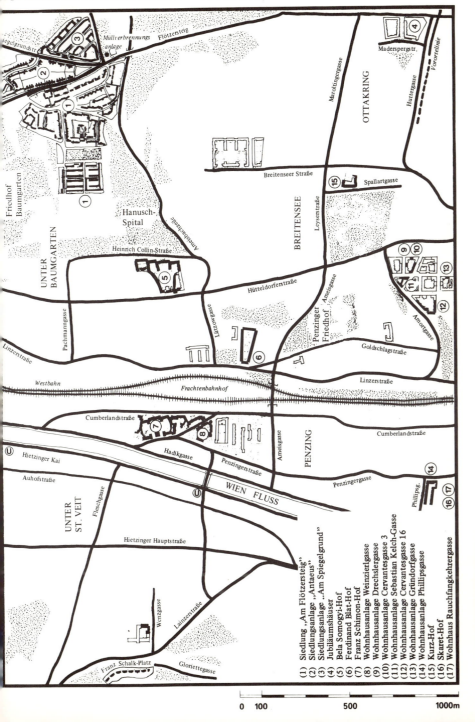

(1) Siedlung „Am Flötzersteig"
(2) Siedlungsanlage „Antaeus"
(3) Siedlungsanlage „Am Spiegelgrund"
(4) Jubiläumshäuser
(5) Bela Somogyi-Hof
(6) Ferdinand Blat-Hof
(7) Franz Schimon-Hof
(8) Wohnhausanlage Weinzierlgasse
(9) Wohnhausanlage Drechslergasse
(10) Wohnhausanlage Cervantesgasse 3
(11) Wohnhausanlage Sebastian Kelch-Gasse
(12) Wohnhausanlage Cervantesgasse 16
(13) Wohnhausanlage Gründorfgasse
(14) Wohnhausanlage Phillipsgasse
(15) Kurz-Hof
(16) Skaret-Hof
(17) Wohnhaus Rauchfangkehrergasse

0 100 500 1000m

① SIEDLUNG „AM FLÖTZERSTEIG" (1922–1925)
Franz Kaym/Alfons Hetmanek

XVI., Flötzersteig/ Gusterergasse/ Erbacherweg/ Koniczekweg/ Kiesgasse/ Wawragasse/ Etschnerweg/ Scherfweg/ Stauffergasse/ Reiningerweg/ Wittmanngasse/ Lebersteig/ Staargasse/ Köppelweg/ Kohlesgasse/ Schmalerweg/ Sobingerweg/ Ameisbachzeile/ Donhartgasse/ Schniaweisgasse/ Achtundvierzigerplatz

Diese romantische Anlage entspricht den nostalgisch zurückblickenden Vorstellungen Camillo Sittes bzw. den naturidyllischen Ideen der Gartenstadtbewegung. Die weitverstreute Siedlung der Genossenschaft „Gartensiedlung" zählt mit ihren 154 Doppelhäusern zu einer der größten Siedlungsanlagen der genossenschaftlichen Garten- und Siedlerbewegung Wiens.

Die Siedlung wurde in mehreren Abschnitten erbaut; der Hauptteil besteht aus etwa 539 Wohnungen, die in Doppelhäusern in amorpher, spiegelbildlicher Anordnung den Erschließungsstraßen entlang gebaut sind. Die unterschiedlichen Haustypen zeigen, wie bei gleichen Voraussetzungen sehr verschiedene Lösungen herauskommen können, wobei die Lage zur Sonne stets den Grundriß bestimmte. Die wichtigsten Schlaf- und Wohnräume liegen sonnenorientiert, die Neben- und Wirtschaftsräume zum rückwärtigen Garten. Die Bauten entlang der Ameisbachzeile unterscheiden sich in der Form vom übrigen Teil der Siedlung: Der Reihenhauscharakter der wallartigen Front gegen das stark abfallende Terrain wird durch eine geschickte Auflösung der Stirnflächen in heitere, individuelle Hauseinheiten mit eingezogenem (Walm-)Dach verwandelt. Neben diesem Sondertypus hat die Anlage am Ende der Durchzugsstraßen jeweils zwei portikusartige Torbauten; den Nebenwegen entlang befinden sich Zeilenbauten mit Kernbildungen. Nur entlang der Verkehrsader Flötzersteig, wo auch in repräsentativer Form Theatersaal, Bibliothek, Arbeiterklub, Arbeiterleseräume, Sekretariat und andere kommunale Einrichtungen untergebracht sind, entstand eine lärm- und staubabschirmende Gebäudefront von elf Doppelhäusern, die durch tiefe Vorgärten von der Straße abgerückt sind.

Bemerkenswert an der städtebaulichen Konzeption dieser Siedlung ist das Prinzip der klaren Trennung von öffentlichen und privaten Bereichen. Einige Siedlungshäuser weisen äußerlich sogar eine starke Verwandtschaft mit dem mittelalterlichen Ackerbür-

gerhaus auf, das sowohl repräsentative als auch funktionelle Aufgaben erfüllte. Die Häuser sind gassenseitig mit kleinen, eingefriedeten Vorgärten versehen und mit L-förmigen, vorgebauten Windfängen in Rohziegelbau, die zum Teil als Lauben ausgebaut sind. Dahinter liegt ein weiträumiger Nutz- und Weingarten (ca. 500qm), der eine freie Ausbaumöglichkeit für Stall und Scheune anbot und in Notzeiten von den Siedlern genutzt wurde.

Die Brutto-Wohnfläche der zweigeschossigen Kleinhäuser schwankt zwischen ca. 50qm bis 70qm, in manchen Fällen ist das Dach ausgebaut worden. Der Grundriß eines Hauses weist im Erdgeschoß Wohnzimmer, Küche, Spüle und zwei Vorräume auf. Im Obergeschoß befinden sich Schlafzimmer, Kammer und ein „Stiegenvorplatz". Schuppen, Stall und Abort sind gartenseitig orientiert.

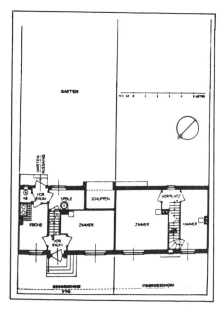

Haustypen, Grundriß EG/OG

Franz Kaym/Alfons Hetmanek: Siedlung Flötzersteig (1921)

Franz Kaym/Alfons Hetmanek: Siedlung Spiegelgrund (1931)

333

② SIEDLUNGSANLAGE „ANTAEUS" (1923–1924)
Heinrich Schlöss

XIV., Antaeusgasse/ Spiegelgrundstraße/ Flötzersteig

Diese ursprünglich aus gemeindeeigenen Mitteln finanzierte, aber von der Genossenschaft „Antaeus" errichtete Siedlung befindet sich im Straßenzwickel Flötzersteig/ Spiegelgrundstraße. (87) Sie ist wesentlich kleiner, baulich einfacher und straffer organisiert als die gegenüberliegende Siedlung „Am Flötzersteig" (vgl. Pos. Nr. 1).
Die Anlage umfaßt nur 74 Wohnungen in einer langen, straßenseitigen Reihenhausverbauung an den Rändern des Grundstücks.
Die sich aus der Hanglage ergebenden Niveauunterschiede des Geländes bedingten den Ausbau von Außentreppen und gestaffelten Satteldächern. Die in Reihenhäusern zusammengefaßten Wohnobjekte entlang der Durchzugsstraßen bilden einen Gebäudewall, der die Siedlung nach außen abschirmt. Im Gegensatz zur abwechslungsreichen Anlage „Am Flötzersteig" ist dieser Bauteil in der Gestaltung extrem einfach, aber nicht malerisch ausgeführt. Die Grundrisse sind typisch für die erste Phase der Siedlerbewegung: im Erdgeschoß befinden sich Wohnküche und Spüle und ein fast quadratisches Wohnzimmer ohne viel Komfort; das Schlafzimmer und ein bis zwei

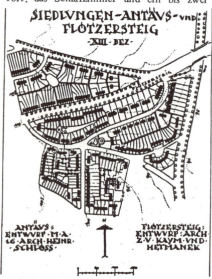

Schlafkammern liegen im 1. Stock; teilweise gibt es Dachausbauten. Die Wohnfläche betrug lediglich 41,60qm. Die gartenseitig angebaute Scheune mit Heuboden (mitunter gab es auch einen selbstgeschlagenen Brunnen) diente der Kleintierhaltung, der relativ große, hintere Garten der Lebensmittelversorgung. Ein geplantes Genossenschaftshaus inmitten der Anlage wurde nicht mehr ausgeführt.

③ SIEDLUNGSANLAGE AM SPIEGELGRUND (1931-32)
Franz Kaym/Alfons Hetmanek

XVI., Spiegelgrundstraße/ Reichmanngasse/ Schrekergasse/ Scariaweg/ Schmedesweg/ Dustmannweg/ Maternaweg

Der Bau dieser Siedlungsanlage mit 311 Wohnungen muß unbedingt als Reaktion auf die Angriffe, die sich vermehrt auf politischer und ideologischer Ebene gegen die „Roten Hochburgen" richteten, gesehen werden. Sie schließt sich nahtlos an die lockere Bauweise des älteren Siedlungsgebietes an, doch die Architektur der einzelnen Häuser ist straffer und schon stark versachlicht. Ihr Vorbild dürften die in holländischer und deutscher Zeilenbauweise errichteten Anlagen gewesen sein, die alle mit öffentlichen Grünflächen und Gehwegen durchzogen waren. Auffallend ist hier die stärkere Normierung der Typen und die kraftvolle Durchgestaltung selbst untergeordneter Bauteile (Stiegenhaus, Eingänge).
Die Bebauung variiert zwischen reihenhausähnlichen Zeilen- und niedrigen Mehrfamilienblocks. Die verbaute Grundfläche eines Siedlerhauses beträgt 40qm, doch ergibt sich durch die einstöckige Verbauung eine Wohnfläche von insgesamt ca. 62qm. Im Erdgeschoß befinden sich außer einem kleinen Vorraum die Wohnküche mit Spüle und ein Wohnzimmer, oder eine Küche mit einer kleinen Waschküche, die auch als Badegelegenheit diente, und ein Wohnzimmer. Das Schlafzimmer und ein bis zwei Schlafkammern liegen im 1. Stock. Zusammen mit der Flötzersteigsiedlung und der Antaussiedlung bildet diese Anlage eine Gartenstadt mit insgesamt 438 Häusern und ist somit eine der größten im Wien der Zwischenkriegsjahre.

④ „JUBILÄUMSHÄUSER" (1899–1901); (teilweise zerstört)
Theodor Bach/Leopold Simony
XVI., Maderspergerstraße 4–14/ Wernhardtstraße 11–19/ Gutraterplatz/ Roseggergasse 1–7; 2–8/ Lorenz Mandlgasse 8

Ein Vorläufer des kommunalen Wohnbaus der Zwischenkriegszeit ist die nur zum Teil erhaltene Anlage der sog. „Jubiläumshäuser" („Kaiser-Franz-Joseph-Jubiläumsstiftung"). Die Wahl des Grundstücks fiel nach einem Wettbewerb 1897 auf einen 49000 qm großen Bauplatz am Abhang des Wilhelminenberges. Aus Geldmangel konnte er allerdings nicht vollständig bebaut werden, dennoch war die Wahl des Grundstücks günstig: einerseits bestand ein direkter Anschluß an die Straßenbahnlinie und an die Vorortelinie der Stadtbahn, und andererseits waren in unmittelbarer Umgebung genügend Arbeitsangebote gegeben.

Für den größeren Baublock waren drei Teile projektiert: der „Lobmeyr-Hof" mit ca. 6900 qm, der spätere „Stiftungs-Hof" (ca. 7900 qm) und der niemals realisierte „Wohlfahrts-Hof" (ca. 7800 qm). In drei Etappen wurden bis Ende 1901 insgesamt 28 Häuser gebaut, davon entfielen 18 auf den „Stiftungs-Hof" und 10 auf den „Lobmeyr-Hof". 70% der Häuser waren mit Zimmer-Küche-Wohnungen (88) ausgestattet, wobei man vom traditionellen Wiener Prinzip des Gangküchenhauses abging. Alle Wohnungen hatten ein eigenes WC, das sich allerdings nur bei der Hälfte aller Wohnungen im Wohnungsverband befand. Insgesamt verfügte die Anlage bei Fertigstellung über 396 Wohnungen, davon 244 im „Stiftungs-Hof" und 152 im „Lobmeyr-Hof".

Der Bau erfolgte nach der bewährten Wiener Bebauungsform, der geschlossenen Randverbauung, und wies eine geringe Bebauungsdichte (45%) auf. Die Häuser waren überwiegend als „Vierspänner", also jeweils vier Wohnungen pro Geschoß, und vierstöckig konzipiert. Jede Wohnung (Durchschnittsgröße 28-55 qm) war als abgeschlossene Einheit gestaltet; alle Stiegenhauseingänge befanden sich an der Hofseite.

Die Architekten schlugen großzügige Wohlfahrts- und Gemeinschaftseinrichtungen vor, aber von den geplanten Einrichtungen konnten in den neuen Häusern des „Stiftungs-Hofes" nur die Gemeinschaftswaschküchen, eine Dampfwäscherei, ein Bad und eine Volksbibliothek mit Vortragssaal eingerichtet werden. Zur Verfügung standen außerdem noch eine Apotheke und ein Ordinationszimmer. Nicht zur Ausführung gelangten ein Konsumverein (mit Verwaltungsräumen und Geschäftslokalen), ein Wohlfahrtshaus mit Kinderkrippe und Hort, eine Haushalts-Volksküche und mehrere Nähwerkstätten. Die Nahversorgung erfolgte ausschließlich durch sieben Läden, die allesamt in Privatbesitz waren.

„Lobmeyr-Hof" (1900–1901); Hofansicht

(5) BELA SOMOGYI-HOF (1927–1929)
Hermann Aichinger/Heinrich Schmid
XIV., Hütteldorferstraße 150–158/ Moßbachergasse 22–24/ Gusenleithnergasse/
Mitisgasse/ Heinrich Collin-Straße

Die beiden oberösterreichischen Otto Wagner-Schüler Schmid und Aichinger erhielten von der Gemeinde Wien große Wohnbauaufträge und sie waren bestens durch ihre Gemeindebauten „Am Fuchsenfeld" (vgl. Plan Nr. 1/ Pos. Nr. 13), „Rabenhof" (vgl. Plan Nr. 3/ Pos. Nr. 1), „Matteotti-Hof", „Herwegh-Hof", „Julius Popp-Hof" (vgl. Plan Nr. 1/ Pos. Nr. 4, 2 und 3) bekannt. Im Gegensatz zu anderen Architekten ihrer Generation waren sie imstande, Monumentalität wohnlich zu gestalten. Sie erreichten die von ihnen gewünschte Wirkung der Bauten durch Abwechslung in den Baumassen, durch reiche Verwendung von Grünanlagen und durch lebhafte, fast schon malerische Fassadengliederung.

Das hier von der Gemeinde Wien zur Verfügung gestellte Gelände lag auf den Gründen der aufgelassenen Maschinenfabrik „Lehmann & Leyrer". Das Grundstück erwies sich aber als sehr unregelmäßige und nicht einfach zu erschließende Anlage, weil Nachbargrundstücke – mangels entsprechender Enteignungsgesetze – schwer in den Besitz der Gemeinde gelangten oder bereits mit neuerrichteten Zinshäusern verbaut waren. Mit Rücksicht auf die gegebenen Platz- und Raumverhältnisse mußten die Architekten hier eine geschickte, ökonomische Verbauung wählen, die sowohl den Erfordernissen eines geräumigen Gartenhofes als auch der etappenweise vorgehenden Verbauungsart Rechnung trug. Besonders störend erwies sich ein Mietobjekt an der Ecke Moßbacherstraße/Hütteldorferstraße, dem man nur ausweichen konnte, indem man den Bautrakt entlang der äußersten Begrenzungslinie in einem großen Bogen westlich abschwenkte und die Moßbachergasse nur mehr als öffentlicher Fußweg belassen wurde. Zur Schaffung einer zusammenhängenden Gartenfläche mußten zwei Straßenzüge aufgelassen werden.

Überhaupt waren beim Verbauungsplan viele Hindernisse zu überwinden: „Von entscheidender Bedeutung für den Bebauungsplan war der Bestand eines Blocks neuerer Häuser an der Ecke der Hütteldorfer Straße und Mitisgasse, an deren Feuermauern anzuschließen war und deren nüchterne Hoffronten maskiert werden mußten. Schließlich war für den Verbauungsplan auch ein alter Baumbestand, welcher unbedingt erhalten bleiben sollte, von Bedeutung, und zwar zwei große Kastanienbäume im oberen Teil des Baugeländes und weiters eine Baumgruppe an der Heinrich Collin-Straße. Diese Voraussetzungen führten zu einer annähernd achsialen Lösung mit einer großen Gartenhofanlage in der Mitte, wobei sich die westliche Randverbauung sich dem bogenförmig angeordneten Fußweg anschmiegt, während ein dazu symmetrischer Bogentrakt den bestehenden Häuserblock an der Mitisgasse abriegelt und mit diesem einen geräumigen, geschlossenen Gartenhof mit altem Baumbestand bildet. Von der gestaffelten Front an der Heinrich Collin-Straße verlaufen nach Süden zwei Quertrakte, welche den oberen Teil des Geländes in drei kleinere Gartenhöfe unterteilen. Diese sind aber alle nach Süden offen und bilden mit dem großen Gartenhof nicht nur ein geräumiges gemeinsames Luftreservoir, sondern auch eine mit einem Blick zu umfassende einheitliche architektonische Komposition. Der mittlere der kleinen Gartenhöfe umschließt die zwei großen Kastanienbäume; in seiner Mittelachse liegt vorgebaut ein städtischer Kindergarten." (89)

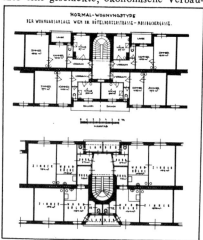

„Somogyi-Hof": Wohnungsgrundrisse

Gebogene Fassadenfront entlang der Moßbachergasse

Der Gartenhof wird von der Hütteldorfer-straße mittels einer viergeschossigen Bebauung begrenzt, in deren Mitte sich ein zweigeschossiger Baukörper mit Wäscherei und Kindergarten befindet. Die Waschhalle selbst liegt vertieft, ihr flaches Dach ist als Gartenterrasse ausgestaltet. Im Erdgeschoß enthält der Trakt außer dem Kindergarten mit Spielsälen eine Reihe von Geschäften. Anschließend steht, vor die Baulinie gerückt, ein turmartig überhöhter, sechsgeschossiger Block mit rustikaverkleideten Laubenpfeilern, der als zentraler Blickpunkt der Anlage dient. Bedingt durch das starke Ansteigen des Geländes weisen die seitlichen Trakte unterschiedliche Geschoßzahlen auf: im südlichen Teil haben die Blöcke neben dem Erdgeschoß noch drei Obergeschosse, in ihrem nördlichen Teil aber fast durchwegs nur zwei Obergeschosse. Im nordwestlichen Teil des Baugeländes ist ein gegen Süden gerichteter, nur erdgeschossig verbauter Gartenhof angegliedert, wobei dieser niedrige Trakt einen Jugendhort enthält. Die Quertrakte im Hof sind wie die Hofeinrichtungen entsprechend dem Geländefall terrassiert. Die Anlage enthält 359 Wohnungen unterschiedlicher Größen, die über 33 Stiegenhäuser vom Hof aus zugänglich sind.

Der architektonische Aufbau der symmetrisch konzipierten Blöcke weist eine Reihe von bemerkenswerten bewegten Baukörpern auf: Die schon vorher erwähnte Turmanlage mit Trottoirüberbauung durch Fußgängerlauben schafft einen Kontrast zur sonst horizontal gelagerten Hauptfront mit einem niedrigen, portikusartigen Eingangsportal. Die Seitenpartien sind durch den regelmäßigen Rhythmus sich wiederholender Lauben und Simsbänder etwas ruhiger und einheitlicher gestaltet. Eine auffällige Oberflächenbehandlung der Putz- und Wandflächen ist durch die markante Fassadengliederung gegeben: die Putzfelder der Obergeschosse sind mit grünen Spritzwurf versehen, die Pfeiler wie Gesimsbänder vielfach mit braunem Klinker verkleidet, die Sockelzone durch Kunststeinputz hervorgehoben. Der Fußgängerdurchgang und das Eingangsportal sind betont. Die Arkadenpfeiler sind mit Lindabrunner Stein verkleidet, ornamentierte Klinkerziegel schmücken das monumentale Portal mit einem expressiven Rhombenmuster.

(6) FERDINAND BLAT-HOF
Clemens Holzmeister (1924–25)
XIV., Rottstraße 1/ Goldschlagstraße/
Marcusgasse/ Felbigergasse

Bedingt durch den keilförmigen, leicht ansteigenden Baugrund und die Absicht, eine viergeschossige Bebauung noch in der für diesen Bauplatz zulässigen Gebäudeklasse unterzubringen, kam der planende Architekt Holzmeister auf das vorbildgebende Motiv des übereck geöffneten, gestaffelten Dreieckserkers. Dieses Motiv wird seitdem in der Literatur immer wieder fälschlicherweise mit Holzmeister und seiner südtirolerischen Heimat-Architektur in Zusammenhang gebracht. (90) In Wirklichkeit setzt Holzmeister diese Form elementartig, additiv ein, und wie wir aus der Broschüre zur Eröffnung des Baus entnehmen können, war „der Architekt darauf bedacht, die äußere Gestaltung des Blockes lediglich aus dem gegebenen Bauprogramm und den Baugrundverhältnissen zu entwickeln." (91) Ferner: „Die Gleichförmigkeit der Wohnungsgrundrisse bedingt eine solche auch in der Fassade, welche wieder dadurch belebt wird, daß das ansteigende Terrain und das darauffolgende Springen der Geschosse zwischen den einzelnen Häusern durch *überleitende* Erker bewerkstelligt wird und die Dachlinie stufenartig ansteigt. Die Häufung dieses *absichtlich* gleichförmigen Erkermotives und des stufenförmigen Springens der Dachlinie bringt in die Fassaden einen Rhythmus, der der Großzügigkeit der gestellten Aufgabe entspricht." (92)

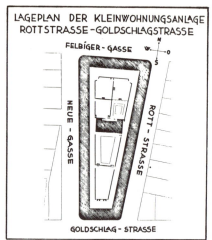

Die bewegte Dachlinie und die präfigurativen Erker ergeben sich also allein aus der Bauaufgabe und deren Formenbewältigung. Das Merkmal wiederholt sich bei den Hofansichten, „indem die Niveauunterschiede nicht nur an den Straßen- und den Hoffassaden, sondern besonders auch durch die terrassenförmige Anlage des Gartens im Hof zum Ausdruck kommen." (93) Den einzig wirklich dekorativen Schmuck bilden die plastischen Figuren über den Eingangstüren und die große Figur beim Aufgang zum Jugendhort, die vom Bildhauer Wilhelm Fraß stammen. Das Wohnhaus enthält 313 Wohnungen, einen Kindergarten, einen Jugendhort und einige Geschäftslokale.

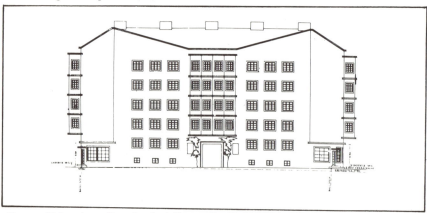

Clemens Holzmeister: Fassadenabwicklung „Blat-Hof" (1924–25); Goldschlaggasse

⑦ FRANZ SCHIMON-HOF (1927–1929)
Michael Rosenauer
XIV., Penzinger Straße 150–166/ Cumberlandstraße/ Weinzierlgasse/ Astgasse/ Leestraße

Dicht neben den Gleisanlagen der Westbahn bietet die Gegend keine naheliegenden öffentlichen Grün- oder Parkflächen. Deshalb wurde dem Architekten die Aufgabe gestellt, innerhalb der Wohnhofanlage einen besonders großen Gartenhof vorzusehen. Rosenauer befolgte diese Auflage geradezu übertrieben, indem er einen riesigen, fast fußballfeldgroßen Hofgarten in ein sehr langgestrecktes Dreiecksgrundstück zwängte. „Dieser Gartenhof", so die Eröffnungsschrift, „hat in seiner Mächtigkeit und im Ansehen beinahe ein parkähnliches Gepräge" (94) (Bebauungsziffer: 35,7%).

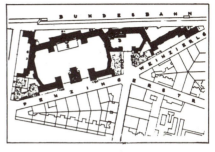

Lageplan „Schimon-Hof"

Dieses Grundstück, an dessen Eckpunkten sich bereits fünf Objekte befanden, erwies sich äußerst schwierig in der Verbauung: „Durch das Vorhandensein der Baulichkeiten wurde die Projektierung bzw. der Entwurf dieser städtischen Wohnhausanlage einigermaßen erschwert, denn es waren dadurch Momente gegeben, die bei der Lösung der Grundrißform unbedingt berücksichtigt werden mußten. Es galt für den Planverfasser, in erster Linie den Anschluß an die bereits vorhandenen Objekte zu suchen." (95) Rosenauer löste diese heikle Aufgabe durch eine Gruppierung der Wohntrakte analog ihrer grundrißlichen Figuration mit immer seichter werdenden, randverbauten Trakten. Daraus entstand eine sehr unregelmäßige Anlage mit mehreren Innenhöfen und schönen, zweckmäßigen Vorgartenanlagen, die sich an die Grundstücksgrenze anschmiegen.

Auffällig ist die Öffnung aller Bautrakte zur Straße, wobei niedrige Einbauten die Sonne ungehindert in die Gartenhöfe einlassen. Im imposanten Haupthof sind ein in dominierender Stellung gelegenes Jugendheim, ein öffentlicher Kindergarten samt Nebenräumen und davor gelagertem Spielplatz und eine Volksbibliothek untergebracht. Entlang der unwirtlichen Seite gegen die Westbahn sind die Bade- und Wäschereianlagen, die in ihrem Äußeren etwas von einem Industriebau an sich haben. Entlang der Hauptverkehrsader Penzinger Straße befinden sich eine Gastwirtschaft mit „Schanigarten" und fünf Geschäftslokale.

Die Wohnhausanlage mit 351 Wohnungen ist großteils dreistöckig. Eine Ausnahme bildet der östlich gelegene Teil, der infolge des ansteigenden Niveaus nur zwei Stock hoch ist. Durch die vielen Rück- und Vorsprünge der gestaffelten Baukörper, durch die wuchtigen Dachformen mit Spitzgiebeln und die gebrochenen Fassadenfluchten entsteht ein sehr bewegtes Bild. Hier tauchen – interessanterweise – wieder eine Reihe von Stilmerkmalen der Gemeindebauten vor 1925 auf: Lisenen mit quaderartiger Nut-Teilung und die zahlreichen Giebelaufmauerungen, über das Dach hochgeführt, verstärken den doch sehr bewegten äußerlichen Eindruck dieser Wohnhofanlage. Die restlichen Fassadenflächen sind eher schmucklos. Lediglich die Baumassen selbst schaffen eine tektonische Gliederung. Die vielen Balkon- oder Loggienöffnungen tragen viel zur Unruhe bei, erhöhen allerdings die Wohnlichkeit.

⑧ WOHNHAUSANLAGE WEINZIERLGASSE (1930-1931)
Alexander Popp
XIV., Weinzierlgasse 1–7/ Onno Klopp-Gasse/ Penzinger Straße

Die Baustelle dieser mehrfachen Baulückenschließung hat annähernd die Form eines gleichschenkeligen Dreiecks. In dessen unteren Spitzen befanden sich bereits mehrere weit verstreute Wohnhäuser, sodaß die Neubebauung sich diesen einfügen mußte. Die asymmetrische Lösung des Eckturms mit klinkerverkleidetem Stiegenhaus im Schnittpunkt der beiden Straßen Weinzierlgasse und Onno Klopp-Gasse gehört zu den interessantesten Beispielen des (norddeutschen) Expressionismus in Wien. Die straßenseitige Lückenschließung mit breitgezogenen Gitterbalkonen im erhöhten Teil entlang der Penzinger Straße ist wesentlich ruhiger. Das Wohnhaus besitzt 128 Wohnungen und einen durch Innenbauten dreigeteilten Binnenhof.

⑨ WOHNHAUSANLAGE DRECHSLERGASSE (1929–30)
Rudolf Sowa
XIV., Drechslergasse 24–32 / Goldschlaggasse / Hickelgasse

Die generelle Tendenz zur Vereinheitlichung der Baukörper zu schachtelförmigen Blöcken und zu dekorloser, gleichförmiger Bauweise zeigt sich an dieser Wohnhausanlage. Die große Eckverbauung mit 140 Wohnungen wirkt allein durch ihre Baumassenverteilung; flache Erker, zaghaft ausgebildete Ecktürme und leichte Fassadenkurven neutralisieren den Baukörper.

⑩ WOHNHAUSANLAGE CERVANTESGASSE (1928–29)
Clemens Kattner
XIV., Cervantesgasse 3

In der Mitte dieser Baulückenschließung mit lediglich 25 Wohnungen ragt aus der geschlossenen Straßenfront der Nachbarhäuser der fremdartige Giebel derart stark hervor, daß man diesen Bau eher für ein kurioses Zinshaus hält als für einen Gemeindebau. Die Metamorphosen des Historismus bei diesem extrem an die historisierenden Nachbarhäuser angepaßten Wohnhaus sind nachhaltig spürbar.

⑪ WOHNHAUSANLAGE SEBASTIAN KELCH-G.(1928–29)
Josef Frank (mit Strnad/Wlach)
XIV., Sebastian Kelch-Gasse 1–3 / Cervantesgasse / Drechslergasse

Im Gegensatz zu den anderen Wohnhausanlagen der Gemeinde Wien waren Franks Bauten geradezu anti-monumental. Sie zeichneten sich durch gute städtebauliche Konzeption und eine geschickte Anordnung der Baumassen aus, wie hier bei dieser V-för-

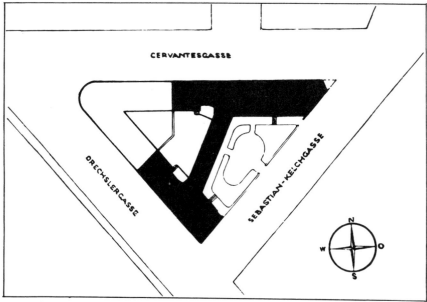

Josef Frank: Wohnhausanlage Sebastian Kelch-Gasse (1928–29)

migen Verbauung auf einem dreieckigen Grundstück, die intime Straßenhöfe erlaubte. Geradezu als ein Stilmerkmal von Frank kann man seine Vorliebe für die Auflockerung der schweren (Eck-)Massen mit luftigen Loggien und mit schlichten, schubladenartigen Gitterbalkon bezeichnen. Die Teilung in selbständige Einzelbauten wurde mit einer kräftigen und kontrastreichen Färbelung hervorgehoben (Fenster- und Loggienumrahmung in Weiß, Mauerfläche in Gelb).

Die Fronten, die sich um den Straßenhof bilden, weisen vertikal durchlaufende Stiegenhausfenster, elementartige Gitterbalkone und eine niedrige Attikazone mit sehr queroblongen Dachfenstern auf. In der Wohnhausanlage befinden sich 53 Wohnungen und mehrere Geschäftslokale.

⑫ WOHNHAUSANLAGE CERVANTESGASSE (1928–29) Karl Holey
XIV., Cervantesgasse 16 / Sebastian Kelch-Gasse

Interessant ist hier die tektonische Trennung von Grundkörper und aufgesetzten Erker-Balkongruppen durch spät-expressionistische Klinkerverkleidung. Um der Eckverbauung mit 42 Wohnungen eine halbwegs gleiche Stereometrie zu geben, wurden die trapezförmig vorstoßenden Erker zu größeren, waagrechten Einheiten mit den Balkonen zusammengefaßt. Es bildet sich ein ähnliches Motiv wie beim „Karl Marx-Hof" (vgl. Plan. Nr. 5/ Pos. Nr. 1), nur in wesentlich kleinerem Maßstab. Ein breites, dekoriertes Hauptgesims und eine ebenfalls klinkerverblendete Sockelzone geben dem Bau nicht nur eine waagrechte Komponente, sondern schaffen den höhenmäßigen Anschluß an die benachbarten Objekte.

⑬ WOHNHAUSANLAGE GRÜNDORFGASSE (1928–29) Heinrich Ried
XIV., Gründorfgasse 4

Ein sonderbares Unikum – sowohl im Stadtbild als auch in dem geometrisch-kubischen Repräsentationsbedürfnis der mittleren Phase des Gemeindebaustils – ist diese sehr schmale Lückenverbauung mit 14 Wohnun-

gen. „Die asymmetrische Lösung der Strassenseite mit der abwechselnden Verschränkung von Loggia und Erker", schreiben Hautmann/Hautmann, „ist ein extremer Versuch, die vom bürgerlichen Wohnhaus übernommene Zonung der benachbarten Bauten zu unterbrechen." (96) Diese verspielte Lösung scheint aber charakteristisch für den Endpunkt einer in eine Sackgasse führenden Entwicklung zu sein.

⑭ WOHNHAUSANLAGE PHILLIPSGASSE (1924-25) Siegfried Theiß/Hans Jaksch
XIV., Penzinger Straße/ Phillipsgasse 8

Der besonderen Ecksituation des Bauplatzes in der erweiterten Penzinger Straße und der zu ihr rechtwinkelig verlaufenden Phillipsgasse trug dieser Baublock besonders gut Rechnung. In der Phillipsgasse selbst tritt das Gebäude nur in starker Verkürzung in Erscheinung. Dies hat dazu geführt, tiefe rhythmische Stiegenhauseinschnitte auf der langen Straßenfront vorzusehen, um eine starke Zäsur der einzelnen Wohnungstrakte als „Vierspanner" zu erreichen. Die so unterbrochene Front konnte dann an den jeweiligen Kanten mit zackigen Putzornamenten architektonisch gegliedert werden. Diese Gliederung wurde dadurch unterstützt, daß auf den Trennungsteilen stark hervortretende, überlebensgroße Steinfiguren der Bildhauer Anton Endstorfer, Theodor Oppitz und Oskar Thiede angeordnet wurden. Die in Hietzing bevorzugte Färbelung des „Schönbrunnergelbs" wechselt auch bei diesem Gebäude mit weißen Fensterumrahmungen und Eckrustiken ab.

Innerhalb dieser größeren Eckverbauung befindet sich eine lang gestreckte, hakenförmige Gartenanlage, die die Verbindung von der Hauptzufahrt der Penzinger Straße und der Einfahrt am Ende der Phillipsgasse darstellt. Als ein Nachteil erwies sich der aus übertriebener Sparsamkeit errichtete Nord-Süd Hintertrakt, sodaß der parallel dazu angeordnete Bauteil nur einseitig besonnt und nicht quer durchlüftet werden konnte. Durch die leichte Brechung der Penzinger Straße wurden die Wohnungen dieser Straße aber keine reinen Nordwohnungen.

Der Hauptfront ist über dem Eingang eine monumentale Steinfigur des Bildhauers Oskar Thiede vorgesetzt. Die ineinander-

341

schneidenden Kreisputzornamente geben der Fassade eine interessante Belebung. Stilistisch gehört der Bau noch einer heimatlich-romantischen Richtung an (Putzornamente, Zierrinnen, klinkerverkleidete Sockelzone), doch in einigen Details (Atelierfenster an der Hauptfront, gleichförmige Fenster) und in der blockhaften Baumassengliederung verrät er bereits neuere Stiltendenzen.

Außer den 182 Wohnungen waren in der Anlage noch ein Atelier, einige Werkstätten und ursprünglich sechs Läden untergebracht. Vom Hof erschlossen waren ein Kindergarten, ein Jugendhort, zwölf Waschküchen und sieben Bäder.

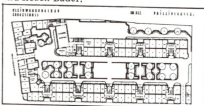

Wohnhausanlage Phillipsgasse

(15) FRANZ KURZ-HOF (1923–24)
Erich Leischner
XIV., Spallartgasse 26–28/ Zenner-straße

Dieser monumental wirkende Block gehört zu den allerersten Volkswohnhäusern, welche die Gemeinde Wien errichtete. Im Gegensatz zu ähnlichen Anlagen wird der Hof als zentrale Aufschließungszone verstanden. Die vierstöckige Randverbauung bildet einen geräumigen Gartenhof, der von der Spallartgasse durch ein dreiteiliges Portal zugänglich ist und von dem die Eingänge in die Stiegenhäuser führen. Der Gesamtbaukörper setzt sich aus mehreren gleichwertigen Einheiten zusammen, die sich zum Mittelpunkt der Anlage hin um je ein Geschoß erhöhen. Der feingegliederte Aufbau der Schaufassaden (Aufreißen der Mittelachse und Eckpartien durch Loggien/Balkongruppen), die Betonung der Mitte durch ein riesiges Giebelfeld und nicht zuletzt eine bewegte malerische Dachsilhouette mit Dreiecksfenstern und pittoresken Schornsteinköpfen geben der Außenerscheinung ein sehr ernstes Gepräge. Außer den 81 Wohnungen (20qm – 60qm) und Kellermagazinen ein Geschäftslokal und ein Kinderspielplatz die nennenswerten Räumlichkeiten dieses frühen Gemeindebaus.

(16) SKARET-HOF (1930–1931)
Leo Kammel
XV., Diefenbachgasse 49–51/ Linke Wienzeile (außerhalb des Lageplans)

Dieser späte Gemeindebau mit 127 Wohnungen zeigt alle Charakteristika der letzten Phase des kommunalen Wohnbaus: glatte, ruhige Fassadenflächen, die rasterartige Fensterreihung und an der Wienzeile dynamisch vorstoßende Eckbalkone geben dem Bau mehr Symbolgehalt.

(17) WOHNHAUSANLAGE RAUCHFANGKEHRERGASSE
Anton Brenner   (1924–1925)
XV., Rauchfangkehrergasse 26/ Heinickegasse (außerhalb des Lageplans)

Hier begegnet man den eher seltenen Spuren eines direkten Einflusses des „Neuen Bauens" auf einen Gemeindebau: Der spätere Bauhauslehrer Brenner stattete die 33 Wohnungen mit Trennwänden aus Schrankelementen sowie mit Klappbetten aus, ein Novum, das allerdings bald in Vergessenheit geriet. Brenner leistete damit einen der wenigen bedeutenden „modernen" Beiträge zur Innengestaltung der Gemeindewohnungen im damaligen Wien.

RUNDGANG 10: HIETZING

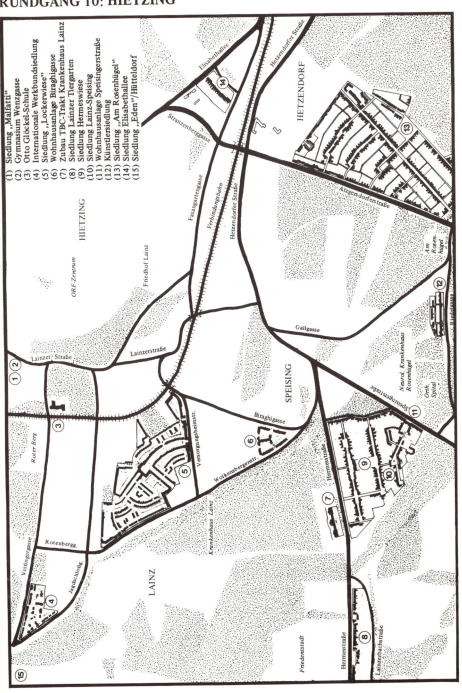

(1) Siedlung „Malfatti"
(2) Gymnasium Wenzgasse
(3) Otto Glöckel-Schule
(4) Internationale Werkbundsiedlung
(5) Siedlung „Lockerwiese"
(6) Wohnhausanlage Biraghigasse
(7) Zubau TBC-Trakt Krankenhaus Lainz
(8) Siedlung Lainzer Tiergarten
(9) Siedlung Hermeswiese
(10) Siedlung Lainz-Speising
(11) Wohnhausanlage Speisingerstraße
(12) Künstlersiedlung
(13) Siedlung „Am Rosenhügel"
(14) Siedlung Elisabethallee
(15) Siedlung „Eden"/Hütteldorf

HIETZING

HETZENDORF

SPEISING

LAINZ

0 100   500   1000m

① SIEDLUNG „MALFATTI"
Siegfried C. Drach   (1930–32)
XIII., Franz Schalk-Platz 1–15

Diese vorbildliche, aus mehreren Mehrfamilienhäusern bestehende Siedlung stammt vom wenig bekannten Wiener Architekten Siegfried C. Drach. Von der Kritik kürzlich wiederentdeckt, war diese private Siedlung das modernste Beispiel von Serienhäusern in Wien. Die kargen, kubischen Formen mit Außentreppe und begehbarer Dachterrasse sind der Architektur LeCorbusiers entliehen, aber die Wiener Eigenständigkeit von Ästhetik, Ethik, Formalismus und Behaglichkeit sollten nicht bloß den materiellen Erfordernissen des Existenzminimums geopfert werden, sondern ebenso Kommunikation und Soziales beinhalten.

An einem Hang am Fuße des Küniglbergs staffeln sich zwölf reihenhausähnliche Doppelhäuser, bestehend aus vier Wohneinheiten und, als Sondertypus, ein Zweifamilien-Eckhaus. Gemeinsam ist allen Objekten die Behandlung der Straßenfront, der die Funktion einer Schutzwand zukommt und die Siedlung zur Straße hin abschirmt. Im Gegensatz zur betont abgeschlossenen, blockartigen Straßenfassade sind die Gartenseiten plastischer und differenzierter gestaltet. Besonders durch die Verwendung der frei auskragenden Balkone, Freitreppen, die zum Flachdach führen, und der vorgesetzten Bauteile wird diese Tendenz unterstrichen. Die Öffnung zum Garten ist völlig berechtigt, bietet sich doch im hinteren, intimeren Teil der Anlage die Angrenzung an ein Erholungsgebiet an.

Siedlung „Malfatti"; Eck-Sondertypus

Die Wohnhausanlage hat vom Konzept her eine soziologische und eine bauwirtschaftliche Blickrichtung. Der Bau fällt in die Zeit der Weltwirtschaftskrise und mußte unter möglichst kostengünstigen und bauwirtschaftlichen Sparbedingungen finanziert werden. Deshalb ist auf eine ökonomische Brutto-Wohnfläche von 99qm hingezielt worden. Die Grundrisse sind spiegelverkehrt zueinander gerichtet, Erdgeschoß und Obergeschoß beider Hausteile sind daher völlig ident.

Das soziologische Ziel hingegen war, durch eine günstige Zusammenlegung der zweigeschossigen Häuser ein zusätzliches Raumangebot in Form eines Flachdaches mit Garten zu bekommen, das die Kommunikation innerhalb der Hausgemeinschaft fördern sollte. Interessant, wie sich hier Privatheit und Öffentlichkeit räumlich ergänzen.

Die Häuser von Siegfried C. Drach gehören zu den besten Privatbauten, die in der Zwischenkriegszeit in Wien entstanden sind. Das Eckhaus dieser Siedlung ist bestimmt das schönste Beispiel für modernes Bauen in Wien. Seine Wirkung besteht in der Geschlossenheit des kubistischen Baukörpers, der trotz seiner Vielfalt an plastischen Elementen wie aus einem Guß erscheint. Von besonderer Bedeutung ist Drachs konsequente Abkehr von einer historisierenden Formensprache zum schmucklosen Baukörper. Mit diesem Beitrag gelang Drach der Sprung in die Gegenwart – eine Gegenwart, die noch voll von Widersprüchen und Mißverständnissen war.

② PRIVATGYMNASIUM FÜR MÄDCHEN (1930–1931)
(Heute BRG XIII)
Siegfried Theiß/Hans Jaksch
(Mitarbeiter: Bernard Rudofsky)
XIII., Wenzgasse 7/Larochegasse

Der beste Schulbau jener Zeit stammt ausnahmsweise nicht von den Baumeistern des Roten Wien, sondern von einem bürgerlichen Schulverein. Die Schule ist ein Anbau an das alte, kaiserliche Hietzinger Mädchengymnasium, der , nach Ottokar Uhl, auf den Schulbau sogar nach 1945 stilbildend hätte wirken können. (97) Der Anbau ist ein kompromißloser Versuch, die neuen Inhalte, die von der Wiener Schulreform der roten Sozialpädagogen ausgingen, auszudrücken.

Siegfried Theiß/Hans Jaksch: Gymnasium Wenzgasse (1930–31)

Damalige Kritiker sahen in dem Bau jedoch spöttisch-kritisch „eine vollendete rechtwinkelige und kahle Fassade (...), Wand und Fenster restlos auseinanderdividiert und schnittscharf eingelassen (...), nichts an der ganzen Mauer, was Schatten wirft." (98) Oder man verurteilte ihn als „nihilistischen Versuch zur Nivellierung und Gleichmacherei der jüdischen Auftraggeber" (Reichspost).

Die eleganten hohen und großen (2,20 x 2,50m) einteiligen Schwingflügelfenster in Dreierreihen aus dünnen Stahlrahmen und feinen Vertikalsprossen stechen als ein schematisches Detail besonders stark hervor. Der scharfe und wie mit der Feder feingezeichnete Einschnitt der Fensterflächen in die glatte Haut der Mauer und das einfache, aber wirkungsvolle Eingangsmotiv, bestehend aus rahmenlosen Stahltüren mit seitlich brettgeradem Vordach, besitzt „trotz der zelebrierten Ökonomie eine charmante Eleganz" (99). Aber der karge, asketische Charakter des funktional durchgestalteten Baukörpers paßte ausgezeichnet zum Image einer neuen Schule. Hier wurde – im Gegensatz zu dem gründerzeitlichen Schulbau – kräftig entrümpelt.

In der Schule waren die Unterrichtsräume für ein Realgymnasium, ein Kindergarten, Physik- und Chemiesäle, Konferenzräume, Direktionsräume und eine große Turnhalle mit Nebenräumen für Geräte und Garderoben unterzubringen. Die einhufige Anlage des Zubaus ermöglichte es, alle Klassenzimmer östlich zu legen. Turnsaal und Umkleide-bzw. Waschräume gehen nach Norden zum Kinderspielplatz; hofseitig ist nur das Schulwartzimmer und das mit Glasbausteinen aufgelöste Stiegenhaus. Die Anlage teilt sich in einen längsgerichteten Haupttrakt und in einen niedrigeren Anbau – einen durchlaufenden Korridor zum Turnsaal. Rechtwinkelig dazu ist ein breitgelagerter zweiter Anbau, der Turnsaal und Dachterrasse enthält. Eingang und Stiegenhaus sind auf kurze Querachsen in der Mitte der Hauptachse gelenkartig eingeschoben. Verbunden sind sie durch eine kleine Brücke, die sich der Niveaudifferenz der beiden Trakte mit zwei Knickungen anpaßt und zugleich ihre Stahlbetonkonstruktion preisgibt. Der 6m breite und 10m lange Turnsaal empfängt an seinen beiden Längsseiten durch verglaste Wände Licht von Norden und Süden. Auch in den Klassen ist die

345

üppige Verwendung von hellen Glas(stein)-
flächen auffällig. Drahtglaswände wurden
vor den Kleiderablagen in den Gängen
verwendet, große Vitrinen sind in die
Mittelmauer eingelassen. Neben den Glas-
betonsteinen fällt auch die pastellfarbi-
ge Helligkeit in der Farbgebung auf. Ein besonderes Schmuckstück stellt das Eingangsvestibül dar mit seinen großen Spiegelschei-
ben, die seitlich eingebogen das Portal um-
greifen.
Ein Experiment mußte aus Geldgründen
jedoch unterbleiben: Zum erstenmal in
Österreich wäre ein Schulzimmer vollkommen mit den avantgardistischen Stahlrohr-
möbeln eingerichtet worden. Doch auch die
konventionellen Holzmöbel ermöglichten
den Arbeitsformen angepaßte Aufstellungen
(hufeisen-, segmentkreis-, staffelförmige und
reihenweise Sitzanordnungen).

③ OTTO GLÖCKEL-SCHULE
Wr. Stadtbauamt (1930–1931)
XIII., Veitingergasse 9/Hummelgasse

Zu den Protagonisten der von den Konservativen bekämpften Schulreform gehörte Otto
Glöckel, Unterstaatssekretär des Unter-
richtsamtes und späterer Wiener Stadtschulrat.
In dem neuen Siedlungsgebiet zwischen
Lainz-Speising und Ober St. Veit ergab sich
für die Wiener Schulverwaltung die Notwendigkeit, eine neue Volks- und Hauptschule
zu errichten. Auf dem ursprünglich von
Gärtnereibetrieben besetzten Bauplatz zwischen der Bahnstation Lainz und den
Gründen des Jesuitenkollegs erhebt sich das
sachliche Schulgebäude, welches eine Volks-
und eine Hauptschule für Mädchen und
Knaben beherbergt. Dem Schulgebäude sind
gassenseitig Grünflächen und Radständer
vorgelagert; das Schulgebäude ist hofseitig
durch das L-förmige Gebäude geschützt und
nur vom Schulgang zugänglich.
Von den einstöckigen Villen und Flachbauten der Umgebung steigt der viergeschossige,
verschachtelte Kubus zur Ecke an. Die
Straßenkreuzung verlangte eine Betonung
der Ecke. Darum ist der Teil, der die Klassenzimmer beinhaltet, bis zur Baulinie vor-
gerückt und enthält ein Eckportal aus gla-
siertem Klinkerstein. Das Schulgebäude ist
ein roher Ziegelbau mit Betonfensterüber-
lagern. Die Außenseiten sind unverputzt,
was dem Bau einen fabrikmäßigen Charak-

Theiß/Jaksch: Eingang Mädchengymnasium

ter gibt. Stiegenhäuser und Verwaltungstrakt bestehen aus schabrein ausgeführtem
Beton. Der Grundriß zeigt eine klare Gliederung von Verwaltungstrakt und Schultrakt.
Die Fensterteilung signalisiert bereits nach
außen hin diese funktionale Trennung. Der
Schultrakt birgt neben den Unterrichts-
räumen alle anderen notwendigen Einrichtungen, einem zeitgemäßen Unterricht entsprechend, und zwar Fest- bzw. Vortragssaal, Physiksaal, Zeichensäle, Turnsaal mit
eigenen Garderoben, Waschgelegenheiten,
Speisesaal, Küche und Tagesschulräume für
Halbinternatsschüler/innen. Ebenso nach
Geschlechtern getrennte Aborte, Dienst-
Kanzlei-, Direktionszimmer und eine große
Schulbibliothek.

346

(4) INTERNATIONALE WERKBUNDSIEDLUNG
Leitung: Josef Frank (1930-32)
XIII., Jagdschloßgasse/ Veitingergasse/ Woinovichgasse/ Jagićgasse/ Engelbrechtweg

Anläßlich der Wiener Werkbundausstellung, die für Sommer 1931 angesetzt war, sollte eine Siedlung mit eingerichteten Häusern erbaut werden. Der Präsident des Österreichischen Werkbundes, Josef Frank, der erst kurz davor gewählt worden war, übernahm die Gesamtleitung. Von den eingeladenen in- und ausländischen Architekten haben folgende an dem Projekt mitgewirkt: Anton Brenner, Max Fellerer, Hugo Gorge, Adolf Loos, Walter Loos, Otto Niedermoser, Ernst Plischke, Walter Sobotka, Oskar Strnad, Hans Vetter, Eugen Wachberger, Helmut Wagner-Freynsheim, Oskar Wlach etc.; die emigrierten Österreicher Richard Neutra (Los Angeles), Arthur Grünberger (Los Angeles) und Grete Schütte-Lihotzky (Moskau-Frankfurt); ferner Hugo Häring (Berlin), Gerrit Rietveld (Utrecht), Gabriel Guévrékian (Paris) und André Lurçat (Paris).
Nach einigen Bauplatzverlegungen konnte schließlich ein Grundstück in Lainz gefunden werden. Der neue Standort für die ca. 70 Siedlungshäuser „mit Wohnungen kleinster Art" (100) war aber nicht optimal und verursachte bauliche und betriebsorganisatorische Änderungen. Die Siedlungshäuser auf diesem feuchten Wiesengrund wurden im „Baurecht" zum Verkauf ausgeschrieben und nicht, wie bei den Sozialbauten der Gemeinde Wien üblich, als kommunale Mietzinsobjekte.
Neben dieser privatwirtschaftlichen Baufinanzierung ist auch auf die damit zusammenhängenden Bauänderungen hinzuweisen. Nicht zuletzt wegen des feuchten Baugrundes sahen die Behörden die Notwendigkeit der Unterkellerung; ferner verlangten sie in der Ausschreibung die Verwendung von Ziegelmauerwerk für die Außenwände. Die vorgeschriebene Mindestbelastungsmöglichkeit aller Decken und Terrassen von 250kg/qm wurde zur Bedingung gemacht, was eine Holzbauweise ausschloß. Somit war von vornherein der experimentelle Charakter der Siedlung und der mieterbeteiligte Selbstbau unterbunden, und das Bestreben, so billig wie möglich und flexibel zu bauen,

desavouiert (z.B. Holzbauweise, Loos' Prinzip des „Hauses mit einer Mauer" usw.).
Die locker aufgelösten Häuserreihen, die rigorose Gliederung in Zeilenbauweise und die freigegliederten, aber landschaftsfressenden Terrassenhäuser, wie sie anderswo in Europa und Amerika großen Anklang fanden, paßten nicht zu den städtebaulichen, lokalpolitischen und ökonomischen Gegebenheiten Wiens. Die Wiener Werkbundsiedlung gilt daher in mehrfacher Hinsicht als eine Ausnahme, wie sie auch eine Antithese zu ihrem berühmten Gegenstück, der „Weißenhofsiedlung" (1926–27) in Stuttgart, darstellt.

Im Gegensatz zur konsequenten Sachlichkeit des neuen deutschen Bauens, die die Industrialisierung und Typisierung zum Programm erhob, war die Wiener Werkbundsiedlung zur Verbesserung des Wohnkomforts auf minimalem Raum ausgerichtet. In ihr wollten die Planer, allen voran Josef Frank, beispielhaft einen kulturellen Lernprozeß des Wohnens initiieren. Mit einem Minimum an Bauaufwand und Kosten sollte ein optimaler Wohnwert erzeugt werden. Die hereinbrechende Wirtschaftskrise stoppte diese Entwicklung und verhinderte Franks Absichten.
Sämtliche Bauten sind als Reihen-, Doppel- und Einfamilienhäuser zu klassifizieren, aber es herrscht trotzdem eine interessante – und in der Ausschreibung gewünschte – typologische Vielfalt vor. Man findet zwei- bis dreigeschossige Häuser, unterschiedliche Raumorganisation von Küchen (Wohnküche, Eßküche, Kleinstküche), Lage und Form der Stiegen variieren und über Raumzuordnungen herrschten die unterschiedlichsten Meinungen. Trotzdem finden sich bei dieser Gestaltungsbuntheit einheitliche formale Lösungen: begehbare Flachdächer, durchrationalisierte Grundrisse, kleindimensionierte und polychrome Gestaltung im Inneren und im Äußeren, um Monumentalität zu vermeiden. Ferner steht die ungewohnte Farbzusammenstellung bei manchen Bauten (vgl. Pastellgrün bei Frank, Ziegelrot bei Lurçat) im gewollten Gegensatz zum puristischen Weiß des „Internationalen Stils". Die Integration von Haus und Garten, Typisierung der konstruktiven Elemente, einheitliche Behandlung von Fassaden, Rollos, Dächern und Balkoneinfriedungen sind weitere Gemeinsamkeiten.

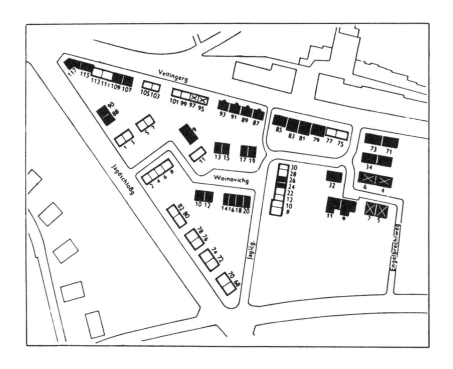

Veitingergasse	71, 73	Arch. H. Häring, Berlin
	75, 77	Arch. R. Bauer, Wien
	79, 81, 83, 85	Arch. J. Hoffmann, Wien
	87, 89, 91, 93	Arch. A. Lurçat, Paris
	95, 97	Arch. W. Sobotka, Wien
	99, 101	Arch. O. Wlach, Wien
	103, 105	Arch. J. Jirasek, Wien
	107, 109	Arch: E. Plischke, Wien
	111, 113	Arch. J. Wenzel, Wien
	115, 117	Arch. O. Haerdtl, Wien
Jagdschloßgasse	68, 70	Arch. Wagner-Freynsheim, Wien
	72, 74	Arch. O. Breuer, Wien
	76, 78	Arch. J. F. Dex, Wien
	80, 82	Arch. A. Grünberger, Hollywood
	88, 90	Arch. E. Lichtblau, Wien
Woinovichgasse	2, 4	Arch. M. Schütte-Lihotzky, Moskau
	6, 8	Arch. M. Fellerer, Wien
	1, 3	Arch. H. Gorge, Wien
	5, 7	Arch. J. Groag, Paris
	9	Arch. R. Neutra, Los Angeles
	11	Arch. H. A. Vetter, Wien
	13, 15, 17, 19	Arch. A. Loos, Wien
	10, 12	Arch. G. Guévrékian, Paris
	14, 16, 18, 20	Arch. G. Rietveld, Utrecht
	22	Arch. E. Wachberger, Wien
	24, 26	Arch. W. Loos, Wien
	28, 30	Arch. A. Bieber, O. Niedermoser, Wien
	32	Arch. J. Frank, Wien
	34	Arch. H. Häring, Berlin
Jagicgasse	8, 10	Arch. C: Holzmeister, Wien
	12	Arch. E. Wachberger, Wien
Engelbrechtweg	4, 6	Arch. H. Häring, Berlin
	5, 7	Arch. O. Strnad, Wien
	9, 11	Arch. A. Brenner, Wien

Lageplan und mitarbeitende Architekten unter der Leitung von Josef Frank; bemerkenswerte Bauten sind schwarz getönt ⊠ *1945 zerstört*

Im folgenden sollen einige dieser Siedlungshäuser besprochen werden:

RICHARD NEUTRA: EINFAMILIENHAUS WOINOVICHGASSE 9

Im Vergleich zu anderen Bauten der Siedlung ist dieses eingeschossige Wohnhaus in der Grundrißgestaltung großzügiger. Die verbaute Fläche beträgt 76qm und das Haus besitzt zwei Eingänge und eine nur von außen zugängliche Dachterrasse. Die starke horizontale Ausdehnung und die abgetreppte Wohnlandschaft innerhalb des Hauses ist bestimmt auf den starken Einfluß Frank Lloyd Wrights zurückzuführen.

OSWALD HAERDTL: ECKHAUS VEITINGERGASSE 115–117/JAGD-SCHLOSSGASSE

Genau im spitzen Winkel der Siedlung steht als Sondertypus der zweigeschossige Eckbau mit Freiluftatelier im 2. Obergeschoß. Die Eingänge sind über Lauben bzw. die Terrasse im Erdgeschoß zugänglich; die Wohnung ist mit Balkonen zum Garten orientiert.

Oswald Haerdtl: Haus 40

ERNST A. PLISCHKE: EINFAMILIENHAUS VEITINGERGASSE 107–109

Im Gegensatz zu seinen Kollegen gestaltete Plischke seine zweigeschossigen Doppelhäuser viel plastischer und bewegter. Der strenge Quader wird durch Zurückversetzen von Loggien und Balkonen gartenseitig aufgelockert; die vordere Fassade dagegen ist flacher und ruhiger. Die Gliederung ergab sich aus der differenzierten räumlichen Lösung mit durchgehendem Wohnraum und gedeckter Sitzterrasse im Erdgeschoß, dem von einem Zwischenpodest aus zugänglichen Bad im Obergeschoß und der Dachterrasse. Die verbaute Fläche beträgt 38qm je Haus.

ANDRÉ LURÇAT: REIHENHÄUSER VEITINGERGASSE 87, 89, 91, 93

Typologisch paßt dieser reihenhausähnliche Wohnblock keineswegs in die Siedlung. Die für die Siedlung konsequenteste Anwendung der Fensterbänder an der Südseite und die hervorgeschobenen, gerundeten Baukörper der Treppenhäuser an der nördlichen Kehrseite stechen aus dem sonst individualisierten Zeichenrepertoire der anderen Häuser hervor. Ohne Zweifel ist dieses Haus dem „Internationalen Stil" am nächsten. Ästhetisch entspricht es etwa den Vorstellungen des „Bauhauses" oder der Siedlung Pessac von LeCorbusier.

Flexibilität und Funktionalität waren bei diesem klaren Entwurf Leitgedanken. Das Vorbild des Ozeandampfers ist an den Motiven der runden Stiegenvorsprünge und der Reling als Geländer erkennbar. Bezeichnenderweise wird gerade dieser Topos kaum in der Wiener Fachliteratur erwähnt, was den Wiener Architekten ihr mangelndes Bewußtsein der Zeichenhaftigkeit beweist. Die Raumdisposition weist in ihrer Proportion und Anlage Ähnlichkeit mit Adolf Loos' Bauten auf. Der Baukörper ist ein flachgedeckter, geschlossener Kubus mit Eingang in der Mitte. Die Treppen sind außen angehängt, um eine sparsame Raumeinteilung im Inneren zu ermöglichen. Sämtliche Mauern sind in Stahlbeton und nur die äußeren sind tragende Wände.

Verbaute Fläche pro Haus 38qm: 1 Zimmer 4,15x3,85m; 1 Zimmer 4,15x3,10m; 1 Zimmer 4,10x3,10m; 1 Kammer 3x2,35m; 1 Küche 3x2,15m; Vorraum, Bad, Waschküche, überdeckter Hausdurchgang, Keller; Haus Nr. 25 mit überdeckter Dachterrasse.

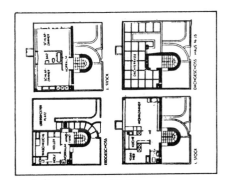

André Lurçat: Haus 25–28

GERRIT RIETVELD: WOHNBLOCK WOINOVICHGASSE 14, 16, 18, 20

Interessanterweise wurden nicht die eigentlichen Schöpfer der neoplastischen Raum-Architektur des „DeStijl", Theo van Doesburg oder Cornelius van Eesteren, eingeladen, sondern der Tischler-Architekt Gerrit Rietveld. Das 1924 erbaute „Haus Schröder" in Utrecht machte ihn zurecht über Nacht bekannt. Das Werkbundbeispiel ist in seiner Komposition dem Pionierhaus für die Moderne Bewegung anfang der 20er Jahre ähnlich: Die Flächen der Decken und Fußböden auf allen freien Seiten des Hauses scheinen in Form von Balkonen und Windfängen nach außen vorzustoßen. So wird das Bestreben des „DeStijl" nach einer Verschmelzung von Außen und Innen, bei der die Architektur den Raum definiert, aber nicht einschließt, konkretisiert. Bei beiden Häusern verwendete Rietveld die Einraum-Komposition: mittels verschiebbarer Wände und Einbauschränken als Trennwände kann ein Raum beliebig unterteilt werden. Man kann von einer fließenden, flexiblen und funktionalistischen Betrachtungsweise sprechen, wenn technische Einrichtungen wie Kamine, Regenabflußrohre und Starkstromanschlüsse offen gezeigt werden. Ebenso interessant ist die neue Anwendung von „billigen" Massenbaumaterialien wie Sperrholz, Kautschuk, Glas und Maschendraht. Die horizontalen Drehkippfenster im Mittelteil lassen – wie beim Haus Schröder – eine merkwürdige Zweideutigkeit von Innen und Außen entstehen.
Verbaute Fläche pro Haus 46 qm: 2 Zimmer 5x3,90m; 1 Zimmer 3,65x3m; 1 Zimmer 3x2,90m; 1 Zimmer 4x2,90m; 1 Küche 3,65x3m; Vorraum, Bad, Waschküche, Keller, Terrasse, 2 Balkone

Gerrit Rietveld: Haus 53–56

HUGO HÄRING: EINFAMLIENHÄUSER WOINOVICHGASSE 34 (z.T. zerstört)

Die noch bestehenden Doppelhäuser sind ineinander gekoppelte, zum Norden völlig verschlossene Baukörper am äußersten Nordostrand der Siedlungsanlage. Die südliche Front hingegen ist zum Garten hin geöffnet und weist eine rasterartige Glasfassade auf.
Haus 1, verbaute Fläche 84 qm: 1 Zimmer 4,60x4,15m; 1 Zimmer 4,65x3+2,10x 1,30m; 1 Zimmer 4,15x2,75m; 1 Küche 4,55x2m; 1 Abstellraum 5,10x1,80m; Vorraum, Bad, Kleiderkammer.
Haus 2, verbaute Fläche 69 qm: 1 Zimmer 4,15x4m; 1 Zimmer 4,15x2,80m; 1 Kammer 4x2,15m; 1 Küche 3,80x2,10m; 1 Abstellraum 3x1,80m; Vorraum, Bad, Speis.

Hugo Häring: Doppelhaus 1–2

JOSEF FRANK: EINFAMILIEN-HAUS WOINOVICHGASSE 32

Franks eigener Entwurf war für ein freistehendes Haus mit einem durchgehenden, querdurchlüftbaren Wohnraum und einer offenen Stiege zum ausgebauten Dachgeschoß mit Wohndiele. „Das Haus verbindet ein ebenerdiges Wohngeschoß mit einem Atelierstock. Der Eingang liegt seitwärts. In der Richtung des Eintritts folgen drei jeweils zusammengehaltene Raumgruppen aufeinander. Ihr Zusammenhalt wird durch die Anordnung der Fenster besonders deutlich. Die Achse des Wohnzimmers zieht von Nord nach Süd – aber die Achse des gleichmäßig und weiträumig auf Atelier und Terrasse aufgeteilten Oberstocks zieht von West nach Ost. Auch diese Umstellung der Raumachsen gehört zu dem klar und rein bewegten Wesen dieser Bauform." (102)
Verbaute Fläche 83 qm: 1 Zimmer 7,35x 3,60m; 2 Zimmer 4x2,80m; 1 Zimmer 6,80x3,90m; 1 Kammer 2,15x2m; 1 Kammer 3,90x2,14m; 1 Küche 3,55x2m; Vorraum, Bad, Waschküche, Keller, Terrasse.

Adolf Loos/Heinrich Kulka: Doppelhaus 49–50 (1930–32)

Josef Frank: Doppelhaus 12 (1930–32)

351

ADOLF LOOS/HEINRICH KULKA:
EINFAMILIENHÄUSER
WOINOVICHGASSE 13–19
Hervorstechendes Merkmal dieser nur 6,10 x
7,70m großen Häuser ist das unterschiedliche Niveau innerhalb eines Geschoses. In
der Zwischenebene der Galerie liegt ein
kleines Zimmer (Belichtung mittels Ober-
lichten!) und darüber erst befindet sich das
Schlafgeschoß mit drei kleinen Kammern
und dem Bad. Erst auf dieser Ebene ist ein
sich über die ganze Hausfront erstreckender
Balkon. Das Dach ist – entgegen der ursprünglichen Planung – nicht begehbar. Bezeichnend ist auch, daß nur die Außenmauern als tragende Wände und der Kamin-
kern als tragender Fixpunkt ausgebildet
sind.
„Die Möblierung von Loos sah einen Eß-
platz in Wohnraum unterhalb des Aufganges
zur Galerie vor, mit L-förmiger Sitzbank,
sowie einen Arbeitsplatz auf der sich erwei-
ternden Galerie mit eingebautem Schreib-
tisch und Bücherregalen. Auch im Wohnraum gab es ringsum eingebaute Schränke
und einen Sitzplatz mit rundem Tisch und
Sitzbank, dreibeinige Hocker." (101)

Verbaute Fläche pro Haus 47 qm: 1 Zimmer
mit Galerie 4,70x3,95m; 1 Zimmer 3,80x
3,50m; 1 Kammer 3,80x2,10m; 1 Kammer
2,70x2,30m; 1 Kammer 3,30x1,25m; 1
Küche 3,25x2,25m; Windfang, Vorraum,
Speis, Bad, Waschküche, Keller, Balkon,
Gartenterrasse.

ANTON BRENNER: DOPPELHÄUSER
ENGELBRECHTWEG 9–11
Zwei zueinander L-förmig versetzte Wohnhäuser in flächenartiger Verbauung beinhalten kleine, leicht erhöhte Atrium-Wohnhöfe
und eine Patio-orientierte Wohnzimmeran-
ordnung. Die verbaute Fläche beträgt bei
der nur erdgeschossigen Verbauung 81 qm.
Verbaute Fläche 81 qm: 1 Zimmer 5x
4,80m; 1 Zimmer 4,25x3,10m; 1 Zimmer
5x2,75m; 1 Küche 2,80x2,20m; Vorraum,
Bad, Speis, Waschküche, Keller, Wohnhof.

Anton Brenner: Haus 15–16

OSKAR STRNAD: DOPPELHAUS
ENGELBRECHTWEG 5-7 (zerstört)
Die gespiegelten Grundrisse wiesen für ihre
Größe auf einen sehr großzügig gedachten
Wohnraum und eine bemerkenswerte Öff-
nung zum Garten hin. Das „Haus-und-Gar-
ten"-Ideal entsprach damals durchaus der
österreichischen Mentalität (vgl. Werkbund-
einfluß). Das Haus ist mit der Umgebung
in vielschichtiger Weise verbunden. Man hat
von Strnad kritisch behauptet, er sei ein
Eklektiker, der sich selbst zum Avantgardisten ernannt habe. So verlockend diese
Angriffe auch sind, sie stimmen nicht
unbedingt: Denn Strnad war gekonnt in der
Übernahme modischer Formen, ohne die
Tradition zu verleugnen.
Verbaute Fläche pro Haus 77 qm: 1 Zimmer
8,05x8,80 (2,50)m; 1 Zimmer 4,30x
4,15m; 1Kammer 3,80x2,85m; 1 Kammer
3x2,70 (1,35)m; 1 Küche 2,70x2,10m;
Vorraum, Bad, Waschküche, Keller, Dachterrasse, Loggia.

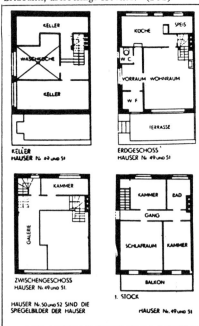

Adolf Loos: Haus 49 und 51

Josef Hoffmann: Haus 9–10 (1930–32); unten: Grundriß Erdgeschoß

Verbaute Fläche pro Haus 84 qm: 1 Zimmer 4,75 x 3,35 m; 1 Zimmer 4,35 x 2,65 m; 1 Zimmer 3,40 x 3,20 m; 1 Kammer 2,65 x 1,90 m; 1 Küche 2,65 x 2,10 m; Vorraum, Bad, Waschküche, Keller, Garten- und Dachterrasse.

JOSEF HOFFMANN: EINFAMILIENHÄUSER VEITINGERGASSE 79–85

Vielleicht sind die breitgelagerten Reihenhäuser Hoffmanns letzter Versuch einer Aussöhnung mit Adolf Loos, denn die insgesamt vier Wohnhäuser bezeugen Hoffmanns Sympathie für eine transparente, kultivierte Sachlichkeit. Zwei verschiedene Wohnungstypen (84 qm und 66 qm) sind achsial spiegelbildlich angeordnet. Jedes Haus hat zwei Eingänge (mit Aufgang zu einer großzügigen Dachterrasse), wobei die straßenseitigen Stiegenhauskörper – als starkes vertikales Element in Glas ausgebildet – die lange Häuserzeile rhythmisiert. Der hintere Eingang führt zur Terrasse und über eine vorgesetzte Treppenanlage gelangt man in den Garten; belichtete Kellerräume mit Waschküche.

Merkwürdigerweise hat die Siedlung – außer einem inzwischen rein methodisch-didaktischen Konzept der Architekturpädagogik – keine unmittelbaren Auswirkungen auf den Einfamilienhausbau gehabt. Wahrscheinlich bot sich hier zum letzten Mal eine Manifestation der Gartenstadtbewegung mit einer so geschlossenen und progressiven Auffassung von moderner Architektur, die heute noch wegweisend sein könnte.
Im Februar 1945 wurden insgesamt drei Doppelhäuser (von Strnad, Sobotka und Häring) durch einen irrtümlichen Bombentreffer zerstört. Im Zuge einer 1983–84 durchgeführten Renovierung und denkmalpflegerischen Generalsanierung wurden die nicht zerstörten Häuser von den Architekten Adolf Krischanitz und Otto Kapfinger wieder instandgesetzt.

⑤ SIEDLUNGSANLAGE „LOCKERWIESE" (1928–32; 1938)
Karl Schartelmüller

XIII., Wolkersbergenstraße/ Versorgungsheimstraße/ Faistauergasse/ Egon Schiele-Gasse/ Engelhartgasse/ Waldvogelstraße/ Ranzenhofergasse/ Camillianergasse/ Schirnböckgasse/ Spitzweggasse/ Seelosgasse/ Franz Petter-Gasse/ Josef Schuster-Gasse/ Eugen Jettel-Weg/ Janneckgasse/ Zillehof/ Wilhelm Liebl-Gasse

Dieser in mehreren Etappen gebauten Gemeindesiedlung galt das bevorzugte Interesse der Gemeinde Wien im Siedlungsbau. Sie entstand in der Absicht einer sachlichen Versöhnung rivalisierender Gestaltungsmerkmale und konkurrierender Wohnbauformen des Roten Wien. Man versuchte einerseits, sich durch eine größere Auflockerung der Verbauung dem Leitbild der bürgerlichen Gartenstadt zu nähern, andererseits den romantischen Sozialrealismus der Gemeindebauten und den populären Typus des kasernenartigen Superblocks beizubehalten. Die Sozialdemokraten verstanden sich eben als Bauerben des 19. Jahrhunderts und als Bauherrn eines neuen Anfangs.

In diesem historischen Zusammenhang gesehen, verwundert es gar nicht, daß bei der Lockerwiese ein Amalgam, gespeist von beiden Quellen der Inspiration, entstand. Gekrümmte Straßen und Platzbildungen, durch unmotiviertes Vor- und Zurücksetzen der Siedlungshäuser entstanden, die auf gewollt „malerisch-künstlerische", „ländlich-dörfliche" Raumwirkungen zielten, mußten für ein klassenbewußtes Industrieproletariat anachronistisch wirken. Diesem Widerspruch suchte man durch die monumentalen Eckturmbauten, die wie ein verkleinerter „Karl Marx-Hof" (vgl. Plan Nr. 5/Pos. Nr. 1) wirken, entgegenzutreten.

Insgesamt ist diese Anlage ein in sich geschlossener und trotz allem sehr gut gelungener Entwurf einer modernen Siedlungsanlage, der heute unsere Aufmerksamkeit verdient. 643 zweigeschossige Zweifamilien-Reihenhäuser bilden gebogene Straßenzüge und einen größeren Wohnblock im Zentrum. Kubisch und in der Höhe hervortretende Risalite, bandartige Fensterzonen, klinkerbetonte Sockel- und paarweise Eingangszonen gliedern die langen Fronten in rhythmische Einheiten. Vom selben Architekten wurde 1938 die nördliche Erweiterung um 131 Wohnungen durchgeführt.

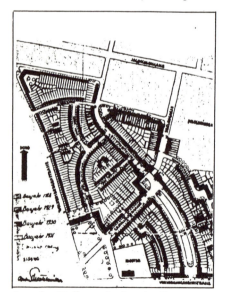

Lageplan Siedlung „Lockerwiese"

⑥ WOHNHAUSANLAGE BIRAGHIGASSE (1932–1933)
Viktor Reiter

XIII., Biraghigasse 38–42 / Josef Kyrle-Gasse / Wolkersbergenstraße

Auf dem tortenförmigen Grundstück wurden die Ränder mit drei- und viergeschossigen Traktbauten und einem zungenförmigen Quertrakt um einen Hof verbaut. Fünf portalartige Öffnungen zerteilen die langen Fronten in kleine autonome Einzelhausblöcke. Auf dem 3.100qm großen Baugrund wurden die Gebäude mit ihren insgesamt 170 Wohnungen dann so angeordnet, daß in der etwas willkürlich angelegten Gesamtsiedlung eine Rasenfläche den Mittelpunkt bildet.

Der generellen Tendenz zur Vereinfachung der Tektonik folgend, ist die Architektur schmucklos und monoton. Leicht aus der Fassade ausbuchtende Stiegenhauszylinder verleihen dem Bau an den Hoftrakten eine schwache Gliederung und ein bißchen Spannung.

Die Gesundheitspolitik der „Roten" widmete sich stark der TBC-Bekämpfung, jener typischen „Arbeiterkrankheit" des proletarischen Zeitalters. Deshalb ist dieser Seitenflügel quasi Abbild und gleichzeitig Modell sozialdemokratischer Sozialhygiene. Das Krankenhaus im Ganzen präsentiert sich als eine Art große „Heilfabrik" (analog einer Maschinen-Metaphorik).

Dem zeitgenössischen Sanatoriumsbau in seinen klinischen und hygienischen Aufgaben entsprechend, ist das Gebäude ein klar funktional konzipierter Baukörper. Nach Norden hin ist das Gebäude abgeschlossen; gegen Süden wird er zur Besonnung und der Frischlufttherapie geöffnet und teilweise mit geräumigen Loggien und Liegeterrassen ausgestattet. Der Bau steht mit seiner Längsachse auf einem abfallenden Terrain, sodaß ein Niveauunterschied von mehr als 7 m ausgeglichen werden mußte. Die Nordansicht zeigt annähernd koordiniert zusammenhängende Haupttrakte, die durch tiefe Rückenlagen mit sechs Fensterachsen verbunden sind. Die Hauptachsen sind dreigeteilt: zwischen je zwei Achsen gekuppelter Fenster (bzw. zwischen je fünf Achsen einfacher Fensterreihen) springen Mittelrisalite mit umgreifenden Stiegenhausfenstern in Zwischengeschoßhöhe vor. An den beiden Enden befinden sich leicht einspringende Eckvorlagen, die an den Achsenenden um ein Geschoß unter die Kranzgesimshöhe zurückbleiben, während die Stiegenpartien etwas darüber hinausgehen. Daraus ergibt sich eine stark abwechselnde und rhythmische Differenzierung in der Höhe und damit eine bewegte Dachlinie. Diese klare Gliederung ergibt sich aus der Zweckmäßigkeit der Anlage: in den Flügeltrakten sind jeweils die Männer- bzw. die Frauenabteilungen untergebracht; im Mitteltrakt die Räume, mit denen beide Abteilungen kommunizieren müssen (Vestibül, Ambulatorium, Laboratorium, Ärztezimmer, Therapieräume, Schwesternwohnungen, Gemeinschaftsräume etc.).

Ein praktisches Erfordernis hat auch die Gestaltung der Südseite, hin zur Sonne, bedingt. Die Südseite korrespondiert weder im Grundriß noch im Aufriß mit der Nordseite. Der Mittelpunkt im Süden ist weggelassen;

das dritte und vierte Geschoß werden – von einem Flügeltrakt zum andern – mit großen Liegeterrassen umspannt. Diesen schweren Horizontalen zuliebe ist die Südfront auf eine breite Lagerung angelegt: In der Mitte teilt sie sich in eine achtachsige Rücklage, um beiderseits in zweistöckiger Verbauung an zwei mäßig vorspringende Risalite zu je zwei Fensterachsen anzuschließen. Vor den Flügeltrakten, wieder in ganzer Höhe, befinden sich die drei Risalite, die zweiachsig sind und etwas vorspringen.

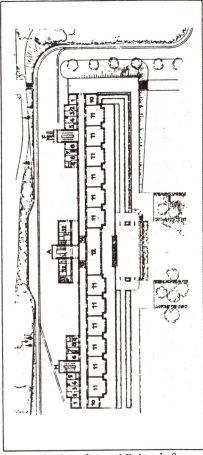

TBC-Trakt, Lageplan und Erdgeschoß

Die Fassaden sind mit äußerster Knappheit und Sparsamkeit und unter weitgehender Verwendung von sichtbarem Stahlbeton gestaltet. Um die Fenster sind schmale Gurtbänder, zwischen den Stockwerken sind sie jedoch fast unsichtbar. An den Endvorlagen und an der Nordseite über dem Erdgeschoß ist ein etwas stärkeres Gurtgesims. Darüber befindet sich ein fast minimalistisch ausgearbeitetes Kranzgesims. Vertikal klar gegliedert und in der Waagrechten auffallend abgetreppt, wirkt die Fassade wie ein feinmaschiger „Fassadengrill". (103)

Die Krankenzimmer verschiedenster Größe und Liegeklassen (bis zu sechs Betten pro Zimmer) haben an der Südseite vom Boden bis zur Decke reichende, mehrteilige Schiebefenster. Davor sind ganz seichte Balkons mit Eisengittergeländern. Der sommerliche und winterlicher Sonnenstand ist beim Entwurf berücksichtigt. Auf der anderen Seite der Krankenzimmer schließen sich langgestreckte und gut belichtete Tagräume an. Die Liegeterrasse im vierten Stock ist durchgehend mit einer Rollmarkise vor direkter Sonne geschützt.

⑧ KRIEGSINVALIDENSIEDLUNG LAINZER-TIERGARTEN (1921)
A. Loos/Grete Schütte-Lihotzky
XIII., Hermesstraße 1-77; 85–89

Diese von Adolf Loos entworfene Siedlung entstand während seiner Tätigkeit als Vorstandsmitglied der Genossenschaft „Bau-, Gartensiedlungs- und Produktivgenossenschaft der Kriegsbeschädigten Österreichs", kurz „Kriegerheimstättenfond" genannt. Der Verbauungsplan wurde erst nach der Legalisierung der ungesetzlichen Grundstücksbesetzungen im Lainzer Tiergarten im Rahmen der geplanten, aber niemals vollständig verwirklichten „Friedensstadt" für Siedlungszwecke bewilligt. Die „Friedensstadt" sollte eine genossenschaftliche Kriegerheimstättensiedlung mit mehr als 500 Siedlungshäusern sein. Der Plan hierzu geht auf eine schon 1917 projektierte Siedlung für verwundete, heimkehrende Soldaten zurück, doch erst im Zuge einer Neuregulierung des Lainzer Tiergartens wurde die Siedlung im Wald- und Wiesengürtel Wiens 1920–1921 in Angriff genommen.

Loos' „Generalsiedlungsplan" stieß aber sowohl bei den Genossenschaftlern als auch bei den Beamten des Rathauses auf Ableh-

Reihenhaus Lainzer Tiergarten

nung. Es ist daher nicht verwunderlich, daß nur Fragmente der Bebauung von Loos selbst stammen und einiges überhaupt nicht seinen Intentionen nach ausgeführt worden ist. Inzwischen ist die Siedlung vielfach verändert worden, sodaß kaum Einzelteile zu erkennen sind.

Gemäß dem Bebauungsplan projektierte Loos vier Haustypen in einer sehr rigiden Reihenhausanordnung. Der Grundriß mißt je nachdem 6x6m, 7x6m, 8x6m oder 9x6m und ist mit einer raumtrennenden Innentreppe versehen. In den Wohnraum ist eine kleine Veranda eingeschnitten, die auf Stützen gestellt ist und zum stark abfallenden Terrain des Hintergartens führt. Im Erdgeschoß, links vom Gang, liegen Spüle und Kammer, rechts die Wohnküche; Schlafräume befinden sich im Obergeschoß. Bei der Variationstype 9x6m ist im Grundriß eine Veränderung zu bemerken: bequemere Stiege, Trennung von Küche und Wohnraum (entsprechend dem „deutschen Wohnraum") mit danebenliegender Spüle und vier geräumigen Schlafzimmern im 1. Stock. Sonderecktypen schließen die Zeilenverbauung mit vorspringender Fassade und straßenseitigem Giebel architektonisch ab. Neuartig ist hier die 3/4 Unterkellerung mit Lagerraum, Werkstätte (beim größten Typus), Kleintierstall und Abort, die alle infolge des abfallenden Terrains vom Garten aus zugänglich sind.

⑨ SIEDLUNG „HERMESWIESE"

Karl Ehn   (1924–24; 1928–29)
XIII., Lynkeusgasse 1–82/ Trabertgasse/ Neukommweg/ Königgasse / Paoliweg/ Strampfergasse/ Hochmaisgasse

Diese Gemeindesiedlung wurde in zwei Bauetappen von Siedlern errichtet. Die reihenhausähnliche Verbauung entlang der Durchzugsstraßen schließt die Siedlung nach außen ab. Eine Gebäudefront von zwölf Wohnhäusern schließt die Siedlung zur Hochmaisstraße ab.
Die Parzellierung mit langen, schmalen Gärten begründete man mit der Einsparung an Aufschließungskosten und sollte freistehende Wetterseiten an den Häusern vermeiden. Typologisch sind vier verschiedene Grundrißformen zu erkennen, die aber immer mehr durchrationalisiert wurden, bis sie ihre bauwirtschaftlich und betriebsökonomisch beste Durchführung im Sinne der Gemeindebauverwaltung erreichten. Die maximale verbaute Fläche eines Siedlungshauses beträgt nur 41,12 qm, doch ergibt sich durch die einstöckige Flachbauweise eine Wohnfläche von immerhin 52,46 qm. Der Grundtyp ist immer der gleiche: im Erdgeschoß gibt es einen kleinen Vorraum, eine Wohnstube

(17 qm) mit Spüle, die auch als Badegelegenheit diente, und eine Wohnküche; Schlafräume liegen im ersten Geschoß, das durch eine schmale, steile Treppe zu erreichen war. Die gartenseitigen Anbauten dienten der Kleintierhaltung und sind heute ausgebaute Nebenräume. Die hinteren Gärten waren für den Gemüseanbau gedacht, heute werden sie größtenteils als Ziergärten verwendet.
Die reihenhausähnlichen Wohnobjekte entlang der Wohnstraße Lynkeusgasse bilden das eigentliche Rückgrat dieser Siedlung mit 95 Wohnungen. Bewußt wurde hier auf ein dörfliches Gepräge zurückgegriffen (Uhrturm, Marktbrunnen etc.). Das Vorbild der englischen und deutschen Gartenstädte ist klar ersichtlich. Durch den raschen Wechsel verschiedener Dachformen, durch zur Straße weisende Spitzgiebel, Betonpergolen, Froschmauldachluken, erkerartige Vorbauten usw. und eine interessante Vorgartengestaltung und Einfriedung wurde der Eindruck einer Kleinstadt bewußt betont. Eine abwechslungsreiche Polychromie durch verschiedenfarbige Putzschichten, Türumrahmungen im unverputzten Ziegelmauerwerk (mit weißen Fugen), Kunststeinsockel, grüne Türen und Dachrinnen, weiße Fenstersprossen garantieren ein idyllisches Siedlungsbild.

Siedlung Hermeswiese, Lainz-Speising (1929)

(10) SIEDLUNGSANLAGE
LAINZ-SPEISING (1923)
Heinrich Schlöss
XIII., Dvorakgasse/ Paoliweg/ Trabertgasse/ Ebersberggasse

Diese Genossenschaftssiedlung entstand aus einer basis-orientierten Genossenschaft, die aber unter kommunal-treuhänderischer Verwaltung stand, nämlich der Genossenschaft „Altmannsdorf-Hetzendorf".

Weder in der Wohnungs- und Grundstücksgröße, noch in der Grundrißgestaltung unterscheiden sich diese neueren Genossenschaftshäuser wesentlich von den gemeindeeigenen Schwesterhäusern, obwohl sie wesentlich einfacher und einheitlicher geordnet aussehen. Mit der Normalisierung der Lebensmittelversorgung Wiens in den Nachkriegsjahren wurde der Typus „Haus mit Stall" (und kleinem Gemüsegarten) von mehr wohnlich-repräsentativen, oft aber auch von grotesk wirkenden, verkleinerten Herrschaftsvillen mit reinen Schmuckgärten abgelöst.

Später wurde die ca. 90 Doppelhäuser umfassende Anlage durch einen Gemeindebau erweitert und von der Straße durch einen Schutzwall abgeschirmt. Gegen die angrenzenden Verkehrsstraßen, entlang der Hochmaisstraße, sind Reihenhausverbauungen und Bepflanzungen durchgeführt worden.

(11) WOHNHAUSANLAGE
SPEISINGER STRASSE
Viktor Reiter (1929–1930)
XIII., Speisinger Straße 84–98/ Trabertgasse

Diese mit 99 Wohnungen ausgestattete Wohnhausanlage wurde im Anschluß an die Siedlungen „Hermeswiese" (vgl. Pos. Nr. 9) und „Lainz-Speising" (vgl. Pos. Nr. 10) auf einem ehemaligen Kleingartengebiet gebaut. Sie weist eine sehr geringe Verbauungsdichte (26,4%) auf, der Rest des Geländes entfällt auf die Gartenanlagen der dahinterliegenden Kleingarten- und Kleinhaussiedlungen und auf einen Kinderspielplatz. Der vorhandene, teilweise sehr alte Baumbestand wurde möglichst geschont und in die neue Anlage organisch eingeordnet. Die extreme und mittlere Randverbauung umschloß die großen Kastanienbäume im oberen Teil des Baugeländes; auch in der Mittelachse der platzbildenden Straße lag einst ein alter Baumbestand.

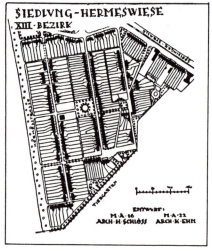

Lageplan Siedlung Hermeswiese

Das alte Siedlungsgebiet ist durch ein monumental gestaltetes, mit langen, geschwungenen Balkonen versehenes Torportal von der Speisinger Straße aus zu betreten. Die Wohnungen wurden in ein- und zweistockhohen Trakten geschaffen und – als Übergang zur rein siedlungsmäßigen Verbauung – in jeweils zwei Gruppen mit drei und sechs Siedlerhäusern errichtet. An den Enden der gewellten, abschirmenden Straßenfront sind zwei größere Konsumläden untergebracht. Dahinter, in kleinstädtischer Verbauung, mehrere Mehrfamilienhäuser und Geschäftslokale, die sich mit zwei Siedlungsgruppen früherer Jahre harmonisch verbinden.

In der Straßenerweiterung Mitte der Lynkeusgasse befindet sich – in Fortsetzung älterer Gemeinde- und Siedlungsanlagen – ein kleines, aber monumental-kubisch wirkendes Wohnhaus mit zwölf Wohnungen. Dies ist stilistisch den Kleinhäusern angepaßt und gegen die Straße mit einem kleinen, grünen Hinterhof abgeschlossen. Der Bau bildet eigentlich den Kern der gemeindeeigenen Wohn-und Siedlungsanlage „Hermeswiese", die einen fließenden Übergang zur Wohnhausanlage bildet.

⑫ „KÜNSTLERSIEDLUNG" AM ROSENHÜGEL (1922–24)
Ferdinand Krause
XIII., Riedelgasse/ Griepenkerlgasse/ Rußweg

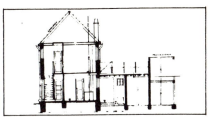

Schnitt

Diese genossenschaftliche Siedlung wurde von der Genossenschaft „Altmannsdorf-Hetzendorf" für einkommensschwache, freiberufliche Künstler gebaut. Der Gedanke einer „Künstlerkolonie" ist seit dem Jugendstil (Mathildenhöhe in Darmstadt) nicht mehr neu. Nur nimmt diese Siedlung lokale Traditionen wieder auf und knüpft an Josef Hoffmanns Kaasgraben-Kolonie (1912–14) für die Künstler der Wiener Werkstätte an. Zum Teil wird auch das Formenvokabular übernommen, doch höchstwahrscheinlich hat die Architektur der englischen Gartenstadt „Letchworth" (1907) hier Pate gestanden, besonders was die bewegte Dachlandschaft und die Außengestaltung der Häuser betrifft. Sie gleichen mit ihren Giebeln und pittoresken Dachauf- und Dachausbauten und Schornsteinköpfen den englischen (Queen Anne) Landhäusern.

Krause hat bei dieser nur 24 Häuser umfassenden Anlage eine eindrucksvolle Grundrißlösung in ausschließlich südlicher Richtung und eine Bebauungsvielfalt geschaffen, bei der eine teilweise Erschließung mit Fuß- und Wirtschaftswegen vorherrscht. Die Leistung ist allerdings, gemessen am geringen Umfang der Anlage, nicht ganz so außergewöhnlich. Ein interessanter Vergleich bietet sich in unmittelbarer Nähe mit der Selbsthilfe-Siedlung „Rosenhügel" (vgl. Pos. Nr. 13) an. Die Häuser der „Künstlersiedlung" sind wegen der professionellen Fertigung größer und sorgfältiger ausgeführt und haben im Obergeschoß große Atelierfenster und Freiluftateliers im Garten.

Ferdinand Krause: Siedlung „Rosenhügel" (1922–24)

„Die Pioniere vom Rosenhügel"; Siedler bei der Arbeit an der Baustelle (1921)

(13) SIEDLUNGSANLAGE ROSENHÜGEL (1921–1926)
Hugo Mayer/Ferdinand Krause (GESIBA)

XII., Defreggerstraße/ Rosenhügelstraße/ Atzgersdorfer Straße/ Endergasse/ Dorfmeistergasse/ Wundtgasse/ Haunzahndgasse/ Helfertgasse/ Schurzgasse/ Jungpointgasse

Das Interessante an dieser Siedlung ist die gewerkschaftlich-genossenschaftliche Bauorganisation und Produktion: die Siedler konnten zum Teil in unbezahlter Arbeit ihren Anteil der Baukosten abarbeiten. Gefordert waren ca. 2500–3000 Arbeitsstunden, wobei mindestens 1600 Stunden auf der Baustelle und ca. 1000 Stunden in den Werkstätten abgeleistet werden mußten. Während der Bauzeit wurde den Siedlern keine bestimmte Parzelle zugewiesen. Um eine gleichmäßige Mitarbeit aller Beteiligten und eine größtmögliche Qualitätsvereinheitlichung zu erreichen, wurde den Siedlern erst die fertigen Siedlungshäuser ausgelost übergeben. Diese neuartige soziale Baufinanzierung ohne (oder mit wenig) Eigenkapital und ohne soziale Ungerechtigkeit war der erste durchschlagende Erfolg der Selbsthilfe in der Wiener Siedlungsgeschichte. Obwohl der Erfolg nur von kurzer Dauer war, besaß die Siedlung trotzdem – nicht zuletzt wegen ihres Modellcharakters der Selbsthilfe – einen Anteil an der Bildung der Gemeinwirt-

schaft. Die Entfaltung einer autonomen Arbeiterbewegung wurde aus ideologischen Gründen vom Austromarxismus eingeschränkt. Die Siedlergenossenschaften besorgten völlig selbständig die Verwaltung ihrer Kolonien und damit alle mit der Benützung und Instandhaltung zusammenhängenden Angelegenheiten. „Die Pioniere vom Rosenhügel", wie sie in einer Broschüre heißen, haben demnach wahrscheinlich zum ersten Mal in der Geschichte des Roten Wien versucht, den Produktionsbereich in ihren Alltag zu integrieren.

Architektonisch ist die Siedlung von geringem Interesse: der Grundtypus ist immer gleich (40qm verbaute Fläche; ca. 60qm Wohnfläche mit Obergeschoß), höchst einfach konzipiert und variiert selten. Die Siedlung besteht aus Reihenhäusern mit mittlerer, grundstücksumgrenzender und kerniger Verbauung, die zu einzelnen Gruppen zusammengefaßt sind. Die einfache Lageplanlösung mit ihren klaren architektonischen Durchzugsstraßenachsen und

Peter Behrens: Entwurf für eine Gartensiedlung am Rosenhügel

Platzbildungen bezwecken eine möglichst wirtschaftliche Ausnützung der Parzellenformen. Begründetes Vor- und Rücksetzen der Häuser schafft kleine interessante Platzbildungen.

Die Einrichtung ist konventionell gestaltet und von keinerlei Wohnexperimenten geprägt. Eine Gruppe von vier doppelstöckigen Wohnungen ist zu einem Block mit Einfamilienhauscharakter zusammengefaßt, wobei die Ställe für Kleinvieh und die Gartenlauben an der Rückseite der Häuser angebracht sind. Zu ebener Erde bieten die Wohnungen einen Vorraum, eine Kochnische, eine kleine Waschküche mit Spüle, in der genügend Platz für eine kleine Sitzbadewanne vorgesehen war und ein Wohnzimmer von rund 16qm Bodenfläche. Im ersten Stock, zugänglich durch eine steile, hölzerne Treppe, befinden sich ein bis zwei Schlafkammern. Die Bauweise ist massiv, d. h. mit (Hohl-)Ziegelmauerwerk und Betonfundamenten und geneigtem Dach, das mit Strangfalzziegeln gedeckt ist. Auf den Ausbau der einfachen Satteldächer wurde fast allgemein verzichtet.

⑭ SIEDLUNG ELISABETHALLEE (1922–25)
Franz Kaym/Alfons Hetmanek
XII.,Elisabethallee/Olbrichgasse/Klimtgasse/Hevesigasse/Fasangartengasse

Eng verwandt mit diesem Siedlungsprojekt der beiden Otto Wagner-Schüler sind die Villiensiedlungen der Wagner-Schule. Es überrascht nicht, daß hier ähnliche Prinzipien wie bei den bereits um 1911 als ,,Schulthemen'' gestellten Aufgaben der *Villen-*

kolonie nachklingen. Schon von mehreren Schülern nachweisbar systematisch abgehandelt (Lichtblau, Pirchan Infeld, Polzer, Kleinoschegg, Hannich), greifen Kaym/Hetmanek auf die formalen Lösungen einer ,,Volksarchitektur'' zurück. Formal kamen sie aber zu andersartigen Lösungen als ihre Kollegen, schon deshalb, weil sie für besitzlose Arbeiter und bedürftige Rentner entwarfen. In ihren Studien gingen sie von der Voraussetzung einer möglichst schnellen, einfachen, zweckmäßigen und vor allem billigen Ausfertigung aus. In der Realität erwies sich jedoch, daß der Preis selbst für das bescheidenste Siedlungshaus für die Mehrheit der Arbeiter bei weitem unerschwinglich war. So kam es, daß sich hauptsächlich der Mittelstand die Kosten für ein von Architekten entworfenes und eingerichtetes Siedlungshaus leisten konnte.

Diese von der Genossenschaft ,,Gartensiedlung'' errichtete Siedlungsanlage mit 40 Wohnhäusern wurde in zwei Planungsabschnitten erstellt, aber niemals zu Ende geführt. Die Erschließung der flächensparenden Reihenhäuser erfolgte über lange Vorgärten und Wirtschaftswege. Die durchwegs zweigeschossigen, halbunterkellerten Siedlungshäuser, an die noch Stall und Wirtschaftstrakt angeschlossen werden konnten, wurden uısprünglich in Gruppen von sieben Blocks in einer lockeren Zeilen- bzw. Mittelbebauung zusammengefaßt. Sie hätten einen gegliederten, verkehrsfreien Grünraum mit seitlichen Verkehrsarmen im Inneren der Anlage schaffen sollen; es wurde aber nur eine Hausreihe geführt. In dieser ausgesprochenen Vorstadtlage erhielten die Reihenhäuser Kleintierställe und Nutzgärten.

361

⑮ SIEDLUNG „EDEN" (1922–1923)
Ernst Egli

XIV., Hüttelbergstraße/ Edenstraße/ Knödelhüttenstraße/ Mittelstraße/ Haspelmeistergasse (außerhalb des Lageplans)

Gerade bei dieser Siedlung am Wolfersberg sind noch Reste der wilden Siedelei der allerersten Phase sichtbar. Die Besiedlung der stadtnahen Waldbestände im Wienerwald war eine Folgeerscheiung der katastrophalen Nahrungsmittelkrise und der Wohnungsnot in den Nachkriegsjahren des Ersten Weltkriegs. Es war die Zeit der wilden Landnahmen, die stillschweigend von den Behörden geduldet wurden, sofern sie die prominenten „Cottage"-Gegenden wie Hietzing, Währing, Grinzing nicht verschandelten. Die Landnahme durch die Bevölkerung und die Waldbesetzung und Rodung begannen bereits während der Kriegsjahre zur Brennholzbeschaffung. Erst nach dieser Notaneignung erfolgte eine reguläre kleingärtnerische Nutzung und schließlich erfolgte der Ausbau mit Dauerbaracken und Hütten, allerdings ohne Baugenehmigung.

So geschah es auch am Satz- und Wolfersberg, wo es im Laufe der Jahre zu einer immer ausufernderen Be- und Überbauung kam, sodaß von den ehemaligen Kleingartenhütten kaum noch etwas erhalten blieb. Aber die Struktur ist noch eindeutig sichtbar. Um die illegale Bautätigkeit wenigstens einzubremsen, beauftragte man den Architekten Ernst Egli mit einem Bebauungsplan, der nur zum Teil verwirklicht wurde. Zum Großteil besteht die Siedlung aus einzelnen Einfamilienhäusern, die nicht einmal räumlich verbunden sind. Hervorzuheben sind vor allem die höhenmäßig gestaffelten 25 Reihenhäuser an der steilen Edenstraße, obwohl sie baulich ziemlich verunstaltet sind. Die zweigeschossigen Reihenblocks sind entlang der Straße geradlinig verbaut, wobei die abgestuften Satteldächer der Neigung des Terrains entsprechen. Jede Wohnpartei hat ein hinteres Gartenstück von maximal 500qm. Vorgärten sind durchwegs bei jedem Haus angeordnet, sie sind aber heute großteils mit Garagen überbaut.

„Wilde Siedlei" im Wienerwald; Rosenthal und Hackberg (Hütteldorf) (um 1919). Blick gegen Rosenthalgasse mit einer Kleingartensiedlung und dauerprovisorische Buden nach wilder Waldschlägerung.

Anmerkungen:

1. Die „sachliche" Baukunst bediente sich modernster Stahlbeton-Konstruktionsweisen und Materialien (Skelettkonstruktion, Beton, Glas) und orientierte sich formal sowohl an Formen des „Neuen Bauens" in Deutschland/Schweiz als auch an expressionistischen Formen der zwanziger Jahre, die gelegentlich in Einklang gebracht wurden (z.B. Stadion, Umspannwerk Favoriten, Öllager–Winterhafen, Wäschereianlagen etc.). Ein interessantes Beispiel hierfür sind die städtischen Autobusgaragen.
2. Neben dem Arbeitsamt für die Metall- und Holzarbeiter in der Siebenbrunnenfeldgasse ist auch noch auf das inzwischen abgerissene Arbeitsamt Ottakring am Ludo Hartmann-Platz und auf das Arbeitsamt Floridsdorf von den gleichen Architekten hinzuweisen. Ein für die (österreichische) moderne Architektur revolutionäres Bauwerk stellt das Arbeitsamt Liesing von Ernst A. Plischke dar, gleichfalls sind die Arbeitsämter Gmünd, Amstetten (NÖ) von Plischke erwähnenswert, die alle der neuen Aufgabe in einer völlig neuen, aber doch funktionsabhängigen Weise gerecht werden und als formal-fortschrittlich gelten.
3. Robert Waissenberger: Traum und Wirklichkeit, Wien–München 1984
4. Karl Mang: Architektur einer sozialen Evolution, in: Kommunaler Wohnbau in Wien – Aufbruch–1923 bis 1934–Ausstrahlung (Ausstellungskatalog), Wien 1978 (Presse- und Informationsdienst der Stadt Wien), ohne Seitenangabe.
5. Robert Waissenberger: Die historische Entwicklung der Wiener Gemeindebauten, in: Zwischenkriegszeit: Wiener Kommunalpolitik 1918–38 (Ausstellungskatalog), Wien 1980
6. Hans Hautmann/Rudolf Hautmann: Die Gemeindebauten des Roten Wien 1919–1934, Wien 1980, S. 292
7. Festschrift Wohnhausanlage Reumann-Hof, Wien o.J. (1926), S. 9
8. Der Verbauungsplan der III. Bauperiode zeigt eine wesentlich stärkere Bewegung in der Gestaltung der Baukörper; unregelmäßige Höfe und gekrümmte Fronten fallen als charakteristisches Formelement auf. Diese Lösung ergab sich aber nicht etwa einer gewollt malerischen Wirkung zuliebe, sondern hauptsächlicher Grund war die Rücksichtnahme auf die Fortführung von gegebenen Straßenzügen. Im ursprünglichen Regulierungsplan war eine schiefwinkelige Kreuzung der Rizy- und Karl Löwe-Gasse vorgesehen, wodurch fast unverbaubare spitzwinkelige Parzellen entstanden. Auf Vorschlag der Architekten wurde der Teil der Rizygasse zwischen Karl Löwe- und Längenfeldgasse aufgelassen. Die neu geplante allmähliche Überleitung der Rizygasse in die bestehende Karl Löwe-Gasse brachte eine bogenförmige Führung der westlichen Baulinie mit sich. Die Straßenerweiterung, die durch den Zusammenlauf der oben genannten Gassen entstand, wurde durch ein Ausschwenken der südöstlichen Baulinien zu einem ansehnlichen Platz umgewandelt. Um diesen möglichst räumlich zu gestalten, wurden die nördliche und die östliche Platzwand geschlossen und die beiden Straßenzüge durch große Torbögen geführt. Die Mitte der Anlage nimmt ein architektonisch überhöhter Wohnungstrakt ein. Der ganze Baublock erhielt eine städtebaulich begründete Begrenzung der platzartig entwickelten Karl Löwe-Gasse.
9. Man vergleiche die ähnlichen Lösungen der übereck laufenden Balkone, die kubischen Massen und die Behandlung der schmückenden Fahnenstangen mit ihren besonderen Konsolenausbildungen mit jenen vom „Karl Marx-Hof".
10. Robert Waissenberger: Die historische Entwicklung der Gemeindebauten, a.a.O., S. 32
11. Fritz Wulz: Stadt in Veränderung, Wien zwischen 1918 und 1934 (Bd. 2), Stockholm 1976, S. 468
12. Fritz Wulz, ebda, S. 464
13. Ottokar Uhl: Moderne Architektur
14. Wilfried Posch: Die Wiener Gartenstadtbewegung, Reformversuch zwischen erster und zweiter Gründerzeit, Wien 1981, S. 92
15. Karl Mang: Architektur einer sozialen Evolution, a.a.O., ohne Seitenzählung
16. Robert Waissenberger: Die historische Entwickung der Gemeindebauten, a.a.O., S. 32
17. Hautmann/Hautmann, a.a.O., S. 322

18. Günther Feuerstein: Vienna, Present and Past, Architecture—City Prospect—Environment, Wien 1974, S. 41
19. Hautmann/Hautmann, a.a.O., S. 322
20. Der tschechische Schulverein „Komenský" ist bereits 1872 auf Initiative der tschechoslowakischen Gemeinde und ihre Organisationen in Wien gegründet worden. Die Historikerin Helene Maimann informierte uns darüber, wie die autonome tschechische Arbeiterbewegung ihre eigenen sozio-politischen Interessen wahrgenommen hat, und wie auch die über 100 000 Tschechen in Wien anno 1925 ihre kulturellen und sprachlichen Ausdrucksformen fanden: „In den Wiener Wohnbezirken mit einem hohen Anteil an tschechischer Bevölkerung, wie in Favoriten, Brigittenau, Ottakring, Meidling, gelang der Arbeiterschaft, gestützt auf ein eigenes, entwickeltes Schulwesen, die Erhaltung ihres eigenständigen, soziokulturellen Zusammenhanges." (zit. in: „Mit uns zieht die neue Zeit", Arbeiterkultur in Österreich 1918—34 (Ausstellungskatalog), Wien 1981, S. 242). Natürlich war die Schulung und Erhaltung der Muttersprache Voraussetzung für ein nationales Selbstbewußtsein und die Wurzel zum politischen Handeln. Es muß aber auch erwähnt werden, daß die überwiegende Mehrheit der tschechischen Einwanderer und der tschechisch sprechenden Bevölkerung sich lieber schnell integrierte und ihre Kinder in deutschsprachige Schulen schickte, da sie eine Diskriminierung aufgrund ihrer Nationalität fürchtete. Besonders unter dem Druck austrofaschistischer, nationalsozialistischer und reichsdeutscher Herrschaft gingen viele Vertreter dieser Volksgruppe einige für sie schädliche und gefährliche Bündnisse mit dem Deutschtum ein. Selbst unter austromarxistischen Politikern war die Überbetonung der Nationalität nicht gerne gesehen.
21. Hinzu zähle ich noch: die Volks- und Hauptschule Freihof (vgl. Rundgang Nr. 4/Pos. Nr. 23) und den kompromißlos modernen Schulbau Wenzgasse 7 (1930—31) von Siegfried Theiß und Hans Jaksch. In zweiter Kategorie dann die Volksschule in Mannersdorf (1929) von Franz Kaym/Alfons Hetmanek, die gemeindeeigene „Otto Glöckel-Schule" (1929) in der Veitingergasse (vgl. Rundgang Nr. 10/Pos. 3) und die „Neuland-Schule" (1930—31) von Clemens Holzmeister in Wien XIX., Alfred Wegner-Gasse 10—12.
22. Festschrift Wohnhausanlage Favoriten, o.J. (1926), S. 22
23. Mit einer Anzahlung und einer Abstattung der Baukosten in Form einer Rendite bis zu 15 Jahren konnte ein Haus erworben werden. Die Anzahlung betrug durchschnittlich ein Drittel der Gesamtkosten und Kreditgewährung für den Rest auf 15 Jahre bei einer Verzinsung von 5%. Kein Rückgaberecht.
24. Franz Schuster, in: Der Aufbau, Heft Nr. 8/9 (Sept.), 1926, S. 154
25. Klaus Novy: Selbsthilfe als Reformbewegung, Der Kampf der Wiener Siedler nach dem Ersten Weltkrieg, in: arch+ Nr. 55 (Feb.), 1981, Aachen 1981, S. 28
26. Zit. in: Stadtbuch Wien, hg. vom Falter-Verlag, Wien 1983, S. 97
27. Die Gesamtfläche des neubesiedelten Gebietes beträgt ca. 50 000 qm. Davon entfallen 18 727 qm auf den Baugrund, 30 761 qm auf Plätze, Gartenhöfe und auf Verkehrswege. Die Randstraßen sind in keiner der angeführten Ziffern in Betracht gezogen. Es sind somit vom Gesamtareal 38% verbaut.
28. Festschrift „Austerlitz-Hof", Wien 1928, S. 5—6
29. Nennenswerte Beispiele dieser „Abwandlung" bzw. „Bastardisierung" sind die Wohnhausanlagen der Angestelltenversicherung in Wien V., Gassergasse 82/Blechturmgasse 7 (1930—31) von Karl Limbach und Ludwig Tremmel; die Wohnhausanlagen der Österreichischen Nationalbank-Angestellten in Pötzleinsdorf, XVIII., Geyerergasse 4 (1930—1931) von Ferdinand Glaser und Rudolf Eisler; die Polizeiwohnhäuser („Seipel-Hof") in Hütteldorf, XVI., Isbarygasse 7/Samhaberplatz (1933—34) von Erich Leischner und Hermann Stiegholzer; das „Polizeiwohnhaus" in III., Lisztstraße 3/Johann Staud-Gasse (1924) mit einem immer noch nicht existierenden Dollfuß-Denkmal (!) und schließlich die Wohnhausanlagen der Versicherungsangestellten der Firma „Phönix" (1930) bzw. „Allianz- und Giselaverein" (1934) von Ernst Epstein. Zu dieser letzten Kategorie zählen die vielen Assanierungsbauten privater Wohnbaugenossenschaften.
30. Hautmann/Hautmann, a.a.O., S. 277

31. Festschrift, a.a.O., S. 5
32. Der ursprüngliche, unter Kaiser Rudolf II. 1587 aufgestellte Erweiterungsbau für die Schloßanlage wurde Anfang dieses Jahrhunderts von der Stadt Wien zum Zwecke der Totenbestattung erworben. Das Grundstück war für eine städtische Feuerhalle und einen Urnenhain vorgesehen. Im Zuge der Auflösung innerstädtisch gelegener Friedhöfe und Umwidmung zu öffentlichen Parkanlagen entstand auf dem Zentralfriedhof Raumnot. Der Großteil der Bestattungen wurde ab 1919 zum III. Tor verlagert, und als dieser Teil nicht weiter expandiert werden konnte, entschloß man sich für das neue Friedhofsareal gegenüber dem Zentralfriedhof.
33. Anon (Franz Schuster), in: Der Aufbau, Heft 1 (Feb) 1926, S. 12
34. Friedrich Achleitner, zit. in: Holzmeister (Ausstellungskatalog) hg. v. d. Akademie der bildenden Künste, Wien 1982, S. 8ff
35. Gessners Entwurf ging aus einem (für die Gemeinde Wien sehr unüblichen) allgemeinen öffentlichen Wettbewerb hervor, für welchen 91 (!) Entwurfleistungen einlangten. Aus heute nicht mehr eruierbaren Gründen erhielt nicht der mit dem 1. Preis ausgezeichnete Entwurf von Peter Behrens, sondern die mit dem 2. Preis bedachte Architektengemeinschaft Hubert Gessners (mit seinen Büromitarbeitern und Angestellten) den Auftrag.
36. Fritz Wulz, a.a.O., S. 472
37. Hautmann/Hautmann, a.a.O., S. 431
38. 1931 feierte man in der „Gartenstadt Jedlesee" die Fertigstellung der 25 000sten Gemeindewohnung. Der Hof wurde noch vor Ablauf des 5-Jahresprogramms begonnen und stellt mit dem 1931 eröffneten „Karl Marx-Hof" den Höhepunkt im Wiener Bauprogramm dar.
39. Sowohl in der Fachliteratur als auch in den Quellen ist – bedingt durch unklare Formulierungen – nicht immer klar zwischen dem 1. und dem 2. Bauabschnitt zu unterscheiden. Die unterhalb der Nordbahn errichteten Siedlungshäuser gehören zur ersten Siedlung „Leopoldau" und die jenseits der Gleisanlagen bereits zur christlich-sozialen „Nordrandsiedlung", die erst nach 1934 angelegt wurde. Ein ebenfalls weitverbreiteter Irrtum ist, daß die Siedlung dem Wagner-Schüler Leopold Bauer zugeschrieben wird, möglicherweise wegen seiner Mitentwicklung am „Kernhaus" der GESIBA, das als Prestigeobjekt für den Bauträger bei der Wiener Messe ausgestellt wurde. In Wirklichkeit stammt die Siedlung vom technischen Direktor der GESIBA, Richard Bauer.
40. 1965–75 wurde auf diesem Gelände die „Großfeldsiedlung" errichtet und damit der größte Teil der Siedlung vernichtet.
41. Es ist zu berücksichtigen, daß die Siedlung durch die an ihrer Stelle entstandene Großfeldsiedlung fast völlig zerstört worden ist. Heute bietet das Bild der Anlage – durch die verschiedensten Umstrukturierungen der Bewohner und des Siedlungsplans – ein Konglomerat von kleinbürgerlichen Einzel- und Zweifamilienhäusern.
42. vgl. Josef Frank: Der Volkswohnungspalast, in: Der Aufbau, Heft Nr. 6 (Juli) 1926, S. 107–111 und auch Franz Schuster/Franz Schacherl: Proletarische Architektur?, in: Der Kampf, Heft Nr. 12 (1925)
43. Eröffnungsschrift der Wohnhausanlage, Wien 1926, S. 12
44. Quelle: Hans Kampffmeyer, in: Eröffnungsschrift des Siedlungsamtes der Gemeinde Wien, Wien 1926, S. 5
45. zit. in: Karl Schartelmüller, Eröffnungsschrift, a.a.O., S. 8–9
46. Durch diese Verbauungsart ergaben sich bei der Parzellenaufteilung Restflächen, die als kleine Erholungsanlagen gartenmäßig ausgeführt wurden, weil sie wirtschaftlich nicht von Vorteil waren. Diese Parzellenform erwies sich für die gartenmäßige Behandlung als so ungünstig, daß sie heute als Autoabstellplätze verwendet werden.
47. Renate Schweitzer (-Banik): diss. techn. TH-Wien 1972 (unveröffentlicht), S. 252
48. Burkhardt Ruksccio/Roland Schachel: Adolf Loos, Leben und Werk, Salzburg 1982, S. 534
49. vgl. Ludwig Neumann, in: Österreichische Gemeindezeitung, Heft 4/1933, S. 6
50. vgl. dazu ein Enquete vom 25. 11. 1934. Aufschlußreich ist allein schon die personelle Besetzung dieser von der Regierung Dollfuß einberufenen Versammlung mit Vertretern der Bauwirtschaft, der Kammern sowie aller Fachkreise und Körperschaften (Z.V.):

Dr. Seyss-Inquart (!), Dr. A. Bauer, Arch. Hans Richter, Dr. Schneider – also insgesamt alles Vertreter des konservativen Standes.

51. Diese Behauptung ist nur teilweise richtig (vor allem für die größeren Bauprojekte) und nicht allein für die Qualität der Architektur aussagekräftig. Es lassen sich durchaus andere kleinere und wegweisende Beispiele heranziehen, wie Adolf Loos' Siedlung „Am Heuberg" (vgl. Rundgang 7/Pos. Nr. 8), S.C. Drachs „Siedlung Malfatti" (vgl. Rundgang 10/Pos. Nr. 1) in der Gloriettegasse und die vorbildhafte „Werkbundsiedlung" (vgl. Rundgang Nr. 10/Pos. Nr. 4).

52. Werbeslogan des Wiener Fremdenverkehrsverbandes 1980. Vgl. auch in jüngster Zeit Holleins Ausstellungsatrappe des „Karl Marx-Hofes" am Dach des Künstlerhauses, Traum und Wirklichkeit (28. 3. – 6. 10. 1985).

53. Als mit der Planung der Anlage begonnen wurde, hatte man zunächst diskutiert, ob auf dem von Handelsgärtnern belegten Bauplatz entweder eine gartenstadtmäßige Siedlung oder ein geschlossener Superwohnblock errichtet werden sollte. Ein eben zu dieser Zeit in Wien tagender Architektur- und Städtebaukongreß mit einem ausgearbeiteten Wohnbauprogramm beschäftigte das Wiener Rathaus sehr intensiv mit dieser Frage.

54. Festschrift „Die Wohnhausanlage der Gemeinde Wien im XIX. Bezirk, Karl Marx-Hof", Wien 1930, S. 4; Hervorhebungen von H. W.

55. Fritz Wulz, a.a.O., S. 473

56. Günther Feuerstein, a.a.O., S. 41

57. Fritz Wulz, a.a.O., S. 473

58. Vollkommen vernachlässigt und zum Teil noch unberücksichtigt ist bei der gegenwärtigen Darstellung und Analyse die Beachtung der zum Teil technisch schwierigen, kostenaufwendigen und in manchen Fällen gar nachteiligen Auswirkungen der so gepriesenen formal-ästhetischen, symbolischen Elemente der Architektursprache des Roten Wien. So stellten beispielsweise die dominierenden Segmentbögen des Mittelteils beim „Karl Marx-Hof" und die Straßenüberbauung durch Überbrückungspforten mit 16 m Spannweite eine schwierige ingenieurmäßige Aufgabe dar, die in einem krassen Mißverhältnis zu den ansonst fast primitiven und billigen Stiegenhauslösungen ohne Lift (!) steht, und das anno 1930! Gelenkartig gelagerte Eisenbetonrahmen mit steifen Ecken waren im Ziegelgewölbe notwendig, um die riesigen Schubkräfte mittels Zuganker aufzunehmen. Es ist auch zu beachten, daß bei der Verbauung des „Karl Marx-Hofes" durch die Aussparung des Mittelhoftraktes ein realer Wohnraumverlust entstand – und dies alles nur zur Steigerung der Wirkung! Entsprechend auch die manchmal eigenwilligen Grundrißlösungen, die sich aus einer oftmals fragwürdigen Gesamtkonzeption der Aussenhülle (spitzer und stumpfer Winkel, Turm-, Rück- und Vorversetzungen der Fassaden) ergaben, die meistens auf Kosten wertvoller Quadratmeter Wohnfläche gingen.

59. vgl. Fritz Wulz, S. 475. Der Autor weist auf die Überwindung des Einflusses der akademischen Ästhetik des 19. Jahrhunderts am Beispiel der zunehmenden Nutz-Funktionalisierung der Balkonanordnungen hin. Eine m.E. über das Ziel hinausschießende Feststellung, denn die „historistische und gründerzeitliche" Zinshausbau kannte überhaupt keine Balkon- oder Loggienlösungen für das Regelgeschoß.

60. Robert Waissenberger, a.a.O., S. 30

61. Hubert Pfoch, Vorwort in: Karl Marx-Hof, Prolegomena-Heft Nr. 24, hg. v. Institut für Wohnbau, TU Wien, Wien 1978, S. 5

62. Spätestens Ottokar Uhl machte die Öffentlichkeit auf den nicht mehr dem heutigen Wohnen entsprechenden Charakter des Portals aufmerksam: „Das monumentale Portal mag im Wohnbau heute fragwürdig erscheinen" usw., zit. in: Moderne Architektur, a.a.O., S. 75

63. Vergleichbares gibt es in Wien meiner Ansicht nach nur im Umspannwerk Favoriten (vgl. Plan Nr. 2/Pos. Nr. 1), wo es gleichfalls eine sehr stark apparative Semiotik in der Bauform gab.

64. Fritz Wulz, a.a.O., S. 480

65. vgl. Hautmann/Hautmann; Karl Mang/Robert Waissenberger und z.T. Marco Pozzetto. Marco Pozzetto räumt aber gleichzeitig ein, daß sich Perco infolge seiner Ausbildung nie vollkommen vom Einfluß des Wagner-Klassizismus befreien konnte und seine

Bauten „nehmen die Architektur von Paul Ludwig Troost und Albert Speer vorweg".
(M.P., Die Schule Otto Wagners, Wien 1980, S. 241).

66. Die Abschnitte wurden von Peter Behrens (Stiege 15, 24, 25, 28–32), Josef Hoffmann (Stiegen 1–14), Josef Frank (16–23) gemeinsam mit Oskar Strnad und Oskar Wlach ausgeführt. Am fragwürdigsten ist der Teil von Hoffmann mit seinen merkwürdig anmutenden klassizistischen Formenspielereien und Zitaten auf die Volksarchitektur, im Gegensatz zu Franks einfachen und schlichten Formen. Behrens' Teil besticht durch seine Vorliebe für das herbe „Dorische" bei Repräsentationsaufgaben: eine frühe Analogie zur Nazi-Architektur ist aber nur in dem Formenrepertoire, nicht in deren Absichten, gegeben. So gesehen war die „Zusammenarbeit" der von linken (Frank) und rechten (Hoffmann, Behrens) Polen kommenden Architekten zwiespältig und höchst interessant!

67. zit. in: Festschrift „Wohnhausanlage der Gemeinde Wien im XX. Wr. Gemeindebezirk", Wien o.J. (1926), S. 5

68. Die Pläne wurden von den Architekten Franz Schuster, Karl Dirnhuber, Grete Schütte-Lihotzky und Adolf Loos offiziell verfaßt. Allerdings zog Loos seine Mitarbeit zurück, nachdem sein interessanter Vorschlag für ein Terrassenhaus abgelehnt worden war, deshalb ist es überhaupt fraglich, ob und inwieweit Loos für die Planung und Ausführung verantwortlich war. Zwar dürfte die Konzeption auf Loos zurückgehen, jedoch sind stilistisch große Abweichungen festzustellen. Es deutet nichts auf die Autorenschaft Loos' hin. Die Beschränkung der Mittel kann – aber muß nicht – allein auf Loos zurückzuführen sein, denn seine Baugesinnung läßt sich auch bei seiner zeitweiligen Mitarbeiterin im Siedlungsamt, Grete Lihotzky, und auch bedingt bei Franz Schuster feststellen. Auch Karl Dirnhuber stand der privaten Loos-Schule in bezug auf Einfachheit und Schlichtheit der architektonischen Elemente sehr nahe.

69. So die Selbstdarstellung in der Festschrift, a.a.O.

70. Daß die Einteilung und Zuordnung der bestehenden bürgerlich-kapitalistischen Gesellschaftsordnung in Klassen für eine sozialdemokratische Gesundheitspolitik streng abbildend und relativ unkritisch übernommen wurde, macht heute natürlich stutzig. Denn die nicht „allgemein öffentliche" Sonderheilanstalt hatte bezüglich der Aufnahme der Patientinnen auf streng geltende Regeln zu achten, die man beim besten Willen nicht als austromarxistisch bezeichnen kann. Gegen vorherige Bezahlung der Verpflegungskosten für jeweils zehn Tage wurden Patientinnen ohne Unterschied der „Heimatsberechtigung" aufgenommen. Mittellose Patientinnen, die nachweisbar nicht in der Lage waren, die Verpflegungskosten auch nur der III. Verpflegungsklasse zu bezahlen, konnten nur dann Aufnahme finden, wenn sie in Wien ansässig und gemeldet waren. Mittellose Patientinnen, die nicht in Wien angemeldet waren, durften nur in Notfällen (z.B. Frühgeburt) und im Falle der sozialen Notwendigkeit (Obdachlosigkeit) aufgenommen werden. Die Verpflegungskosten waren für ihre Zeit auch sehr hoch: 15 Schilling in der 1. Klasse, 11 Schilling in der II. Klasse und 7,50 Schilling in der letzten Klasse pro Kopf und Tag. Der damalige Preis für die teuerste Kinokarte betrug vergleichsweise 52 Groschen! (Non-Stop-Kino)

71. Manfred Wehdorn und Ute Georgeacopol-Winischhofer: Baudenkmäler der Technik und Industrie in Österreich, Bd. 1 (Niederösterreich – Wien – Burgenland), Wien–Köln – Graz 1984, S. 114

72. zit in: Eröffnungsschrift „Wohnhausanlage der Gemeinde Wien, Thury-Hof", Wien o.J. (1925), S. 3

73. Durch eine klassizistisch wirkende Öffnung, bekrönt mit zwei Statuen, die auf die „Arbeit" und auf die „Freizeit" hinweisen, gelangt man in jene versunkene Welt der Formen und Sinne, denen seinerzeit das Rote Wien verständnislos gegenüberstanden zu sein scheint; der Melancholie der Vergangenheit trauerten vor allem die Bürgerlichen nach. Der Bau stellt Hoffmanns private Meditation auf ein versunkenes und weit zurückliegendes „Goldenes Zeitalter" der Jugendstilkunst dar.
Siehe in diesem Zusammenhang Gresleris Beobachtungen: „Piu di ogni altro intervento precedente „Klosehof" non ha timore nel proclamare la sua monumentalità di mondo chiuso che rifiuta l'intorno Attraverso i soui fornici coronati di statue alludenti al

367

lavoro alla liberta si accede ad un mondo precluso alla Vienna di un tempo, un modo che ostenta la sua ‚diversita' orgolisosa nelle forme di un oggetto urbano di fronte al quale i moderni abbassano lo squardo…" (,,Mehr als jedes andere vorherige Dazwischentreten, hat der ‚Klosehof' keine Furcht davor, seine Monumentalität seiner verschlossenen Welt, die das Drumherum verweigert, kundzutun. Duch die Statuen, die auf die Arbeit und auf die Freiheit hinweisen, gelangt man in die (eine) Welt, die dem Wien seiner Zeit versperrt war, eine Welt, die ihre Vielfalt in den Formen eines städtebaulichen Objektes zur Schau trägt, dem gegenüber die modernen den Blick senken…" Übersetzung des Autors). Zit in: Giuliano Gresleri: Josef Hoffmann, Serie di Architettura Nr. 10, Bologna 1981, S. 13

74. Festschrift ,,Wohnhausanlage der Gemeinde Wien, Pestalozzi-Hof'', Wien o.J., S. 5

75. Siehe in diesem Zusammenhang auch die Pos. Nr. 14 und die Fahnenstangen vor dem Kongreßbad (Rundgang 7/Pos. Nr. 4).

76. Der von der Gemeinde Wien ausgeschriebene beschränkte Architektenwettbewerb für die zu errichtenden Volkswohnhäuser verlangte in den ,,Besonderen Bestimmungen'' strenge Berücksichtigung nachstehender Forderungen:
,,Für den BAUBLOCK I unveränderte Beibehaltung der im vorgelegten Bebauungsplan fixierten Baulinien, landhausartigen Charakter der Gebäude mit nicht mehr als 2 bis 3 bewohnbaren Geschossen.
Für den BAUBLOCK II Randverbauung mit höchstens zweistöckigen Wohnhäusern, allenfalls teilweise ausgebauten Dachgeschossen oder Dachaufbauten; die Anordnung von Vorgärten sowie die Unterteilung dieses Baublocks durch eine oder mehrere ‚Wohnstraßen', letzteres nach Belieben der Bewerber.
Für den BAUBLOCK III gleichfalls Randverbauung, erlaubte Höhe zwei Stockwerke, Anordnung von Vorgärten nach Ermessen der Planverfasser; in diesem Baublock dürfen außer Wohnungen fallweise sich ergebende Räumlichkeiten für Werkstätten, Läden vorgesehen werden.
Für den BAUBLOCK IV sollte der zu erstattende Vorschlag berücksichtigen, daß die auf dem Gemeindegrund zu errichtenden Häuser ein für sich abgeschlossenes Ganzes bilden, und zwar so, daß weder an der Privatgrundgrenze Feuermauern entstehen, noch daß zur Ausführung organisch angegliederter Gebäudeteile die Einbeziehung des Privatgrundes notwendig wird.
Bei der Verbauung der einzelnen Bauflächen ist auf die Anlage von gärtnerisch ausgestalteten Binnen- oder Straßenhöfen mit Spielplätzen und Plantschbecken Bedacht zu nehmen." (Wettbewerbsbestimmung)

77. Beobachtung Gottfried Pirhofers/Claudia Mazaneks: Das ,,Neue Wien'', Ein Rundgang durch Sandleiten, in: Stadtbuch Wien 1982, a.a.O., S. 18

78. vgl. Gottfried Pirhofers und Glaudia Mazaneks Kritik, a.a.O., S. 24ff

79. Geza Hajos: Ottakringer Industriebauten, in: Wien wirklich, Ein Stadtführer durch den Alltag und seine Geschichte, Wien 1983, S. 230

80. Wobei das Kleinsiedlungshaus dem idyllischen Wunschtraum des stadtmüden Kleinbürgertums am nächsten kam, bzw. in seiner ,,romantischen'' Geisteshaltung und in seiner gar nicht mehr so harmlosen ,,Blut- und Boden''-Architekturauffassung der sentimentalen Kleinstädterei und regressiven Agrarutopie schlechthin entsprach.

81. Hautmann/Hautmann, a.a.O., S. 397

82. Hautmann/Hautmann, a.a.O., S. 383

83. vgl. die Befragungen von Gottfried Pirhofer et. al., Institut für Wirtschaft und Sozialgeschichte der Universität Wien, Wien 1980

84. Herbert Muck: Typologie der Kirchenraumkonzepte, in: Clemens Holzmeister (Ausstellungskatalog), a.a.O., S. 18ff

85. Clemens Holzmeister (Ausstellungskatalog), a.a.O., S. 25

86. An Stelle des ,,Märzparkes'' befand sich ein Friedhof und die heutige Hütteldorferstraße war auch um einiges breiter und hieß noch ,,Karl Marx-Straße''!

87. Im Zuge der stadtauswärts gehenden Entwicklungsachse entlang des Flötzersteigs entstand nach 1919 ein überaus großes Siedlungs- und Kleingartenhausgebiet im damaligen 13. Bezirk. Erst nach 1945 entschloß man sich zu einer Einfamilienhausbesiedlung

parallel zum Stadterweiterungsplan in Richtung Hütteldorf. Nicht zufällig wollte die Gemeinde Wien genau an dieser achsialen, verkehrsverbindenden Nahtstelle von der radial stadtauswärts gehenden Gablenzgasse zur Linzerstraße (bzw. Westautobahn) die berühmt-berüchtigte Stadtautobahn bauen! Nach massiven Bürgerprotesten wurde dieses Projekt einstweilen beiseite geschoben.

88. „Bei Zimmer-Küche-Wohnungen betrug das Zimmer mindestens 20 qm, die Küche mindestens 8 qm. 15 Wohnungen im ‚Stiftungs-Hof' bestanden nur aus einem Zimmer mit Kochherd (Ledigenwohnungen); 23 aus Zimmer und Küche; 166 aus Zimmer und Küche; 27 aus Zimmer, Kabinett und Küche; und 13 aus zwei Zimmern, Kabinett und Küche. Der erste Teil des ‚Lobmeyrhofes' enthielt 9 Einzimmer-Wohnungen (mit Kochherd); 27 Kabinett-Küche-Wohnungen; 110 Zimmer-Küche-Wohnungen; 5 Zim-

89. Festschrift „Wohnhausanlage der Gemeinde Wien, Somogy-Hof", Wien o.J., S. 5 (Hervorhebungen von H. W.)

90. Zuletzt bei Gerhardt Kapner: Der Wiener kommunale Wohnbau, Urteile der Zwischen- und Nachkriegszeit, in: Artibus et Historiae Nr. 1, Venedig 1980; Karl Mang: Kommunaler Wohnbau in Wien 1919–1938, Tendenzen der städtebaulichen Einordnung und Anmerkungen zur Architektur, in: Zwischenkriegszeit – Wiener Kommunalpolitik 1918–38 (Ausstellungskatalog), Wien 1980, S. 43; und Hautmann/Hautmann: Die Gemeindebauten des Roten Wien, a.a.O., S. 367

91. Eröffnungsschrift, verfaßt von Josef Bittner, Wien o.J. (1925), S. 7

92. Ebda, S. 7 (Hervorhebungen von H. W.)

93. Ebda, S. 7

94. Eröffnungsschrift „Die Wohnhausanlage der Gemeinde Wien, Schimon-Hof", Wien, o.J., S. 7

95. Ebda, S. 7

96. Hautmann/Hautmann, a.a.O., S. 363

97. vgl. Ottokar Uhl: Moderne Architektur, a.a.O., S. 71

98. E. Kriechbaum, in: Österreichische Kunst, Wien 1932

99. Dietmar Steiner, in: Österreichische Gesellschaft für Architektur (Hg.): Architektur in Wien, 300 sehenswerte Bauten, Wien 1984, S. 120

100. Ausschreibung, zit. in: Josef Frank: Zur Entstehung der (Wiener) Werkbundsiedlung, Profil, Wien 1932, S. 170

101. aus: Burkhardt Rukschcio/Roland Schachel: Adolf Loos, Leben und Werk, Salzburg 1982, S. 629

102. zit. in: Moderne Bauformen, Heft 9/1932, Stuttgart

103. Dietmar Steiner, in: Österreichische Gesellschaft für Architektur (Hg.): Architektur in Wien, a.a.O., S. 120

Architektenbiographien

Ein Hinweis in eigener Sache:
Die Sammlung biografischer Daten beansprucht weder Vollständigkeit noch Genauigkeit. Leider war es in manchen Fällen unmöglich, verläßliche und widerspruchslose Informationen über Leben und Werk einzelner Architekten zu bekommen. Auch die Beschreibung und Aufzählung der Werke ist nach vielen Geschichtspunkten noch unvollständig, da bei manchen Baukünstlern in ihren autorisierten Monographien nicht alle Bauwerke aufscheinen und auch ihre Autobiographien oft lückenhaft sind. In den einzelnen Biographien sind Bauten und Projekte außerhalb Wiens teilweise unberücksichtigt geblieben. Ebenso wurden die vor dem Zweiten Weltkrieg verwirklichten Werke vorrangig berücksichtigt. Über die Tätigkeit einiger Architekten nach 1945 liegen z.t. nur sehr wenige Angaben vor; auch ihre Sterbedaten sind nicht immer bekannt. Der Autor bittet deshalb um Verständnis, für die oftmals unkorrekten oder unzuverlässigen Daten, da sie bedauerlicherweise vielleicht für immer verloren gegangen zu sein scheinen. Ein definitorischer Mangel bleibt auch das Fehlen von einigen Namen. In diesem Zusammenhang bitte ich um Richtigstellung und um weitere Hinweise der Leser und Recherchierenden.   H.W.

HERMANN AICHINGER

(* Vöcklabruck, 14. 5. 1885, † Wien, 18. 6. 1952) absolvierte sein Architekturstudium bei Otto Wagner (1907–10); danach war er mit seinem Studienkollegen Heinrich SCHMID freiberuflich tätig. Ihre frühen Arbeiten sind u.a. Villen und Stadthäuser in Oberösterreich, die Gartenstadt „Ostmark" (1913), das „Rainer"-Heeresspital (heute: Hanusch-Krankenhaus) (1914–15) und das „österreichische Verkehrsbüro" (1922-23) am Karlsplatz. Ihren bedeutendsten Beitrag zur Wiener Architektur leisteten sie mit der Errichtung von acht Superblöcken megalomanen Ausmaßes, u.a. „Rabenhof" (1925), „Reismann-Hof" (1924), „Julius Popp-Hof" (1925), „Fuchsenfelder-Hof" (1922), „Somogyi-Hof" (1927) etc.

LEOPOLD BAUER

(*Jägerndorf/Schlesien 1.10.1872, † Wien, 7.10.1938) war zunächst Schüler von Karl Hasenauer an der Akademie der bildenden Künste in Wien, bevor ihn Otto Wagner 1894 in seine Meisterklasse nahm, wo er 1896 sein Studium mit einem Reisestipendium abschloß. Als freiberuflicher Architekt erbaute Bauer seine ersten Werke in Brünn (1903), darunter einige prunkvolle Landhäuser in Jägerndorf und die eigene Villa (1907) in Wien-Hacking, eine Villa in der Himmelstraße (1908), Villa Kola (1913) in der Isbarygasse und die Erweiterungsbauten der Villa Zuckerkandl in Purkersdorf (1908). In der Folge errichtete Bauer mehrere Villen und ein „japanisches Museum" für die Familie Zuckerkandl, darunter auch die verheerende Aufstockung des mittlerweile weltberühmten Sanatoriumspavillons von Josef Hoffmann in Purkersdorf (1908/ 1928). Im Sommer 1913 wurde er Otto Wagners Nachfolger an der Akademie der bildenden Künste und schon 1919 suspendiert, weil er sich mit den Studenten nicht verstand bzw. sich nicht an Vorschriften hielt, was ihm den Ruf eines Reaktionärs einbrachte. Sein 1913 begonnener, durch den Krieg unterbrochener Bau der „Österreichischen Nationalbank" am Otto Wagner-Platz wurde 1919 vorübergehend von der Republik eingestellt, zur Verbitterung Bauers mit der Sozialdemokratie führte. Nach 1919 baute er noch das elegante „Britisch-Österreichische Bankhaus" (1922, 1945 zerstört) im umgebauten Palais Palffy in der Wallnerstraße, und den Neubau des Warenhauses „Gerngroß" (1930) in der Mariahilferstraße. War Bauer anfänglich noch sehr skeptisch gegenüber der Republik und zum Wohnprogramm der Gemeinde eingestellt, so änderte sich seine Haltung bald, weshalb er sehr lukrative Angebote zur Errichtung von Wohnhausanlagen, u.a. für den „Vogelweid-Hof" (1926) und den „Paul Speiser-Hof" (1929) bekam.

PETER BEHRENS

(*Hamburg 14.4.1868, †Berlin, 27.2.1940) studierte Malerei in Karlsruhe und Düsseldorf, bevor er sich der Architektur zuwandte. Als Architekt ist er Autodidakt. Er baute sein erstes Haus 1901 in der „Künstlerkolonie Mathildenhöhe" in Darmstadt. Durch Vermittlung Hermann Muthesius' erhielt er

1903 eine Professur an der Kunstgewerbeschule in Düsseldorf. 1907 wurde er Chefarchitekt im Beirat der „Allgemeinen Elektrizitäts-Gesellschaft" in Berlin. Er entwarf für die AEG nicht nur ganze Fabriks-, Verwaltungsbauten und Arbeitersiedlungen, sondern befaßte sich sogar mit der Gestaltung von Verpackungen, Industriedesign, Plakaten und Briefpapier. Seine Industriearchitektur gilt als Meilenstein der funktionalistischen Architektur. Für das Außenministerium baute er die Deutsche Botschaft in St. Petersburg (1911) und andere Repräsentationsbauten für die Mannesmann AG in Düsseldorf (1911–12) und die Continental Gummi-Werke in Hannover (1913–20). Nach dem Ersten Weltkrieg wandte er sich mehr dem herrschenden Expressionismus zu, wie das Verwaltungsgebäude für die Farbwerke Höchst (1920–24) in Frankfurt-Höchst zeigt, ehe er sich wieder einem vom Klassizismus geprägten Stil zuwandte. 1922 wird er als Nachfolger von Leopold Bauer an die Wiener Akademie der bildenden Künste gerufen, wo er bis 1936 blieb. In Wien wirkte Behrens am kommunalen Wohnbau mit: „Winarsky-Hof" (1924), „Franz Domes-Hof" (1928), Wohnhausanlage Konstanziagasse (1925). Ab 1930 wandte er sich vorübergehend auch dem gerade erfolgreichen „Internationalen Stil" zu: Lagerhäuser der Österreichischen Tabakregie, Tabakfabrik (1929–35) in Linz; ab 1938 ist er bei der Planung der „Hermann Göring-Werke" in Linz tätig. Ab 1936 war er Lehrer an der Preußischen Akademie der Künste in Berlin. Zu seinen berühmtesten Schülern und Mitarbeitern zählen Mies van der Rohe, Walter Gropius, LeCorbusier, die sich alle von 1907 bis 1911 im Atelier von Behrens aufhielten, in Wien waren Ernst A. Plischke, Anton Brenner, Otto Niedermoser, Alexander Popp, Hermann Stiegholzer, Ernst Egli, Clemens Holzmeister u.a.

ANTON BRENNER
(*Wien, 12.8.1896, †Wien 26.11.1957) studierte von 1920 bis 1925 an der Kunstgewerbeschule bei Strnad und Frank, und ab 1925 an der Akademie der bildenden Künste bei Behrens und Holzmeister. Brenner war im Frankfurter Stadtbauamt tätig und bestimmte vorrangig die Richtung des Siedlungswesens. Zuvor baute er in Wien die Wohnhausanlage Rauchfangkehrergasse (1924). Brenner pendelte zwischen Frankfurt und Wien; 1928 baute er das Jugendheim der Stadt Wien in der Krottenbachstraße (1980/81 zerstört), 1929 wurde er als Lehrer ans Bauhaus in Dessau berufen, wo er aber nur ein Probejahr blieb. Ab 1931 arbeitete er wieder freiberuflich in Wien, aber nur mit mäßigem Erfolg, bis zu seiner Emigration nach England. Nach dem Krieg war Brenner für die Britische Botschaft im Aussenamt tätig und ab 1951 bis 1953 Professor an der Technischen Hochschule in Kharagpur bei Kalkutta (Indien). Ab 1953 war er wieder in Wien, wo er hauptsächlich Wohn- und Einfamilienhäuser baute.

JOSEF BERGER
war Adolf Loos' Privatschüler.

ARTHUR BERGER
war Schüler von Josef Hoffmann, mit dem er gemeinsam plante.

JOSEF BITTNER
beamteter Architekt des Stadtbauamtes.

ALFRED CHALUSCH
(*Wien 19.1.1883, †Wien 17.8.1957) war freiberuflicher Architekt in Wien in Partnerschaft mit dem Wagner-Kollegen Heinrich SCHOPPER. Von beiden stammen die Wohnhausanlagen „Engelsberggasse" (1926), „Gall-Hof" (1924), „Hueber-Hof" (1929), und „Goethe-Hof" (1928).

KARL DIRNHUBER
ist wohl ein Geheimtip der Wiener Architekturszene, denn weder sind in der Literatur Daten überliefert, noch waren weitere Bauten als die Gemeindebauten in Wien zu finden. In einer autorisierten Monografie sind keine genauen Angaben zum Leben und Werk des völlig vergessenen Architekten enthalten. Offensichtlich war ihm als Loos-Anhänger und Vertreter eines sachlichen Baustils in Wien keine große Publizität gegönnt.

CAMILLO FRITZ DISCHER
(*Wien 11.10.1884, †Purkersdorf 25.2.1976) war Otto Wagner-Schüler von 1904–07; gemeinsam mit Paul GÜTL plante er den „Anton Kohl-Hof" (1927), „Pernersdorfer-Hof" (1925), „Indianer-Hof" (1929) und die Wohnhausanlage Wienerbergstraße (1926) mit Fraß und Perco.

KARL DORFMEISTER

(*Wien 9.8.1876, † ?)
studierte Architektur bei Otto Wagner von
1900 bis 1903, war danach freiberuflicher
Architekt in Wien und Graz; gemeinsam mit
Discher, Gütl, Fraß und Perco plante er
einige Wohnhausanlagen, zuletzt in der Steudelgasse (1930). Andere Werke sind nicht
bekannt.

ERNST EGLI

(*1893 –†?) war Schüler von Behrens und
Mitarbeiter und Assistent Holzmeisters an
der Wiener Akademie der bildenden Künste,
bevor er 1927 als Chefarchitekt in das
Ministerium für Erziehung nach Ankara
(Türkei) für den Bau von Lehrwerkstätten,
Volksschulen, Internatsgebäuden berufen
wurde. Vor seiner Berufung hatte er in Wien
einige Villenbauten, die Siedlung „Eden"
(1922) und eine Wohnhausanlage in der
Van der Nüll-Gasse (1925), sowie ein
Privathaus am Esteplatz (1925) gebaut. Er
schrieb ein bereits zum Klassiker gewordenes Buch über den Städtebau. Wie viele
andere emigrierte Künstler und Architekten
kam Egli nicht wieder nach Österreich
zurück.

KARL EHN

(*Wien 1.11.1884, †Wien 26.7.1957)
besuchte die Staatsgewerbeschule in Wien
und die Spezialklasse von Otto Wagner
(1904–07); arbeitete bereits ab 1908 als beamteter Architekt bei der Wiener Stadtverwaltung. In den zwanziger Jahren war er
einer der Hauptverantwortlichen für den
kommunalen Wohnbau. Noch bevor er eine
kommunale Wohnhausanlage entwarf, führte
er eine Aufbahrungshalle und einen
Glockenturm am Wiener Zentralfriedhof aus
(1922–23). In seiner ersten Gemeindesiedlung „Hermeswiese" (1923) ist Ehn noch
am Typus der englischen Gartensiedlung
orientiert, findet aber mit dem „Lindenhof"
(1924) und mit dem „Bebel-Hof" (1925) zu
einer für den Wohnungsbau der Stadt Wien
richtungsweisenden Lösung. Es folgen der
„Szidzina-Hof" (1925), der „Svoboda-Hof"
(1926) und der „Adelheid Popp-Hof"
(1932). Unter den vielen Bauten Ehns ist
zweifelsohne der „Karl Marx-Hof" (1927–
1930) der überragendste und gleichzeitig
sein architektonischer Höhepunkt. Er wird
hauptsächlich wegen seines paradigmati-
schen Charakters immer mit Ehn in Verbin-

dung gebracht. Nach dem Bürgerkrieg und
dem Ende der sozialdemokratischen Ära
konnte Ehn weitere, aber nicht mehr so
bedeutende Wohnbauten ausführen: Gassergasse (1938), Hauslabgasse (1938), und
Wagnergasse (1939) sowie ein Wohn- und
Pfarrhaus in der Wiedner Hauptstraße
(1938). Außerdem plante er noch bis in die
fünfziger Jahre Gemeindebauten für Wien;
Ehns Oeuvre ist leider noch nicht bearbeitet.

MAX FELLERER

(*Linz 15.10.1889, +Wien 27.3.1957)
studierte bei Otto Wagner (1911–12), aber
schloß seine Studien bei Karl König 1913 an
der Technischen Hochschule ab. Nach seinem Kriegsdienst arbeitete er als leitender
Architekt in der Praxis von Josef Hoffmann,
der ihn auch beruflich förderte. 1926–32
war er Assistent und Mitarbeiter bei Clemens Holzmeister, der ihm auch eine Professur (1932–34) verschaffte. Bis 1938 war
Fellerer Leiter einer Fachklasse für Architektur an der Kunstgewerbeschule und
schließlich Rektor, bis ihn die Nationalsozialisten 1938 seines Amtes enthoben. Nach
dem Krieg war er provisorischer Leiter und
ab 1946 Präsident der Akademie für angewandte Kunst. Seine Werke vor dem Krieg
umfassen den Wohnblock „Handel-Mazetti-
Hof" in Linz (1930), das Hotel Tulbinger-
kogel (1930), die Wohnhausanlage in der
Geyschlägergasse (1928), ein Genossenschaftshaus der Nordrandsiedlung „Leopoldau" (1935) und die Doppelhäuser in der
Werkbundsiedlung (1932). Nach dem Krieg
entstanden in Zusammenarbeit mit Eugen
Wörle und Carl Appel das Strandbad „Gän-
sehäufel" (1948–49), das „Haas-Gebäude"
(1951–53) am Stephansplatz und die Adaptierungsarbeiten am Parlament (1955–56).
1945–51 war er Präsident der Zentralvereinigung der Architekten Österreichs und
1954–57 Mitglied des Kunstsenats. 1950
wurde ihm der Preis der Stadt Wien verliehen. Seine eigentliche Leistung ist mehr
die eines Lehrers als die eines Architekten.

KARL A. FISCHL (PIRKHÄNFELD)

(*Birkfeld 17.4.1871†?)schloß sein Studium
noch im Todesjahr von Carl Hasenauer an
der Akademie in Wien ab und arbeitete an
der Ausgestaltung der Wiener Jubiläumsaus-
stellung in der Rotunde mit. Von seinen frühen Arbeiten sind nur wenige bekannt: die
sehr persönlich interpretierten Jugendstil-

Miethäusern in der Penzinger Straße (1901
–1902) und die sehr merkwürdigen Doppel-
villen (1910) in Winkelbreiten/Hietzing.
Außer der Wohnhausanlage Triester-Straße
(1929) sind im Moment keine weiteren
Arbeiten bekannt.

JOSEF FRANK
(*Baden/Wien 15.7.1885, †Stockholm, 8.1.
1967) schloß sein Architekturstudium bei
Karl König an der Technischen Hochschule
in Wien mit einer Dissertation über Alberti
ab. Seine ersten Arbeiten vor dem Krieg
waren die Werksiedlung „Ortmann" nahe
Pernitz (1914) und einige zusammenhängende Villen in der Wilbrandtgasse (1914), die
noch stark vom englischen Lebensstil geprägt sind. 1921 entstanden die Siedlungshäuser in der Hoffingergasse, zwischen 1919
und 1925 war Frank Professor an der Kunstgewerbeschule. Entgegen seinen eigenen
Prinzipien errichtete er für die Gemeinde
Wien eine Reihe von Volkswohnungen.
1925 gründete er mit seinem langjährigen
Mitarbeiter Oskar WLACH das Einrichtungs-
haus „Haus und Garten" nach englischem
Vorbild. 1928 wird Frank Gründungsmit-
glied der CIAM in LaSarraz. Auf Einladung
Mies van der Rohes kam Frank nach Stuttgart und beteiligte sich am Bau der „Weis-
senhofsiedlung" (1927) des Deutschen
Werkbundes. Als Präsident des Österreichischen Werkbundes lud er ausnahmslos
renommierte Architekten zum Bau der
„Wiener Werkbundsiedlung" (1930–32) ein.
Durch das Wachsen des antisemitischen
Gesinnungsterrors und des reaktionären
Klimas in den Kreisen um die Kunstgewerbeschule emigrierte Frank schließlich 1934
nach Schweden. Im Ausland – hauptsächlich in den USA und in Skandinavien –
erlangte Frank zwischen 1939 und 1958
internationales Ansehen als Architekt,
Möbelentwerfer und Innenraumgestalter.
1942–43 hielt er in den USA, England,
Schweden Vorlesungen, an der New Yorker
„New School of Social Research" und an
der „Rhode Island School of Design" in
Providence; Ausstellungen in Pittsburgh, San
Francisco, Stockholm folgten. 1965 besuchte er Österreich, um den großen österreichischen Staatspreis entgegenzunehmen; der
Staat stiftete den nach ihm benannten Preis
für die Studierenden der Hochschule für
angewandte Kunst (Reisestipendium nach
Schweden).

RUDOLF FRASS
(*St. Pölten ·17.4.1880, †Wien 7.7.1934)
besuchte die Staatsgewerbeschule in Wien
und abschließend die Akademie der bildenden Künste in Otto Wagners Spezialklasse
(1900– 1904). Als selbständiger Architekt
hatte Fraß mit seinem Bruder, dem Bildhauer Wilhelm Fraß, zeitweilig ein gemeinsames Atelier. Bereits vor 1914 konnte er
hauptsächlich in St. Pölten, Mariazell und
Umgebung Wohn- und Geschäftshäuser,
Landsitze und Hotels ausführen. Für seine
reichen Geschäftsfreunde Prinz Hohenlohe,
Meindl, Graf Szechenyi baute er nach dem
1. Weltkrieg Jagdhäuser in der Ramsau
(1925), in Mariazell (1928) und in der Tatra
(1930). Ende der zwanziger Jahre war Fraß
auch in Wien ein vielbeschäftigter Architekt:
neben seinem engagierten Beitrag zum
kommunalen Wohnbau, u. a. „Prof.
Jodl-Hof" (1925), Wohnhof „Am Wiener-
berg" (1926) und „Goethe-Hof" (1928), ist
auf das private Wohnhaus Am Modenapark/
Neulinggasse (1930) hinzuweisen. Fraß
konnte sich vom negativen Einfluß der
konservativen Wagner-Schule befreien, und
sein „Laubenhaus" (1925) zählt zu einem
raren Juwel der funktional-puristischen
Architektur im Geiste Le Corbusiers im
sonst so verstaubten Wiener Bauantiqui-
tätenladen. Fraß vielbewundertes Hochhausprojekt (1928) unterstrich ihn gleichfalls
als ein große, noch nicht ganz verwirklichte
Hoffnung. Nach einem Gehirnschlag 1932
wurde er arbeitsunfähig, dem zweiten erlag
er schließlich 1934. Sein Archiv wurde aufgelöst.

HUBERT GESSNER
(*Walsch-Klobouk 20.10.1871, †Wien, 29.1.
1943) absolvierte sein Architekturstudium
1898 bei Otto Wagner, danach war er als
selbständiger Architekt, zumeist in Zusammenarbeit mit seinem jüngeren Bruder
Franz, tätig. Er erhielt seine ersten Aufträge
von der Mährischen Landesregierung zum
Bau der Landesanstalt für Psychiatrie (1900)
in Kremsir bei Brünn, zu einem Sparkassen-
gebäude (1900) in Czernowitz, zum Kran-
kenkassegebäude (1903) in Brünn. Ein wichtiger Teil seines Oeuvres sind die Arbeiten
für die Sozialistische Arbeiterpartei: Arbeiterheim Favoriten (1900), Krankenkasse in
Floridsdorf (1906) bzw. Graz (1907) und
die Druckerei „Vorwärts" (1907) in Wien
und „Arbeitswille" (1909) in Graz. Sein

Werk beschränkte sich anfangs hauptsächlich auf Betriebskomplexe der NÖ.- und Wiener Konsumvereine, Industrie- und Gewerbebauten der Hammerbrotwerke. In Schwechat, Mühlau, Innsbruck, Leoben und anderswo baute er insgesamt zwölf Brotfabriken. Nach seinen Entwürfen wurden Villen, Bankhäuser, Zentralbäder, Hotels, Kinos, Nobelgeschäfte, Arbeiterheime gebaut. Der SDAP schon in jungen Jahren beigetreten, bekam er von seinen Parteigenossen gewaltige Bauaufträge: „Metzleinstaler-Hof" (1922), „Reumann-Hof" (1924), „Lassalle-Hof" (1925), „Heizmann-Hof" (1925), „Gartenstadt Jedlesee" (1924). Das noch keineswegs vollständige Werksverzeichnis beinhaltet noch das „Hotel International" (1929–30) in Graz, die Arbeiterkammern in Linz (1928) und Graz (1929), Filialen ·für die Arbeiterbank und Zentralsparkasse, viele Privatwohnhäuser in Wiener Nobelvierteln. Für seinen Freund, Karl Renner, baute er dessen Wohnung in der Praterstraße um und errichtete ein Landhaus (1930) in Gloggnitz. Nach 1934 entstanden in den politisch wie wirtschaftlich schwierigen Zeiten kleinere gewerbliche Nutzbauten, darunter Geschäftseinrichtungen für das Österreichische Creditinstitut und Ladenportale (Fa. Küfferle), Kaufhäuser und Restaurants; für Familienangehörige entwarf er kleinere Wohn- und Miethäuser. Während der NS-Zeit wurde Gessner mit Berufsverbot belegt, sein letztes Werk – der Umbau des Kaufhauses Dreisser (Loden Frey) – endet mit dem Jahr 1939. Zu Unrecht ist er heute fast vergessen.

FRANZ GESSNER
(*Walsch-Klobouk 15.9.1879, †Wien, 3.3. 1975) ist Hubert Gessners jüngerer Bruder, ebenfalls ein Wagner-Schüler, und war im Atelier Huberts von 1905–12 mittätig. Von Franz' Arbeiten der Nachkriegszeit sind wenige bekannt, obwohl er noch bis in die jüngste Gegenwart lebte.

HUGO GORGE
(1883–1933) war Schüler, Mitarbeiter von Friedrich Ohmann, später Assistent bei Oskar Strnad an der Kunstgewerbeschule. Strnad hatte entscheidenden Einfluß auf Gorges beruflichen Werdegang. Sein erstes Haus in der Laimgrubengasse (1913?) nimmt noch Bezüge von biedermeierlichen Stilelementen auf, doch seine späteren Gemeindebauten „Friedrich Engels-Hof" (1925) und „Karl Höger-Hof" (1925) sind stärker einem monumentalen Expressionismus mit Tendenz zu einer glatten kubischen Gestaltung verpflichtet; weitere Wohnhausanlagen in der Breitenseerstraße (1930), in Neustift am Walde (1930), Doppelhäuser in der „Werkbundsiedlung" (1930–32). Auch seine eigene Villa, ein feinausgewogenes Haus in St. Veit (1933), konnte er noch vor seinem frühen Tod realisieren. Gorge wird hauptsächlich als Entwerfer gutbürgerlicher Möbel und Interiéurdecors in Erinnerung bleiben.

PAUL GÜTL
(*Bad Gleichenberg 13.8.1875, †Wien, 22. 11. 1944) studierte bei Otto Wagner (1899 –1902) und war freiberuflicher Architekt in Wien. Außer einem „eigenwilligen und signifikanten Rathaus" (Friedrich Achleitner) in Spital/Semmering (1906) und einem Kaufhaus in Mürzzuschlag (1911) ist sein Werk vor 1918 fast unbekannt. In Zusammenarbeit mit Discher, Fraß, Perco und Dorfmeister wirkte er bei folgenden Gemeindebauten mit: „Pernersdorfer-Hof" (1925), Wohnhof Wienerbergstraße (1926), „Anton Kohl-Hof" (1927), Hockegasse (1928), Steudelgasse (1932).

MAX HEGELE
(1873–1945) war Professor an der Staatsgewerbeschule und war verantwortlich für die Eingangsanlage (II. Tor) und die Dr. Karl Lueger-Gedächtniskirche (1910) im Wiener Zentralfriedhof. Die Wohnhausanlage Brigittenauer Lände 138 (1931) ist sein einziger Gemeindebau.

KARL HAUSCHKA
war mit Viktor MITTAG freiberuflicher Architekt in Wien. Weitere Daten und Werke waren nicht zu bekommen (Werke: siehe Viktor MITTAG).

JOSEF HEINISCH
(*Wien, 16.8.1889, †Wien, 31.1.1950) besuchte die Wagner-Schule (1909–12) und arbeitete im Atelier Hoffmann; ab 1920 war er Partner von Emil HOPPE und Otto SCHÖNTHAL. Nach Schließung des Ateliers Hoppe/Schönthal verlieren sich die Spuren.

ALFONS HETMANEK
(*Wien 7.8.1890, †Wien 1.5.1962)
war Wagner-Schüler (1912–14) und absolvierte die Akademie mit einem Spezialpreis. Gleich nach dem Krieg arbeitete er im Atelier Gessners und gründete mit seinem Studienkollegen Franz KAYM eine freie Arbeitsgemeinschaft. Verschiedene Privatprojekte in Wien, Nürnberg, Villach kamen zur Ausführung. 1919 veröffentlichten sie eine wegweisende Schrift zum Siedlungsbau, worauf beide von der Gemeinde Wien für mehrere Siedlungsbauten eingeladen wurden. Zu den wichtigsten Bauten der Zwischenkriegszeit zählen die Industrieanlagen der Glasfabrik Moosbrunn (1924), das Volkswohnhaus Atzgersdorf (1924), Schule Sieggraben (1926), Schule Mannersdorf (1929), Schwimmbad Liesing (1928), die Erweiterung der Fabrik „Kores" (1929) und die Gemeindehöfe „Friedrich Engels-Hof" (1925), „Karl Höger-Hof" (1925) (in Zusammenarbeit mit Hugo GORGE). Nach dem Zweiten Weltkrieg entstanden noch das Filmtheater „Im Künstlerhaus" (1948) und der Wiederaufbau des Theresianums (1962) sowie ein Messepavillon in Budapest. Das Architektenduo Hetmanek/Kaym beteiligte sich auch unter dem Nationalsozialismus an mehreren Projekten, u. a. an der imperialen Umgestaltung Ringstraße/Pratergelände (1938) sowie am „Baldur von Schirach-Insel"-Wettbewerb (1941) zur Ausgestaltung des Inundationsgebietes entlang der Donau.

JOSEF HOFBAUER
und WILHELM BAUMGARTEN
waren Schüler, Mitarbeiter und Assistenten von Friedrich Ohmann an der Akademie und zeitweilige Mitarbeiter von Peter Behrens. Ab 1919 bildeten sie eine vielbeschäftigte Arbeitsgemeinschaft, die Projekte für eine „Gartenstadt Lainz" (1919) ausarbeitete und den 1. Preis beim Wettbewerb für die Neugestaltung des Klinik- und Spitalsbezirks um das Josephinische Krankenhaus am Alsergrund (1919) gewann. Heute werden ihre Leistungen vor allem auf dem Gebiet des kommunalen Wohnbaus gewürdigt: Wohnhof Staudiglgasse (1924), „Pirquet-Hof" (1929); weiters erbauten sie zahlreiche soziale Bauten: „Zweite gewerbliche Fortbildungsschule" (1925–26), Schulbauten für den tschechischen Schulverein „Komenský", darunter die Volks- und Hauptschulen Vorgartenstraße (1927),

Erlgasse (1927), Arltgasse (1930). Daneben verschiedene Privatbauten, Geschäftslokale, Kaufhäuser, Kinos etc.

JOSEF HOFFMANN
(*Pirnitz/Mähren 15.12.1870, †Wien 7.5. 1956) beendete sein Architekturstudium bei Otto Wagner 1895 an der Akademie in Wien mit dem begehrten Rom-Preis und verbrachte ein Jahr in Italien, das ihn nachhaltig prägte. Er war Mitbegründer der Wiener Secession und Begründer der Wiener Werkstätte. Zu seinen frühen Hauptwerken zählen das nüchterne, für die moderne Architektur beispielgebende Sanatoriumsbauwerk Purkersdorf (1903–05), die Villenkolonie „Hohe Warte" (1900–04), Villa Beer-Hoffmann (1905), Villa Primavesi (1913) u.a. Sein Meisterwerk dieser Zeit ist zweifelsohne das Palais Stoclet (1905–10) in Brüssel, das vielleicht als letztes Gesamtkunstwerk des 20.Jahrhunderts gelten kann. 1912 wurde er Präsident des österreichischen Werkbundes, für den er den österreichischen Pavillon in Köln (1914) baute, für die Wiener Werkstätte führte er mehrere Geschäftsfilialen und die Künstlersiedlung Kaasgraben (1914) aus. Der „Architekt des Geldes" (Jan Tabor) baute zumeist elegante Wohnhäuser, wie die Villa Ast (1923) in Schiefling am Wörthersee, Villa Knips (1923) in Wien-Döbling oder entwirft Möbel und Einrichtungen der Firma „WW". 1925 baut Hoffmann bei der Pariser Kunstgewerbeausstellung den schwachen österreichischen Pavillon. Seine Villenentwürfe mit wenig variierten Grundrißeinfällen sind nur wegen ihrer kostbaren Ausstattung beachtenswert. Zur Moderne hingegen zählen sein Ausstellungshaus „Vogel & Noot" (1928) aus vorgefertigten Stahlblechen und die Projekte, die er mit Oswald Haerdtl gemeinsam entwarf: das Sanatorium in Salzburg (1930), Mietvillen und Miethausblocks (1930), die Ausstellungshalle am Karlsplatz (1928) – Architekturen, die durch ihren reduktionistischen, fast purifizierten Stil auffallen. Die Wohnblöcke, die er zwischen 1924 und 1925 für die Gemeinde baute, weisen ebenfalls diese Enthaltsamkeit und strenge Tektonik auf: „Winarsky-Hof" (1924), „Klose-Hof" und die Hausanlage in der Laxenburger Straße (1931). 1934 baute Hoffmann für die Biennale in Venedig den österreichischen Pavillon. Trotz seiner Position als langjähriger Professor und

Direktor der Kunstgewerbeschule war Hoffmann in Wien nicht unumstritten, zumal er eine opportunistische Haltung gegenüber den jeweiligen Machthabern bewies; seine berühmten wortradikalen Dispute mit Adolf Loos, Josef Frank u. a. brachten ihm eine dauernde Feindschaft mit den Vertretern moderneren Zeitgeistes ein.

Hoffmann baute selbst während der Nazizeit und schrieb üble Aufsätze über die Erneuerung des deutschen Handwerks im „Völkischen Beobachter". 1941 wurde zu seinem 70. Geburtstag eine Werkausstellung im Wiener Kunstgewerbemuseum veranstaltet; unmittelbar nach 1945, nach einer kurzen Unterbrechung durch die Entnazifizierung, wurde er wieder in hohe Ämter eingeführt: Generalkommissär der österreichischen Biennale-Vertretung (1948–56), Mitglied des Kunstsenats (1954–56), Ehrenmitglied der wiedererwachten Secession (1945–1956), Staatspreis für Architektur (1955), Stiftung des Hoffmann-Preises für Architektur (1955). Hoffmann ist auch als Lehrer hervorgetreten, zu seinen bekanntesten Schülern zählen Max Benirschke, Adolf Holub, Walter Loos, Robert Kotas, Otto Niedermoser, Otto Prutscher, Eduard Wimmer, Carl Witzmann, Hans Adolf Vetter, Josef Zotti u.a. Hoffmann ist der „Mephisto" (Klaus Mann) der österreichischen Architekturszene.

KARL HOLEY '

(*Bodenbach/Böhmen 6.11.1879, +Wien, 6. 3. 1955) studierte an der technischen Hochschule in Wien, war dort von 1904–06 Assistent, 1915 Professor, 1937–38 Rektor und zeitweise Dekan. Ab 1915 wurde er Generalkonservator der österreichisch-ungarischen Denkmalpflege und nahm 1925–1929 an den Ausgrabungen der Österreichischen Akademie der Wissenschaften in Ägypten teil. Seit 1937 war er Dombaumeister von St. Stephan in Wien und ab 1945 Leiter des Wiederaufbaus des Wiener Doms. 1946 bis 1948 war er Präsident des Österreichischen Ingenieur- und Architektenvereins; seit 1947 bis zu seinem Tod war er ehrenamtlicher Präsident des Vereins für Denkmalpflege in Wien. Als Kirchenbaumeister der Erzdiözöse Wien errichtete er manch bedeutende Kirche im Ständestaat: Christkönigs-Kirche (1931) in Klagenfurt, St. Gertrud in Währing (1934), Kriegergedächtniskirche „S. M. dell' Anima" (1933),

österreichisches Kulturinstitut (1934–36) in Rom. Er war aber auch am Wiener Kommunalwohnbau beteiligt: die Wohnhausanlage Cervantesgasse (1928) stammt von ihm.

CLEMENS HOLZMEISTER

(Fulpmes/Tirol 27.3.1886, + Hallein/Sbg. 13.6.1983) schloß seine Studien bei Karl König und Siegfried Simony an der Technischen Hochschule in Wien ab. 1914–19 war er Assistent bei Max von Ferstel, bei dem er auch das Doktorat ablegte. 1919 wieder in Innsbruck, führte er eine Bürogemeinschaft mit Luis Trenker und lehrte an der Staatsgewerbeschule. Der Bau des Wiener Krematoriums (1921–24) im Zentralfriedhof machte ihn schlagartig berühmt; in dieser Zeit plante er den „Blat-Hof" (1924) und ein Wohnhochhaus in Innsbruck (1924). Von 1924 bis 1938 war er Professor einer Meisterklasse für Architektur an der Akademie, wo er auch von 1933 bis 1937 Rektor war (gleichzeitig lehrte er von 1928–1932 an der Akademie in Düsseldorf).

1927 folgte er einer Einladung nach Ankara (Türkei), wo er ab 1929 viele bedeutende Schulen und Verwaltungsbauten errichtet hat. Seine rege Bautätigkeit im Ausland verdankte er seiner guten Verbindung zu Peter Behrens und zu Kemal Atatürk. Zu seinen bekanntesten Werken zählen neben verschiedenen Repräsentationsbauten in der Türkei die Kirche St. Adalbert (1933) in Berlin und die verschiedenen Um- und Zubauten des Festspielhauses (ab 1926) in Salzburg. In Wien entstanden das „Weinhaus", als provisorischer Holzbau in der Werkbundausstellung (1929), und die Reihenhäuser in der Werkbundsiedlung (1930). Wegen seiner politischen Einstellung avancierte er im Ständestaat zum Staatsrat für Kunst; es folgte eine rege Bautätigkeit: Neulandschule (1933), Kanzlergedächtniskirche (1934) und mehrere Kirchen (ab 1934) und Privatbauten. Im März 1938 erfolgte die einstweilige Enthebung und Suspendierung vom Lehrdienst, worauf Holzmeister nach Ankara zurückging. 1940–1949 war er Professor an der Technischen Hochschule in Istanbul und gleichzeitig Paradearchitekt des Régimes Atatürk. 1954 kehrte Holzmeister nach Wien zurück, wo er eine Rückberufung als Professor (bis 1961) erhielt und 1957 auch Rektor der Akademie wurde. 1953 wurde ihm der Große Staatspreis für Architektur verliehen. Viele bedeutende österreichische Architekten der Gegenwart waren seine Schüler: Hans Hollein, Wilhelm Holzbauer, Gustav Peichl, Josef Lackner, Anton Schweighofer, Johannes Spalt, Friedrich Kurrent u.a.

EMIL HOPPE

(*Wien, 2.4.1876, †Salzburg 14.8.1957) besuchte die Wiener Akademie als Schüler von Otto Wagner (1898–1901). Ab 1903 war er selbständiger Architekt, seine ersten Aufträge waren ein bescheidenes Wohnhaus (1907) in der Ottakringer Straße, eine Synagoge (1903) in Triest, der Frauenerwerbsverein (1907) am Wiedner Gürtel und kleinere Geschäftsumbauten. Ab 1909 entstand eine langjährige Zusammenarbeit mit seinem Studienkollegen Otto SCHÖNTHAL, bis 1919 mit Marcell Kammerer und ab 1920 mit Josef HEINISCH, der ebenfalls ein Kommilitone war. Ihre Gemeinschaftsarbeiten lassen sich heute unmöglich auseinanderhalten, weil sie alle die gleiche Signatur tragen (Marco Pozzetto). Unter den gemeinsam errichteten Bauwerken befinden sich viele Miet- und Bürohäuser, Bank- und Geschäftsfilialen, Sportanlagen und zahlreiche Stationsbauten der NÖ. Landesbahndirektion. Sportanlagen scheinen überhaupt eine Spezialität für Hoppe/Schönthal/Kammerer gewesen zu sein: Trabrennbahn Krieau (1909–13), Stadion Prag-Letna (1922) und die Pferdebahn Marienbad (1923). Wichtigste Werke in Wien sind die Miethäuser in der Frankengasse (1910), Dorotheergasse (1912), WiednerHauptstraße (1912), Plenergasse (1912) und die Centralbank der Deutschen Sparkassen (1913) am Hof. Hoppe/Schönthal werden aber wahrscheinlich mit den Gemeindebauten der Zwischenkriegszeit in Verbindung gebracht werden, vor allem mit dem „Sandleiten-Hof" (1924), dem „Zürcher-Hof" (1928), dem „Türkenritt-Hof" und dem „Strindberg-Hof" (1930); Hoppe war Baurat und bis zur Atelierauflösung 1938 auch Mitherausgeber der Zeitschrift des Österreichischen Ingenieur- und Architektenvereins.

HANS JAKSCH

(*Reichenberg/Böhmen 29.10.1879, †Wien, 7.1.1970)   studierte an der Technischen Hochschule bei Karl König und Max von Ferstel und setzte das Studium bei Friedrich Ohmann an der Akademie fort. 1907 gründeten Theiß/Jaksch die wahrscheinlich weltweit längste Arbeitsgemeinschaft, die mit gewissem Recht als eine österreichische Bauinstitution angesehen werden darf. Ihre Bautätigkeit erstreckte sich über 54 Jahre (!) und über die verschiedensten politischen Phasen. Neben Artilleriekasernen, Krankenhäusern, Kirchen, Hotels, Theatern, Kaffeehäusern und Vereinshäusern bauten Theiß/ Jaksch drei Wohnhausanlagen für die Gemeinde Wien: den „Quarin-Hof" (1924), das Wohnhaus Phillipsgasse (1924) und gemeinsam mit Tölk und Kraus einen Teil der Wohnhausanlage „Sandleiten" (1924). Zu den modernen Bauten der Zwischenkriegszeit gehören das Mehrzweckgebäude des Arbeiterheims in Bruck an der Mur (1924), der qualitätsvolle Erweiterungsbau der Mädchenschule Wenzgasse (1930), die evangelische Kirche am Tabor (1924) und das Hochhaus (1934–37) in der Herrengasse. Ebenso stammen viele Gemeinschaftseinrichtungen wie Kindergärten, Ambulatorien, das   Entbindungsheim   Wielemannsgasse (1926), Schulen und die Reichsbrücke (1933–37) von dem erfolgreichen Architektenteam. Während der NS-Zeit waren Theiß/Jaksch „ostmärkische" Mitgestalter des Dritten Reiches. Sie errichteten kriegswichtige Zweckbauten und landwirtschaftliche Lagerhäuser; in Preßburg entstanden Parteibauten und die erste Gauführerschule der NSDAP in der „Ostmark" (1938). Im Gau Wien errichteten sie Fliegerkasernen und Nutzbauten. Jaksch soll der geschäftliche Leiter und Organisator, Theiß der künstlerische Entwerfer des Architektenbüros gewesen sein. Überdies ist Jaksch gemeinsam mit Theiß der Begründer der österreichischen Bauordnung und der eigentliche Schöpfer der ÖNORM.

FRITZ JUDTMANN

(1899–1969)   war mit Egon RISS freiberuflicher Architekt in Wien. Nebenbei war er Assistent bei Leopold SIMONY an der Technischen Hochschule in Wien. Zu seinen wichtigsten Bauten zählen der TBC-Pavillon (1929) in Lainz, die Krankenkasse Strohgasse (1932), das Porrhaus (1930) und der überraschend modern wirkende Gemeindebau Diehlgasse (1928). Nach 1945 war er vor allem als Bühnenbildner am Wiener Burgtheater und bei den Bregenzer Festspielen tätig.

HERBERT KASTINGER
siehe Hermann STIEGHOLZER

EUGEN KASTNER
siehe Fritz WAAGE

FRANZ KAYM
(*Moosbrunn/NÖ 20.6.1891, †Wien 12.2.
1949) arbeitete, noch bevor er bei Otto
Wagner an der Akademie inskribierte, als
technischer Zeichner im Atelier Gessner. Da
es in der Spezialklasse Wagners verboten
war, außerhalb des Studiums bei anderen als
beim Lehrmeister selbst zu arbeiten, wech-
selte Kaym ins Atelier Wagner, wo er bis
zum Ende seines Studiums (1913) blieb. Unmittelbar nach seinem Kriegsdienst schloß er
sich seinem ehemaligen Studienkollegen
Alfons HETMANEK an. Mit ihrer bautech-
nisch und sozial fortschrittlichen Publikation „Wohnstätten für Menschen, heute und
morgen" (1919) eröffneten sie den Weg
zum Wiener Gemeindesiedlungsbau der Zwischenkriegszeit. Sie wurden daraufhin von
der Stadt Wien eingeladen, einen Siedlungs-
plan zu erstellen. Mit Hetmanek führte
Kaym folgende Siedlungen durch: Flötzersteig (1921), Elisabethallee (1922), Weissenböckstraße (1923), Spiegelgrund (1931) und
sie errichteten außerdem die Wohnhausanlagen „Friedrich Engels-Hof" (1925) und
den „Karl Höger-Hof" (1925). Zu ihren
wichtigsten Arbeiten dieser Zeit zählen noch
eine Klinik in Wien (1920), die Bahnhöfe
Linz (1922), Innsbruck (1924) und Kapfen-
berg, sowie die Schulen in Sigless (1926),
Sieggraben (1929) und Mannersdorf (1929)
und einer Arbeitersiedlung in Mannersdorf.
Angesichts Kayms Herkunft aus der
deutsch-liberalen Bourgeoisie und seiner
Ausbildung bei Otto Wagner zum „Regionalismus" war sein Weg zu einem ausgesprochenen Wortführer des nationalsozialisti-
schen Heimatschutzstils einleuchtend und
verständlich. 1938 beteiligten sich Kaym/
Hetmanek am Wettbewerb zur Neugestaltung Wiens und bekamen Aufträge für
Kasernenbauten im Dritten Reich. Wegen
seiner NSDAP-Mitgliedschaft wurde Kaym
vorübergehend mit Arbeitsverbot belegt.

FRANZ FREIHERR VON KRAUSS
(*Wien 14.6.1865, †Wien 24.2.1942)
war ein Schüler von Karl von Hasenauer an
der Technischen Hochschule. Nach seinem
Abschluß 1888 besuchte er die Meisterklasse

von Friedrich Schmidt und arbeitete im
Büro von Fellner/Helmer. 1894 gründete er
eine Arbeitsgemeinschaft mit Josef TÖLK.
Es folgten Wettbewerbsbeteiligungen, Villenbauten und Mietshäuser in Wien, Baden, Cilli, Czernowitz; Stadttheater von
Pilsen (1896), Meran (1900), Wiener Bür-
gertheater (1905) (heute Sophiensäle), Kur-
häuser in Baden (1901), am Semmering
(1907), Nervenheilanstalt Rosenhügel
(1911), Nervenheilanstalt Döbling (1914),
Umbau der Technischen Hochschule (1920);
innerstädtische Wohn- und Geschäftshäuser
etc. Im Oktober 1911 wurde er zum Professor für Stilkunde/ Perspektive an der Akademie in Wien berufen. Für die Gemeinde
führte das erfolgreiche Duo Krauß/Tölk
„Sigmund Freud-Hof" (1925) und mit den
Architekten Theiß und Jaksch einen Teil der
Wohnhausanlage „Sandleiten" (1924)
durch.

ERNST LICHTBLAU
(*Wien 24.6.1883, †Wien 8.1.1963)
studierte zwischen 1902 und 1905 an der
Spezialklasse für Architektur bei Otto Wagner; 1904 wurde er mit dem goldenen
Hofpreis ausgezeichnet. Bis 1914 arbeitete
er mit Josef Hoffmann im Atelier, danach
war er freiberuflich tätig und freier Mitarbeiter der Wiener Werkstätte. Zu seinen
ersten Arbeiten zählen ein Wohnhaus in der
Linzackergasse (1913) und das Miethaus Dr.
Hoffmann in der Wattmanngasse (1914), das
sog. „Schokoladenhaus" (benannt nach
seiner opulenten, braunen Keramikverklei-
dung); ein Fabriksumbau der Raucherrequi-
sitenfirma Adolf Lichtblau in der Hermann-
gasse (1923). 1923 gründete er – der Wiener
Werkstätte entgegengesetzt – die „Ernst
Lichtblaus Werkstätte GmbH", die er bis
1928 führte. Neben seiner Tätigkeit als
Lehrer an der Kunstgewerbeschule war
Lichtblau ab 1929 Leiter der städtischen
Wohnungsberatungsstelle "BEST", die die
Bewohner der neuen Gemeindewohnungen
über zweckmäßige und zeitgenössische Einrichtung informieren sollte. Mit der Zeit
nehmen seine Arbeiten immer klarere
Formen an, wie sie bei den Gemeindebauten
„Julius Ofner-Hof" (1926) und besonders
im Nordtrakt des „Paul Speiser-Hofes"
(1929) zu finden sind. Sein „Fremdenver-
kehrspavillon" (1930) und ein Musikalien-
und Grammophonladen (1930) auf der
Internationalen Werkbundausstellung in

Wien können als gelungenste Beispiele für eine konstruktiv-sachliche Architektur im Wien der Zwischenkriegszeit bezeichnet werden. 1938 wird er aus rassischen Gründen vom Dienst an der Kunstgewerbeschule suspendiert und 1939 emigrierte Lichtblau nach Amerika. Er war zwölf Jahre lang Gastprofessor an der „Rhode Island School of Design" in Providence und organisierte eine Ausstellungsfolge mit dem schlichten Titel „Good Design" im Museum Modern Art/New York. Nach seiner Rückkehr konnte er nach dem neuen Ziviltechnikergesetz nicht mehr bauen und lebte zurückgezogen im Parkhotel und starb im Jänner 1963 an den Spätfolgen eines Hotelbrandes. Einen ehrenvollen Auftrag bekam er noch von der Gemeinde: gemeinsam mit Norbert Schlesinger konnte er die Hauptschule in der Grundsteingasse (1962–63) in Wien–Ottakring realisieren.

MARGARETE LIHOTZKY
(verh. SCHÜTTE); (*Wien 23. 1. 1897) absolvierte ihr Architekturstudium als erste Frau in Österreich an der Kunstgewerbeschule in Wien bei Strnad und Tessenow (1919). Nach dem Diplom arbeitete sie in Holland und bewarb sich nach ihrer Rückkehr im Frühjahr 1920 beim Wiener Siedlungsamt. In der Folge plante sie mit Adolf Loos, der damals gerade Chefarchitekt des Wiener Siedlungsamtes war, die Kriegsinvalidensiedlungen „Hirschstetten" (1921) und „Lainzer Tiergarten (1921). In den folgenden Jahren arbeitete sie an der Realisierung mehrerer Volkswohnhäuser, u. a. am „Winarsky-Hof" (1924) und dem „Otto Haas-Hof" (1924). 1926 wurde sie von Ernst May nach Frankfurt/Main an das Hochbauamt berufen, und sie widmete sich dort insbesondere der Rationalisierung der Hauswirtschaft und der Projektierung von Kindergärten. Eines der Ergebnisse ihrer Arbeit wurde als die sog. „Frankfurter Küche" weltberühmt. 1929 folgte sie Josef Franks Einladung zum Bau zweier Doppelhäuser in der Werkbundsiedlung (1930–32). 1930 wurde sie mit Ernst May, Hans Schmidt, Hannes Meyer mit Beteiligung internationaler Baubrigaden in die UdSSR eingeladen. Dort war sie u. a. Leiterin einer Abteilung für Kindergartenbauten; 1931–32 Assistentin an der Akademie in Moskau, Mitarbeiterin des Instituts für Familienplanung. 1934 erfolgte eine Studienreise nach

China, wo sie einige Richtlinien für Kinderanstalten erarbeitete. 1938 reiste sie nach Istanbul, wo an der Technischen Universität einige Auslandsösterreicher (Clemens Holzmeister, Ernst Egli, Herbert Eichholzer) lehrten. Zwischen 1938 und 1940 projektierte sie Frauenberufsschulen und Dorfschulen in der Türkei. Ihre Rückkehr nach Österreich erfolgte unter lebengefährlichen Umständen. Wegen ihrer Beteiligung am österreichischen Widerstand gegen das NS-Régime und ihrer Mitgliedschaft bei der Kommunistischen Partei wurde sie am 22.1.1941 verhaftet und verblieb bis Kriegsende im Gefängnis. Ab 1947 lebte sie wieder als freie Architektin in Wien, wurde aber von der Gemeinde wegen ihrer politischen Haltung boykottiert. Es entstanden kleine Arbeiten wie Parteilokale, Buchhandlungen und die Druckerei „Globus" (1956) für die KPÖ. Mit ihrem Mann Wilhelm Schütte baute sie einige Kindergärten und eine Sonderschule (1960) für die Gemeinde. 1967 legte sie ihre Architektenbefugnis zurück und ist nun freischaffende Publizistin und Autorin in Wien.

ADOLF LOOS
(*Brünn/Mähren 10.12.1870, †Kalksburg/ Wien 23.8.1933)   besuchte die Staatsgewerbeschule Reichenberg/Böhmen (1887 –1888) und die Technische Hochschule in Dresden (1890–93); anschließend fuhr er nach Amerika. 1896 zog er nach Wien und begann seine Karriere mit Innenraumwürfen und dem Schreiben von Artikeln für die liberale „Neue Freie Presse". 1898 erschien der polemische Aufsatz „Die potemkinsche Stadt" in Anspielung auf den Historismus der Ringstraße und ihre Metamorphosen im Seccessionismus, der einen Bruch mit den führenden Vertretern dieser Organisation – mit Ausnahme Wagners – führte. Loos verwarf Hoffmanns Ideen und kritisierte die Wiener Werkstätte als gutbürgerlich und imitativ. Bis 1919 bestand Loos' Oeuvre hauptsächlich aus Inneneinrichtungen für luxuriöse Geschäfte, Kaffeehäuser und Bankfilialen. Seine überzeugendste Arbeit ist der Umbau der „Villa Karma" (1903–06) bei Montreux am Genfersee und das strittige, aber wegweisende Wohn- und Bürohaus der Firma „Goldmann und Salatsch" am Michaelerplatz (1909–1911), das sog. „Looshaus". Die Wohnhäuser „Steiner" (1910), „Horner" (1912), „Scheu" (1913),

„Strasser" (1918) und „Rufer" (1922) in Wiens Nobelbezirk Hietzing zählen zu den Hauptwerken Loos'scher Raumkunst, in denen er seine faszinierende Auffassung des Raumplans jedoch mit antiquierten und kalten Wohnaccessoirs verwirklichte. Während seiner kurzen und erfolglos gebliebenen Tätigkeit als Chefarchitekt des Wiener Siedlungsamtes versuchte Loos vergeblich, seinen bis dahin für den Massenwohnungsbau noch unerprobten und niemals angewandten Raumplan für die Anforderungen und Probleme im Zusammenhang mit Arbeiterwohnungen zur realisieren. 1920 entwarf er wirtschaftliche und partizipative Projekte, u.a. die Heuberg-Siedlung (1921), für die Gemeinde Wien. Sein Dachterrassenhaus für Arbeiter (ca. 1924) stieß allerdings auf Ablehnung. Leider wurde sein Wunsch, auch für die Arbeiterklasse zu bauen, niemals verwirklicht.

Aufgrund diffamierender Presseattacken und der desillusionierenden Verhältnisse beim Massenwohnungsbau im Roten Wien wanderte Loos 1924 nach Paris aus. Er folgte einer großzügigen Einladung seines Freundes Tristan Tzara, für den er eine prunkvolle Studiovilla (1925) baute. In Paris stieß er zu der feinen, aber dekadenten Gesellschaft um die Nackttänzerin Josephine Baker, für die er eine mondäne Villa (1928) entwarf. Während eines Kuraufenthaltes an der Riviera entstanden Projekte für ein schickes Lidohaus (1923) für Alexander Moissi und eine Gruppe von zwanzig Villen als abgetrepptes Terrassenapartementhaus (1923) in Nizza (Grandhotel „Babylon"). Wieder in Wien und seine Karriere defacto schon beendet, entwarf Loos mit seinen Mitarbeitern seine besten Wohnhäuser, die „Villa Müller" (1928) in Prag und die „Villa Moller" (1927) in Wien-Pötzleinsdorf. Seine letzte Wiener Arbeit waren die Doppelhäuser in der Werkbundsiedlung (1930–32).

WALTER LOOS
(*Wien 5.8.1905, †Buenos Aires 1970) war Hoffmann-Schüler an der Kunstgewerbeschule und ein typischer Vertreter der Wiener Moderne. Weder ist Walter Loos mit seinem berühmteren Namensvetter verwandt, noch verschwägert. Ein Aufenthalt in Paris (1925–26) brachte ihm die Bekanntschaft mit Adolf Loos, und er empfing wertvolle Anregungen aus dem Kreis von LeCorbusier und André Lurçat. In Würzburg

und Düsseldorf führte er charakteristische Siedlungstypenhäuser aus und ließ sich nach einer Einladung Franks zum Bau an der Werkbundsiedlung als freiberuflicher Architekt in Wien nieder. In der Folge entstanden mehrere Einfamilienhäuser: Villa Rosenackergasse (1933), Spinozagasse (1933), „Villa Zemlinsky" im Kaasgraben (1934), Dionysius Andrassy-Gasse (1936) und ein Ferienhaus in Kritzendorf (1936). 1937 war er österreichischer Alleinvertreter beim internationalen CIAM-Kongreß. Rassistische und berufliche Gründe erzwangen seine Emigration im Jahre 1938 nach England; über die USA landete er schließlich in Mexiko, später in Argentinien, wo er bis zu seinem Tod arbeitete.

FRANZ MATOUSCHEK
(*Maria Enzersdorf, 4.11.1874, †Wien 25.5. 1935) war Schüler von Otto Wagner (1895–1899); von 1902–03 war Matouschek in Budapest tätig und plante das Wohnatelierhaus für den Bildhauer Mano Rákos (1909). Nach dem Krieg arbeitete er gemeinsam mit seinem Sohn in Wien. Es entstand das Portal des Hotels „Krantz-Ambassador" (1928); Mitarbeit am Wettbewerb „Sandleiten" (1924) und „Vogelweidplatz" (1931).

VIKTOR MITTAG
(1896–†?) war Schüler Friedrich Ohmanns an der Wiener Akademie und arbeitete nach Abschluß als freiberuflicher Architekt mit seinem langjährigen Partner Karl HAUSCHKA zusammen. Gemeinsam planten sie mehrere private und kommunale Wohnhausanlagen: „Ebert-Hof" (1925), „Goethe-Hof" (1928), „Wildgans-Hof" (1931) und das Verwaltungsgebäude des internationalen Genferverbandes (1933) in der Grüngasse. Ferner planten sie für den Assanierungsfond mehrere Stadtwohnhäuser.

SILVIO MOHR
arbeitete in Gemeinschaft mit Robert Hartinger. Er gehörte zum konservativen Flügel (Heimatschutzstil) im Österreichischen Werkbund und führte vor allem Wohnhausanlagen für die christlich-soziale „Heim"-Genossenschaft durch: Siedlung „Starchant" (1922), Siedlung „Dorrekring" (1926–29) der österreichischen Tabakregie in Schwaz/Tirol und das Kurheim „San Sebastian" (1924) in Bad Schallerbach/OÖ.

ROBERT OERLEY

(*Wien 24.8.1876, †Wien 15.11.1945) erlernte als Sohn eines Tischlerunternehmers zunächst das Tischlerhandwerk; anläßlich der Mitarbeit am Bau der elterlichen Villa entschied er sich spontan für die Architektur. Nach seinem Studienabschluß in Malerei und Grafik an der Kunstgewerbeschule 1896 bildete er sich selbst zum Architekten aus. Später erwarb er die Baumeisterbefugnis und den Titel eines Architekten. Zu den noch jugendstilhaften Werken vor dem Weltkrieg gehören viele gediegene Villen, darunter die Mietvillen „Kaiser" (1905) in der Weimarerstraße, Lannerstraße (1905), Vegagasse (1906), „Villa Schmutzer" (1910), die Großvilla Auhofstraße (1914), das innerstädtische Miet- und Bürohaus „Zum silbernen Brunnen" (1914) mit Karl Schön; das Sanatorium Dr. Luithlen (Auersperg) (1908), die Glas- und Optikfabrik „Zeiss" (1917) in Breitensee, die verunstaltete Boschfabrik (1923) auf der Spittelauer Lände und schließlich das bereits abgerissene Planetarium (1927) am Praterstern.
Neben zahlreichen Privataufträgen konnte er für die Gemeinde Wien den „Hanusch-Hof" (1925) und den „Washington-Hof" (1927–1930) errichten. Anfang der dreißiger Jahre gelang es ihm – wegen seiner politischen Gesinnung und seiner beruflichen Verbindung als Vorstandsmitglied der österreichischen Architekten – für Kemal Atatürk zu bauen. Zwischen 1927 und 1933 war er Chef der Baudirektion beim Aufbau der neuen türkischen Hauptstadt Ankara. Wieder in Wien, war er sowohl unter austrofaschistischer wie nationalsozialistischer Herrschaft – trotz seiner weltanschaulichen Sympathie für das Dritte Reich – unterbeschäftigt. Er wurde nur mit bescheidenen Aufgaben betraut: gemeinsam mit Erwin Ilz und Hans Pfann beteiligte er sich 1938 am Projekt für eine Gau-Prachtstraße zur Verlängerung der Ringstraße zur Reichsbrücke.

HANS PAAR (1892 – ?)

praktizierte bis 1925 im Atelier Gessner und arbeitete später gemeinsam mit seinem Bruder Adolf PAAR freiberuflich. Zu den wichtigsten Werken zählen der „Lassalle-Hof" (1924) in Zusammenarbeit mit Gessner, das Wohnhaus Hickelgasse (1928), der „Plotzek-Hof" (1925) und die Wohnhäuser Fultonstraße mit Kindergarten (1930).

RUDOLF PERCO

(*Görz (Gorzia/Italien 14.7.1884, †Wien 31.1.1942) stammte aus einer italienisch-österreichischen Familie und war 1906–10 in der Spezialklasse von Otto Wagner an der Wiener Akademie; danach promovierte er als Jurist an der Universität Wien. Sein Debüt lieferte er mit einem prunkvollen Wohnhaus in der Praterstraße (1914). Nach dem Krieg erschienen mehrere Entwürfe für phantastisch-kubische Kirchenbauten aus Stahlbeton, z.T. Projekte für Belgrad, Wien-Mariahilferstraße und ein Mozartdenkmal am Marxer-Friedhof. In der Folge wandte er sich einem monumentalen Klassizismus zu, wie beim Heldendenkmal in Trient (1919) oder dem programmatischen Leuchtturm von San Domingo, in den späteren Jahren einem kalten pathetischen Realismus, der manches von Troost, Speer und Sagebiel vorwegnimmt. In Partnerschaft mit Paul GÜTL, Camillo Fritz DISCHER, Rudolf FRASS und Karl DORFMEISTER entstanden zwei Gemeindebauten, der „Prof. Jodl-Hof" (1925) und der Wohnhof Wienerbergerstraße (1926). Selbstständig führte Perco den „Holy-Hof" (1928) und den größten Superblock Wiens, den „Friedrich Engelsplatz-Hof" (1930) mit allen Nebeneinrichtungen aus.

RUDOLF PERTHEN

(*Tetschen-Bodenbach/Böhmen 30.4.1884, †Wien 23.8.1941) war von 1907 bis 1909 in der Wagnerschule; später war er Mitarbeiter und Assistent von Leopold Bauer an der Wiener Akademie. 1930–39 Mitglied der Secession und langjähriges Direktoriumsmitglied des Zentralverbandes österreichischer Architekten. Unter anderem baute er die Gemeindebauten „Marianne Hainisch-Hof" (1927) und das Wohnhaus „Fuchsröhrenstraße" (1930)

FRIEDRICH PINDT

(*Wien 27.6.1888, † ?) schloß 1912 die Wagner-Schule mit einem in die Zukunft weisenden Entwurf „Flugplatz" ab. Seine einzigen bis dato gesicherten Bauten sind die späten Wohnhausanlagen „Lisak-Hof" (1931), zusammen mit Heinrich Wohlmayer, und der „Käthe Königstetter-Hof" (1932)

FELIX ANGELO-POLLACK

war freiberuflicher Architekt. Außer der Tätigkeit als Architekt des Assanierungsfonds und dem Bau der „Herz Jesu-Kirche" an der Landstraßer Hauptstraße (1930–31) ist wenig von ihm bekannt. Das Hochhaus Laurenzerberg (1936) und die Wohnhausanlage Weyringergasse (1928) gehören zu den neu „entdeckten" Wohnbauten des Architekten.

ALEXANDER POPP
(*St. Leonhard/OÖ 10.8.1891, †Linz 7.12. 1947) arbeitete nach Beendigung der Schule – angeregt von seinem Mittelschullehrer Otmar Leischer – als technischer Zeichner und Entwerfer bei der DDSG (Donau-Dampfschiffahrts-Gesellschaft) in Linz. Popp schuf sich dort überraschenderweise große Selbständigkeit und konnte mehrere Stationsbauten, Werftanlagen, Büroräume, Arbeiterunterkünfte, Beamtensiedlungen bauen. 1919 nahm er das Architekturstudium bei Leopold Bauer und später bei Peter Behrens an der Wiener Akademie auf. Er wurde Mitarbeiter und Assistent von Behrens und nach dessen Abgang 1936 nach Berlin sein Nachfolger und von 1941–45 Rektor der Akademie. 1931 bis zur Auflösung war er Mitglied der Secession und von 1938 bis 1941 kommissarischer Gauleiter an der Akademie. Seine wichtigsten Werke sind die Repräsentationsgebäude der DDSG (1925) in Belgrad, kleine Wohnhäuser in Linz, Gmunden, Wien; die Wohnhöfe Rinnböckstraße (1928), Weinzierlgasse (1930), Maroltingergasse (1930) für die Gemeinde Wien; die Austria-Tabakwerke (1929–35) mit seinem Lehrer in Linz, ebenso die Reichswerke „Hermann Göring" (heute: VÖEST Alpine) (1938–43), wo er die Leitung nach Behrens Tod allein übernahm. Popp arbeitete im Zweiten Weltkrieg in Berlin bei der Generalbauinspektion an der Neuplanung Berlins. Wegen seiner NSDAP-Parteizugehörigkeit wurde er von öffentlichen Ämtern suspendiert, was zu Kränkung und frühem Tod führte.

CÄSAR POPPOVITS
studierte bei Karl König an der Technischen Hochschule; seine ersten Arbeiten umfaßten die städtische Sanitätsstation (1903) in der Gilmgasse, das Nobelrestaurant „Zum Pfeiffenstierer" (1910), die Umbauten am „Dominikanerkeller" und das Restaurant-Hotel „Kremslehner". Ferner Adaptierungsarbeiten für das Bankhaus „Albert Blank" (1921) im Obergeschoß des Palais Palffy, drei

Wohnhausanlagen für die Gemeinde Wien: „Ludo Hartmann-Hof" (1925), „Schlesinger-Hof" (ehem. „Riedhof") (1930), „Dr. Friederike Becke-Hof" (1926) und das ausgefallene Geschäftslokal des NÖ. Escompte-Tonwaren-GmbH. (1929) am Stubenring mit seiner dunkelbraunen Majolika-Reliefverkleidung, ein Bauwerk zwischen Expressionismus und Art deco des Bildhauers Robert Obsieger.

OTTO PRUTSCHER
(*Wien 7.4.1880, †Wien 15.2.1949) Bruder des Architekten Hans PRUTSCHER, war Schüler des Malers Franz Matsch und Josef Hoffmanns an der Kunstgewerbeschule in Wien. Bekannt und geschätzt wurde er vor allem wegen seiner Interiéurs, neuartigen Inneneinrichtungen und Mobilars. 1909 wurde er Professor an der Kunstgewerbeschule in Wien, er entwarf Ausstellungsräume in Dresden (1909), Leipzig (1913); regelmäßig beteiligte er sich an den Winterausstellungen des Museums für Kunst und Industrie und entwarf den Raum des Museums im österreichischen Pavillon auf der Werkbundausstellung in Köln (1914). Zahlreiche Kaffeehauseinrichtungen, Messekojen, Wohnungseinrichtungen gehörten zum handwerklichen Schaffen Prutschers. Neben den Gemeindehofanlagen „Heine-Hof" (1929), „Lorens-Hof" (1927), „Hermann Fischer-Hof" (1928) und „Eifler-Hof" (1929) zählen die Umbauten für das Feinkostgeschäft „Piccini" (1934) am Naschmarkt und das bereits zerstörte „Café Palace" (1933) zum umfangreichen Werk Otto Prutschers.

HANS PRUTSCHER
(*Wien 6.12.1873, †Wien, 25.1.1959)

EGON RISS
war mit Fritz JUDTMANN in einer Ateliergemeinschaft. Es ist noch ungeklärt, wer von beiden mehr die künstlerische und wer die geschäftliche Leitung überhatte. Nach den späteren, von Riss allein durchgeführten Arbeiten zu urteilen – Cottagevillen in Pötzleinsdorf und Grinzing (1930–33), Miet- und Kinogebäude Heiligenstädterstraße 95 (1938), die durch bessere Außengestaltung und Raumdimensionierung auffallen – muß der Löwenanteil der kreativ-modern gestalterischen Arbeit bei Riss gelegen sein, denn Judtmann war hauptsächlich Bühnenarchitekt.

HEINZ ROLLIG

arbeitete mit seinem Partner Josef Wohlmuth beim Bau des Gemeindeblocks „Römerthalgasse" (1929) und bei der Verbauung des Arbeiterstrandbades Kritzendorf an der Donau (ab 1926) mit. Ebendort errichtete er versuchsweise Einraum-Wochenendhäuser aus Holzfertigteilen mit Klappbetten, Kochnischen und eingebauten Schränken.

MICHAEL ROSENAUER

(1885–1970 ?) stammte aus einer Welser Baumeisterdynastie; er arbeitete freiberuflich in Linz und in Wien, bis er 1938 nach England emigrieren mußte. Zu seinen wichtigsten Werken in Österreich zählen die dem Jugendstil entwachsenen Miethäuser (1909) in Linz, die Gemeindewohnhausanlagen „Schimon-Hof" (1927), „Neusser-Platz" (1926), Währinger Straße (1926); die Umbauten für das Dorotheum Josefstadt (1927), der Neubau der Pfandleihanstalt Favoriten (1929) und Fünfhaus (1928).

FRITZ SAMMER
und HANS RICHTER

waren freiberufliche Architekten in Wien.

HEINRICH SCHMID

(*Waidhofen/Ybbs 24. 6. 1885, †Wien, 2.5. 1949) baute schon während seines Studiums mit seinem Studienkollegen Hermann AICHINGER in Oberösterreich kleinere Villen und Stadthäuser. Er schloß seine Studien 1910 bei Otto Wagner ab. Knapp vor dem Ersten Weltkrieg konnte das junge, seit ihrem Studienabschluß in Ateliergemeinschaft arbeitende Team, große und lukrative Aufträge durchführen: „Rainer-Heeresspital" (1914–15), die Gartensiedlung „Ostmark" (1913) in Hietzing. Die Arge war überaus erfolgreich und tüchtig im Roten Wien: eines ihrer bekanntesten Werke ist jedoch das auffällige, schmucke „Österreichische Verkehrsbüro" (1922) am Karlsplatz. Auch im privaten Bausektor sind sie tonangebend: in der Folge entstehen Villen, Krankenhäuser für die Asbestzementfabrik "Hatschek" in Aichingers Heimatgemeinde Vöcklabruck (1927–30); in Wien führten sie in Zusammenarbeit mit Clemens Holzmeister das RAVAG-Funkgebäude (1936-38) in der Argentinierstraße durch und das Stadtmiethaus „Bärenmühle" (1937) am städtebaulich

heiklen scharfen Straßeneck Operngasse/ Wienzeile. Durch den Assanierungsfonds wurden arg verkehrsbehindernde und nicht erhaltungswürdige Bauten zugunsten moderner Apartementhäuser geschleift. Im Zuge dieser Aktion bauten Schmid/Aichinger die großstädtisch wirkenden Häuser in der Schönbrunnerstraße/Nevillegasse (1936) und das an der Rotenturmstraße/ Lichtensteg (1937). 1930 konnte Schmid sein eigenes Wohnhaus in der Langackergasse/Grinzing realisieren. Nach dem Zweiten Weltkrieg haben Schmid/ Aichinger ihr Büro aufgelöst.

KARL und FRIEDRICH SCHÖN

waren typische Architekten des Jugendstils. Von den Brüdern ist relativ wenig bekannt. Karl Schön war Schüler von Josef Hoffmann an der Kunstgewerbeschule in Wien, gemeinsam planten sie das Warenhaus „Zwiebäck" (1895) in der Weihburggasse, das Geschäftshaus (1909) am Kohlmarkt 2 und Stadthäuser (1914) in der Singerstraße und Plankengasse, die Villa „Italia" (1915) in der Geyergasse. Nach dem Ersten Weltkrieg beteiligten sich die Brüder mit den Wohnhausanlagen „Wattgasse" (1928) und „Gersthoferstraße" (1929) am kommunalen Wohnbau.

OTTO SCHÖNTHAL

(*Wien 10.8.1878, †Wien, 31.12.1961) war von 1898 bis 1901 Hörer an der Akademie bei Otto Wagner, in dessen Atelier er anschließend arbeitete. Schon während seiner Schulzeit baute er kleinere Projekte wie den „Mozartbrunnen" (1900) in Wien-Wieden, gemeinsam mit dem Bildhauer Karl Wolleck. Die Arbeiten, die noch vor der Ateliergemeinschaft mit seinen Studienkollegen Emil HOPPE (ab 1909) und Marcell Kammerer (1911–1918) entstanden, sind die „Villa Dr. Vojčzik" (1900–02) in Wien-Hütteldorf, das Sommerhaus „Dr. Bauer" (1901) in Eggenburg und ein Landhaus (1907) in Baden/ Wien. Erst durch die Zusammenarbeit mit Hoppe/Kammerer löste er sich etwas vom massiven Einfluß Wagners und ging in einen fast ruhigen akademischen Klassizismus über. In Schönthals Nachkriegswerken kehren wieder antimoderne und spät-historische Elemente seiner Vor-Wagnerzeit ein. (Werke: siehe Emil HOPPE). Von 1923–25 war er Wiener Baurat und Präsident der Wiener Künstlervereinigung im Künstlerhaus. Zweifelsohne war Schönthal in der Zwischenkriegszeit eine wichtige öffentliche Persönlichkeit, nicht nur als kurzzeitiger Herausgeber der damals schon zur Weltspitze zählenden Architekturzeitschrift „Der Architekt" (als Nachfolger von Ferdinand von Feldegg), sondern auch als Präsident der Zentralvereinigung Österreichischer Architekten (1930 bis 1932). In zunehmender Opposition zum Austrofaschismus wanderte Schönthal 1938, unmittelbar vor dem Einmarsch der Nationalsozialisten, in die Schweiz aus, und war von 1939–45 in Jugoslawien untergetaucht. 1945 erfolgte die Rückkehr nach Wien.

HEINRICH SCHOPPER

(*Linz 16.1.1881, †Wien, 7.5.1952) war von 1904 bis 1907 Schüler von Otto Wagner, danach arbeitete er als selbständiger Architekt in Wien. Derzeit sind nur die Gemeindebauten bekannt, die er mit Alfred CHALUSCH gemeinsam entworfen hatte.

WALTER SOBOTKA

(1888–1972) arbeitete in den zwanziger Jahren freiberuflich in Wien, bis er 1938 emigrieren mußte. Sein späteres Berufleben ist weitgehend vergessen. In den USA war er als freiberuflicher Architekt tätig und kehrte nicht mehr nach Österreich zurück. Über Arbeit und Werdegang liegen nur widerspruchsvolle und ungenaue Informationen vor, sodaß eine Beurteilung seines Schaffens aus dem wenig Vorhandenen schwer fällt. Außer der widersprüchlichen Villa in der Lannerstraße (1925), die nach seinen eigenen Aussagen „sein bislang bestes Werk" in Wien darstellte, sind noch die zwei Gemeindebauten in der Schrottgasse (1927) und in der Donaufelderstraße (1931), und die zwei von einer Fliegerbombe zerstörten Häuser in der Werkbundsiedlung (1930–32) alles, was mit Sicherheit belegbar ist.

FRANZ SCHUSTER

(*Wien, 26.12.1892, †Wien, 24.7.1972) studierte an der Kunstgewerbeschule bei Heinrich Tessenow und Oskar Strnad; 1919 folgte er seinem verehrten Lehrer Tessenow nach Dresden-Hellerau, zum Ausbau der gleichnamigen Gartenstadt; 1922 arbeitete er dort selbständig und wirkte danach als Chefarchitekt des Österreichischen Verbandes für Siedlungs- und Kleingartenwesen (ÖVSK) für das Wiener Siedlungsamt. Zu dieser Zeit entstanden die Siedlungen „Süd-

Ost" (1921), „Hirschstetten" (1921) gemeinsam mit Adolf Loos, „Neustraßäcker" (1924), „Am Wasserturm" (1924), „Laaer-Berg" (1927) in Zusammenarbeit mit Franz Schacherl. Er beteiligte sich auch am mehrgeschossigen Gemeindebau: „Otto Haas-Hof" (1924), „Karl Völkert-Hof" (1926). 1926–27 war Schuster Lehrer an der Kunstgewerbeschule; 1927 folgte er einer Einladung nach Frankfurt als Stadtbaurat. 1928–1936 war er als freischaffender Architekt in Frankfurt tätig und unterrichtete dort an der Kunstgewerbeschule. Ludwig Mies van der Rohe lud ihn 1927 sogar zur Gestaltung einiger Inneneinrichtungen in der „Weißenhofsiedlung" ein. Im selben Jahr erfolgte der Bau einer Volksschule in Frankfurt, in Wien ein „Montessori"-Kindergarten (1926) am Rudolfsplatz. 1933–36 war er Generalsekretär des Internationalen Verbandes für Wohnungswesen in Frankfurt. Er publizierte in Frankfurt zwei bereits klassische Bücher: „Eine eingerichtete Kleinstwohnung" (1927) und „Ein eingerichtetes Siedlungshaus" (1928). 1927 kam Schuster endgültig nach Wien zurück, wo er sich den veränderten politischen Verhältnissen recht gut anpaßte. 1938 legte er einen Entwurf zur Neugestaltung des II. Bezirks vor: seine „Aufmarschstraße" in Verlängerung der Rotenturmstraße bis zur Reichsbrücke gefiel der braunen Gemeindeverwaltung des Reichsgaues Wien so gut, daß Bürgermeister Dr. Hermann Neubacher Schuster mit einer Auszeichnung bedachte. Nach dem Krieg, kaum entnazifiziert, durfte er sich wieder am Baugeschäft beteiligen. 1947–51 erbaute er in Zusammenarbeit mit Eugen Wörle u. a. die Siedlung „Per Albin Hansson"; 1949 wurde er als Leiter einer Architekturmeisterklasse an die Akademie für angewandte Kunst wiederbestellt. 1951 erhielt er den Preis der Stadt Wien für Architektur; ab 1953 war Schuster Leiter der Forschungsstelle der Stadt Wien für Wohnen und Bauen; 1963 wurde ihm die Tessenow-Medaille in Hamburg verliehen. Weitere Büro- und Verwaltungsaufgaben folgten.

LEOPOLD SIMONY

(1859–1929) war Architekt der gemeinnützigen Baugesellschaft für Arbeiterwohnungen und gilt als Nestor des Arbeiterwohnbaus in der Monarchie. Zusammen mit Theodor Bach errichtete er die Kaiser Franz Joseph-Jubiläumsstiftungshäuser (1898–

1901) in Ottakring; Beamtenwohnhäuser der Arbeiterunfallversicherung (1904–08) und der Wechselseitigen Brandschadenversicherung (1914). Zwei Gemeindebauten für das Rote Wien konnte er noch realisieren: die Wohnhausanlage Angeligasse (1929) und den „Simony-Hof" (1927).

ERNST OTTO SCHWEITZER

(1890–1965) studierte an der Technischen Hochschule in München Bauingenieurwesen; ab 1918 war er Regierungsbaumeister, von 1921–24 Stadtbaurat von Schwäbisch-Gmünd. Bis 1929 war er Stadtbaurat in Nürnberg, wo seine schönsten und zweckmäßigsten Freizeit- und Sportbauten entstanden sind. Wegen des internationalen Erfolges seines Nürnberger Stadions (1929) und der Schwimmhalle wurde er von der Stadt Wien eingeladen, das Neue Prater-Stadion (1929–31) anläßlich der bevorstehenden „Arbeiterolympiade" zu bauen. 1933 wurde seine Tätigkeit durch die Nationalsozialisten beeinträchtigt und seine steile Karriere jäh unterbrochen. Während des Berufsverbots verfaßte er theoretische und bautechnische Schriften; erst 1945 arbeitete er wieder als freier Architekt und Ingenieur in Baden-Baden.

HERMANN STIEGHOLZER

(*1898–) war Behrens-Schüler an der Akademie in Wien und Mitglied des Wiener Künstlerhauses. Er baute in seiner langen Karriere zuerst in einer Arbeitsgemeinschaft mit Herbert Kastinger die Arbeitsämter Ottakring (1927), Margareten (1930); eine chemische Fabrik (1935) in Floridsdorf; daneben die Gemeindebauten Fendigasse (1930) und Mautner-Markhof-Gasse (1929); Wohnungsanlagen für den Assanierungsfond in der Neubaugasse (1937) und einen kostensparenden Wohnungsbau in der Alserbachstraße (1933). Ab 1931 erfolgten die langwierigen Umbau- und Adaptierungsarbeiten für den Brauhof in der Altstadt von Wiener Neustadt; 1934 gewannen Stiegholzer/Kastinger einen III. Preis beim Wettbewerb für die Berliner Olympiabauten. Weitere Tätigkeiten sind noch unbekannt.

OSKAR STRNAD

(*Wien, 26.10.1879, †Bad Aussee 3.9.1935) studierte an der Technischen Hochschule bei Karl König, Karl Mayreder und Ferdinand Fellner und promovierte 1903. Anschlies-

send war er zur Weiterbildung im Atelier Friedrich Ohmanns. 1909 wurde er als Professor an die Kunstgewerbeschule berufen. 1910 bis 1914 entstanden einige schmucke Villen und das Miethaus Stuckgasse (1911), das einige Stilelemente der späteren Gemeindebauten vorwegnimmt. 1914 entwarf er mit Josef Hoffmann Ausstellungsräume für den österreichischen Pavillon an der Werkbundausstellung in Köln. Vor dem Ersten Weltkrieg entstanden neuartige Entwürfe für das Theater, so etwa ein „neuartiges Schauspielhaus mit dreiteiliger Bühne und Kreisauditorium", das Max Reinhardt stark beeindruckte. Ab 1919 verlagerte Strnad seine Tätigkeit immer mehr auf Bühnen- und Dekorationsarchitekturen. 1921 entstand ein kreisrundes Saaltheater für das Wiener Messegelände und in der Folge mehrere Messepavillons in München (1925), Paris (1925) und Mailand (1933). Der kannelierte Orgelturm am österreichischen Pavillon bei der Pariser Kunstgewerbeausstellung (1925) fand internationale Beachtung. Um 1924 entstand ein Entwurf eines Wohnhochhauses mit Terrassen für die Gemeinde Wien. Gemeinsam mit Clemens Holzmeister baute er das Heilbad Schallerbach (1926); 1927 folgt sein Wettbewerbsbeitrag zum Genfer Völkerbundpalast. Im Auftrag der Gemeinde entstand ein Teil des „Winarsky-Hofes" (1924) und eine Wohnhausanlage in der Holochergasse (1931). In Zusammenarbeit mit Josef FRANK, Oskar WLACH und Hugo GORGE entstanden viele Wohnungseinrichtungen und private Wohnprojekte. Eine seiner letzten eigenständigen Arbeiten stellte das infolge des Krieges abgerissene Doppelhaus in der Werkbundsiedlung (1930) dar.

HEINRICH TESSENOW

(*Rostock, 7.4.1876, †Berlin, 1.11.1950) besuchte ab 1896 die städtische Baufachschule in Neustadt/Mecklenburg; danach Studium an der Baugewerbeschule in Leipzig und an der Technischen Hochschule in München bei Karl Hocheder und Friedrich von Thiersch. Diplom 1901; ab 1902 umfassende Lehrtätigkeit in Sternberg, Lüchow, Saaleck, Trier, Dresden und Lehrer an den deutschen Werkstätten in Hellerau. Ab 1910 freiberuflicher Architekt in der Gartenstadt Hellerau, sowie Mitarbeit an der Gartenstadt Hohensalza. 1913–1919 war er Professor an der Kunstgewerbeschule in

Wien, in dieser für ihn sehr auftragsarmen und isolierten Zeit entstanden die Arbeitersiedlung in Traiskirchen und die Beamtensiedlung des städtischen Brauhauses in Schwechat–Rannersdorf (1921). Ab 1919 war er wieder in Hellerau tätig; 1920 bis 1926 war er Leiter der Architekturabteilung der Akademie in Dresden. Ab 1926 Professor an der Technischen Hochschule Berlin. 1925 wurde er sogar Mitglied der revolutionären ,,Novembergruppe" um die Gebrüder Taut, trat aber 1926 der konservativeren Architektenvereinigung ,,Der Ring" bei. Tessenows Arbeitsbedingungen verschlechterten sich ab 1933 zusehends, und selbst sein prominentester Schüler der NS-Zeit, Albert Speer, konnte ihm nicht helfen: 1941 folgte die zwangsweise Emeritierung und 1942 das endgültige Berufsverbot. Erst 1947 nahm er seine Lehrtätigkeit an der Technischen Hochschule in Berlin wieder auf. 1945–47 Planungen für den Wiederaufbau von Mecklenburg und Lübeck. Zu seinen Schülern zählten LeCorbusier, Konrad Wachsmann, Albert Speer, Egon Eiermann, Franz Schuster, Grete Lihotzky u. a.

JOSEF TÖLK

gründete eine Arbeitsgemeinschaft mit Franz Freiherr von KRAUSS (Werke: siehe Krauß).

SIEGFRIED THEISS

(*Preßburg 7.11.1882, † Wien, 24.1.1963) begann sein Architekturstudium gleichzeitig bei Karl König an der Technischen Hochschule und als Meisterschüler bei Friedrich Ohmann an der Akademie in Wien. 54 Jahre war Theiß mit Hans JAKSCH in einer Arbeitsgemeinschaft zusammen, und gemeinsam errichteten sie ab 1907 zahlreiche Bauten (Werke: siehe Hans JAKSCH). 1919 wurde er als Professor an die Technische Hochschule in Wien berufen; im gleichen Jahr erfolgte seine Wahl zum Präsidenten der österreichischen Standesorganisation der Architekten. 1929 wurde Theiß mit dem ,,Silbernen Ehrenzeichen" der Republik Österreich ausgezeichnet; von 1927 bis März 1938 war er Präsident der österreichischen Sektion des ständigen Ausschusses der internationalen Architektenkongresse. Neben der Funktion als Sachverständiger war er maßgeblich an der Schaffung der Österreichischen Baunormung, der neuen Bauordnung von 1930 und dem rechtlichen Schutz des

Berufstitels ,,Architekt" und dessen Satzungen beteiligt. Nach März 1938 scheinen Theiß/Jaksch ihre Tätigkeit auf landwirtschaftliche Lagerhäuser und kriegswirtschaftliche Betriebe verlagert zu haben. Trotz anbiedernder Haltung gegenüber dem neuen NS-Regime bekamen sie nur kleinere Aufträge, litten aber offenbar dennoch nicht unter Auftragsmangel. Wegen seiner Parteimitgliedschaft in der NSDAP wurde Theiß nach dem Krieg vorübergehend vom Lehrdienst suspendiert. Von 1951 bis 1955 bekleidete er noch das Amt des Präsidenten der Zentralvereinigung österreichischer Architekten. Seine geradlinig verlaufende Baukarriere endete schließlich mit dem Bau von mediocren Wohnhausanlagen und Bürohäusern, die mehr der Ökonomie als der Ästhetik und städtebaulichen Einpassung dienten. Neben einer soliden, aber wenig einfallsreichen Gebrauchsarchitektur wäre noch auf die guten Schulbauten des Duos hinzuweisen.

HANS ADOLF VETTER

studierte an der Kunstgewerbeschule bei Oskar Strnad und Heinrich Tessenow, bevor er sich 1920 selbständig machte. Seine einzigen gesicherten Bauten sind die Wohnhausanlagen der Gemeinde Wien in der Prager Straße (1925) (in Zusammenarbeit mit dem Loos-Schüler Felix Augenfeld und mit Karl Hofmann), Wehlistraße (1928) und ein Einfamilienhaus in der Werkbundsiedlung (1930–32). 1932 veröffentlichte er ein interessantes Buch über ,,Kleine Einfamilienhäuser mit 50–100qm Wohnfläche" mit Entwürfen prominenter Wiener Architekten; er war ab 1933 der Herausgeber der sehr kurzlebigen Kunst-, Architektur- und Design-Zeitschrift ,,Profil". 1938 mußte Vetter Österreich verlassen.

FRITZ WAAGE

(1898 – ?) studierte an der Technischen Hochschule in Wien, war Mitarbeiter im Büro Gessner und wirkte später in einer Arbeitsgemeinschaft mit Eugen KASTNER. Für das Stadtbauamt bauten sie hauptsächlich gewerbliche und industrielle Nutzbauten, darunter die beachtenswerten Dorotheen Gentzgasse (1931) und Pitkagasse (1933) und das Unikum aller Industriebauten Wiens, das Umspannwerk Favoriten (1931). Das sehr schöne und gut erhaltene Portal des ,,Austrobus-Reisebüros" (ca.

1934) am Lueger-Ring stammt ebenfalls von ihnen. Gemeinsam mit Hubert Gessner, Hans Paar und Friedrich Schloßberg baute Waage noch am „Lassalle-Hof" (1924) mit.

HELMUT WAGNER VON FREYNSHEIM

(1886–1968) war Adolf Loos-Privatschüler und arbeitete freiberuflich im Wien der zwanziger Jahre. Es ist noch sehr wenig von seinem Werk bekannt: sein erstes Projekt ist vermutlich der Gemeindebau in der Hickelgasse (1929). Wagner muß gegen Ende der zwanziger Jahre, Anfang der dreißiger Jahre in Wien und Umgebung noch eine Reihe von Villen und Einfamilienhäusern errichtet haben, unter anderem ein Doppelhaus in der Werkbundsiedlung (1930–32) und ein sehr elegantes „Herrenhaus" (1933) in der Wollmodengasse/Wien-Döbling. In Kitzbühl baute er zwischen 1931 und 1936 noch einige Landhäuser mit Raumplänen.

CARL WITZMANN

(*Wien, 26.9.1883, †Wien, 30.8.1952) studierte bis 1904 bei Josef Hoffmann an der Kunstgewerbeschule in Wien. Ab 1908 unterrichtete er dort selbst und wurde im selben Jahr Chefarchitekt der Kaiser-Jubiläums-Möbel-Ausstellung im Wiener Museum für Kunst und Industrie. Vor dem Ersten Weltkrieg konnte er zahlreiche Stadtwohnungen, Nobelhäuser und Kaffeehäuser einrichten. Seine Wohnhäuser in Hietzing zählen zur besten Tradition der Wiener Werkstätte und seine Gartenkolonie „Heimstätte" (1913) in Klosterneuburg gehört zu den ersten Gartenstädten Österreichs. Nach 1919 wurde er erneut Professor an der Kunstgewerbeschule, zu seinen bekanntesten Schülern zählen Walter Loos,

Carl Appel, Stefan Simony, Robert Kotas, Eugen Wachberger etc. 1922 wurde er Mitglied des Künstlerhauses. In der Zwischenkriegszeit konnte er eine Reihe von Theaterumbauten, wie das Josefstädter-Theater (1923), das Apollo-Theater (1929), die Scala-Bühne (1931), die Revuebühne „Moulin Rouge" (1932), einige Nachtlokale, Cafés und das Hotel Sacher (1935); das Selbstbedienungsrestaurant „Otto Kasserer" (1933), das „Non-Stop-Kino" (1937) und das „Ohne Pause Kino" (1938) durchführen. Für die Gemeinde Wien baute Witzmann den durch seine Gemeinschaftsküche legendär gewordenen „Heimhof" (1925) mit Otto Hellwig und ein Wohnhaus in der Ruttenstöckgasse (1931). Witzmann war regelmäßig bei den Ausstellungen des Museums für Kunst und Industrie und bei der „Exposition Internationale des Arts Décortifs et Industriels Modernes" (1925) in Paris vertreten.

OSKAR WLACH

(*Wien, 18. 4. 1881, † USA 1963) studierte an der Technischen Hochschule bei Karl König und an der Akademie bei Friedrich Ohmann. 1906 promovierte er an der Technischen Hochschule. Seit dieser Zeit arbeitete er mit Oskar STRNAD und Josef FRANK in einer Arbeitsgemeinschaft; er arbeitet vor allem als Innendekorateur und Möbelgestalter. Als eigenständige Arbeiten gelten die Wohnhausanlagen der Gemeinde Wien in der Gellertgasse (1926), die Häuser in der Werkbundsiedlung (1930–32), Fickeystraße (1931), Laaerberg Straße (1933), Bürgergasse (1935) und die mit Josef FRANK (siehe dort) gebauten privaten Wohnhäuser. Bezüglich seiner Emigrationszeit in den USA und seines Todes gibt es keinerlei Hinweise.

Josef Bittner, Friedrich Jäckel, Alfred Kraupa, Ferdinand Krause, Karl Krist, Erich Leischner, Engelbert Mang (1883–1955), Hugo Mayer, Gottlieb Michal (1886–1970), Otto Nadel, Konstantin Peller (1887–1969), Wilhelm Peterle, Heinrich Ried, Johann Rothmüller, Karl Schartelmüller, Karl Schmalhofer, Heinrich Schlöss (1886–1964), Friedrich Schloßberg (1900–1968), Adolf Stöckl, Julius Stoick (1882–1954), Albert Tichy, Franz Wiesmann, Franz Zabza etc. waren beamtete Architekten der Magistratsabteilung 22 (Hochbau). Über sie liegen bedauerlicherweise keine weiteren Lebens- und Werkdaten auf.

Ausgewählte Literatur
Archivmaterial, Protokolle, Zeitungs- und Zeitschriftenartikel, Aufsätze in Sammelwerken und Bücher zur Kommunalpolitik

Albers, D./Josef Hindels, Lombardo Radice: Otto Bauer und der „dritte" Weg. Die Wiederentdeckung des Austromarxismus durch Linkssozialisten und Eurokommunisten, Frankfurt/Main–New York 1979

Amato, Pasquale: Vienna la rosso crocvia del socialismo, in: Monoloperaio, Rivista mensile del Partitio socialista italiano, Nr. 7/8, Juli/August 1980, S. 127f

Andics, Hellmut: Der Staat, den keiner wollte, Wien 1976

Badelt, Christoph: Sozioökonomie der Selbstorganisation, Beispiele zur Bürgerbeihilfe und ihre wirtschaftliche Bedeutung, Frankfurt/Main–New York 1980

Bauböck, Rainer: Wohnungspolitik im sozialdemokratischen Wien 1919–1934, Salzburg 1979

Bauer, Otto: Die österreichische Revolution (1923), in: ders., Werkausgabe Bd. 2, Wien 1976, S. 489–866

Beckermann, Ruth/Josef Aichholzer: Wien Retour, Franz West 1924–34 (16mm Dokumentarfilm), 95min., Österreich 1983

Benedikt, Heinrich (Hg.): Geschichte der Republik Österreich, München 1954 (Reprint: 1977)

Bončzak, Wilhelm: Ein Leben im Dienste der gemeinnützigen Wohnungsfürsorge, Autobiographische Skizze, Wien 1947

Botz, Gerhard: Gewalt in der Politik, Attentate, Zusammenstöße, Putschversuche, Unruhen in Österreich 1918–1934, München 1976

Botz, Gerhard/ Hans Hautmann/ Helmut Konrad/ Josef Weidenholzer (Hg.): Bewegung und Klasse, Studien zur österreichischen Arbeitergeschichte, Wien 1978; u.a. darin: Austromarxismus und Massenkultur: Bildungs- und Kulturarbeit der SDAP in der Ersten Republik, Die Wohnverhältnisse der Wiener Unterschichten und die Anfänge des genossenschaftlichen Wohn- und Siedlungswesens etc.

Botz, Gerhard/ Gerfried Brandstetter/ Michael Pollak (Hg.): Im Schatten der Arbeiterbewegung, Zur Geschichte des Anarchismus in Österreich und Deutschland, Wien 1977

Brandstetter, Gerfried: Anarchismus als Alternativbewegung, Zur sozialgeschichtlichen Bewertung des Anarchismus in der Ersten Republik am Beispiel der Siedlungsbewegung, in: Norbert Leser (Hg.), Das geistige Leben Wiens in der Zwischenkriegszeit, Wien 1981

Braunthal, Julius: Die Sozialpolitik der Republik, Wien 1919

Brod, Jakob: Die Wohnungsnot und ihre Bekämpfung, Teil I und II kommunalpolitische Schriften, hg. von der Zentralstelle für sozialdemokratische Gemeindepolitik, Wien 1919

Ders.: Der Kampf gegen die Wohnungsnot, in: Die Gemeinde, 9 (1921), S. 1–4

Ders.: Der Kampf gegen das Wohnungselend, in: Der Kampf, Nr, 4, Wien 1922

Buttinger, Josef: Das Ende der Massenpartei, Am Beispiel Österreich – Ein Beitrag zur Krise der sozialdemokratischen Bewegung, Neudruck: Frankfurt/Main 1972

Czeike, Felix: Liberale, Christlich-soziale und Sozialdemokratische Kommunalpolitik 1861–1934, Wirtschafts- und Sozialpolitik der Gemeinde Wien in der ersten Republik 1918–1934, Wiener Schriften Bd. 11, Wien-München 1958

Ders.: Der große Groner (Wien-Lexikon), Zürich–München–Wien 1974

Danneberg, Robert: Kampf gegen die Wohnungsnot, Ein Vorschlag zur Lösung bei Aufrechterhaltung des Mieterschutzes, Wien 1921

Ders., Die sozialdemokratische Gemeindeverwaltung, Wien 1928

Ders., Die Entwicklungsmöglichkeiten der Sozialdemokratie in Wien, in: Der Kampf, 24. Jg., (1931), S. 6–23

Ders.: Geschichte der österreichischen Gewerkschaftsbewegung, (2 Bde.), Wien 1929

Deutsch, Julius/Alexander Eifler: Geschichte der österreichischen Arbeiterbewegung, Wien 1947

Duczynska, Ilona: Der demokratische Bolschewik, Zur Theorie und Praxis der Gewalt, München 1975

Edmondson, C. Earl: The Heimwehr and Austrian Politics 1918–1936, Athens (University of Georgia) 1978

Ehmer, Josef: Wohnen ohne eigene Wohnung, Zur sozialen Stellung von Untermietern und Bettgehern, in: Lutz Niethammer (Hg.): Wohnen im Wandel, Wuppertal 1979, S. 132ff

Ders.: Frauenarbeit und Arbeiterfamilie in Wien vom Vormärz bis 1934, in: Geschichte und Gesellschaft, 7.Jg. (1981), Heft 3/4, S. 438–473

Ermers, Max/Viktor Adler: Aufstieg und Größe einer sozialistischen Partei, Wien 1932

Feldbauer, Peter: Stadtwachstum und Wohnungsnot, Determinanten unzureichender Wohnungsversorgung in Wien 1848 bis 1914, München 1977

Ders.: Wohnungsproduktion am Beispiel Wien (1848–1934), in: Lutz Niethammer (Hg.): Wohnen im Wandel, Wuppertal 1979, S. 317–343

Ders.: Wohnungsproduktion am Beispiel Wiens 1848–1934, Wien 1979, Inst. f. soz. Geschichte, Universität Wien (unveröff. Manuskript)

Fleck, Karola: Otto Neurath, Eine biographische und systematische Untersuchung, phil. diss. Universität Graz 1979 (unveröffentlicht)

Frei, Alfred Georg: Austromarxismus und Arbeiterkultur, Rotes Wien 1918–34, Konstanz 1981, Neudruck: Berlin 1983

Gerlich, Rudolf: Die gescheiterte Alternative, Sozialisierung in Österreich nach dem Ersten Weltkrieg, Wien 1980, S. 42–45

Gulick, Charles A.: Österreich von Habsburg zu Hitler, (5 Bde.), orig. Berkeley 1948, Wien 1950, (gekürzte und überarbeitete Ausgabe, Wien 1976)

Hautmann, Hans/Rudolf Kropf: Die österreichische Arbeiterbewegung vom Vormärz bis 1945, (Schriftenreihe des Ludwig Boltzmann-Instituts für Geschichte der Arbeiterbewegung), Wien 1977

Hautmann, Hans: Die verlorene Räterepublik, Wien 1971

Jedlicka, Ludwig/Rudolf Neck (Hg.): Vom Justizpalast zum Heldenplatz, Studien und Dokumentation 1927–38, Wien 1975

Jochum, Manfred: Die erste Republik in Dokumenten und Bildern, Wien 1983

Kadrnoska, Franz (Hg.): Aufbruch und Untergang, Österreichische Kultur zwischen 1918 – 1938, Wien 1981

Klose, Else: Zeittafel der österreichischen Arbeiterbewegung 1867–1934, Wien 1962

Kraus, Karl: Die Wohnbaukantate, in: Die Fackel, Nr. 820–26, Oktober 1929, S. 57–64

Kulemann, Peter: Am Beispiel des Austromarxismus, Sozialdemokratische Arbeiterbewegung in Österreich von Hainfeld bis zur Dollfuß-Diktatur, Hamburg 1979

Langewiesche, Dieter: Politische Orientierung und soziales Verhalten, Familienleben und Wohnverhältnisse von Arbeitern im Roten Wien der ersten Republik, in: Lutz Niethammer (Hg.): Wohnen im Wandel, Wuppertal 1979, S. 171–187

Ders.: Arbeiterkultur in Österreich, Aspekte, Tendenzen und Thesen, in: Gerhard Ritter (Hg.): Arbeiterkultur, Königstein-Taunus 1979, S. 40–57

Ders.: Zur Freizeit des Arbeiters, Bildungsbestrebungen und Freizeitgestaltung österreichischer Arbeiter im Kaiserreich und in der Ersten Republik, Stuttgart 1979

Leichter, Käthe: Die Struktur der Wiener Sozialdemokratie, in: Der Kampf, 25 (1931)

Dies.: So leben wir..., in: 1320 Industriearbeiterinnen berichten über ihr Leben, Wien o.J. (1932)

Leser, Norbert: Zwischen Reformismus und Bolschewismus, Der Austromarxismus als Theorie und Praxis, Wien-Frankfurt/Main-Zürich 1968

Ders.: Werk und Widerhall, Große Gestalten des österreichischen Sozialismus, Wien 1964

Lichtblau, Albert: Wiener Wohnungspolitik 1892–1919, (österreichische Texte zur Gesellschaftskritik, Band 19), Wien 1984

Loew, Raimund: The Politics of Austromarxism, in: New Left Review, Nr. 118, (Nov.-Dez.) 1979, S. 15–51

Mit uns zieht die neue Zeit, Arbeiterkultur 1918–38, (Ausstellungskatalog), Wien 1981

Mang, Karl/Robert Waissenberger: Zwischenkriegszeit, Wiener Kommunalpolitik 1918–38, (Ausstellungskatalog), Wien 1980; u.a. mit Beiträgen von Felix Czeike, Claudia Mazanek, Gottfried Pirhofer, Robert Waissenberger, Karl Mang, Elisabeth Winkler u.a.

Neugebauer, Wolfgang: Die sozialdemokratische Jugendbewegung in Österreich 1889–1945, phil. diss., Wien 1969

Ders.: Bauvolk der kommenden Welt, Geschichte der sozialistischen Jugendbewegung in Österreich, Wien 1975

Neurath, Otto: Österreichs Baugilden und ihre Entstehung, In: Der Kampf 15 (1922), S.84ff

Ders.: Der innere Aufbau der Baugilde, in: Der Betriebsrat 2 (1922), S. 389

Ders.: Gildensozialismus, Klassenkampf, Vollsozialisierung mit einem Anhang: Siedlungs-, Wohnungs- und Baugilde Österreichs, o.O., o.J. (1922)

Patzer, Franz: Streiflichter auf die Kommunalpolitik (1919–34), Wien o.J., (Wiener Schriften, Heft 40)

Ders.: Der Wiener Gemeinderat 1918–34, Wien-München 1961 (Wr. Schriften, Bd. 15)

Pelinka, Anton: Kommunalpolitik als Gegenmacht, Das „rote Wien" als Beispiel gesellschaftsverändernder Reformpolitik, in: Karl-Heinz Naßmacher (Hg.): Kommunalpolitik und Sozialdemokratie, Der Beitrag des demokratischen Sozialismus zur kommunalen Selbstverwaltung, Bonn–Bad Godesberg 1977, S. 63–77

Rabinbach, Anson: The Crisis of Austrian Socialism, From Red Vienna to Civil War 1927 – 1934, Chicago–London 1983

Riemer, Hans: Ewiges Wien, Wien 1945

Ronge, Volker (Hg.): Am Staat vorbei, Politik der Selbstverwaltung von Kapital und Arbeit, Frankfurt/Main 1980

Sabik, Karl: Julius Tandler, Mediziner und Sozialreformer – Eine Biographie, Geleitwort Alois Stacher, Wien 1984

Sax, Emil: Die Wohnungszustände der arbeitenden Klassen und ihre Reform, Wien 1869

Schärf, Adolf: Erinnerungen aus meinem Leben, Wien 1963

Scheu, Friedrich: Der Weg ins Ungewisse, Österreichs Schicksalskurve 1929-38, Wien 1972

Schorske, Carl: Fin de siècle Vienna, Politics and Culture, org. New York 1980, (dt. Übersetzung: Wien, Geist und Gesellschaft im fin de siècle, Frankfurt/Main 1982)

Schunk, Almut/Hans-Josef Steinberg: Mit Wahlen und Waffen, Der Weg der österreichischen Sozialdemokratie in die Niederlage, in: Hubert Schwerdtfeger (Hg.): Frieden, Gewalt, Sozialismus – Studien zur Geschichte der sozialistischen Arbeiterbewegung, Stuttgart 1976, S. 461ff

Slezak, Friedrich: Ottakringer Arbeiterkultur an zwei Beispielen, Wien 1982

Speiser, Wolfgang: Paul Speiser und das Rote Wien, Wien–München 1979

Spira, Leopold: Die österreichische Arbeiterbewegung vom Ersten Weltkrieg bis 1927, Wien 1952

Stadler, Karl: Hypothek auf die Zukunft, Die Entstehung der österreichischen Republik 1918–21, Wien–Frankfurt/Main–Zürich 1968

Stern, Josef Luitpold: Der Arbeiter und die Kultur, Wien 1930

Ders.: Klassenkampf und Massenschulung, Wien 1930

Stiefel, Dieter: Arbeitslosigkeit, Soziale, politische und wirtschaftliche Auswirkungen – am Beispiel Österreich 1918–38, Berlin 1979

Strutzmann, Helmut (Hg.): Max Winter, Das schwarze Wienerherz, Sozialreportagen aus dem frühen 20 Jhdt., Wien 1982

Waissenberger, Robert/Karl Mang (Hg.): Zwischenkriegszeit, Wiener Kommunalpolitik 1918 –1938 (Ausstellungskatalog hg. vom Österreichischen Gesellschaftsmuseum), Wien 1980

Weber, Anton: Sozialpolitik und Wohnungswesen, in: Das neue Wiener Städtewerk (hg. unter offizieller Mitwirkung der Gemeinde Wien), Bd. 1, Wien 1926, S. 191–316

Weinzierl Erika/Peter Hofrichter: Österreichische Zeitgeschichte in Bildern, Innsbruck–Wien –München 1968

Weinzierl, Erika/Kurt Skalnik: Österreich 1918–38 (2 Bde.), Graz–Wien–Köln 1983

Weissel, Erwin: Die Ohnmacht des Siegers, Arbeiterschaft und Sozialisierung nach dem Ersten Weltkrieg in Österreich, Wien 1976

Wilhelm, Julius, Abbau der Großstadt, Aufbau der Wirtschaft, Österreichischer Volkswirt 1, (1925/26)

Winkler, Ernst: Die österreichische Sozialdemokratie im Spiegel ihrer Programme, Wien 1971

Wien wirklich, (Stadtführer), Wien 1983

Quelleneditionen, veröffentlichte Dokumente und Sachbücher zur Architektur der Gemeinde- und Siedlungsbauten

Achleitner, Friedrich: Wiener Architektur der Zwischenkriegszeit, Kontinuität, Irritation und Resignation..., in: arch+, Nr. 67, (Aachen) März 1983, S. 50–58

Ders.: Comments on Viennise Architectural History: Motifs and Motivations, Background and Influences, Therapeutic Nihilism, in: Austrian New Wave (Ausstellungskatalog) Katalog Nr. 13, Institute for Architecture & Urban Studies, New York 1980

Aichinger, Hermann/Heinrich Schmid: Wiener Architekten (Bd. 8), Werksmonographie, Wien – Leipzig 1931

Altfahrt, Margit: Anspruch und Wirklichkeit, Realität einer Arbeitslosensiedlung am Beispiel Leopoldau, in: Die Zukunft liegt in der Vergangenheit, Studien zum Siedlungswesen der Zwischenkriegszeit, (Bd. 12), Forschungen und Beiträge zur Wiener Stadtgeschichte, hg. von Felix Czeike, Wien 1983

Architektur in Wien, hg. von der österreichischen Gesellschaft für Architektur, Wien 1984

Aymonino, Carlo: Gli allogi della municipatita di Vienna 1922–1932, Bari 1965

Bach, Tessie: Emil Hoppe, phil. diss. Institut f. Kunstgeschichte, Universität Wien 1974 (unveröffentlicht)

Bauer, Leopold: Wiener Architekten (Bd. 1), Werksmonographie, Wien–Leipzig 1931

Baumeister, Friedrich: Lehrsiedlung Heuberg, in: Der Siedler 1 (1921), S. 91

Benevolo, Leonardo: Die sozialen Ursprünge des modernen Städtebaues, Lehren von gestern, Forderungen von morgen, Bauwelt Fundamente Nr. 29, Gütersloh 1971

Ders.: Die sozialen Ursprünge des modernen Städtebaus, (orig. 1968), Gütersloh 1971

Ders.: Geschichte der Architektur des 19. und 20. Jahrhunderts, 2 Bde. (orig. Bari 1960), München 1964 (Neuauflage: München 1978)

Bobek, Hans/Elisabeth Lichtenberger: Wien – Bauliche Gestalt und Entwicklung seit Mitte des 19. Jhdts., Wien–Graz–Köln 1966

Burckhardt, Lucius: Der Werkbund, Deutschland, Österreich und Schweiz, Stuttgart 1978

Burckhardt, François/Milena Lamarová: Cubismo cecoslovacco, Milano 1982

Dirnhuber, Karl: Wiener Architekten (Bd. 11), Werksmonographie, Vorwort von Max Eisler, Wien–Leipzig 1932

Egli, Ernst: Geschichte des Städtebaus, 3 Bde., bes.: Die neue Zeit, Zürich 1967

Ermers, Max: Stand und Charakter der österreichischen Siedlungsbewegung, in: Der Siedler, (1921), S. 53

Ders.: Festschrift der Siedlung auf dem Rosenhügel, Wien o.J.

Fabri, Gianni: Vienna, in: C. Aymonino, G. Fabri, L. Villa: Le citta capitali del XIX. secolo: I. Parigi e Vienna, Roma 1975, S. 199ff

Festschrift Sandleiten (1928), hg. vom Wiener Stadtbauamt, Wien 1928; (Reprint: Wien 1981, prolegomena 37, Inst. f. Wohnbau, TU–Wien)

Feuerstein, Günter: Vienna, Present and Past (hg. Vienna Tourist Board), Wien 1974

Ders.: Die Architektur von 1918–45, in: Moderne Kunst in Österreich (Austellungskatalog), Wien 1965

Fischl, Paul/Heinz Stiller: Wiener Architekten (Bd. 3), Werksmonographie, Wien–Leipzig 1931

Förster, Wolfgang: Die Wr. Gemeinde- und Genossenschaftssiedlungen vor dem II. Weltkrieg, Arbeiterwohnungsbau und Gartenstadt, diss. techn. TU–Graz 1978 (unveröffentlicht)

Ders.: Die Wr. Arbeitersiedlungsbewegung vor dem II. Weltkrieg, Eine Alternative zum kommunalen Wohnbau, in: Der Aufbau, Nr. 35, Wien 1980, S. 405–410

Ders.: Die Siedlungen der Wiener Baugenossenschaft, in: Stadtbuch–Falter, Wien 1983, S. 89–106

Ders.: Bauen für eine bessere Welt?, Von Frühsozialisten zur Kurzarbeitersiedlung, in: Die Zukunft liegt in der Vergangenheit, Studien zum Siedlungswesen der Zwischenkriegszeit, Bd. 12), Forschungen und Beiträge zur Wiener Stadtgeschichte, Wien 1983

Frank, Josef: Der Volkswohnungspalast, in: Der Aufbau, Heft Nr. 1 (1926), S. 107–111

Ders.: Wiener Werkbundsiedlung, (Broschüre), Wien 1932

Ders.: Architektur als Symbol, Wien 1931, (Neuauflage: Wien 1981)

Fraß, Wilhelm & Rudolf, Wiener Architekten (Bd. 12), Werksmonographie, Wien 1932

Füsser (–Novy), Beatrix: Festung des Fortschritts, Karl Marx-Hof, in: Merian 1, 1981 S. 50–53

Gesiba, Die Stadtrandsiedlung Leopoldau, Ein Bericht, in: österreichische Gemeindezeitung, Nr. 10 (1932), S. 7–8

Zehn Jahre Gesiba, (Sonderheft), Wien 1931

Gessner, Hubert: Wiener Architekten (Bd. 10), Werksmonographie, Wien-Leipzig 1932

Ginsburger, Roger: Warum und wozu Selbstversorgersiedlungen?, in: Die Form, Heft Nr. 6, Wien 1932

Gorsen, Peter: Zur Dialektik des Funktionalismus heute, Das Beispiel des kommunalen Wohnungshauses im Wien der zwanziger Jahre, in: Jürgen Habermas (Hg.): Stichworte zur geistigen Situation der Zeit (Bd. 2), Frankfurt/Main 1979, S. 688–704

Graf, Otto Antonia: Die vergessene Wagner-Schule (Ausstellungskatalog), hg. vom Museum des 20. Jhdts., Wien 1969

Ders.: Otto Wagner, phil. diss, Inst. f. Kunstgeschichte, Universität Wien 1963 (unveröffentlicht)

Gresleri, Guiliano: Josef Hoffmann, Bologna 1981

Haiko, Peter: Die Neue Stadt, Otto Wagner – Utopien werden Realität, in: Kristian Sotriffer (Hg.): Das Größere Österreich, Wien 1983

Haiko, Peter/Mara Reissberger: Die Wohnungsbauten der Gemeinde Wien 1919–1934, in: archithese, Nr. 12 (1974), Niederteufen 1974

Hautmann, Hans/Rudolf Hautmann: Die Gemeindebauten des Roten Wien 1919–1934, Wien 1980

Hoffmann, Robert: Proletarisches Siedeln, Otto Neuraths Engagement für die Wiener Siedlungsbewegung und den Gildensozialismus von 1920 bis 1925, in: Arbeiterbildung in der Zwischenkriegszeit, Otto Neurath – Gerd Arntz, hg. von Friedrich Stadler, Wien – München 1982, S. 140–148

Ders.: Entpolitisierung durch Siedlung? Die Siedlerbewegung in Österreich 1918–1938, in Gerd Botz (Hg.): Bewegung und Klasse, Wien 1978, S. 713–742

Holzmeister, Clemens: Innenkolonisation – Eine Kulturaufgabe, in: Bau- und Werkskunst 8, (1932), Nr. 9, Wien 1932

Hoppe, Emil/Otto Schönthal: Wiener Architekten (Bd. 2), Werksmonographie, Wien – Leipzig 1931

Hösl, Wolfgang/Gottfried Pirhofer: Otto Neurath und der Städtebau, in: Friedrich Stadler (Hg.): Arbeiterbildung in der Zwischenkriegszeit, a.a.O., S. 713–742

Hösl, Wolfgang: Die Anfänge der gemeinnützigen und genossenschaftlichen Bautätigkeit, phil. diss., Universität Wien, Wien 1979

Kainrath, Wilhelm: Politik mit Wohnungen, in: Die Zukunft, Nr. 10 (1980), S. 15–19

Ders.: Die gesellschaftspolitische Bedeutung des kommunalen Wohnbaus im Wien der Zwischenkriegszeit, in: Kommunaler Wohnbau im Wien der Zwischenkriegszeit. Aufbruch 1923 – 1934 – Ausstrahlungen (Ausstellungskatalog), Wien 1978, ohne Seitenzählung

Kampffmeyer, Hans: Siedlung und Kleingarten, Wien 1926

Ders.: Aus der Wiener Siedlerbewegung, in: Der Aufbau 1, (1926), S. 130–133

Ders.: Die Wiener Siedlungsbewegung, in: Schlesisches Heim 3 (1925), S. 139–341

Ders.: Siedlungsbewegung und Gemeinde, in: Die Gemeinde 11, (1923), S. 33–36

Ders.: Die Siedlungsbewegung in Wien, in Der Kampf, Nr. 22 (1922), S. 719–724

Ders.: Die Bedeutung des Siedlungswesens für den Wiederaufbau Deutsch-Österreichs, in: Die Gemeinde 9, (1921), S. 81–85

Ders.: Praktische Ratschläge für die Vorarbeiten für Siedlungen, in: Die Gemeinde 9 (1921), S. 97–101, 117–120

Ders.: Gemeinwirtschaftliche Siedlungsbestrebungen, in: Der Siedler, Heft 1, Wien 1921, S. 3–5

Ders.: Die Siedlungsbewegung in Wien, in: Kommunale Praxis Nr. 48–52, Berlin 1922, S. 719–724

Kapner, Gerhardt: Der Wiener kommunale Wohnbau, Urteile der Zwischen- und Nachkriegszeit, in: Artibus et Historiae, Nr. 1, Venedig 1980

Ders.: Die neuen Burgen und das rote Wien, in: Kristian Sotriffer (Hg.), Das größere Österreich, Geistiges Leben von 1880 bis zur Gegenwart, Wien 1983, S. 250–255

Ders.: Anton Hanak – Kunst- und Künstlerkult, Wien–München 1984

Der Karl Marx-Hof, Festschrift der Gemeinde Wien, Wien o.J. (1930), Neuauflage: prolegomena Nr. 24, Wien 1978 (Inst. f. Wohnbau, TU–Wien)

Karplus, Arnold &Gerhard: Wiener Architekten (Bd. 14), Werksmonographie, Wien–Leipzig 1935

Kaym, Franz/Alfons Hetmanek: Wiener Architekten (Bd. 4), Werksmonographie, Geleitwort
von Arthur Roessler, Wien–Leipzig 1931

Diess.: Wohnstätten für Menschen, heute und morgen, in: Österreichische Bauzeitung, Nr. 9,
(1919), S. 65ff

Knab, Philipp: Die Stadtrandsiedlung Leopoldau, Ein sozialwirtschaftliches Aufbauwerk, in:
Arbeit und Boden, 15. 6. 1933

Kodré, Helfried: Die stilistische Entwicklung der Wiener Gemeindebauten, auszugsweise in:
Der Aufbau, Heft 9, Wien (1964)

Kotas, Robert: Carl Witzmann, Monographie anläßlich seines 50. Geburtstages, Wien 1934

Krammel, Michael: Die Siedlung in Österreich, Eine zeitgemäße Betrachtung zum Problem
der Arbeitsbeschaffung, Wien 1934

Krauss, Karla/Joachim Schlandt: Der Wiener Gemeindewohnungsbau, Ein sozialistisches
Programm, in: Hans Helms/Jörn Jenssen (Hg.): Kapitalistischer Städtebau, Neuwied–
Berlin 1970, S. 113–124

Kulka, Heinrich: Werksmonographie Adolf Loos, Wien 1931 (Neudruck: Wien 1979)

Lihotzky (-Schütte), Margarete: Einiges über die Errichtung österreichischer Häuser unter
besonderer Berücksichtigung der Siedlungsbauten, in: Schlesisches Heim Nr. 2 (1921)

Dies.: Wohnungsbau der zwanziger Jahre in Wien und Frankfurt/Main, in: Michael Andritz-
ky/Gert Selle (Hg.): Lernbereich Wohnen (Bd. 2), Hamburg 1979, S. 314–324

Dies.: Bauen ist nicht das Primäre, Erinnerungen der Architektin Schütte–Lihotzky, Fern-
sehfilm von Gerd Haag, Beatrix Füsser-Novy und Günter Uhlig, BRD 1980

Dies.: Erinnerungen aus dem Widerstand 1938–1945, Hamburg 1985

Loos, Adolf: Sämtliche Schriften, Wien 1962, hg. von Franz Glück; Neuauflage: Wien 1981
1982, 1983, hg. von Adolf Opel

Ders.: Tag der Siedler, in: Neue Freie Presse, Wien (3. 4. 1921)

Mahr, Alexander: Eröffnungsschrift, Die Stadtrandsiedlung, Ihre Bedeutung für die Bekämpfung der Krise und die Sicherung ihres wirtschaftlichen Erfolgs, Wien 1933

Mang, Karl (Hg.): Kommunaler Wohnbau in Wien, Aufbruch – 1923 – 1934 – Ausstrahlungen, (Ausstellungskatalog) Wien 1977; u.a. mit Beiträgen von Hans Wingler, Wilhelm
Kainrath, Karl Mang, etc.

Mauthe, Jörg: Der phantastische Wiener Gemeindebau, in: Alte und moderne Kunst, Vol. 6,
1961

Mayer, Hugo: Die Kleingartensiedlung Rosenhügel, in: Der Siedler, Heft 1 (1921), S. 11–13

Meißl, Gerhard/Renate Schweitzer(-Banik): Industriestadt Wien, die Durchsetzung der industriellen Marktproduktion in der Habsburgerresidenz, Wien 1983 (Forschungen und Beiträge zur Wiener Stadtgeschichte, Bd. 11, hg. von Felix Czeike)

Missing Link (Otto Kapfinger/Adolf Krischanitz): Wiener Studien (Ausstellungsbroschüre),
Museum des XX. Jhdts., Wien 1978

Neubacher, Hermann: Stadtrandsiedlung, in: Österr. Gemeindezeitung, Sonderheft 10, 1933

Neumann, Ludwig: Das Organisationsproblem der österreichischen Siedlerbewegung, in: Der
Aufbau (1926), S. 136–137

Ders.: Das Wohnungswesen in Österreich, Wien 1929

Ders.: Die Stadtrandsiedlung als neuer Weg der Wohnungs- und Sozialpolitik, in: Österreichische Gemeindezeitung, Sonderheft 10, (1933), S. 5–6

Neurath, Otto: Städtebau und Proletariat, in: Der Kampf, Heft 17 (1924), S. 236–342

Ders.: Planmäßige Siedlungs-, Wohnungs- und Kleingartenorganisation, in: Der Siedler, Heft
Nr. 6, (1921)

Ders.: Österreichs Kleingärtner- und Siedlerorganisation, Wien 1923

Ders.: Rationalismus, Arbeiterschaft und Baugestaltung, in: Der Aufbau, Heft 4 (1926)

Ders.: Die österreichische Siedlungsbewegung, in: Neue Freie Presse vom 19. 4. 1921

Nierhaus, Bi: Viele, viele Küchen, Das Ziel des Neuen Bauens der 20er Jahre anhand der „Frankfurter Küche", in: Kunststoff, Nr. 1 (Mai 1983), Wien, S. 32–33

Novy, Klaus: Sozialisierung von unten, Überlegungen zur vergessenen Gemeinwirtschaft im Roten Wien von 1918–1934, in: Mehrwert, Beiträge zur Kritik der politischen Ökonomie Nr. 19 (1979), S. 45–90

Ders.: Strategien der Sozialisierung, Die Diskussion der Wirtschaftsreform in der Weimarer Republik, Frankfurt/Main–New York 1978

Ders.: Alternative Ökonomie – Vorwärts oder Rückwärts, Anmerkungen zur Geschichte eines aktuellen Phänomens, in: F. Benseler,/R. Heinze/A. Klönne (Hg.): Sammelband der Alternativbewegung, o.J. (1981)

Ders.: Die Wiener Siedlerbewegung 1918–34, (Ausstellungsheft), RWTH–Aachen o.J. (1981)

Ders.: Selbsthilfe als Reformbewegung, Der Kampf der Wiener Siedler nach dem Ersten Weltkrieg, in: arch+, Heft Nr. 55, Aachen (Feb. 1981), S. 26–40

Ders.: Die Pioniere vom Rosenhügel, Zur wirklichen Revolution des Arbeiterwohnens durch die Wiener Siedler, in: Umbau (Wien) Nr. 4, (Mai 1981), S. 45–60

Ders.: Genossenschaftsbewegung, Zur Geschichte und Zukunft der Wohnreform, Berlin 1983, bes. darin S. 22–58

Novy, Klaus/Günther Uhlig: Wirtschaftsarchäologische Bemühungen zur Vielfalt verschütteter Formen der Gegenökonomie, in: H. J. Wagner (Hg.): Demokratisierung der Wirtschaft, Möglichkeiten und Grenzen im Kapitalismus, Frankfurt/Main–New York 1980

Pirhofer, Gottfried: Der Beitrag der Großwohnanlagen der Ersten Republik zu einer neuen Architektur des Massenwohnbaus (Projektabschlußbericht für das Bundesministerium für Wissenschaft und Forschung), Wien 1978

Ders.: Linien der kulturpolitischen Auseinandersetzung in der Geschichte des Wiener Arbeiterwohnungsbaus, in: Wiener Geschichtsblätter 33 (1978), S. 1–23

Ders.: Probleme der Modernisierung innerstädtischer Arbeiterquartiere am Beispiel der kommunalen Wohnbauten der Zwischenkriegszeit, Manuskript, Wien 1980

Ders.: Gemeinschaftshaus und Massenwohnungsbau, in: Transparent 3/4, Wien 1977, S. 38ff

Pirhofer, Gottfried/Günther Uhlig: Selbsthilfe und Wohnungsbau in der Periode der Integration (50er Jahre) und des Lagers (20er Jahre), in: arch+, Nr. 33, (1977), S. 4–11

Poppovits, Cäsar: Wiener Architekten (Bd. 7), Werksmonographie, Wien–Leipzig 1931

Posch, Wilfried: Die Wiener Gartenstadtbewegung, Reformversuch zwischen erster und zweiter Gründerzeit, Wien 1981, (Urbanistica Nr. 1)

Ders.: Die Gartenstadtbewegung in Wien, Persönlichkeiten, Ziele, Erfolge und Mißerfolge, in: Sonderdruck Bauforum Nr. 77/78, Wien 1980, ohne Seitenzählung

Ders.: Lebensraum Wien, Die Beziehung zwischen Politik und Stadtplanung 1918–54, diss. techn., TU–Graz (unveröffentlicht)

Pozzetto, Marco: Die Schule Otto Wagners 1892–1912, (org.: Trieste 1979), Wien 1980

Reichl, Fritz,: Wiener Architekten (Bd. 13), Werksmonographie mit einem Vorwort von Max Eisler, Wien–Leipzig 1932

Richter, Hans: Die Bedeutung und Notwendigkeit der Stadtrandsiedlung, in: Die Bau- und Werkkunst Nr. 9 (1932), Wien 1932

Rossi, Aldo: Die Architektur der Stadt, (orig.: L'architettura della citta, Roma 1966), Düsseldorf 1973

Rukschcio, Burkhardt/Roland Schachel: Adolf Loos, Leben und Werk (Monographie), Salzburg 1982, bes. darin S. 229–232; 235–246

Sandkühler, Hans-Jörg/Rafael de la Vega (Hg.): Austromarxismus, Texte zu Ideologie und Klassenkampf von Otto Bauer, Max Adler, Karl Renner etc., Frankfurt/Main–Wien 1970

Schacherl, Franz: Das österreichische Siedlungshaus, Sparbauweise, in: Der Aufbau, Nr. 1 (1926), S. 21–25

Schlandt, Joachim: Die Wiener Superblocks (Veröffentlichung des Lehrstuhls für Entwerfen VIan der der TU–Berlin, Nr. 23), Berlin 1969 (mit einem Vorwort von O. M. Ungers)
Schuster, Franz: Der Zusammenbruch der Kunst, in: Der Aufbau 11 (1926)
Ders.: Von der Notwendigkeit einer Baugesinnung, in: Der Aufbau, Heft 2 (1926)
Ders.: Das österreichische Siedlungshaus, Lageplan der Siedlung, in: Der Aufbau, Heft 1, (1926), S. 36–41)
Ders.: Eine eingerichtete Kleinstwohnung, Frankfurt/Main 1927
Ders.: Die Siedlung „Am Wasserturm", in: Der Aufbau, Heft 1 (1926), S. 152–159
Ders.: Der Bau von Kleinstwohnungen mit tragbaren Mieten (Bericht zum Städtebaukongreß Berlin) Stuttgart 1931
Schuster, Franz/Franz Schacherl: Proletarische Architektur?, in: Der Kampf, Nr. 12 (1925)
Schweitzer, Renate: Die Entwicklung Favoritens zum Arbeiterbezirk, in: Wiener Geschichtsblätter 1974/4, S. 253–384
Dies.: Der staatlich geförderte, der kommunale und der gemeinnützige Wohnungs- und Siedlungsbau in Österreich bis 1945, diss. techn. TU Wien 1972 (unveröffentlicht)
Dies.: Entwicklung des kommunalen Wohnbaus bis 1934, in: Berichte zur Raumforschung und Raumplanung, Wien 1973
Dies.: Der Generalregulierungsplan für Wien (1883–1920), Berichte zur Raumforschung und Raumplanung, Nr. 14, Heft 6, (1970), S. 23ff
Seda, Anton: Entwicklung des sozialen Wohnbaus der Stadt Wien in den letzten 50 Jahren, in: der Aufbau, Heft 9/10 (1972)
Sekler, Eduard F.: Josef Hoffmann, Das architektonische Werk, Salzburg 1982
Sitte, Camillo: Der Städtebau nach seinen künstlerischen Grundsätzen, (1889), Wien 1901 Nachdruck der II. Auflage mit einem Vorwort von Rudolf Wurzer, Wien 1965
Sommer, Herbert: Franz Schuster (Ausstellungskatalog, hg. von der Hochschule für angewandte Kunst), Wien 1976
Stadlinger, Ursula: Leopold Bauer, phil. diss., Inst. f. Kunstgeschichte, Universität Wien, 1974
Steiner, Hedwig: Anton Hanak, Werk–Mensch–Leben, München 1969
Stekl, Hannes: Österreichs Zucht- und Arbeitshäuser 1671–1920, in: Sozial- und Wirtschaftshistorische Studien, Bd. 12, Wien 1978
Tabor, Jan: Die erneute Vision, Die Wiener Werkbundsiedlung 1924 (?) –1984, in: Reflexionen und Aphorismen zur österreichischen Architektur, hg. von Viktor Hufnagl, Bundesingenierskammer, Wien 1984, S. 346–352
Ders.: Hubert Gessner, Der Architekt des Herzens, in: Wien aktuell, Heft VI/1983, S. 29ff
Ders.: Robert Oerley, Die wohlgestaltete Selbstverständlichkeit, in Wien aktuell, II/1985, S. 29–31
Ders.: Rudolf Fraß, Zwischen den Extremen, in: Wien aktuell, Heft II/1984, S. 25–27
Ders.: Leopold Bauer, Der unsichere Boden der Tradition, Das Geschrei der toten Dinge, in: Wien aktuell, Heft V,VI/1984, S. 23–29
Ders.: Siegfried Theiß/Hans Jaksch, Die Kunst der Anpassung, in: Wien aktuell, I/1985, S. 29–31
Ders.: Ernst Lichtblau, Die Suche nach exakter Bestimmtheit, Wien aktuell, Heft III/1985, S. 29–31
Tafuri, Manfredo et. al.: Vienna Rossa, La politica residenziale nella Vienna socialista 1919 –1933, Mailand 1980 (Ausstellungskatalog der Biennale–Venedig)
Tafuri, Manfredo/Francesco dal Co: Die Architektur des 20. Jahrhunderts, (orig. Milano 1975), dt. Stuttgart 1977
Uhl, Ottokar: Moderne Architektur in Wien, Wien 1966, S. 45–88
Uhlig, Günther: Einküchenhaus, Ein Kollektivmodell, Gießen 1981 (aus der Reihe: Werkbund Archiv 6), S. 40–47
Ders.: Sozialisierung und Rationalisierung im „Neuen Bauen", in: arch+ Heft 45 (1979), S. 5–8
Ders.: Margarete Schütte-Lihotzky zum 85. Geburtstag, Textkollagen aus und zu ihrem Werk, in: Umbau Nr. 5, Wien (1981), S. 27–36

Uhlig,Günther/Klaus Novy: Die Wiener Siedlerbewegung 1918–34, Fotodokumentation zum konsequenten Beispiel genossenschaftlicher Selbsthilfe im Wohnungskampf nach dem Ersten Weltkrieg (Ausstellungheft), Aachen 1981 (2)

Umrath, Heinz: Arbeiterbewegung und Wohnungsbau in Europa, Brüssel 1953

Ungers, O. M./Joachim Schlandt: Die Wiener Superblocks, TU–Berlin, Lehrstuhl für Entwerfen VI., Heft 23, TU–Berlin 1969

Wagner, Martin: Die internationale Baugildenbewegung, in: IGWB 3 (1923), S. 97–105

Ders.: Das wachsende Haus, Ein Beitrag zur Lösung der städtischen Wohnungsfrage, Berlin 1932

Wagner, Otto: Erläuterungsbericht zum Entwurf für einen General-Regulierungsplan über das gesamte Gemeindegebiet von Wien mit dem Kennwort „Artis sola domina necessitas" in: Zeitschrift Österr. Arch. und. Ingenieursvereinigung, 1984, S. 128ff

Ders.: Moderne Architektur, Wien 1896

Ders.: Die Großstadt, Wien 1911

Ders.: Die Baukunst unserer Zeit, Wien 1914 (Nachdruck der IV. Auflage Wien 1979)

Wagner–Rieger, Renate: Wiens Architektur im 19. Jahrhundert, Wien 1970

Waissenberger, Robert: Die historische Entwicklung der Wiener Gemeindebauten, in: Kommunalpolitik in der Zwischenkriegszeit (Ausstellungskatalog), Wien 1980, S. 24–35

Wangerin, Gerda/Gerhard Weiss: Heinrich Tessenow, Ein Baumeister 1876 – 1950, Leben, Lehre, Werk (Monographie), Essen 1976

Weihsmann, Helmut: Rotes Wien – Red Vienna (zweisprachiger Architekturführer, Sachinformationen und Farbdias), Wien 1980, Ars Nova-Media-Historia 2

Ders.: Wiener Moderne 1910–1938, Wien 1983, Ars Nova-Media-Historia 9

Ders.: Die Roten im Grünen, Die Wiener Siedlerbewegung, in: Wien wirklich, Wien 1983

Ders.: Die Gärten des Proletariats, Die „Rot-Grüne" Wiener Siedlerbewegung 1918–34, Wien 1984, Ars Nova-Media-Historia 10

Weihsmann, Helmut/Josef Ehmer: Das Rote Wien, in: Wien wirklich, Wien 1983, S. 254ff

Weiser, Armand: Clemens Holzmeister, Berlin–Leipzig–Wien 1927

Weiser, Armand: Arbeiter- und Erwerbslosensiedlungsprobleme von heute, in: Die Bau- und Werkkunst 8 (1932), Nr. 5, Wien 1932

Westen, Peter: Entwurf eines Rahmenprogramms für die Siedlungsaktion, in: Der Siedler, Wien 1921, S. 5–7

Wien aktuell, Heft VIII/IX (1978): Nicht nur ein Haus: Der Karl Marx-Hof, S. 6–8

Wilhelm, Julius: Innere Kolonisation, in: Der Aufbau, September 1926

Das Neue Wien, Städtewerk (Bde. 1–3), hg. unter offizieller Mitwirkung der Gemeinde Wien, Wien 1926

Wohnhausbauten der Gemeinde Wien, Wien o.J. (2. Auflage: 1929)

Die Wohnungspolitik der Gemeinde Wien, Ein Überblick über die Tätigkeit der Stadt Wien seit dem Kriegsende zur Bekämpfung der Wohnungsnot und zur Hebung der Wohnkultur, Wien 1926

Worbs, Dieter: Die Wiener Arbeiterterrassenhäuser von Adolf Loos 1923, in: Bergius Archiv, Jahrbuch 4, S. 118–134

Ders.: Zu den Siedlungen von Loos, Seine Zusammenarbeit mit der Siedlerbewegung, in: Bauwelt, Nr. 72, Heft 42, Berlin 1981, S. 1898–1902

Ders.: Die Wiener Siedlerbewegung und die Siedlungen von Loos in Wien, in: archithese Nr. 12, Niedertreffen 1982

Wulz, Fritz: Stadt in Veränderung, Eine architektur-politische Studie von Wien in den Jahren 1848–1934 (Bd. 2), Stockholm 1976 (3), bes. Bd. 2: 1918–34

Benutzte Zeitschriften

Arbeiter-Zeitung, Der Aufbau (1924–32), Bau- und Werkkunst (1924–32), Die Form (1924 –1929), Österreichische Bau- und Werkkunst (1924–27), Österreichische Kunst (1929–44), Neue Freie Presse, Profil (1933–37), Die Wohnung (1930–40), Kunst und Aufbau (1929-1944), Deutsche Baukunst (1933–37), Der Baumeister, Eröffnungsschriften zu den einzelnen Gemeindebauten u.a.

Personenregister

Kursive Ziffern verweisen auf Abbildungen
Die in den Anmerkungen und in der Bibliographie aufgeführten Personen wurden
hier nicht berücksichtigt.

397

Bildnachweis und Quellenverzeichnis

Wiener Landes- und Stadtbibliothek: S. 18 (unten), 42, 44
Pressestelle der Stadt Wien (Bilderdienst): S.21, 58, 198, 269 (unten), 304 (links)
Archiv GESIBA, Wien: S. 265, 267, 268, 275, 276
BMf. Luftfahrt, Wien: S. 252 (unten), 280 (oben), 310 (unten). Foto: Bildstelle Alpenland
Siedlungsgenossenschaft Flötzersteig, Wien: S. 333
Österreichische Gesellschaft und Wirtschaftsmuseum, Wien: S. 31, 54
Institut für Kunstgeschichte, Universität Wien: S. 104
Otto Wagner Archiv, Museum der Stadt Wien: S. 100, 101, 152 (links)
Dokumentationsarchiv des österreichischen Widerstands, Wien: S. 174
Kartenvorlagen S. 191, 215, 227, 240, 247, 253, 262, 263, 277, 289, 303, 317, 331, 343 wurden nach Vorlagen
    der MA 41 von Ing. Peter Hiesberger hergestellt und mit Genehmigung wiederverwendet.
MA 41 (Stadtvermessung), Wien: 126, 208, 319
Fritz Sauer, Wien: S. 337
Foto Gerlach: S. 45 (unten), 146
Die eingerichtete Kleinstwohnung, Frankfurt/Main: S. 46
Gerd Keintzel, Wien: S. 158
Affairs Culturelles, Ville de Villeurbanne: S. 163, 165
Ars Nova Medienverlag und Bildagentur, Wien: S. 69 (links), 95, 149, 217 (oben), 220, 239, 255 (unten), 288,
    293, 299, 300, 304 (rechts), 305, 307 (unten), 316, 330, 334, 356
Österreichische Nationalbibliothek (Bildarchiv), Wien: S. 114, 119, 123, 134, 142, 152 (rechts), 179, 197, 212,
    213, 219, 229, 230 (oben), 234, 235, 248, 255 (oben), 257 (unten), 258 (unten), 269 (oben), 280 (unten),
    294 (oben), 297 (oben), 310 (oben), 311 (unten), 313 (oben), 314 (unten/oben), 320 (oben), 326 (unten),
    342 (rechts), 345, 346, 352 (oben/unten), 353 (oben), 357, 359, 360
Archiv des Autors: S. 11, 16, 18 (oben), 23, 29, 32, 34, 37, 38, 43, 45 (oben), 47, 59, 77, 97, 98, 127, 128, 129,
    153, 155, 160, 161, 167, 168, 176, 180, 181, 183, 194, 196, 200, 201, 202, 203, 204, 205, 206, 207, 209,
    211, 214, 216, 217 (unten), 218, 221, 222, 224, 225, 226, 230 (unten), 231, 232, 236, 237, 238, 241, 242,
    243, 244, 245, 246, 249, 250, 251, 252 (oben), 254, 256, 257, (oben), 258 (oben), 259, 260, 261, 270, 271,
    273, 278, 279, 282, 283, 284, 285, 286, 287, 290, 291, 294, 296, 297, 298, 301, 302, 306, 307 (oben), 309
    (oben), 312, 315, 318, 320 (unten), 321, 322, 323, 324, 325, 326 (oben), 327, 328, 332, 334, 336, 338, 339,
    340, 342 (links), 354, 355, 358, 359 (oben), 361, 362
Zeichnungen nach Vorlagen des Autors: S. 50, 51 (oben/unten), 52, 57, 69 (rechts), 72, 74, 76, 83, 85, 87, 88,
    89, 91, 113, 140, 295, 309 (unten), 311 (oben), 313 (unten), 335, 348, 349, 350, 351, 353 (unten)

Helmut Weihsmann

geboren 1950 in Wien. Architekturstudium in Wien, Kommunikationswissenschaften in
Villetaneuse. Architekturhistoriker, Redakteur eines Verlages und freier Mitarbeiter
mehrerer Fachzeitschriften. Seit 1978 erschienen zahlreiche Veröffentlichungen über
Kultur- und Architekturphänomene der Gegenwart, darunter Ausstellungskataloge „Alter-
native Architektur" (Wien 1978), „Street Art USA" (Wien 1980) und als Co-Autor „Wand-
malerei: Zwischen Reklamekunst, Phantasie und Protest" (Köln 1982).
Als Ergebnis seiner Interessen und Arbeiten veröffentlichte er unter anderem: „Utopische
Architektur" (Wien 1982), „Monster am Highway: Die Architektur der Zeichen" (Frank-
furt/Main 1983), diverse Kataloge zu „Rotes Wien" und einen Architekturführer zur Wiener
Architektur der Zwischenkriegszeit. Lebt in Wien.

Farbdiamappen zum Roten Wien

Als Ergänzung zum Buch bieten wir exklusive Farbdiaserien an, die wir besonders für Schulen, Universitäten und Erwachsenenbildung zusammengestellt haben. Damit können Sie die Eindrücke Ihrer selbstgemachten Führungen und Rundgänge erweitern und intensivieren – durch zusätzliches Anschauungsmaterial und Hintergrundinformationen.

Rotes Wien: Kommunaler Wohnbau in der Zwischenkriegszeit

Die Gemeindebauten und das Reformprogramm des Roten Wien sind konkrete Ausdrücke des Austromarxismus und der Sozialdemokratie in Städteplanung wie Wohnbaupolitik. Zwischen den Kriegen wurden über 65.000 Wohnungen für Arbeiter und deren Familien als Teil des großen sozialen Reformprogramms unter den sozialdemokratischen Bürgermeistern gebaut. Es vollzog sich jenes beispielhafte Aufbauwerk, das die politische wie architektonische Bewunderung der ganzen Welt erregte. Hochragendes Pathos, überdimensionale Einfahrten vermitteln einen Eindruck, der in seiner Monumentalität dem Machtanspruch der Arbeiterklasse entspricht.
24 Farbdias, Sachanalyse, Verbauungspläne, Lagepläne und zweisprachiges (Deutsch/Englisch) Textheft mit Bildlegenden, Sachteil und Literaturangaben.

Best. Nr. ANH–2   öS 398,–/DM 55,–

Die Gärten des Proletariats: Die „Rot-Grüne" Wiener Siedlerbewegung

Gerade in Wien verwandelte sich die kleinbürgerlich-besitzindividualistische „Kleingärtner- und Gartenstadtbewegung" in eine sozialistisch-kollektive Genossenschaftsbewegung mit sozialreformatorischem Anspruch und Zielsetzung. Diese Diaserie setzt sich in besonderer Weise mit der Entstehungs- und Anfangsgeschichte der bahnbrechenden Genossenschaftsbewegung als Antithese zum Massenwohnbau auseinander. So liefert das Rote Wien gleichzeitig zwei Beispiele von konkurrierenden Idealformen sozialistischer Wohn- und Baukultur, nämlich die vorstädtische Genossenschaftssiedlung und das mehrgeschossige, städtische Arbeiterwohnhaus. Die Dokumentation erinnert wieder an fast vergessene Wohnreformen, Wohnungs- Siedlungsbau; eine Reihe von Siedlungen von zum Teil prominenten Architekten werden vorgestellt.
24 Farbdias, Sachinformationen (Deutsch/Englisch), zahlreiche historische s/w-Abbildungen, Literaturliste und Einzelanalyse.

Best. Nr. AHN–10   öS 398,–/DM 55,–

Alle Serien mit 24 erstklassigen Farbdias mit einem didaktisch-orientierten Begleitheft in stabiler PVC-Sichthülle und praktischem DIN A5-Format. Interessenten: Schulen, Pädagogische Hochschulen, Bauschulen, Volkshochschulen, Institute, Bibliotheken, Architekten, Historiker, Museumspädagogen; geeignet für ästhetische Erziehung, visuelle Kommunikation in Verbindung mit Gestaltungsfächern, politischem Unterricht und Sozialkunde.

Bildprospekt und Bestellungen direkt beim Verlag.

Ars Nova Medienverlag
Schlagergasse 5
A-1090 Wien
Telefon: 42 86 554.

Ars Nova Media